Willkomm

MW01031975

Studies in German Literature, Linguistics, and Culture

Willkommen und Abschied

Thirty-Five Years of German Writers-in-Residence at Oberlin College

Edited by
Dorothea Kaufmann and
Heidi Thomann Tewarson

CAMDEN HOUSE

First published 2005
by Camden House

Camden House is an imprint of Boydell & Brewer Inc.
668 Mt. Hope Avenue, Rochester, NY 14620, USA
www.camden-house.com
and of Boydell & Brewer Limited
PO Box 9, Woodbridge, Suffolk IP12 3DF, UK
www.boydellandbrewer.com

ISBN: 1–57113–315–1 (Hardcover)
ISBN: 1–57113–329–1 (Paperback)

Library of Congress Cataloging-in-Publication Data

Willkommen und Abschied: thirty-five years of German writers-in-residence at
    Oberlin College/edited by Dorothea Kaufmann and Heidi Thomann
    Tewarson.
        p. cm. (Studies in German literature, linguistics, and culture)
    Includes bibliographical references and index.
    ISBN 1–57113–315–1 (hardcover : alk. paper)
        1. German literature—20th century.   2. German literature—
    21st century.   3. Oberlin College. Max Kade Writer-in-Residence
    Program—History.   4. Authors, German—20th century.
    5. Authors, German—21st century.   6. Creative writing (Higher educa-
    tion—United States.   7. Oberlin (Ohio)—In literature. I. Kaufmann,
    Dorothea, 1953– II. Tewarson, Heidi Thomann. III. Studies in German
    literature, linguistics, and culture (Unnumbered)

PT1101.W55 2005
830.9′00914–dc22

                                                                    2005015855

A catalogue record for this title is available from the British Library.

This publication is printed on acid-free paper.
Printed in the United States of America.

Contents

Foreword

THE IDEA FOR THIS VOLUME originated with Undine Griebel, a visiting faculty member in our department from 2001 through 2003. She was intrigued by the list of outstanding authors who had taken up temporary residence in a small Ohio college town in order to begin new and often unfamiliar academic and personal routines. One by one, she contacted our former writer-colleagues, inquiring about their activities since Oberlin and how they remembered their stay among us. Her inquiries were facilitated by our file of brochures on each writer. Prepared toward the end of a writer's Oberlin tenure, each brochure announced the concluding event, which was the author's public reading from his or her work. The individual brochures provided information about the author's life and work, activities while in Oberlin, and a list of his or her publications.

Understandably, not all of our authors were ready or able to recall this chapter of their lives, which for some may have seemed quite distant. But most obliged, and promptly sent us texts that are in one way or another related to Oberlin. The response from so many of our authors and the many fascinating contributions, both original and published, were such that we began to think of publishing them in book form.

Our plan has now been realized through the collective efforts of all the members of the German Department. Undine Griebel, Dorothea Kaufmann, and Heidi Thomann Tewarson contributed energy, imagination, and devotion without which this volume would not have reached fruition. Steven R. Huff and Elizabeth C. Hamilton added their ideas and enthusiasm and also wrote sections on individual authors. Michele Ricci, our Mellon Postdoctoral Fellow, similarly helped to bring the project along. We are grateful to our emeritus colleague Sidney Rosenfeld for frequent advice, and also to our — by now former — students, Gabriel Cooper, Robin Ellis, and Alison Dennis, for their good work in researching several of the authors. Their participation was made possible by two Oberlin College faculty-student research grants. Above all, we owe warm thanks to all our former writers who have so generously sent us their contributions and patiently answered our queries. We also would like to express our special appreciation to Susanne Hochwälder, Christine Becker, and Eva Hofmann for their help in locating and sending us materials and information about their deceased husbands.

Various offices, institutions and persons have contributed financially toward the publication of this book. For their generous support and encouragement, we thank Jeff Witmer, Acting Dean of Arts and Sciences at Oberlin College, Dr. Lya Friedrich Pfeifer, President of the Max Kade Foundation (New York), and the Trust for Mutual Understanding. We also thank our many alumni and friends for their gifts in recent years and mention here especially Professor Emeritus Charles Hoffmann, Professor David H. Chisholm, Ferdinand Protzman, Professor Eric L. Santner, Professor Peter U. and Suzanne Beicken, Katherine White Miller, Barbara Walter Murtagh, Mona Rena Reinhardt, Constance G. Schwarzkopf, and Thomas Ray Thornton. We trust that they will be pleased to see their donations applied to this project.

Finally, our special and warm thanks go to Renee Hales, administrative assistant of the Department of German Language and Literatures, for her untiring and expert help with scanning, formatting, and other computer-related matters. Her calm efficiency has in so many ways made this sometimes unwieldy project possible.

Introduction

THIS BOOK BRINGS TOGETHER thirty-five German-language writers of quite varied backgrounds who nonetheless share the common experience that underlies this retrospective volume. All were writers-in-residence at Oberlin College. Annually since 1968, Oberlin's German Department has invited a distinguished writer from Germany (before 1989 East and West Germany), Austria, or Switzerland for a semester of teaching, writing, and a public reading. For each author who joined the Oberlin community, the experience was different. Each was met and welcomed by his or her own group of students, and each became attentive to different issues on campus and the larger American political, cultural, social, and even geographical landscape. And, although the German Department faculty remained fairly stable, it too changed over time, as the gradual disappearance of certain names and the appearance of others indicate. The writer-in-residence program, although well established, begins anew with each arriving author. The unique and diverse impressions with which each author returned home are reflected in the great variety of contributions sent to us and featured in this volume.

Some of the contributions were written in Oberlin and reflect the authors' thoughts and observations of that time, while others describe the college and the town and its surroundings, or incorporate them into a literary work as its setting. Many contributions were new, of a personal nature and written expressly for this occasion. We received stories, excerpts from novels, newspaper reports, interviews, memoirs, diary entries, poems, essays on poetics, and letters. Letters were indeed a favorite way of responding; this genre seemed best suited to express the often very personal effect the Oberlin visit had on an author. In one case, that of poet Johannes Schenk, we received a series of nostalgic letters written from the famous artist colony Worspwede, where he lives and works in two circus wagons. A few writers, including Anna Mitgutsch, Hanna Johannsen, Gert Loschütz, and Karl-Heinz Jakobs, are represented by essays on fundamental issues of writing presented at the conclusion of their stay.

This heterogeneous collection offers a surprisingly comprehensive image of Oberlin — the town, the college, its people, even its flora and fauna — from various points of view. It also tells about the writers' psychological disposition, their first teaching experiences, love affairs, attitudes towards American history and politics, and their newly critical and distanced views of their own countries. The contributions in some cases also provide insight into an author's writing process. Through Gernot Wolfgruber's unpublished diary entries, for example, we witness his desperate and ultimately unsuccessful attempts to start a novel in Oberlin. Jürg Amann came to Oberlin intending to write a novel about America. When he left, he admitted that he could no longer write it, as life had overtaken his plans for the novel. In view of the "real" America, he decided against writing the book and in favor of experiencing life, as if the two excluded each other. On the other hand, Gert Hofmann seems to have been free of such dilemmas and so obsessed with writing that his widow remarked that for him life *was* writing.

Without our intending it, our texts are interconnected. Some reflect on similar themes and concerns. Additionally, the authors frequently refer to or write about or to each other. As a result, the book as a whole has become much more than the sum of its single contributions. Finally, this book recalls moments of the last thirty-five years of European history — seen from a little town in Ohio, a town which has, as this book will also reveal, clearly changed as well as remained the same.

In view of its long tradition, the history of this unique program merits recalling. In the academic year 1967/68, the German Department at Oberlin College hosted Swiss-born author Kuno Raeber as its first Max Kade German Writer-in-Residence. With this invitation, the Department became the first in the United States to inaugurate such a program—one that it has maintained to the present. It was made possible through the humanitarian vision and generosity of the Max Kade Foundation in New York and the adroit leadership of German Department head Professor John W. Kurtz (1906–1984). During a visit to New York, Professor Kurtz met with the German-born philanthropist Max Kade (1882–1967), who had dedicated his pharmaceutical fortune, earned in America, to fostering scholarly and scientific cooperation between institutions in the U.S.A. and Germany. On this occasion, Professor Kurtz outlined to Max Kade a program that, in new ways, would benefit Oberlin students as well as the department's annual guest writer. Students would reap the rewards from weekly colloquia focused on the writer's own work, from readings and classroom visits, translation projects, shared meals at German House, and informal contacts of still other kinds. Since the only duties that were obligatory for each writer-in-residence were participating in the colloquia and in a public event toward the end of the ten-week stay, they were assured ample time and leisure to pursue their own writing. Indeed, more than a few major manuscripts were either launched or completed in Oberlin, soon to find their German readership.

Of the many writers that followed Kuno Raeber, all have been authors of note, their reputations built on a substantial body of critically acclaimed work. Some were in the prime of their careers, having achieved renown before coming to Oberlin. Others were soon to fulfill the promise that their early production had awakened. As the record from 1968 until today indicates, we aimed to invite writers of recognized achievement as well as writers whose budding careers we could promote. We aimed for a program that would span the broadest spectrum of the literary landscape.

Quite by chance, our efforts at diversity got off to an unusual start. The Swiss writer Kuno Raeber had pointedly chosen to make his home in Munich, in still-divided Germany, while his successor, Fritz Hochwälder, an Austrian, had been uprooted from his native Vienna by Hitler and lived the rest of his life in Switzerland. Four years later, in 1973, Helga Novak became the first of a remarkable series of writers who had either begun their careers in the GDR and then managed to settle in West Germany, or who—like Christa Wolf (1974) and Ulrich Plenzdorf (1975)—came to Oberlin directly from the East. In the long period leading up to German unification, more than a few of our guests from East Germany helped shape developments of both literary and political consequence there. The story of Helga Schütz's twice-denied visa from the GDR is illustrative of the obstacles some writers had to confront and overcome before reaching Oberlin.

While our list of guest authors attests to an immensely successful program, it does not reveal the efforts that lay behind each year's good outcome. Hidden from view are the department's long, often intricate deliberations, the sometimes exhilarating, sometimes anxious transatlantic consultations with our candidates, and the varied ups and downs of fortune. Every invitation has had its own story. The number of writers who were eager to visit Oberlin but were compelled by circumstances to decline is large. It was scarcely for lack of trying, for example, that the first two decades of the program show a paucity of women authors, an imbalance that we only began to offset in the years that followed. While, proportionately, Austria and Switzerland have been well represented, with Richard Wagner and Werner Söllner we brought to Oberlin two of the small but remarkable group of German-language writers who in the 1980s were able to emigrate to the Federal Republic from communist Romania. Beginning in the 1990s, our guest authors began to reflect the changing literary landscape in Germany and Austria. Anna Mitgutsch, Doron Rabinovici, and Peter Stephan Jungk are representative of the new, young generation of German-Jewish writers, while Zafer Şenocak is one of the most exciting German-Turkish authors of novels, poetry, and political essays. Russian-born Irina Liebmann, who grew up in East Berlin and moved to the West in 1988, provides yet another perspective on the multifaceted aspects of German literature and the upheavals of twentieth-century European history. The works of these younger authors show a cosmopolitan way of being in the world and the increasingly multicultural character of the societies in which they live.

The book is organized chronologically from 1968 to 2003. The section on each author is divided into four parts. First is the brochure written and compiled by members of the faculty and students at the time of the author's visit, followed by biographical information since that visit.[1] Next is the author's new contribution relating to Oberlin, whether written expressly for this book or taken from previously published work. Last there is an updated bibliography of the writer's works, including translations into English.

Willkommen und Abschied — the title of Goethe's poem seemed to us to convey aptly the spirit of this volume. The contributions are informed by reactions, insights, and memories that range from the profound and consequential to the charmingly mundane. We thus read about living and writing between "Welcome and Farewell," about the dislocations of culture shock and the delight in robins and white squirrels, as well as about major political events and seemingly minor personal encounters.

Dorothea Kaufmann   Heidi Thomann Tewarson
Faculty-in-Residence (2003–)   Professor and Chair

---

[1] In order to preserve their documentary character, the brochures are reproduced in their original form, with only minor editing when it was absolutely necessary.

Kuno Raeber, 1968.
Photo: Scaneg Verlag München.

Kuno Raeber   1968

*T*HE SWISS POET, NOVELIST, ESSAYIST, *and dramatist Kuno Raeber was the first guest author to come to Oberlin. His title was Max Kade Visiting Lecturer in German and in that capacity he joined the regular faculty in teaching German language and literature courses. During this first year of the program, the position and obligations of the guest author were not yet clearly defined. Kuno Raeber was instrumental in further shaping the program, which, beginning in the second year, took on the form it was to have more or less up to the present. This meant that the guest author's tasks entailed teaching a seminar that focused on his or her own work and giving a reading or lecture at the end of his or her stay. The second year also saw the publication of the first accompanying brochure, which provided information on the author's life and work. Since no such brochure exists for Kuno Raeber, we, the editors, provide a brief biographical sketch.*

Kuno Raeber was born in 1922 in Klingnau (Aargau) and grew up in Lucerne. He studied history, literature, and philosophy in Basel, Zurich, Geneva, and Paris, receiving a Ph.D. in history in 1950. In 1958 Raeber moved to Munich, where he spent most of his life. He left Munich to initiate Oberlin's Writer-in-Residence program in 1967/68, and again in 1977/78, when he lived in Rome as a member of the Swiss Institute there.

He was awarded the following prizes: the Ehrengabe der Bayerischen Akademie der Schönen Künste (1968); the Turkanpreis der Stadt München (1973); the Luzerner Literaturpreis (1979); the Preis der Schweizerischen Schillerstiftung (1989); and the Kunstpreis der Stadt Luzern (1991).

Kuno Raeber died in 1992 in Basel after a serious illness. He is considered by many as "der große Unbekannte." However, the new five-volume edition of his works by Matthias Klein and Christiane Wyrwa serves as proof that Kuno Raeber belongs to the significant authors of the second half of the twentieth century.

While at Oberlin, Raeber was at work on *Mißverständnisse. 33 Kapitel,* a volume of short prose, which he completed and published later that same year. At the end of his stay, he gave the unfinished manuscript, which then comprised sixteen of the thirty-three chapters, to Peter Spycher and his wife Colette as a farewell gift. Spycher, a professor in the German Department and himself from Switzerland, had become quite close to the guest writer. Spycher is also the author of the article on Kuno Raeber reprinted below.

Many years later, in his article "Ein Blick auf Kuno Raebers *Mißverständnisse* von einem seiner Manuskripte aus," Spycher compares the various versions of the manuscripts he had sheltered for so long with the printed version.[1] By juxtaposing the handwritten pages und typescripts with the printed story, he is able to reveal the narrative problems with which Raeber was preoccupied at the time. They addressed questions such as the extent to which the author of a story should provide its meaning to his readers, or what happens when the author combines a story about an ancient myth with a slightly related topic in a contemporary frame. Spycher points to a definite change in narrative approach in the story "Die Walfische." In the manuscript, the narrator takes the readers by the hand, guides them, and to a large extent interprets the story for them. In the printed story, however, the readers are left on their own, expected to discover the meaning for themselves. In this way, "Die Walfische" fits in with the other texts, which similarly demand the readers' active participation. In Spycher's view, *Mißverständnisse* represents a "Meilenstein auf seinem literarischen Weg." Matthias Klein and Christiane Wyrwa, the editors of the new edition, go even further. In their view, it was in Oberlin that Kuno Raeber achieved his literary breakthrough.[2]

On the other hand, Sigrid Bauschinger, then also on the German faculty of Oberlin College, maintains that the real "Amerikaerlebnis" for Raeber was New York, to which he escaped several times during his year at Oberlin. Like so many before and after him, he stayed in the Village at the home of Christiane Zimmer, daughter of Hugo von Hofmannsthal and widow of the prominent indologist Heinrich Zimmer (1890–1943). From there he explored New York, the city that, next to Rome, fascinated him the most. New York took on mythic proportions and utopian significance for him. He saw Manhattan as a

---

[1] Peter Spycher, "Ein Blick auf Kuno Raebers *Mißverständnisse* von einem seiner Manuskripte aus," in *Der Dichter Kuno Raeber: Deutungen und Begegnungen*, ed. Richard A. Klein (Munich: Scaneg, 1992), 211–27.

[2] E-mail correspondence with Christiane Wyrwa of February 2, 2005.

grand experiment, where the descendants of all the countries of the world and all cultures would come together and create a new city that would encompass all earlier ones. His New York experience enabled him to write his novel *Alexius unter der Treppe oder Geständnisse vor einer Katze,* in which Raeber created his myth of the great city.[3]

Mißverständnisse. 33 Kapitel is clearly not about New York and not utopian, but thematically though not formally more typical of Raeber's earlier works. In the illuminating afterword, Raeber notes that these phantasies, stories, riddles, and reflections are aimed at a reader, "der, offen oder verschüttet, die Begierde nach Flucht in sich trägt, den Drang, sein Gehäuse zu verlassen, seine Hecke zu überklettern und in fremden Gärten zu streunen." At the same time, the reader should feel a contradictory drive, "den Trieb zur Beschränkung, zum Rückzug auf ein paar erste, einfältige Erfahrungen und Bilder."[4] In these dreamlike, edifying, and essayistic stories, legends, myths, and fables, the protagonists are all portrayed as having arrived at an emotional/spiritual crossroads. Whether they are mythical, legendary, historical, or fantasy figures, their predicaments are of a timeless and universal nature. Raeber's worldview is pessimistic as well as realistic: the world is irrational, and civilization a mere palliative and no solution. The catastrophes of times past continue to manifest themselves within each individual. Daily, we are faced with the realization that what we have gained is not what we were looking for. We don't even know what we are searching for or want. For this reason, the characters in these stories cannot talk with each other; they live past each other. "Mißverständnisse" arise and persist because of the characters' inability to overcome their isolation. Even those who retreat to caves or deserts or ecstasies gain little insight and remember nothing. The only countermeasure to the ever proliferating misunderstandings is the masquerade — "Die Maskerade enthüllt, die Verkleidung weist die nackte, irreduktible Gestalt."

On March 5, 1968, the weekly student newspaper The Oberlin Review introduced Kuno Raeber in the following article written by Peter Spycher, who was Professor of German from 1965 to 1987.

---

[3] Sigrid Bauschinger, "Kuno Raeber in New York." In *Der Dichter Kuno Raeber: Deutungen und Begegnungen,* ed. Klein, 156–64.

[4] Kuno Raeber, *Mißverständnisse.* Nachwort (Munich: Biederstein, 1968), 176–78.

Kuno Raeber

We like to call Kuno Raeber our Writer-in-Residence, although his official position is that of Max Kade Visiting Lecturer in German. Being without a car and without a driver's license, he is very much in residence at Oberlin. In the daytime he is ensconced in his apartment, doing his writing; at night he often strolls through the town. His favorite hang-outs are the fashionable Presti's of Oberlin and the cheerful Snack Bar on the campus. People are not necessarily aware that he is a prominent German-speaking writer. He was born in Switzerland, grew up in the picturesque Catholic city of Lucerne, earned his Ph.D. in history at the University of Basel, taught at several institutions of higher learning in Italy and Germany, made Munich his permanent home, and has been a freelance writer since 1959. Privately, he is a brilliant historian and political thinker. Though undeniably conditioned by his native country, he is preoccupied with the destiny of Germany and even more with that of Europe. He is convinced that the Europeans are doomed unless they create a United States of Europe. His ultimate political vision, however, is that of world government. He is not particularly fond of modern Western technology and industrialism; his mind and his heart go out to the Mediterranean countries, especially Italy (southern Italy, Sicily) and Greece, where he likes to travel as often as he can. But his true spiritual home is, despite his Roman Catholic background, the Mediterranean civilization of antiquity, and he is on intimate terms with ancient Greek mythology.

He is the author of four volumes of poetry, *Gesicht im Mittag* (1950), *Die verwandelten Schiffe* (1957), *Gedichte* (1960) and *Flussufer* (1963), of a novel, *Die Lügner sind ehrlich* (1960), and of a book of poetic travel sketches, *Calabria* (1961), not to mention his other literary and essayistic works, many of which have been individually published in journals and newspapers, or broadcast by radio and television.

He is a poet through and through; even his stories, his novels, and his essays are, fundamentally, poems in prose. His poetic world and his style are different from those of other German writers, present and past. Nevertheless, his literary roots can be traced back to German seventeenth-century baroque poetry (Gryphius); more immediately, though, to the European movement of symbolism (Mallarmé, George, Rilke, Benn, Marianne Moore) and to a number of intensely personal poets whose mental, intellectual, and spiritual crises are strongly reflected in their works (Hopkins, Eliot, Alberti). He feels perhaps closest to Konstantinos Kavafis (1863–1933), an expatriate Greek poet, who wrote about the sufferings of the soul, its nobility and its weaknesses, abysses, and tortures, using a somewhat archaic, restrained, dignified language. Looking over the contemporary German scene, we note a certain kinship between Kuno Raeber and Ingeborg Bachmann. But he is not allied with any of the avant-garde schools, and this may account for the fact that presently he does not stand in the literary limelight, while connoisseurs anticipate the quiet growth of his reputation.

He once declared: "For me, poetry is a masquerade where there is no unmasking but only the trying-on of ever new masks." The core of his poems is indeed profoundly personal; the poems themselves appear as masquerades, transferences, alienations. They may have been occasioned by real-life or cultural experiences, but their own reality is metaphorical, imaginary, in the manner of a haunting fairy tale. Many poems have the makings of a tale, but this is merely sketched or hinted at; what dominates is a state of mind projected into the pregnant moment of a pseudo-objective scene.

The settings of the poems are frequently of a somewhat timeless nature; they range from vast, dizzying land and seascapes to dark chambers or labyrinthine houses, sheltering caves, or hidden reefs. They are populated by strange objects and characters, the characters being children, ecclesiastics and secular princes, ancient rulers, mythical figures, saints, angels, and animals (birds of various kinds — among them peacocks and pigeons — elephants, lions, tigers, bulls, dogs, cats, mice, bees, crickets, and so on). Animate beings as well as inanimate things symbolize certain aspects of the human psyche, human postures and situations, or mysterious powers of the universe. In some poems, two or more different themes are intertwined so as to illumine each other as parallels or contrasts. For example, the actor James Dean is coupled with Achilles ("Auf den Tod des Schauspielers James Dean"), a modern bourgeois with Julius Caesar Augustus ("Die Münze"), an unshaven motorist with Julian the Apostate ("Die Staubwolke"); or, in "Die Engelsburg: Kaiser Hadrian spricht," the Roman emperor Hadrian climbs from his tomb up to the battlement of the castle, ironically disguising and displaying himself as a protective archangel.

[. . .]

The body of Kuno Raeber's poetry shows constancy as well as development. The earlier poems tend to be more narrative, ornamental, emotional, and regular; the later ones, according to the author himself, show their objects "as the shadows on the wall in Plato's cave: reduced to the basic forms, simplified to such an extent that one may deplore the absence of richness, color, and corporealness. By way of compensation, however, one recognizes relationships, correspondences, or parallelisms." These poems should not just be read but recited, in a measured, subdued, solemn tone of voice tinged with a subterranean feeling of melancholy, anxiety, or yearning (in rare instances, with a touch of humor). Their effect is both hypnotic and startling.

Underneath the esthetic order and harmony, there is uncertainty. Conflict, turmoil, dread; human life is experienced as a battle of contradicting forces, the world as a dark labyrinth, the ultimate power of the world as a Minotaur, the outermost reaches of the universe as a void.

The chief protagonist of *Die Lügner sind ehrlich,* Joel, could, if he were a poet, have written these poems. Joel "hated himself because he reproached himself for scorning what he did not understand, because he desired identification with everything. He remained equally remote from everything because he did not choose and did not accept an either-or" and, we may add, because he was imprisoned in himself. But now he resolves to bear the burden of total loneliness and uncertainty and to take one small, anxious step after another in his search for his identity and his place in the world.

If the novel did not end at this point, Joel might well become a writer. His poems would presumably deal with the problem of what Jung calls the process of individuation. They would hieroglyphically picture a character who is torn between his wish for, and his fright of, an identity of his own; who toys with the idea of returning to the sacramental security of the Catholic faith and the Church, or of giving himself over to an unrestrained enjoyment of his senses, or of being as free as a bird. They would specifically deal with the problem of a poet who vacillates between the conception of himself as either a hieratic king or an inconspicuous cicada whose tiny voice is all that will remain of him, a poet who fears that the order established by and in his poetry is the only kind of order he can achieve. Yet perhaps Joel's poems would eventually visualize a character who accepts the world as a labyrinth, who painfully gropes his way through it by means of the tenuous thread of his own mind (or is it Ariadne's thread?), who finally faces the Minotaur, the deus absconditus of both life and death, and who is now ready to be swallowed by him.

(Abridged)

— Peter Spycher

Werke

Gesicht im Mittag. Gedichte (1950)

Die verwandelten Schiffe. Gedichte (1957)

Die Lügner sind ehrlich. Roman (1960)

gedichte (1960)

Calabria. Reiseskizzen (1961)

FLUSSUFER. Gedichte (1963)

Der Brand. Hörspiel (1965)

Mißverständnisse. 33 Kapitel (1968 & 1981)

Alexius unter der Treppe oder Geständnisse vor einer Katze. Roman (1973 & 1982)

Das Ei. Roman (1981)

Reduktionen. Gedichte (1981)

Abgewandt — Zugewandt. Gedichte (1985)

Sacco di Roma. Roman (1989)

Bocksweg. Ein Mysterium in zwölf Bildern (1989)

Vor Anker. Ein bürgerliches Trauerspiel in neunzehn Auftritten (1992)

Werkausgabe in 5 Bänden (2002–2004)

Übersetzungen

Michèle Perrein: *Ein Mädchen mit Namen Odile.* Roman (1958)

Yves Berger: *Der Süden.* Roman (1964)

Fritz Hochwälder, 1979.
Photo: Leonard Zubler.

Fritz Hochwälder   1969

THE WELL-KNOWN DRAMATIST Fritz Hochwälder was born in Vienna on May 28, 1911. Like his father, he learned the trade of upholstery, but unlike him, he began, on the side, to write plays: first a tragedy, *Jehr* (1933), and then a comedy, *Liebe in Florenz* (1936), both of which were performed on the stage. Hitler's annexation of Austria in 1938 caused Hochwälder to emigrate. He settled in Zurich, Switzerland, where he has lived ever since, while proudly retaining his Austrian passport.

In Zurich he resolutely turned to writing dramas because, as a refugee, he was not permitted to engage in his previous occupation. He wrote *Esther* (1940), then *Das heilige Experiment* (1943), a tragedy which subsequently became an international success and established his reputation. Under its English title *The Strong Are Lonely*, it was produced on Broadway in 1953.

Hochwälder's chief theme, in this play and in others, is the conflict between individual morals and religious responsibility on the one hand and obedience to the dictates of the powers-that-be, or abdication before the evils of the world, on the other.

Many of his works have been performed by the Vienna Burgtheater and by other leading theaters; some have been adapted as television productions. A radio play, *Vier Paragraphen,* was broadcast in 1951; *Der Befehl* was originally conceived as a television play and was telecast on a program with the general title of "The Largest Theatre in the World" by the television networks of Austria, Germany, Italy, and Great Britain in 1967.

Among the prizes Hochwälder has received are the Prize of the City of Vienna (1955) and the Grillparzer Prize (1956).

Hochwälder is Austrian and Viennese to the core. He aims for solid craftsmanship, well-constructed and suspenseful plots, vital characters, and genuinely theatrical effects. He addresses himself not to an esoteric elite but to a broad public. He is deliberately conservative in form and style, carrying on the tradition of the Viennese popular theater and its great nineteenth-century representatives — Ferdinand Raimund and Johann Nestroy.

It was probably Fritz Hochwälder's intent not to draw attention to the drama and tragedy of his biography in the brochure of 1969. Today we know the extent to which he and his family became victims of the Nazi terror and feel the need to provide some additional information.

His parents, who felt too old to start a new life elsewhere, remained in Vienna and were deported to Poland and murdered. Fritz himself, doubly endangered as a Jew and Leftist and encouraged by his parents, fled to Switzerland, which he reached by swimming across the Rhine. In his autobiographical sketch, Hochwälder describes the traumatic experience: "As a refugee, like a thief in the night, I came to Switzerland in August 1938, to Zurich, where I lived as an emigrant until the end of the war and continue to reside as an Austrian national."[1] He never considered returning to Austria on a permanent basis, convinced of the continuation of an Austrian "Ur-Nazismus."[2] Although he was granted political asylum, he was not permitted to work and thus spent many years in abject poverty. In 1941 he was in a labor camp in the Tessin (the Italian part of Switzerland) for about a year. He was released and provided with first a hut in Ascona and later an attic room in Zurich, where he could write. The plays Esther, Das heilige Experiment *(one of his most successful dramas), and* Der Flüchtling *were the fruits of those harsh years. His literary breakthrough came only after the war, in the 1950s and 1960s. Hochwälder became one of the most performed playwrights of the postwar era, both in his native Austria and abroad.*

After Oberlin

After visiting Oberlin Fritz Hochwälder returned to Zurich, where he lived with his wife, Susanne Hochwälder, until his death on October 20, 1986. He was best known for skillfully combining traditional structure and tense ideological conflict, creating a unified *pièce bienfaite* (well-made piece). A humanist who explored conflicts of conscience in the individual and society, he was highly regarded for his moral integrity and philosophical depth.

His experiences under the Nazis in Austria before his escape to Switzerland greatly influenced his work; violence, terror and justice are his central themes. His play *Lazaretti* — first performed in 1975 — raises questions about terrorism and the justification of violence in

---

[1] Fritz Hochwälder, "Als Bühnenschriftsteller im Exil." In *Im Wechsel der Zeit. Autobiographische Skizzen und Essays* (Graz: Styria, 1980), 26.

[2] Lutz Hagestedt, "Fritz Hochwälder," in *Kritisches Lexikon der deutschsprachigen Gegenwartsliteratur,* ed. Heinz Ludwig Arnold (Munich: Edition Text und Kritik, 1987–).

reaction to such violence. *Holokaust. Totengericht* deals with Nazi crimes against Jews in Hungary and calls into question the morality of choices made by Jewish leaders who attempted to save certain groups when they could not rescue all. Written in 1961, *Holokaust. Totengericht* was first published posthumously in 1998.

Hochwälder has often been called the most successful Austrian playwright in the years following the Second World War. Honors he received include the Österreichisches Ehrenkreuz 1. Klasse für Wissenschaft und Kunst (1971), the Ehrenring der Stadt Wien (1972), the Franz-Theodor-Csokor-Preis (1979), the Österreichisches Ehrenzeichen für Kunst und Wissenschaft (1980), the Prix Dramatique der Genfer Société des Auteurs Dramatiques (1982), and the Ehrenbürgerschaft der Stadt Wien (1986). He is buried in a tomb of honor in Vienna.

Im März 2004 stellte uns Susanne Hochwälder, Fritz Hochwälders Witwe, freundlicherweise ein paar sehr persönliche Briefe zur Verfügung, die der damals jung verheiratete Dramatiker aus Oberlin nach Hause an seine Frau in Zürich schickte. Frau Hochwälder hat die Briefe mit einigen Anmerkungen versehen, die Hochwälders zum Teil wienerisch, zum Teil innerfamiliär gefärbte Sprache etwas erhellen. Einführend schreibt Sie:

Es sind also Privatbriefe an mich, keine Beschreibungen literarischer Art oder Gedichte oder Tagebucheintragungen, sondern Briefe an die Ehefrau, an die Gattin, sehr liebevoll, fast ein bisschen kindisch, denn wir hatten eine damals noch sehr kleine Tochter, und seine, oder besser unsere Sprache passte sich aus lauter Liebe und Zärtlichkeit der unserer kleinen Tochter an. — Ausserdem sind, bzw. waren wir beide aus Wien, und da heissen Küsse "Bussis," die brieflich heftig ausgetauscht wurden und ich werde einiges wohl übersetzen müssen, was Ihnen höchst rätselhaft erscheinen mag.

(In diesen Briefen wurden alle ß als ss geschrieben. Fritz Hochwälder benutzte in Oberlin eine amerikanische Schreibmaschine, die natürlich kein ß hatte. Auch Susanne Hochwälder schreibt alles mit ss, da sie eine Schweizer Schreibmaschine benutzt und sich mittlerweile an die schweizerische Orthographie gewöhnt hat, in der es ebenfalls kein ß gibt.)

Briefe: Fritz an Susanne

16. Januar 1969

Mein allerliebstes, bestes, schönstes, einziges Herzilein,

gestern brachte der hiesige Postmann, der auf den uramerikanischen Namen Bohrer hört, Deinen Brief, auf den ich bereits seit meiner

Ankunft in Oberlin, d. h. Montag, gelauert hatte — seither habe ich
den Brief vielleicht zwanzigmal gelesen . . .

[. . .]

Am Montag bin ich von einem andern New Yorker Flughafen,
La Guardia, hierher geflogen, anderthalb Stunden, also länger als
von Zürich nach Wien, hier aber war's, als ob es nur ein kleiner
Hupfer sei. Prof. Kurtz holte mich zusammen mit einem Zürcher
Professor namens Spycher ab, durch Schnee und Eis fuhren wir per
Auto eine Stunde lang nach Oberlin, direkt in mein "Haus." — Eine
ziemlich altmodische Holzvilla, wie alle andern Behausungen hier,
behaglich altmodisch eingerichtet, aber durchaus wohnlich, ich ver-
füge als einziger Bewohner über alles: Vorzimmer, Salon, Esszimmer,
Schlafraum im 1. Stock, Badezimmer, usw. Die Leute, die ich bisher
kennenlernte, sind allesamt hilfsbereit und zum Teil sogar rührend
um mich besorgt; gestern erschienen die Nachbarsleute mit einem
Blumenstock, die ersten Stockamerikaner, und ich konnte mich bereits erstaunlich gut auf englisch mit ihnen unterhalten, z.T. aber,
weil ich mir am Vortag eine Gallone kalifornischen Weisswein
besorgt hatte, Prof Kurtz führte mich nämlich per Auto ins nächste
Städtchen in einen Laden, denn Oberlin ist "trocken," es darf hier
kein Alkohol verkauft werden, wegen der Studenten und der Neger,
die ein Drittel der Bevölkerung ausmachen. Der weisse
Kalifornienwein ist übrigens ausgezeichnet, ein herber Tropfen, dem
guten Wiener Heurigen zum Verwechseln ähnlich. Herzilein, lieb-
stes — ich weiss, dass ich heute noch etwas konfus berichte, ich habe
mich zwar in den drei Tagen so ziemlich eingelebt, bin aber noch
immer etwas verwirrt, vielleicht auch vom ungewohnten Klima. Ja,
es ist kalt hier und auch feucht, vormittags immer grau und bedeckt,
am Nachmittag aber kommt die Sonne und bescheint eine uninter-
essante Flachgegend mit noch uninteressanteren Häusern, im
ganzen also ein stinkfades Nest, das nur aus dem College und ein
paar Einkaufsläden, einem Supermarket besteht, in dem ich auch
einkaufe und dabei wehmütig an den kultivierten Konsum in
Witikon denke. — Gestern bekam ich den ersten Check über 2000
Dollar, womit alle Reisespesen ersetzt sind inklusive erstem
Monatshonorar, zu tun habe ich für das College noch gar nichts, ich
benütze bloss die Bibliothek, die eine Million Bände hat und in
erstaunlich liberaler Weise organisiert ist: man holt sich die Bücher
selbst aus den Regalen, schreibt seinen Namen auf einen Zettel, wirft
den in einen dafür bestimmten Kasten, und geht mit den Büchern
heim . . . In der Bibliothek hat man mir eine kleine Zelle zur
Verfügung gestellt, in der ich abgeschlossen arbeiten kann, jetzt
habe ich endlich die ersehnte Gefängniszelle, von der ich immer

schon geträumt hatte. Vorläufig aber sitze ich zumeist zuhause im Wohnzimmer, wo ich auch diesen Brief tippe, ich fühle mich wirklich wohl hier, die Ruhe ist vollkommen, dagegen ist der Oeschbrig ein lärmerfülltes Gebiet.— Noch ein überraschendes Positivum: in Oberlin kann man beim besten Willen kein Geld ausgeben und was man zum Leben braucht, kostet nicht mehr als in Zürich, ich werde also Geld ersparen und in die Schweiz mitbringen, wo wir es weidlich brauchen.

25. Januar 1969

[. . .]
Ich muss wirklich sagen: je länger ich hier bin umso besser gefällt es mir, dass ich ganz allein im Haus bin, das wie alle Privatgebäude hier eine verdächtige Ähnlichkeit mit einer luxuriösen Schrebergartenhütte hat, macht mir überhaupt nichts aus, es ist urgemütlich, ich habe mich völlig eingelebt, die Möbel und alles Zeug im Wohnraum, in dem ich Tag und Nacht an einem grossen runden Tisch beim Fenster sitze und tippe, habe ich nach meinem Gusto umgestellt und der greise Professor, dem das Häusl gehört, wird sich wundern, wenn er nach der Rückkehr von Los Angeles im April sein Besitztum grausam verändert vorfindet. Soll er sich wundern . . .

Herzilein, die Nachbarn vom Blumenstöckl sind wirklich rührend nett, ich habe mich eine Woche lang nicht gemeldet, weil ich wie gesagt am liebsten zuhaus bleib, aber heute um 6 P.M. (Du siehst: ich bin bereits ein perfekter Amerikaner) klopfte Mr. Buck an und lud mich wieder zum Nachtmahl, es seien drei andere Ehepaare da . . . Also bin ich hinüber, besorgte mir vorher im Drugstore ein Geschenkli, schreckliche Schokoladebonbons, ordinär verpackt, die billigsten im Laden (Dollar 2,50 d.h. 11 Franken!) und marschierte hinüber. Das Essen war diesmal wirklich gut und alle ganz reizend, mein Englisch dürfte etwas besser gewesen sein als vor einer Woche, sicherlich aber noch immer erbarmungswürdig, die Leute waren bis auf einen businessman, der aber ganz gescheit sprach, Universitätsprofessoren mit ihren Damen.
[. . .]
Was ganz Komisches, das ich Dir längst mitteilen wollte: ich bin hier was Geldausgeben betrifft ausgesprochen knauserisch! — Das hat verschiedene Gründe, ad. 1. trachte ich die New Yorker Ausgaben irgendwie hereinzubringen, zweitens kann man hier beim besten Willen nicht viel ausgeben, es gibt keine Bündner — und sonstige Wirtsstuben wie z.B. in Disentis. Alkohol muss man sich von auswärts besorgen und ich hab keinen Wagen und möcht auch nicht soviel trinken, was bei den hiesigen Weinflaschen, die gross und bauchig

sind und eine Gallone ca. 2 ½ Liter Inhalt haben, sehr schwer ist und drittens ist alles hier zumindest doppelt so teuer und dabei unendlich viel mieser als in der Schweiz und Österreich. Viertens aber betrachte ich mich persönlich als einen, der lediglich dafür honoriert wird, dass er in Oberlin sitzt, und von dieser Lebensplantage möcht ich möglichst viel zurücklegen und nach Zürich mitbringen.

Die Arbeit am Stück schreitet langsam aber befriedigend weiter, die Ruhe und Abgeschiedenheit trägt dazu bei, und ich bin eigentlich diesbezüglich recht optimistisch. Schliesslich habe ich bei allem Pessimismus bis jetzt noch immer zuwege gebracht, was ich mir fest vorgenommen habe, warum soll ich es diesmal, wo's wirklich um die Wurst des Herrn Senffabrikanten Mautner geht, nicht schaffen.[3] — Freilich ist es ausgeschlossen, dass ich das Stück hier zu Ende schreiben kann, aber mir genügts, wenn ich endlich drüber im Klaren bin und den Anfang hinkriege. Die in Wien sollen warten, andere versprechen was und bringen überhaupt nichts Vernünftiges zusammen. Damit beruhige ich mich, wenn ich unruhig aus dem Schlaf fahre, was hier viel

---

[3] Auf unsere Anfrage schickte uns Susanne Hochwälder eine sehr ausführliche und informative Antwort, aus der wir hier zitieren: "Die Familie Manfred Mautner-Markhof gehört zu den grössten Grossindustriellen Oesterreichs. Bierbrauerei, Senf- und Essigproduktion und weiteres mehr. Der Alt-Präsident war meinem Mann sehr zugeneigt und da er dem Präsidium einer der grössten österreichischen Banken angehörte, der "1. Oesterreichischen Sparkasse," setzte er sich dafür ein, dass zum 250-jährigen Jubiläum der Bank Fritz Hochwälder ein historisches Stück verfassen sollte, das im Wiener Burgtheater als Gala-Uraufführung in Szene gesetzt werden sollte.

Mein Mann ging trotz meiner Bedenken mit Begeisterung auf diesen Vorschlag ein und hatte sofort einen Stoff parat, der die Bankleute ebenfalls in Euphorie versetzte. Es handelte sich um den historischen Krieg zwischen Preussen und Frankreich 1792 in Valmy [. . .]. Das Stück sollte den Titel tragen "Die Kanonade von Valmy."

Leider wurde nichts daraus. Die Arbeit, die anfangs so flott lief, stockte, mein Mann bekam vor Aufregung einen Herzinfarkt und musste eine schon erfolgte Prämie einer Vorausbezahlung refundieren. Zusätzlich durch die erlittene Enttäuschung bekam er eine Depression, die sich über ein Jahr hinzog und ihre Auswirkungen auf seine dramatische Arbeit hatte. Er schrieb dann nur mehr an drei Stück-Entwürfen, die zum Teil schon früher festgehalten wurden: "Die Prinzessin von Chimay," geschrieben 1981, endgültige Fassung 1984, weiter "Der verschwundene Mond," 1951, umgeschrieben 1982, sowie "Die Bürgschaft," 1977–1982, die immer wieder durch diverse Herzinfarkte unterbrochen wurden. Keines davon wurde je aufgeführt.

seltener ist als in Zürich. Vielleicht doch das Klima, es gibt nämlich hier alles nur keinen Föhn. Im Sommer freilich soll es hier heiss und feucht sein, aber da bin ich längst über alle Berge, von denen hier auch nicht die geringste Spur ist, topfebenes Land.

3. Februar 1969

Mein Herzensbinki, mein geliebtes,

wie froh war ich wieder, ganz unverhofft im Montagspostkastl, das heute total verschneit war, Deinen Brief vorzufinden!
[. . .]
Rückblickend seh ich erst, wie richtig nach allem Schwanken mein Entschluss war, die Einladung nach Oberlin trotz allem anzunehmen, nicht nur neue Eindrücke gewinne ich, abgesehn von dem Erlebnis New York, das allein schon die Expedition wert war; ich knüpfe ohne es fast zu wollen, täglich neue Verbindungen an, und abgesehen von allem Praktischen tut mir die einsiedlerische Selbstbesinnung im einsamen Haus (das ich bereits so mit mir imprägniert habe, dass ich gar nicht begreifen kann, wie es — das Haus — ohne mich wird weiterbestehn können) in jeder Weise gut. Ich sehe auch deutlicher, was ich drüben tun und lassen muss, um wieder zur Produktivität zu kommen, die für mich eine Lebens- — und für meine Familie eine Existenzfrage ist . . .
Übermorgen wird hier, im Oberliner Theatersaal, eine für den Herbst angesetzte Broadway-Premiere "The Sorrow of Frederick" ausprobiert; der Autor ist ein ehemaliger Oberliner Student und hat sich daher den Ort ausgesucht. Was ich aber ganz reizend finde, ist, dass er mir persönlich geschrieben und mich zur first night mit anschiessendem Empfang (trocken!) eingeladen hat, wer weiss, was sich draus ergibt. — Man darf sich nicht selbst hinterm Ofen verstecken, wie ich es in den letzten Jahren zu tun pflegte. — Und einmal müssen wir zusammen New York anschauen, Hasi. — Es wird Dich ungeheuer beeindrucken, Amsterdam kann sich verstecken, und alle andern wilden Orte auch — Rom, Bergamo, usw. — denn in N.Y. brodelt es wirklich!
Gestern hab ich intensiv an den Maun Datz gedacht, der sein Päppchen so lieb hat, und hoffentlich ist mein Geburtstagsbriefli rechtzeitig eingetroffen. — Engilein, ich fürcht, jetzt muss ich schlafen gehn, denn morgen um acht Uhr früh holt mich ein Wohltäter und bringt mich per Auto nach Cleveland zu einem Friseur, denn hier kann man auf keinen Fall sich die Haare schneiden lassen, vorige Woche sagte mir ein Professor, der im Sommer in Wien war ungefähr: Nein, mein Lieber, in Oberlin lassen Sie sich die Haare auf keinen Fall schneiden,

das ist nicht Wien, wo man sich jedem Frisör guten Gewissens anvertrauen kann! — Wien . . . Engelein, wie müssen die hier schneiden, wenn ich in Wien lieber wochenlang mit Schneckerln herumlauf, eh ich mich einem der dortigen Pfuscher anvertrau . . . Bin neugierig, wie ich morgen nachmittag aus Cleveland zurückkomme . . .

21. Februar 1969

[. . .]

Von hier gibt's eigentlich nur Gutes und Positives zu berichten: mein gestriger (englischer) Vortrag war vor vollbesetztem grossen Auditorium ein voller Erfolg, die jungen Leute waren begeistert und applaudierten nachher ungewöhnlich ausdauernd. Ich bin hier überhaupt sehr beliebt, komisch, nicht war?

Nach Indiana gehe ich nicht, die konnten den Vortrag nicht mehr unterbringen, aber am Freitag, den 7. März spreche ich an der Uni in Chicago und bleib das Wochenende dort. Heut ergab sich eine weitere mir materiell sehr willkommene Vortragsgelegenheit: die Pennsylvania State University will Vortrag und Vorlesung am 11. März, bietet dafür $ 250. (Aber das Dollarzeichen kann sie, die dumme blöde Maschine!) Zuzüglich Reisespesen. Ich werde also am Montag den 10. von Chicago aus hinfliegen (mit Umsteigen von einem Flugi ins andere, denn die Universität liegt, wo der Teufel Gute Nacht sagt, irgendwo in den Bergen im Hinterland) und mir in einem Tag rund 1100 Fränkli verdienen. Tüchtig, nicht wahr, Hasi? Dieses Honorar werde ich ausschliesslich für dich und Katzi verwenden, ihr dürfts euch inzwischen was aussuchen, ihr beiden Goldegisbinkis!

Die Maschine macht mich definitiv nervees . . .

22. Februar 1969

[. . .]

gestern hab ich Dir geschwind noch geschrieben und mich dabei über die Maschine beklagt, die mir ganz ungewohnt ist, so dass mit dem Tippen auch das Denken durcheinanderkommt — inzwischen hab ich mich bereits etwas eingeschrieben und die Olivetti macht fast gar keine Manderln[4] mehr, ich fürchte wenn ich am Montag die reparierte Hermes-Baby zurückbekomm, wird sie mir hinwiederum ungewohnt sein. Jedenfalls packte mich — was in letzter Zeit oft vorkommt — eine

---

[4] "Die Olivetti (Schreibmaschine), macht keine "Manderln mehr" heisst übersetzt, keine Schwierigkeiten mehr." (S. Hochwälder)

bleierne Müdigkeit und ich fiel vor einer halben Stunde im sogenannten Salon aufs Sofa und nickte ein, als ich blinzelnd aufwache, seh ich zu meinem Erstaunen durchs Fenster auf dem Dach des gegenüberliegenden Hauses, das den netten Bucks gehört, ein brandrotes Vogi sitzen — ich traute meinen Augen nicht, stand auf und betrachtete es von der Nähe, wirklich ein rotes Vögelchen, gar nicht mal so klein, mit einem schwarzen Goderl,[5] sehr lieb! Monilein hätte gejubelt, wenn sie das liebe Tierli gesehen hätte. Es gibt hier also doch eine Fauna, die man drüben nicht antrifft.

Noch was am Rand, was Lustiges, Engi. Gestern war's mir verleidet, immer in der Küche zu stehn und für mich allein zu kochen, auch wenn es nur ein paar Minuten ist, und ich ging in den "Oberlin Inn," ein Motel-Restaurant mit Moevenpick-Preisen und dem Glanz eines Zürcher Frauenvereinslokals. Also gut, ich bestelle — weil mir das ewige Fischfilet und das fried chicken schon zum Hals heraushängt, ausnahmsweise "Red Alaska Salmon," und denke, was kann da schon passieren? — Wie sehr staun ich, als die Maid einen Teller Millirahmstrudel[6] daherbringt . . . Kein Zweifel: die gelblich-rahmige Sauce, das Aussehn, der Geruch, alles weist auf diese Breitenfurter Mehlspeis hin. Ich wollt schon ausrufen: "But I did not order a Milkrähmstroddl!" überlegte es mir aber und fragte bloss schüchtern, ob dies tatsächlich red Alaska Salm wäre, drauf ein wenig empört die Maid "of course, it is Red Alaska Salmon." Merkwürdig . . . Ich esse, und der Salm schmeckte wie erstklassiger Millirahmstrudel, einen der besten, den ich je verzehrt habe. Ist das nicht wirklich ein Land der unbegrenzten Möglichkeiten?

---

[5] "Was den erwähnten kleinen Vogel betrifft, ist ein *Goderl* die Passage gleich unter dem Kinn als Vorderteil des Halses." (S. Hochwälder)

[6] Hierzu Frau Hochwälder: "Glauben Sie mir, liebe Frau Kaufmann, ich habe seit damals diese Briefe nie mehr gelesen, das sind jetzt 35 Jahre, und ich habe nun schallend gelacht. Ein *Milchrahmstrudel* ist eine ur-österreichische Mehlspeise, also eine Süssigkeit, ein Strudelteig (Sie werden sicher von einem Apfelstrudel schon gehört haben), gefüllt mit einer Fülle von Quark, Sahne, Eigelb, Zucker, Rosinen, Vanillezucker und Butter. Quark heisst in Wien *Topfen* und Sahne heisst *Obers*, wenn es geschlagen wird heisst es *Schlagobers*. Und der Name *Millirahm* ist die altösterreichische Version von Milch und Rahm (Sahne). Dieser heisse gebackene Strudel wird noch dazu mit einer süssen Vanillecreme übergossen. — Die klassische Übersetzung meines Mannes, die er aber nur dachte und nicht aussprach, war, wie Sie sehen können, "Milkraehmstroddl." Einfach umwerfend!

Werke

Jehr. Tragödie (1933)

Liebe in Florenz. Komödie (1936)

Esther. Drama (1940)

Das heilige Experiment. Tragödie (1943)

Der Flüchtling. Drama (1945)

Hotel du Commerce. Komödie (1946)

Die verschleierte Frau. Komödie (1946)

Meier Helmbrecht. Drama (1947)

Der öffentliche Ankläger. Drama (1948)

Der Unschuldige. Komödie (1949)

Virginia. Drama (1951)

Donadieu. Drama (1953)

Die Herberge. Dramatische Legende (1957)

Donnerstag. Modernes Mysterienspiel (1959)

1003. Drama (1964)

Der Himbeerpflücker. Komödie (1966)

Der Befehl. Drama (1968)

Lazaretti oder Der Säbeltiger. Drama (1975)

Im Wechsel der Zeit. Autobiographische Skizzen und Essays (1980)

Die Prinzessin von Chimay. Komödie (1982)

Holokaust. Totengericht. Drama (1998 postum)

Englische Ausgaben:

The Strong Are Lonely. A Play in Two Acts. Adapted by Eva Le Gallienne from the French version by J. Mercure and R. Thieberger (1954).

The Public Prosecutor. A Play in Three Acts. Translated by Kitty Black (1958).

Der Himbeerpflücker. In *The New Theatre of Europe: Five Contemporary Plays from the European Stage*, edited with an introduction by Robert W. Corrigan & Martin Esslin (1962–1970).

The Holy Experiment and Other Plays. Translated by Todd C. Hanlin and Heidi Hutchinson; afterword by Donald G. Daviau (1998).

Holocaust. A Court for the Dead. A Play in Three Acts. Translated by U. Henry Gerlach and Ruth W. Gerlach (2003).

Tankred Dorst in 1981 with Ursula Ehler, whom he met in 1970 and who became his wife and co-author of almost all his works since then.
Photo © Isolde Ohlbaum.

Tankred Dorst   1970

TANKRED DORST WAS BORN IN the small town of Sonneberg, Thuringia, in 1925. In 1944, at the age of seventeen, he was conscripted into the German army and sent to the Western Front. He was taken prisoner by the Allies and interned successively in Belgium, England, and the United States. Upon his release, he set out to complete his interrupted education. In 1950 he graduated from the Gymnasium and thereafter studied German literature, theater, and art history at the University of Munich. He joined a student puppet theater company and contributed plays to its repertoire. At the same time he was working for a publishing house and also trying his hand at writing scripts for educational films.

In two early publications, *Geheimnis der Marionette (1957)* and *Auf kleiner Bühne — Versuch mit Marionetten* (1959), he described and evaluated his experiences with the puppet theater. The second of these books contains texts, illustrations, sketches, reflections, and the puppet play, *A Trumpet for Nap*, which had been produced on television.

His first full-length drama was *Gesellschaft im Herbst* (1960), a comedy, performed in Mannheim and Hamburg; it was followed that same year by two one-act farces, *Die Kurve* and *Freiheit für Clemens*. *Die Kurve* was the more successful. Even more acclaimed was the one-act play, *Große Schmährede an der Stadtmauer* (1961), first performed in Lübeck. *Die Mohrin*, a comedy based on the French medieval story of Aucassin and Nicolette, appeared in 1964.

Besides plays, Dorst has written libretti for operas: *La Buffonata* (1960), a ballet opera, commissioned by the South German Television Network, with music by Wilhelm Killmayer; *Yolimba oder die Grenzen der Magie* (1964), music by Wilhelm Killmayer; and *Die Geschichte von Aucassin und Nicolette* (1969) with music by Günter Bialas.

Dorst has also adapted for the contemporary theater Ludwig Tieck's romantic comedy *Der gestiefelte Kater oder Wie man das Spiel spielt* (1964) and translated many plays, including Diderot's *Rameaus Neffe* (1962), O'Casey's *Der Preispokal* (1967), and Molière's *Der Geizige* (1967) and *Der eingebildete Kranke* (1968). At present he is working on the script for a new motion picture film.

His most important accomplishment to date has been the drama *Toller* (first performed in Stuttgart in November 1968). *Toller* deals with the short-lived and ill-fated experiment of the Bavarian Soviet Republic that was proclaimed in Munich in 1919 and the German expressionistic dramatist Ernst Toller, who played a leading role in that political episode. *Toller* had an instant and profound impact in Germany. Dorst also adapted the play for a television production under the title *Rotmord* (1969). In addition, he published a historical documentation, *Die Münchner Räterepublik. Zeugnisse und Kommentar* (1966) as well as an illustrated text, *Rotmord oder I was a German*, based on the television version (1969).

For Dorst, the theater is an experiment, "an ever renewed attempt to represent contemporary man on the stage, with all that moves him, worries him, with all that he creates and all that limits him." His plays are informed by a fundamental disbelief in any system of fixed values. They are farces, grotesqueries, parables, not tragedies or weighty historical or political and social dramas. Their characters are not great heroes but little people, marionettes within a larger configuration, their "big brother" being the type of the simple-minded clown; yet these characters are not abstractions but human beings shaped by concrete environments. By the use of such theatrical devices as masks, mistaken identities, illusion, the play within the play, the author aims to mirror the "theatrical" quality of life. Influenced by the German romanticists and in some respects by Brecht and Ionesco, but above all by the tradition of the puppet theater, Dorst imparts to his "musically" composed plays a sense of gentle skepticism and graceful nostalgia, a mood of man's resigning himself to being confined and manipulated.

After Oberlin

After his departure from Oberlin College, Tankred Dorst returned to Germany, where he produced a number of works in the vein of his drama *Toller*, many of which were written in conjunction with author Ursula Ehler, his close collaborator since 1970, who is also his wife. These politically and socially oriented dramas and films are a departure from his earlier experimental farces. In 1971, Dorst's film *Sand*, a work about the political assassin Karl Ludwig Sand, first aired on television. His adaptation of Hans Fallada's 1932 novel, *Kleiner Mann, was nun?* premiered in 1972 in Bochum. Following his visiting professorships at universities in Australia and New Zealand, Dorst completed his play *Eiszeit* (1973), a drama concerning Norwegian author Knut Hamsun's collaboration with the Nazis and subsequent trial after the war.

Dorst's monumental drama, *Merlin oder Das wüste Land,* premiered in Düsseldorf in 1981. Making use of medieval myths and legends — the story of King Arthur and his sons, of Perceval, of Lancelot's love for Guinevere, of Iwein and the lion, of Merlin, who is the devil's son and wants to free himself from his father — it shows the failure of utopian ideals. It is, according to Tankred Dorst, a story about our world, a desolate land, over which civilization is spread like a thin carpet that is all too easily torn. Formally, the work represents a departure from Dorst's earlier realistic theater, although he does not abandon realistic writing.

In the late seventies, Dorst also wrote a number of works that deal with less explicitly political themes. The comedy *Auf dem Chimborazo* (1975), the "fragmentary novel" *Dorothea Merz* (1976), and the story *Klaras Mutter* (1978), explore various relationships among women. Dorst also wrote a television film, *Mosch* (1980), a work dealing with issues of bourgeois identity. In addition to these works that focus on personal and relational issues, Dorst continues to produce fantasy works such as the children's play *Ameley, der Biber und der König auf dem Dach,* which premiered in Vienna in 1982, and his first feature film, *Eisenhans* (1983), for which he won the L'âge d'or prize from the Belgian Königliches Filminstitut. Dorst has also directed the film adaptation of his prose work *Klaras Mutter.*

Tankred Dorst currently lives in Munich. Active and prolific as ever, he continues to write dramas, prose, and essays as well as fairytale plays for children. He is truly a man of the theater: his plays have been staged by the foremost directors of the postwar era, including Peter Zadek, Peter Palitzsch, and Alexander Lang. In 2003, he was invited to give the prestigious Frankfurter Poetikvorlesungen at the Johann Wolfgang Goethe University. The four-part lecture series was entitled: *Sich im Irdischen zu üben.* It was accompanied by an exhibit at the university library about Tankred Dorst's life and work.

Dorst has also received many literary and theater prizes for his works, including the Lissaboner Theater-Preis (1970), the Adolf-Grimme Preis (1970), the Literaturpreis der Bayerischen Akademie der schönen Künste (1983), the Carl Schaeffer Playwright's Award of New York (1987), the Mühlheimer Dramatiker-Preis for his 1988 work *Korbes* (1989), the Georg-Büchner-Preis (1990), the Ludwig-Mühlheims-Preis for Religious Drama (1991), the E. T. A.-Hoffmann-Preis (1996), and the Max-Frisch-Preis (1998). He is a member of the Bayerische Akademie der schönen Künste.

Thirty-three years after his stay, Tankred Dorst wrote down his memories of Oberlin in the following text, which he sent to us in March 2003.

Oberlin

Ich erinnere mich gern an dieses alte weiße Holzhaus im Winterschnee, ich versuchte in der Zeit, als ich darin wohnte, mir das Leben der Besitzer vorzustellen, die wohl die kalten Monate in Florida verbrachten und das Haus dem College für Gäste zur Verfügung stellten. Ich versuchte, die Personen einer alten Zeit zu erkennen, auch das alte Amerika wurde mir in diesen Monaten lebendig, ich las Thomas Wolfe, der bei uns leider fast vergessen ist, las Faulkner, Thoreau, Hawthorne. Ich studierte die blassbraunen alten Fotografien an den Wänden, Fotografien im Breitformat ließen an Reisen denken nach Hongkong, nach anderen Städten und wilden Landschaften Asiens. Bücher fand ich wenige. Ein Psychologielehrbuch ließ keine Schlüsse auf den Leser zu. Ein oder zwei Kinderbücher. Ich sah die Bewohner des Hauses im Esszimmer sitzen, ich sah sie lesend im verschlissenen Sessel und plaudernd auf der sommerlichen Veranda. Ich sah ein einsames Kind die knarrende Holztreppe rauf und runter hüpfen. Oder war ihm das nicht erlaubt? Ein Kinderzimmer gab es in dem geräumigen Haus nicht. Die Bewohner des Hauses, dachte ich, müssen wohl alte Leute gewesen sein, sie haben ihr Haus jetzt für lange Zeit fast spurlos verlassen. Ich dachte wohl auch, dass wir alle im falschen Haus leben, in einem Haus, das wir nicht kennen und das wir uns schreibend erst aneignen müssen.

Ich las die Tagebücher des Pfarrers Oberlin, die Georg Büchner für seine Erzählung *Lenz* benutzt und auch ausgiebig zitiert hat. Ich schrieb an einem Vortrag, den ich in Oberlin und andernorts halten sollte, er hieß: The End of Playwriting. Darin vertrat ich die Ansicht, dass ein zukünftiges Theater den Autor nicht mehr brauche. Es ginge nicht mehr darum, Stücke zu produzieren: die Realität, die alles überwältigende Gegenwart des Faktischen werde das wellmade play eines Tages verdrängen und also den Autor und seine Dramaturgie überflüssig machen. Interviews, Gesprächsaufzeichnungen, Zeitungsnachrichten, Bekenntnisse, Aufrufe seien dann der Stoff für die Darstellung auf der Bühne. Ein produktiver Irrtum, der für die Entwicklung des Theaters gewiß nützlich gewesen ist. Ich arbeitete an einem Fernsehfilm, den wir dann, nach meiner Rückkehr mit Laien gedreht haben. Er hieß *Sand*, war die Geschichte eines Studenten, der Anfang des 19. Jahrhunderts von Jena nach Mannheim lief mit zwei Messern im Gepäck, um den Spätaufklärer und Boulevardautor Kotzebue und dann sich selbst zu töten. Ein politischer Selbstmordattentäter. Ich erinnere mich an ein Seminar mit Stuart Friebert, wir waren der Ansicht, dass den Romantikern der Film mit seinen gleitenden Bildern, mit seiner Formauflösung, mit seiner Nähe zum Traum die ihnen gemäße Kunstgattung gewesen wäre. Ich war gern in Oberlin. Aus allen Fenstern, wenn sie geöffnet waren, tönte Musik. Als meine Zeit zu Ende war und ich mich auf die Reise machte durch amerikanische Universitäten und schließlich zurück ins kleine Europa, fand ich unter der Post ein Polaroid. Jemand hatte auf den großen Stein, der in der Mitte einer Wiese im Zentrum von Oberlin stand und auf den manchmal Mitteilungen geschrieben waren, mit roter Farbe gepinselt: Tankred is gone. Das Polaroid habe ich mir aufgehoben.

— Tankred Dorst

Werke

Theaterstücke

Auf kleiner Bühne. Versuche mit Marionetten (1959) Mit Teildrucken und Bildern der Marionettenspiele *Eugen. Eine merkwürdige Geschichte* (1956), *La Ramée* (1957), *Der gestiefelte Kater* (1955), *A Trumpet for Nap* (1959)

Die Kurve. Eine Farce (1960)

Gesellschaft im Herbst (1960)

La Buffanato. Libretto Ballet (1960)

Große Schmährede an der Stadtmauer. Spiel in einem Akt (1961)

Die Mohrin. Schauspiel (1964)

Yolimba oder Die Grenzen der Magie. Musikalische Posse. Musik von Wilhelm Killmayer (1964)

Der Richter von London. Eine realistische Komödie nach Thomas Dekker (1966)

Der Geizige. (Molière) Übersetzung und Bearbeitung. (1967)

Toller (1968)

Kleiner Mann, was nun? Revue nach dem Roman von Hans Fallada (1972)

Eiszeit. Mitarbeit Ursula Ehler (1973)

Auf dem Cimborazo. Eine Komödie. Mitarbeit Ursula Ehler (1974)

Goncourt oder Die Abschaffung des Todes. Mitarbeit Ursula Ehler (1977)

Die Villa. Mitarbeit Ursula Ehler (1980)

Merlin oder Das wüste Land. Mitarbeit Ursula Ehler (1981)

Ameley, der Biber und der König auf dem Dach. Ein Stück für Kinder. Mitarbeit Ursula Ehler (1982)

Heinrich oder Die Schmerzen der Phantasie. Ein Stück. Mitarbeit Ursula Ehler (1985)

Grindkopf. Libretto für Schauspieler. Mitarbeit Ursula Ehler (1986)

Ich, Feuerbach (1986)

Der verbotene Garten. Fragmente über D`Annunzio. Mitarbeit Ursula Ehler (1987)

Parzival. Ein Szenarium. Mitarbeit Ursula Ehler (1987)

Korbes. Ein Drama. Mitarbeit Ursula Ehler (1988)

Karlos. Ein Drama. Mitarbeit Ursula Ehler (1990)

Fernando Krapp hat mir diesen Brief geschrieben. Ein Versuch über die Wahrheit. Mitarbeit Ursula Ehler (1992)

Herr Paul. Ein Stück. Mitarbeit Ursula Ehler (1994)

Nach Jerusalem. Mitarbeit Ursula Ehler (1994)

Wie Dilldapp nach dem Riesen ging. Ein Stück für Kinder. Mitarbeit Ursula Ehler (1994)

Die Schattenlinie. Mitarbeit Ursula Ehler (1995)

Die Geschichte der Pfeile. Ein Triptichon. Mitarbeit Ursula Ehler (1996)

Die Legende vom armen Heinrich. Mitarbeit Ursula Ehler (1997)

Was sollen wir tun. Mitarbeit Ursula Ehler (1997)

Wegen Reichtum geschlossen. Eine metaphysische Komödie. Mitarbeit Ursula Ehler (1998)

Friß mir nur mein Karlchen nicht. Ein Stück für Kinder. Mitarbeit Ursula Ehler (1999)

König Sofus und das Wunderhuhn. Ein Stück für Kinder. Mitarbeit Ursula Ehler (1999)

Große Szene am Fluss. Mitarbeit Ursula Ehler (1999)

Kupsch. Monolog. Mitarbeit Ursula Ehler (2001)

Die Freude am Leben. Drama. Mitarbeit Ursula Ehler (2002)

Prosa

Geheimnis der Marionette (1957)

Auf kleiner Bühne. Versuch mit Marionetten. Essays (1959)

Dorothea Merz. Fragmentarischer Roman. Mitarbeit Ursula Ehler (1976)

Klaras Mutter. Erzählung. Mitarbeit Ursula Ehler (1978)

Der verbotene Garten. Mitarbeit Ursula Ehler (1982)

Die Reise nach Stettin. Erzählung. Mitarbeit Ursula Ehler (1984)

Der nackte Mann. Mitarbeit Ursula Ehler (1986)

Ich will versuchen Kupsch zu beschreiben. Stücke und Materialien. Künstlerbuch. Mitarbeit Ursula Ehler (2000)

Der schöne Ort. Erzählung. Mitarbeit Ursula Ehler (2004)

Filme

Rotmord. Fernsehversion von *Toller;* Regie: Peter Zadek (1969)

Sand. Fernsehfilm. Mitarbeit Ursula Ehler: Regie: Peter Palitzsch (1971)

Klaras Mutter. Fernsehfilm in eigener Regie. Mitarbeit Ursula Ehler (1978)

Mosch. Fernsehfilm in eigener Regie. Mitarbeit Ursula Ehler (1980)

Eisenhans. Spielfilm in eigener Regie. Mitarbeit Ursula Ehler (1983)

Übersetzungen

Der eingebildete Kranke. (Molière) (1968)

Der Preispokal. Eine Tragikomödie (Sean O'Casey) Übersetzung und Bearbeitung. Erstaufführung unter dem Titel *Der Pott* (1967)

George Dandin. (Molière) Mitarbeit Ursula Ehler (1978)

Englische Ausgaben

Toller. Edited with introduction and notes by Margaret Jacobs (1975).

"Die Kurve." In *The New Theatre of Europe: Five Contemporary Plays from the European Stage.* Edited with an introduction by Robert W. Corrigan and Martin Esslin (1962–70).

Three Plays. English adaptation by Henry Beissel (1976) ("Grand Tirade at the Town Wall," "The Curve," "A Trumpet for Nap").

"Fernando Krapp Wrote Me This Letter: An Assaying of the Truth." In *Drama Contemporary: Germany; Plays*, by Botho Strauss et al.; edited by Carl Weber (1996).

"Don't Eat Little Charlie." In *New Connections 99: New Plays for Young People* (1999).

Christoph Meckel, 1975.
Photo © Isolde Ohlbaum.

Christoph Meckel   1971

Wir sind geboren für eine Zeit,
die unsern Vätern lichte Zukunft schien,
doch uns ruhmlos gegenwärtig ist
und die uns, falls wir sie überleben,
finster vergangen sein wird.

WITH THESE LINES Meckel opens his poem, "In diesen Tagen" in his first major volume of verse, *Nebelhörner* (1959). But he rarely dwells long upon such forebodings. He rather agrees with Drusch, his "happy magician": "There are few things of which I have a firm conception, and in its absence I substitute my own conjectures." A striking aspect of this doubly talented poet and graphic artist is his keen sense of responsibility to both his audience and to himself. At the same time, he evinces with Drusch a confident sense of purpose.

Born June 12, 1935 in Berlin, the son of a lyric poet and writer, Christoph Meckel attended public school in Freiburg im Breisgau and studied graphic art for several semesters in Freiburg, Munich, and Paris. He has traveled extensively in Europe, Africa, Mexico, and the United States. Currently he makes his home in Berlin and in Southern France. This is Meckel's second visit to the United States; in 1968, he taught German literature for a semester at the University of Texas.

Meckel's poetic-artistic world unites the concrete with the surrealistic, harsh reality with the delicate realms of fantasy, a rich imagination with a far ranging mastery of poetic forms. Often his writings are accompanied by his own graphic illustrations.

Like the narrator in his radio play *Der Wind, der dich weckt, der Wind im Garten* (1967), he is convinced that "Alles in der Welt Vorhandene und also Vergängliche sucht seine Erzählung, seine Strophe, sein Stück Poesie als Zuflucht vor dem Tod und vermeintliches Ewigkeitshaus." In another radio play, *Eine Seite aus dem Paradiesbuch* (1969), he conjures up childhood recollections interwoven with poetic fantasy. He can speculate about dark realms "hinter dem großen Gewässer" and sail with Columbus to the edge of the blue in search of self-justification, or he can join Hans Christian Andersen in search of "ein gutes Ende für soviel elende Dinge." On his poetic wanderings, Meckel encounters many fabulous creatures, the chimera of the Greeks, the Biblical Leviathan or the creations of his own imagination. In the narrative *Tullipan* (1965), the title-figure revisits his creator in a revealing allegory on the poet's responsibility to the figures of his own creation. In the *Notizen des Feuerwerkers Christopher Magalan* (1966), the scholarly Prof. L. Kuchenfuchs presents an engaging satire of art criticism and the research process through the "discovery" of letters, documents, diaries, and even a personal interview with the fictitious artist.

As keen as his imagination is Meckel's sense of artistic kinship as he pays tribute among others to Bosch, Breughel, and Goya, as well as to Melville, Mörike, and J. P. Hebel.

Karl Krolow, in reviewing Meckel's volume of poems *Bei Lebzeiten zu singen* (1967), stressed his wayward yet self-assured talent for form and poetic expression out of which a distinct profile is steadily emerging. Meckel himself summarizes his activity in this manner:

> "verschiedene Tätigkeiten übte ich aus
> in letzter Zeit
> und mancherlei zu tun
> hab ich mir vorbehalten."

After Oberlin

Christoph Meckel, at age thirty-six, was one of the youngest of the invited guest authors. And yet, in 1971, as the brochure delineates, he had already created and published a sizeable body of work, both as a poet and an artist. Since leaving Oberlin and half a lifetime later, his oeuvre has grown to an impressive magnitude and diversity — poetry (frequently paired with his own graphic art), short prose, several novels, radio plays, as well as texts without any specific genre designation. Some fourteen exhibition catalogues recognize Christoph Meckel's artistic output. Additionally, he has edited several volumes of poetry as well as illustrated works by other poets, such as Bertolt Brecht and Christa Reinig. He still makes his home primarily in Berlin and the South of France — a life that shifts between metropolis and countryside.

Characteristic of Christoph Meckel's work are fundamental patterns of opposition, which he probes and examines again and again. They mark both his early and his later writings, so that the concerns and themes in the poems cited at the beginning and end of the 1971 brochure are also representative of those today, even as they bear the signs of changing times. The tension between experience and invention, between a commitment to reality and his love for the fantastic and the whimsical seems to be a constant, giving the work its richness and complexity. Similarly, certain themes keep reappearing, among them war, torture, the legacy of the Holocaust, and a world he sees as increasingly uninhabitable, as well as the difficulty and eventual failure of love relations. At the same time, the darkness and catastrophes are counterbalanced by an affirmation of life and language and a certain conscious naiveté.

Although not overtly political, Christoph Meckel was from the beginning anti-authoritarian and anti-bourgeois and a self-conscious outsider, attitudes that he attributes to his being born in Germany at the beginning of the Nazi era. For him, the examination and reexamination of the past are ongoing, consistent themes in his writing. Reflections on the past led, for example, in 1980 to the publication of *Suchbild — Über meinen Vater*, prompted by the son's reading of the elder Meckel's war diaries some nine years after his death. It was the most searching of about twenty "father books" written at that time by contemporary German, Austrian, and Swiss writers in their middle years, whose fathers were young men during the Hitler regime. The search for his real father was for Meckel (and others) also a search for identity: "Die alte Frage: wer bin ich, wo komme ich her, mußte nochmal gestellt und beantwortet werden, folgerichtig und radikal."

With regard to the fall of the wall, Christoph Meckel remarks that he was more familiar with conditions in the GDR than most West Germans because of his lasting friendships on the other side. When the wall fell, he was not particularly surprised. However, he is convinced that the spiritual wall will continue to exist for a long time, for generations perhaps.[1] If East and West and the wall were early themes, Meckel's poetic world later expanded once again with Israel prompting a new series of motifs around 1990. In 1989, he organized a meeting of Israeli and German writers in Freiburg im Breisgau, repeated in Berlin in 1993. With the help of the artist Efrat Gal-Ed, he has translated works by the Israeli poets Avraham Ben Yitzhak, Asher Reich, and Tuvia Rübner. Although he is a reluctant translator, he is glad to have made their work available in German. His writings of the time, and

---

[1] "Schneeballpost: Ein Gespräch mit Christoph Meckel in Briefen mit dem Herausgeber." In *Christoph Meckel*, ed. Franz Loquai (Eggingen: Edition Isele, 1993), 110–11.

especially *Das Buch Jubal* and *Das Buch Shiralee,* are reflective of his deep interest in things Jewish — his acquaintance with Hebrew literature, with Jewish history and intellectual history, mysticism, and poetry. He feels enriched by his exposure to the Hebrew language, in addition to Yiddish, which he had discovered much earlier.[2]

Although Christoph Meckel insists on separating his two occupations of author and graphic artist, he also admits that both emanate from the work of his hand: "Meine Werkstatt ist meine Hand. Ich bin Zeichner, du weißt es, und ich will die Handschriftlichkeit nicht aufgeben."[3] Thus, he continues to write by hand, eschewing both typewriter and computer. Moreover, poetry occupies a special place in Meckel's creative work. "Das Gedicht ist für mich ein umfassender Gegenstand, der nicht einseitig politisch oder gesellschaftskritisch sein kann, sondern alle Energien und Substanzen des Menschen zum Ausdruck bringt oder enthält. Ich habe immer versucht, so umfassend wie möglich in der Welt und im Gedicht zu sein.[4] Recently asked about what he was working on and what he would still like to write, Christoph Meckel answered that he hoped that he would always write poems.[5]

Christoph Meckel sent us his poem "Im Vergleich," which he wrote in February 1971 during his stay in Oberlin.

Im Vergleich

Und der krumme Hund mit dem Pfennig im Sack
ist ein guter Anblick, verglichen
mit dem krummen Hund ohne Sack und Pfennig.
Der Neger, sein Messer küssend im Dunkeln
ist ein guter Anblick, verglichen
mit dem, der seinen Namen wegwirft und einschläft.[6]

---

[2] "Schneeballpost," 122–23.

[3] "Ein Gespräch mit Christoph Meckel als Nachwort." In Meckel, *Ungefähr ohne Tod im Schatten der Bäume: Ausgewählte Gedichte.* Compiled and with an afterword by Lutz Seiler (Munich: Carl Hanser, 2003), 181.

[4] Meckel, "Ein Gespräch," 178.

[5] Meckel, "Ein Gespräch," 184.

[6] Meckels Gebrauch des Wortes "Neger" in diesem Gedicht hat noch nicht die heutige negative Bedeutung. Der Terminus wurde bis in die 1980er Jahre als

Lustig macht uns der Frierende Franz
verglichen mit dem, der frierend
Zuflucht sucht in seinem Leichnam; es macht uns
lustig was lebt und den Tag im Auge behält.

Der Baum, der Stein, der Regen
braucht nicht verglichen zu werden, erhaben
über jeden Vergleich.
Aber wir können verglichen werden
der Reihe nach, einer am andern,
der Hunger des einen und das Erbrochene des andern
das Rasierzeug des einen mit der Kehle des andern
nackt, nackter, entblößt bis auf den Herzschlag
können wir endlos verglichen werden
zu jeder Stunde, auf jedem Abtritt
die Schlaflosigkeit des einen mit der Geliebten des andern
der Kältegrad des einen
und die Schmerzmeisterschaft des andern.

Gentleman, die Vergleiche ruinieren uns, sichtbar
sichtbarer mit der Zeit, am sichtbarsten ohne Anlaß
das Stipendium des einen und der Wortschatz des andern
fern, ferner, am entferntesten einer vom andern;
einer immer hat kältere Füße
und schwärzeres Mehl in den Knochen, einer wird immer
gefischt aus dem Wasser, das grundloser ist
als das grundlose Wasser vom letzten Mal.

Steh auf, schlag den Kopf an die Wand im Vergleich
mit dem schärfsten Schmerz
mit dem härtesten Knochen!
Geh hin, zieh dich aus im Vergleich
mit der schmutzigsten Haut, mit der löchrigsten Decke!
Die Superlative halten sich schadlos
verzehren uns, persönlich und unpersönlich

---

wertneutral gesehen, obwohl er im Zusammenhang mit den modernen
Rassentheorien (Kant) aus dem Romanischen in die deutsche Sprache
kam. Heute gilt er als rassistisch, und andere Bezeichnungen und
Selbstbezeichnungen wie "Schwarze," "Afroamerikaner" oder "Afrodeutsche"
werden bevorzugt.

während wir uns ausruhn von Hart
und Härter und Steinhart
und wir übertreffen sie, lebend und nichts sonst
und drehn uns zur Wand im Vergleich zu früher und später.
Und sterben, verglichen mit niemand
tot, tot im Vergleich zu Luft und Asche.

Aus: *Wen es angeht*

Werke (eine Auswahl)

Tarnkappe. Gedichte (1956)

Hotel für Schlafwandler. Ausgewählte Gedichte (1958)

Moel. Radierzyklus 1959

Nebelhörner. Gedichte (1959)

Im Land der Umbramauten. Prosa (1961)

Das Meer. Radierzyklus (1965)

Tullipan. Erzählung (1965)

Bockshorn. Roman (1973)

Allgemeine Erklärung der Menschenrechte (1974)

Wen es angeht. Gedichte (1974)

Erinnerung an Johannes Bobrowski (1978)

Licht. Erzählung (1978)

Suchbild — Über meinen Vater (1980)

Anabasis. Radierzyklus (1982)

Ein roter Faden. Gesammelte Prosa (1983)

Die Komödien der Hölle. Eine Trilogie. Gedichte 1974–86 (1987)

    1. Säure (1979)

    2. Souterrain (1984)

    3. Anzahlung auf ein Glas Wasser (1987)

Limbo. Radierzyklus (1987)

Von den Luftgeschäften der Poesie. Frankfurter Vorlesungen. (1989)

Shalamuns Papiere. Roman (1992)

Die Rechte des Kindes. Radierungen (1994)

Ein unbekannter Mensch. Roman (1997)

Dichter und andere Gesellen. Essays (1999)

Zähne. Gedichte (2000)

Blut im Schuh. Gedichte (2001)

Nacht bleibt draußen und trinkt Regen. Gedichte (2002)

Suchbild. Meine Mutter. Roman (2002)

Ungefähr ohne Tod im Schatten der Bäume. Gedichte (2003)

Christoph Meckel hat insgesamt rund 40 Bücher mit Lyrik, Romanen, Essays, Graphiken und Zeichnungen veröffentlicht.

Peter Bichsel, Oberlin, 1972.
Photo: Oberlin College German Department.

Peter Bichsel   1972

P ETER BICHSEL WAS BORN IN 1935 in Lucerne, Switzerland and lives
  now with his wife and two children in Solothurn. Until recently, he
was active as a school teacher in local Swiss schools. Lately, in addition
to spending most of his time writing, he has begun making movies.
This is his second visit to the United States. Several years ago, he
attended the meetings of the Gruppe 47 held in Princeton.

His major published work includes: *Eigentlich möchte Frau Blum
den Milchmann kennenlernen* (1964) — a superb collection of short
prose sketches; *Die Jahreszeiten* (1967) — a highly experimental novel
for which he received the distinguished prize of the Gruppe 47; and,
most recently, *Kindergeschichten* (1969) — a much acclaimed collection of short stories. Presently he is working on new stories as well as a
novel.

Peter Bichsel can write in a mean and depressing rain — absolutely
sure of the kind of story he wants to tell and totally in control of the
means for telling it. Once it starts, the story tells itself. Basic to the way
he works is an abstract notion, existing only in his head and having
nothing to do with obvious reality, that sets this problem: how would
I tell myself the story of the man who set out to prove the world
round? or, how would I tell the story of a schizophrenic who's packing
her suitcase for a trip to the clinic? In his own words: "I'm interested
in what happens on the paper when I write the word *table* — I expect
that it will bring other words out into the open, enter into a constella-
tion with other words, provoke sentences . . . Like a drunk who wants
to talk, I need a pretext, a real background. An idea. That idea is as
good as what it lets me write. Sometimes it's enough if an idea (or
story) delivers just a single sentence. (Terribly unusual things always
deliver too many sentences) . . . And this corresponds to the view that
the painting gets its direction from the painter's very first brush
stroke . . ." And perhaps most important of all, this observation: "A
story must be able to surprise me while I'm writing it, the turns it takes
must not take place in any model, any preconception."

The early stories (some titles are instructive: *Floors* — *Flowers* —
November — *The Lions* — *Wood Shavings* — *The Milkman* — *From the
Sea* — *Novel*), gathered together under a title that takes risks: *Eigentlich*

möchte Frau Blum den Milchmann kennenlernen, drop down in a remote place, note the conditions (weather, signs of life, furniture . . .) and take off again, vertically, before they can be caught. In the very best of them, characters from the past stretch for comfort but give you back to life.

The novel *Die Jahreszeiten* is a drop off the cliff into the middle of language itself. In subtle but convincing ways it explores the presence of people in the objects of their life, the mocking discrepancy between what we say and what we use. Finally, it asks how to get back to where language let us off, the "where" of where there is work to do. The feeling is very much one of people turning to windows, wiping them down with their aprons, inviting you in to eat with them, feeding you like hens, falling forward to touch your ribbons, and above it all the sun, a tub or a drum gone blind from too much beating.

Bichsel's latest published work, *Kindergeschichten,* continues the process of self-purification. These stories settle more simply and directly into a world that has passed through our imagination at one time and touched it only briefly. They are a kind of lesson for teaching us how to convert even a "gentle" death we face into something beautifully our own. The triumph of the inventor, who is ridiculed because it turns out he has invented something the world already has, is complete: he marches back to his isolated place and simply invents everything the world has ever known, only to tear up the drawings afterward: "We've had that for a long time," he says. "Yet all his life he remained a true inventor, for even to invent things that exist already is hard, and only inventors can do it."

— Stuart Friebert

After Oberlin

Peter Bichsel's stay in Oberlin was not his first visit to America (as he likes to call the country that holds so much fascination for him). In 1964, he had traveled to Princeton, where the meeting of the Gruppe 47 took place. Nor was it his last visit to this continent. He has returned as a Writer-in-Residence and guest lecturer at several other American universities and sometimes simply comes for visits.

His literary work remains small. The three early prose works, which established his fame, were followed in 1985 by *Der Busant. Von Trinkern, Polizisten und der schönen Magelone,* a collection of stories. In 1993, he published another small volume of stories, *Zur Stadt Paris. Geschichten.* In addition, he wrote a radio play, *Inhaltsangabe der Langeweile* (1971), and a film, *Unser Lehrer* (1971, together with Alexander J. Seiler). Bichsel has called himself a "Wenigschreiber," explaining his so-called literary inactivity during a conversation with

Peter Rüedi in 1979: "I feel neither need nor obligation to be or to become a great and productive writer."

However, in addition to his fiction, Peter Bichsel has been busy with another kind of writing. He began writing columns for Swiss newspapers and magazines in 1968 and continues to do so today. The columns represent his most regular and sustained literary activity, making him the only German-language author to devote so much of his creative energy to this kind of "occasional" writing. He writes the columns when he is in Switzerland but also during his stays in New York, in Germany, or the demanding years — 1974–81 — as personal advisor to the Social Democratic Bundesrat Willi Ritschard (the Bundesrat, consisting of seven members, is the highest executive governmental authority in Switzerland). The columns are thus an essential aspect of Bichsel's work. They have been collected and published in book form, six volumes today, each comprising five years, as well as the most recent one, which covers the years 2000–2002. Collecting and ordering these texts chronologically in a book changes their occasional character, of course. Continuities and recurring themes and forms as well as Bichsel's poetics, especially his preoccupation with language, become visible. Many columns are concerned with issues of the times specific to Switzerland, such as the "Zürcher Jugendunruhen," the first Bundesrätin, the dying forests, and the controversy over the abolition of the Swiss Army. Everyday national and international events, however, form the background rather than the main theme in these texts. In the columns, as in his fiction, Bichsel is interested primarily in telling stories and in examining the use of language (for example, what is meant by "classical" democracy, by "total" defense?). Stories, he feels, are not to be found in the great political themes: the Gulf War is merely an event, not a story. Nonetheless, Bichsel's political engagement is never in doubt, and he is often perceived as a "Nestbeschmutzer" in his country. In the 1970s, his columns became increasingly aggressive — critical of the political quietism pervading his country. In 1982, in his essay "Abschied von der Schweiz," he explicitly warned of the worrying and undemocratic "trend to the Right."[1]

Bichsel nonetheless continues to be recognized as an important intellectual force in his country and abroad. In addition to his stays as guest author at various American universities and colleges, he travelled

---

[1] Christine Tresch, "'Die Ordnung begreifen heißt: in Antworten leben': Der Kolumnenschreiber Peter Bichsel." In *Peter Bichsel*, ed. Rolf Jucker (Cardiff: University of Wales Press, 1996), 36–47.

to New Zealand and Australia in 1977, where he read from his works. He made similar trips to Portugal in 1982, to Greece and Egypt in 1984, to South Korea in 1986, and again to the United States in 1990. In 1980, he was a Gastdozent at the Universität Essen. In 1983, he gave the Poetikvorlesungen at the Johann-Wolfgang-Goethe-Universität in Frankfurt am Main. These have been published under the title "Der Leser. Das Erzählen." He was made a member of the Deutsche Akademie für Sprache und Dichtung in Darmstadt as well as the Akademie der Künste in Berlin. He became an honorary member of the American Association of Teachers of German in 1991. And the Centre for Contemporary German Literature in Swansea invited him in 1995 as a Writer-in-Residence.

Peter Bichsel is, moreover, the recipient of many prizes. Since 1964, when he was awarded the Preis der Gruppe 47, he has been recognized with the following major awards: Stipendium des Lessing-Preises der Freien und Hansestadt Hamburg (1965); Deutscher Jugendliteraturpreis (1970) for *Kindergeschichten*; Prix Suisse (1973) for his radio play *Inhaltsangabe der Langeweile*; Kunstpreis des Kantons Solothurn (1979); Stadtschreiber von Bergen-Enkheim (1981/82); Johann-Peter-Hebel-Preis (1986); Preis der Schweizerischen Schillerstiftung (1987); Stadtschreiber-Literaturpreis von ZDF, 3sat und der Stadt Mainz (1995); Gottfried-Keller-Preis (1999); Charles-Veillon-Preis (2000); and the Kasseler Literaturpreis für grotesken Humor (2000).

Peter Bichsel lives in Bellach, near Solothurn, Switzerland.

Werke

Eigentlich möchte Frau Blum den Milchmann kennenlernen. 21 Geschichten (1964)

Das Gästehaus. Roman (1965)

Die Jahreszeiten. Roman (1967)

Des Schweizers Schweiz. Aufsätze (1969)

Kindergeschichten. (1969)

Stockwerke. Prosa (1974)

Geschichten zur falschen Zeit. (1979)

Der Leser. Das Erzählen: Frankfurter Poetik-Vorlesungen (1982)

Der Busant. Von Trinkern, Polizisten, und der schönen Magelone (1985)

Schulmeistereien. (1985)

Irgendwo anderswo. Kolumnen 1980–1985 (1986)

Im Gegenteil. Kolumnen 1986–1990 (1990)

Zur Stadt Paris. Geschichten (1993)

Gegen unseren Briefträger konnte man nichts machen. Kolumnen 1990–1994 (1995)

Die Totaldemokraten. Aufsätze über die Schweiz (1998)

Cherubin Hammer und Cherubin Hammer (1999)

Alles von mir gelernt. Kolumnen 1995–1999 (2000)

Doktor Schlagers isabellenfarbige Winterschule. Kolumnen 2000–2002 (2003)

Hörspiel

Inhaltsangabe der Langeweile (1971)

Film

Unser Lehrer, zusammen mit Alexander J. Seiler (1971)

Englische Ausgaben

And Really Frau Blum Would Very Much Like to Meet the Milkman. 21 Short Stories. Translated from the German by Michael Hamburger (1968/69).

Stories for Children. Translated by Michael Hamburger (1971).

There is No Such Place As America. Stories. Translated by Michael Hamburger (1970).

Helga M. Novak, 1967.
Photo: Renate von Mangoldt.

Helga M. Novak   1973

Kinderfrage
ich spiele Puppentheater
nicht aus pädagogischen Gründen
sondern aus reinem Vergnügen
eines Tages spiele ich das alte
Puppenspiel vom Doktor Faust
der seine Seele verschachert
— warum spielst du den Bösen
so gut — fragt mein Sohn
— und der Gute hat so häßliche Haare —
— das kommt weil mein Volk
in diesem Jahrhundert noch
keinen Faust gespielt hat immer
nur einen Mephisto —

WITH SUCH SIMPLE DIRECTNESS Helga Novak conveys the earnest-
ness of her message, whether it be social, political or human.

Born September 8, 1935 in Berlin, Helga Novak was reared by
elderly foster parents in a capital which knew Russian occupation. She
studied philosophy and journalism at the University of Leipzig. In 1961
she married and moved to Iceland, where she was variously employed in
a carpet factory and in the fisheries. There she assumed Icelandic citizenship, which she still maintains, although she now lives and works in
Frankfurt on the Main. In 1965, she returned to the German
Democratic Republic to study for a year at the Johannes R. Becher
Literaturinstitut in Leipzig. Subsequently, she traveled in France, spent
a year in Sicily and several months on the Greek island of Ios. This is
Mrs. Novak's second visit to the United States; in 1966, she attended
the meeting of the Gruppe 47 in Princeton.

As a school-girl, Helga Novak was a voracious reader of Schiller —
he was the only writer of quality represented in the library of her
modest home. Later in life she avidly read Thomas Mann, Bertolt
Brecht, and Maxim Gorki.

Helga Novak first published two slender volumes of verse, *Ballade
von der reisenden Anna* (1965) and *Colloquium mit vier Häuten*

(1967). For the second of these she was awarded the Literaturpreis der Freien und Hansestadt Bremen in 1968. Her poems are the products of experience, of fantasy, free of formal tradition, couched in simple, straightforward, often earthy and elemental language: they are devoid of affectation yet rhythmically appealing, "gesagt gesungen." Postwar Germany, East and West, and Iceland, with its life by the sea, its fjords, and its codfish, provide her with most of her settings. She is inclined to write ballads, some of which appear in rhythmical prose, as do both poems from which these volumes take their titles. Particularly in the *Colloquium* one is struck by verses of singular appeal so phrased that they lure the reader on without themselves bearing the main message: "Mein Herz macht einen Höllenlärm," "Meine Liebe ist aus den Fugen geraten," "heute am dritten verschneiten Dienstag im Oktober," "Abend/ist ein Fest in Schwarz."

More recently, Helga Novak has turned to short prose pieces with the collection *Geselliges Beisammensein* (1968), which brings vignettes from the author's travels and her work in the carpet factory or in the fisheries, or thinly veiled satires on the sociability of contemporary society. "Ein Mann in Uniform geht durch die Wagen und sagt, Ihr Visum bitte. Ein Ausländer sagt, ich habe kein Visum. Der Mann sagt, warum haben Sie kein Visum? Der Ausländer sagt, ich wußte nicht, daß. Der Mann sagt, kommen Sie bitte mit." This terse austerity of language is suggestive of the bleak landscape of her adoptive homeland, Iceland.

Aufenthalt in einem irren Haus (1971) contains eleven relatively brief prose narratives. Each tale seeks in its own way to come to grips with the daily confrontation between the dominant and the underprivileged elements in contemporary society. Helga Novak's propensity for brief, concise description — "Das einfachste Deutsch, das es gibt," she herself has called it — accentuates these confrontations and the circumstances under which they occur. A fascinating, constantly changing variety of stylistic devices: reports, interviews, letters to the editor, diary entries, lists, schedules, aphorisms, quotations, and tape-recorded conversations provide a wealth of perspectives on the issues she is presenting, whether they be the dehumanizing effect of the computer on the piece-worker, the dreary existence of the lonely foreign laborer who has seen his homeland but twice in eight years, the curious tortures to which women submit in an institute for "figure control" or the humdrum life in a mental institution with its regimentation and its pettiness.

Helga Novak has also written several radio plays, one of which, *Fibelfabel aus Bibelbabel oder Seitensprünge bei der Lektüre der Mao-Fibel*, has been recorded by Deutsche Grammophon. Just this spring she published her first children's book: *Seltsamer Bericht aus einer alten Stadt.*

After Oberlin

When Helga Novak came to Oberlin in 1973, she enjoyed a small, relatively localized but appreciative readership. She was then thirty-eight years old, and her primary work comprised two volumes of poetry, two collections of stories, a children's book, and a handful of radio plays. In the intervening years she has expanded her oeuvre prodigiously to include three important novels, three more prose collections, and seven volumes of poetry. Her radio plays now number more than two dozen. In addition to the single literary prize she received in 1968, she has now garnered another thirteen. Her stories and poems have been anthologized in numerous college textbooks, and it would be hard to find an American student of German who is unfamiliar with some aspect of her work.

During the course of her development as a writer, her poetry has ranged from Brechtian ballads and songs, with their immediacy of message and narrative lyricism, to more subjective and symbol-laden modes of writing. In both her early and later works, however, the emphasis remains on the individual, the "insignificant" or nearly anonymous person who is always in danger of being overwhelmed by external social and political forces. With minimal narrative commentary and often in a journalistic style, Novak depicts the isolation, monotony, and alienation typical of the lives of blue-collar workers. With her emphasis on the nuances of dialogue rather than expansive, moralizing prose, Novak unfolds a relentless critique of the stranglehold of the institution — whether economic, social, or political — over the human being. Revolt against authority, usually on a very small scale, becomes a source for human affirmation.

Novak has also admitted to an unabashedly autobiographical component in her writing. Through the eyes of her own barely-veiled childhood persona, her novels *Die Eisheiligen* (1979) and *Vogel federlos* (1982) deal with the challenges to self-assertion against the historical backdrop of Nazism, the German Democratic Republic, and the Cold War. In this respect, Novak's writing has much in common with two other Oberlin writers-in-residence, Christa Wolf and Helga Schütz. In these novels, as well as in later works exploring the relationship of autobiographical past to the present (for example, *Legende Transsib* [1985] and *Märkische Feemorgana* [1989]), Novak assiduously avoids the temptation to wallow in self-indulgent sentimentality, preferring instead to portray the experiences of her protagonists as representative of broader humanity.

Perhaps her most important work to date, the three-part poetry cycle titled *Sylvatica*, which she composed between 1990 and 1997 while living in relative isolation in a Polish forest, can also be viewed as a continuation of her autobiographical quest to resolve the tension — despite all indications of hopelessness — between individual aspiration and harsh reality. Critics received the work enthusiastically, and Rolf Michaelis wrote that with *Sylvatica* Helga Novak had become "one of the truest poets of our time" (*Die Zeit*, October 17, 1997).

Helga Novak's many accolades now include the following literary prizes: Preis "Der erste Roman" (1979); Stadtschreiberin von Bergen-Enkheim (1979); Wohnstipendium im Atelierhaus Worpswede (1984); Literaturpreis Kranich mit dem Stein (1985); Roswitha-Gedenkmedaille der Stadt Bad Gandersheim (1989); Ernst-Reuter-Preis (1989); Marburger Literaturpreis (1990); Hans-Erich-Nossack-Preis (1991); Gerrit-Engelke-Literaturpreis (1993); Ehrengabe der Deutschen Schillerstiftung Weimar (1994); Brandenburgischer Literaturpreis (1997); Ehrengabe der Bayerischen Akademie der Schönen Künste (1998); and the Ida-Dehmel-Literaturpreis (2001).

Since leaving Oberlin, Helga Novak has lived in Frankfurt am Main, Yugoslavia, Poland, and Berlin.

Helga M. Novak, die heute in großer Zurückgezogenheit in Polen lebt, hat auf unsere Versuche, sie für unser Projekt zu gewinnen, leider nicht reagiert. Die deutsche Dichterin, die zwischen Island und Jugoslawien an so vielen Orten lebte, hat das Gefühl von Heimatlosigkeit besonders eindringlich erfahren. Gert Loschütz, der 1999 Oberliner Gastautor war, liefert in diesem Band in seinem Essay Schreiben. Orte *unter anderem einen Eindruck davon, wie sich der Verlust von Heimat in Helga Novaks Werk eingeschrieben hat.*

Werke

Colloquium mit vier Häuten. Gedichte (1967)

Geselliges Beisammensein. Prosa (1968)

Wohnhaft in Westend. Dokumente, Berichte, Konversation; mit Horst Karasek (1970)

Aufenthalt in einem irren Haus. Prosa (1971)

Balladen vom kurzen Prozess. Gedichte (1975)

Die Landnahme der Torre Bela. Prosa (1976)

Margarete mit dem Schrank. Gedichte (1978)

Die Eisheiligen. Autobiographie, Teil 1 (1979)

Palisaden. Prosa (1980)

Vogel federlos. Autobiographie, Teil 2 (1982)

Grünheide Grünheide. Gedichte (1983)

Legende Transsib. Gedichte (1985)

Märkische Feemorgana. Gedichte (1989)

Silvatica. Gedichte (1997)

Solange noch Liebesbriefe eintreffen. Gedichte (1999)

Christa Wolf, Stuttgart, 1977.
Photo © Isolde Ohlbaum.

Christa Wolf   1974

C HRISTA WOLF, THE SEVENTH Max Kade German Writer-in-Residence at Oberlin College, differs in several ways from her predecessors. She is a novelist, while those who came before her were primarily poets, playwrights, and short-story writers. She is also the first East German writer, from whom we hope to gain valuable insight into that other German culture. And she is only the second female guest author to come to Oberlin. Christa Wolf is here with her husband, the critic and author Gerhard Wolf.

As an East German, Christa Wolf has known a life very different from an American's. Born in 1929 in Landsberg/Warthe (today: Golzów Wielpolski in Poland), about one hundred miles east of Berlin, she spent her childhood years under Hitler and in time of war. When the war finally ended in 1945, she, along with millions of others, fled westward, ending up in what became initially the Soviet Zone and, in 1949, the German Democratic Republic. She worked for some time as the secretary to the mayor of a village in Mecklenburg. In 1949, she moved to Jena and then to Leipzig, where she studied literature, receiving her diploma in 1953. She then became editor for the magazine *Neue Deutsche Literatur* and for the youth publishing house Neues Leben, and later of the publishing house Mitteldeutscher Verlag Halle, which published her *Moskauer Novelle* (Moscow Novella) in 1961. For this first work she received the Kunstpreis der Stadt Halle, and for her next, *Der geteilte Himmel* (*Divided Heaven*, 1963), the Heinrich-Mann-Preis. The motion picture made from her second book was awarded the Nationalpreis III. Klasse der Akademie der Künste der DDR and was rated "especially valuable" in 1964 by the Wiesbaden (West Germany) film evaluation board because, as the citation read, "no West German film since the war has reacted so sensitively to problems of conscience faced by young people." Christa Wolf's third book, *Nachdenken über Christa T.* (*The Quest for Christa T.*, 1968), not only represented a milestone in the development of East German literature, but has become a bestseller in its West German original and paperback edition. Christa Wolf has also published articles and literary criticism.

All three of Christa Wolf's major works concern the inner development of their central character. In all three, a heroine finds herself through increasing self-awareness. The search, not so much for self as for the right way in life, is at the same time a search for truth. Each time the reconstruction of the past, even one's own past, gives rise to the question that concerns so many novelists: What really happened? Thus William Faulkner shows the hero in *Absalom Absalom* setting out to learn from the protagonists about what happened in their lives and what to them was the meaning of the past. Similarly, the heroine of *Moskauer Novelle*, a young doctor on tour with a professional group to the Soviet Union, meets the young Russian whom she had known eight years earlier as an enemy officer in her German village at the end of the war. Only after making clear to themselves and each other the love and hostility each then felt for the other are they able to resume with renewed strength the useful lives each has made for himself in his own country.

The decision about which life and which country to choose is more difficult for the heroine, Rita, of *Der geteilte Himmel*, which takes place at the time the wall was built. Here too, the past — the Nazi period as well as the early years of the GDR — is recreated through conversations with many of the novel's diverse characters. As Rita becomes more and more involved in the affairs of the factory where she is required to work during her student years, she comes to identify with the socialist aims of her country. This brings about the conflict with her lover Manfred, who is no longer able to believe in these or any ideals. Personal love is pitted against the love for and commitment to a new society. Rita's fiancé, despite his hostility toward his opportunistic parents, who had collaborated with the Nazis, opts for the West, where he believes he can fulfill his goals as a scientist, while Rita opts for the more difficult but useful life in the East, although in so doing, she loses her love.

Christa Wolf's third novel, *Nachdenken über Christa T.*, was the most controversial of all with its insistence on finding oneself while serving society. The coincidence of the author's and the heroine's first names points to the autobiographical component in the novel. Christa Wolf's teacher of German literature at the University of Leipzig, Professor Hans Mayer, attests to the existence of a fellow student there whose life closely paralleled the heroine's; yet he also recalls Christa Wolf's own examination essay on the same topic as the heroine's. Clearly then, though Wolf's heroine is a composite of fact and fiction, much in her crises of conscience is real and part of Wolf's own experience. Christa Wolf's insistence on and search for truth in this novel goes hand in hand with a search for new ways of writing. She makes use of entirely new narrative techniques, which she explored in her essays. The novel thus represents a radical departure from the prescribed principles of Socialist Realism.

Gerhard Wolf, Christa's husband, is also an accomplished writer and critic. Among his publications are *Deutsche Lyrik seit 1945, Beschreibung eines Zimmers,* and *Der arme Hölderlin.* In 1972, Christa and Gerhard Wolf collaborated in writing the text for a film, *Till Eulenspiegel.*

Nach Oberlin

Christa Wolf gehört seit langem zu den bedeutendsten, zugleich auch streitbarsten Prosaautorinnen des 20. Jahrhunderts. Ihr Werk ist unmittelbar verknüpft mit dem *Experiment Sozialismus* in der DDR, seinen Hoffnungen und seinem Scheitern. Längst hat sich aber gezeigt, dass ihr Werk nicht nur ein Spiegel der Widersprüche und Auseinandersetzungen in der DDR ist, sondern dass Christa Wolf menschheitsgeschichtliche Fragen aufgreift und gesellschaftliche Mechanismen aufzeigt, die nicht an die Grenzen einer historischen Epoche gebunden sind.

Während ihres Oberlin-Aufenthalts arbeitete Christa Wolf bereits an ihrem autobiographischen Roman *Kindheitsmuster* (1976), in dem sie der Frage nachgeht: "Wie sind wir so geworden, wie wir heute sind?" Damit begibt sie sich auf die Suche nach Ursachen für bestimmte Verhaltensmuster wie Autoritätsgläubigkeit, Misstrauen, Intoleranz und Verdrängungsmechanismen und zeigt, wie die deutsche Vergangenheit — individuell und gesellschaftlich — in die Gegenwart hineinwirkt.

In ihrem Essay *Lesen und Schreiben* (1972) hatte Wolf ihre inzwischen unverwechselbare Schreibweise theoretisch erläutert. Der Begriff der *subjektiven Authentizität,* den sie am Beispiel von Georg Büchners Lenz-Erzählung einführt, wird für ihr Schreiben kennzeichnend. Den von offizieller Seite verkündeten *Wahrheiten* setzt sie die Forderung nach einer authentischen subjektiven Schreibweise entgegen und ermutigt damit auch ihre Leser, ihren eigenen Wahrnehmungen zu trauen. So endet auch *Kindheitsmuster* in der Fähigkeit der (zunächst auf drei Personalpronomen aufgeteilten) Protagonistin, ICH zu sagen.

Nach dem Schock der Biermann-Ausbürgerung 1976 begab sich Christa Wolf thematisch immer tiefer in die Vergangenheit. In *Kein Ort. Nirgends* (1979), einer fiktiven Begegnung zweier gefährdeter Dichterexistenzen — Karoline von Günderrode und Heinrich von Kleist — im frühen 19. Jahrhundert richtet Wolf ihr Augenmerk auf literarische Außenseiter, die "ihre Stirn an der gesellschaftlichen Mauer wund gerieben haben" (Anna Seghers[1]). Indem Christa Wolf deutlich

---

[1] Vergl. Christa Wolf: *Die Dimension des Autors. Essays und Aufsätze, Reden und Gespräche* (Darmstadt: Luchterhand, 1986), 1:342.

ihre Nähe zu diesen literarischen Vorgängern zu erkennen gibt, die sich gegen Fremdbestimmung wehren, schafft sie mit *Kein Ort. Nirgends* auch ein Analogiemodell zur erstarrten politischen Gegenwart der späten siebziger Jahre in der DDR.

Die eskalierende atomare Aufrüstung durch die Supermächte in den frühen 80er Jahren war Anlass für Christa Wolfs Erzählung *Kassandra* (1983) und die begleitenden *Frankfurter Poetikvorlesungen.* In einem schmerzhaften Bewusstwerdungsprozess analysiert die Seherin Kassandra ökonomische und damit verbundene ideologische Mechanismen, die zum Krieg führen. Christa Wolf macht deutlich, wie ein antinomisches Freund-Feind-Denken in einer patriarchalischen Gesellschaft mit Aufrüstung und Kriegsgefahr zusammenhängen.

Angesichts der existentiellen Bedrohung durch den Reaktorunfall in Tschernobyl entsteht innerhalb weniger Wochen der Prosatext *Störfall. Nachrichten eines Tages* (1987), in dem Christa Wolf ein erzählerisches Netz aus Assoziationen, Tagesnachrichten, Zitaten, Reflexionen entfaltet — von extremen Sprachstörungen und Sprachzweifeln durchdrungen — um gegen die alles erfassende Ohnmacht anzuschreiben. Der Traum des Menschen von einer unerschöpflichen Energiequelle zeigt seine schlimme Kehrseite, die in dem Bild des riesigen faulenden Mondes Ausdruck findet. Der Alltag wird als beinahe verlorene Kostbarkeit ins Bewusstsein gerückt.

In der Erzählung *Was bleibt*, die erst 1990 zur Veröffentlichung kam, wird der Verlust jeglicher Utopie konstatiert. Die Erzählerin, deren Alltag von permanenter Bespitzelung durch die Staatssicherheit vergiftet wird, kennzeichnet ihren inneren Zustand mit Ingeborg Bachmanns Worten: "Mit meinem Mörder Zeit bin ich allein." Die Erzählung, die bereits 1979 entstanden war, ist Ausdruck totaler Handlungsunfähigkeit unter politisch festgefahrenen Verhältnissen.

Trotz aller Widersprüche und Fehlentwicklungen, die Christa Wolf deutlich und ungeschönt aufgezeigt hatte, hat sie lange an der Idee eines erhaltenswerten Sozialismus festgehalten. Mit dem Fall der Mauer kam die Einsicht, sich an Unmöglichem abgearbeitet zu haben.

Nach dem Zusammenbruch des Sozialismus hatte Christa Wolf gegen schwere Anschuldigungen aus verschiedenen politischen Richtungen anzukämpfen, obwohl sie kurz vorher noch des Nobelpreises für würdig erklärt worden war.[2] Am Exilort Thomas

---

[2] Fritz Raddatz in der Zeitschrift *Die Zeit*, 24 March 1989, Literary Supplement, 2.

Manns, in Santa Monika (Kalifornien) versuchte sie — schreibend — den Umbruch zu verarbeiten, Schuldanteile zu akzeptieren und auf das zu schauen, was ihr Land gewesen war. Zeugnis dieses bis ans Äußerste gehenden Kraftaufwandes liefert der Band *Auf dem Weg nach Tabou* (1994), eine Textsammlung, in der das "Prinzip Hoffnung," so scheint es, endgültig zum Hindernis erklärt und abgewiesen wird.

Dieser Grundton bestimmt auch den Roman *Medea. Stimmen* (1996). Ähnlich wie in *Kassandra* nimmt Christa Wolf hier eine fundamentale Umdeutung des Mythos vor. Medea ist nicht, wie der Mythos seit Euripides vermittelt, die Mörderin ihrer Kinder und ihres Bruders, sondern sie ist Opfer gesellschaftlicher Mechanismen, die — besonders in politischen Umbruchsituationen — Menschen, vor allem Fremde, ausgrenzen um Machtstrukturen zu etablieren. Systematisch werden Feindbilder aufgebaut und Sündenböcke geschaffen, denen die eigenen Bluttaten zugeschrieben werden können. Medea muss nicht nur erleben, dass ihre Kinder umgebracht werden und ihr die Schuld dafür angelastet wird, sondern auch, wie der Mythos begründet wird, der sie auf ewig zur Kindsmörderin macht. Das Beispiel *Medea* scheint Handlungsmuster von zeitloser Gültigkeit aufzuzeigen.

Das 600-Seiten-Buch *Ein Tag im Jahr. 1960–2000*, erschienen 2003, ist ein außergewöhnliches literarisches Projekt. Über 40 Jahre hinweg hat Christa Wolf den 27. September eines jeden Jahres genau beschrieben. Es ist ihr bisher persönlichstes Buch und zugleich ein bewegendes Zeugnis deutscher Geschichte, basierend auf dem Zusammenspiel von Welt und Individuum, Geschichte und Biographischem, Zufälligem und Allgemeinem, Alltäglichem und Besonderem.

Für dieses Buch hatte Christa Wolf im Juni 2003 gerade die Korrekturfahnen vom Luchterhand-Verlag auf dem Tisch, die der gründlichen Durchsicht bedurften, als wir sie um einen Oberlin-Bericht baten. Sie konnte nichts versprechen. Und schickte uns dennoch den folgenden Beitrag:

Writer-in-Residence in Oberlin, 1974

Als wir, mein Mann, Gerhard Wolf, und ich am 3. April 1974 nach Oberlin, Ohio kamen, hatten wir amerikanischen Boden vorher nie betreten, wußten nicht, wofür der Begriff "Mittelwesten" steht, was eine "trockene Stadt" bedeutet und wie man sich bei einem Tornado verhält. Daher fuhren wir am zweiten Tag vertrauensselig mit Richard Zipser vom German Department über Land, um jenseits der Stadtgrenze von Oberlin Getränke einzukaufen, die es in der puritanisch "trockenen" Stadt nicht gab, obwohl die Tornadowarnung als Dauerstreifen über unseren Fernseher lief und draußen ein ganz schönes Windchen blies. Damals gab es in den USA Weine, auf deren buntem Etikett "like Liebfrauenmilch" stand und die — ich drücke mich höflich aus — enttäuschend waren. (Nicht nur das — die gesamte Eßkultur hat sich inzwischen grundlegend verbessert!) Aber das Windchen entwickelte sich schnell zum Sturm und, als wir abends glücklich wieder vor dem Fernseher saßen, wurde uns vorgeführt, daß ein Ort in der Nähe, aus ähnlichen Holzhäusern aufgestellt wie Oberlin, zu großen Teilen weggeblasen worden war.

Dasselbe — fast dasselbe — wurde uns zum Abschied beschert. Als wir am 11. Mai zur Abschiedsparty versammelt waren und auf die Steaks warteten, kam über den Drahtfunk wiederum eine Tornado-Warnung für Oberlin. Diesmal gingen wir bei den Nachbarn in den so genannten "Tornado-Keller" — nichts anderes als eine durch Verstrebungen und festere Materialien verstärkte Ecke in einem Keller, den nach unseren europäischen Maßstäben jeder Luftzug wegpusten mußte. Dort standen wir zusammen mit fein gekleideten Mitgliedern einer anderen Party, die Cocktailgläser in der Hand, und mußten über Funk hören, der Tornado habe in der Cedar Street ernste Schäden angerichtet. Aber da wohnen doch wir! riefen wir, doch die Freunde beruhigten uns: Die Cedar Street sei lang. Als wir uns aber nach Mitternacht unserem Haus näherten — das eigentlich das Haus von Professor Kurtz war, der es uns während seines Urlaubs vermietet hatte, — war just der Abschnitt vor diesem Haus in gleißende Helle getaucht, ein riesiger kommunaler Reparaturwagen blockierte die Straße, und Arbeiter in orangefarbenen Overalls bemühten sich, den großen Baum zu zerkleinern, der genau an dieser Stelle mitsamt seinem Wurzelwerk aus der Erde gedreht und auf die Straße geschleudert worden war. Der Strom war ausgefallen, die Nachbarn bangten um die Truthähne in den Tiefkühltruhen und boten uns Katastrophenhilfe an — wie am Anfang unseres Aufenthalts ein paar Studenten mit einem selbst gebackenen Brot bei uns erschienen waren: Wir Europäer hätten doch unsere Schwierigkeiten mit dem amerikanischen Weißbrot . . .

In der Tat. Diese Schwierigkeiten blieben; allmählich lernte ich immerhin, bei Fisher's diejenigen Lebensmittel zu finden, die unserem Geschmack nahe kamen, doch einmal noch gab es eine Krise, als Gerhard ernsthaft am Magen erkrankte und Haferflocken essen sollte, die aber alle "flavoured" waren und gegen deren Geruch er eine Unverträglichkeitsreaktion entwickelt hatte, bis ich, nach mehreren mißglückten Experimenten, "Quaker's unflavoured oatmeal" entdeckte.

Soviel zum "Kulturschock." Oder doch noch ein paar Hinzufügungen: Wenn wir es wagten, zu Fuß spazieren zu gehen, hielt nach wenigen hundert Metern unweigerlich ein Auto neben uns an und ein freundlicher Fahrer fragte, ob unser Auto eine Panne habe und er uns irgendwohin mitnehmen könnte. Im Supermarkt fiel dem schwarzen Helfer, der meine Einkäufe in die berühmten Tüten packte, regelmäßig die Kinnlade herunter, wenn er diese Tüte draußen nicht in den Kofferraum eines schicken Wagens, sondern in den Korb eines verrosteten Fahrrads legen mußte, das ich mir ausgeborgt hatte und das auf den Namen "Horatio" hörte. Im vorbeifahrenden Schulbus saßen die weißen Kinder vorne, die schwarzen hinten in einer festgefügten Gruppe zusammen; in der Schule, die ich einmal besuchte, saßen sie ebenso in getrennten Gruppen im Klassenraum. Und als der Lehrer nach dem Unterricht ein sechzehnjähriges Mädchen fragte: Was weißt du von der DDR? kam nach einer langen Denkpause ein Wort: The wall.

Dies war nun die andere Seite des Kulturschocks, den vielleicht wir unseren amerikanischen Partnern zufügten: Wir kamen aus einem Land, dessen Existenz zumindest den Studentinnen und Studenten von den Farmen des Mittelwestens unbekannt war und von dessen Literatur sie niemals vorher etwas gehört hatten. Darauf waren wir gefaßt und hatten diverse Pakete mit Büchern vorausgeschickt, den Grundstock einer kleinen DDR-Bibliothek. Wir hielten also Colloquien ab, in denen Namen wie Anna Seghers vorkamen, konzentrierten uns aber auf die "mittleren" und jüngeren Autoren: Erwin Strittmatter, Hermann Kant, Volker Braun, Johannes Bobrowski, Karl Mickel, Ulrich Plenzdorf, Günter de Bruyn, Irmtraud Morgner, Brigitte Reimann, Sarah Kirsch, Rainer Kirsch, Reiner Kunze, Uwe Greßmann. Ich übernahm die Prosaisten, Gerhard die Lyriker. Einmal in der Woche hielten wir einen jour fixe und versammelten Interessierte bei Wein und Crackern zu Lesungen und Gesprächen, die häufig nach dem Muster abliefen: Wie ist es bei uns, wie ist es bei euch?

An den freien Abenden saßen wir vor dem Fernseher und sahen einigermaßen fassungslos zu, wie die Tonbandkassetten, die "tapes," die er herausgeben mußte, neben dem Sitz des Präsidenten Richard Nixon zu immer höheren Stapeln anwuchsen und ihn überführten, seine Gegner im Wahlkampf illegal abgehört zu haben. Dann saß ich am Schreibtisch von Professor Kurtz, arbeitete ein wenig an "Kindheitsmuster" oder las aus der Bibliothek des Professors den "Doktor Faustus" von Thomas Mann. Um mich atmete das perfekte amerikanische Haus mit seinen mehreren Schlafzimmern und ebenso vielen Bädern, das automatisch warm und kalt wurde (wir erlebten Kälte, sogar Schnee) und das die Küchenabfälle unter provozierendem Gurgeln in den Ausguß saugte. War das die Zukunft? Oder war der Arzt die Zukunft, der sich weigerte, Gerd ins Krankenhaus einzuweisen, um den Ursprung seiner Beschwerden zu diagnostizieren: "It's very expensive, madam!" Oder die Familie des Truckfahrers, mit dem er dann schließlich doch in einem Zimmer lag und die, kaum daß sie den Mann und Vater kurz begrüßt hatte, sich um sein Bett scharte und die Blicke unverwandt auf einen der beiden Fernsehapparate gerichtet hielt, die von der Decke herabhingen? Auch nur einmal den Fernseher auszuschalten, durfte man den Mann nicht bitten: "Er hat doch dafür bezahlt!"

Eines nachts rief Max Frisch an, aus seinem Hotelzimmer in New York, 5th Avenue, und beschimpfte mich dafür, daß die DDR einen Spion neben Willy Brandt eingeschleust hatte, so daß dieser zurücktreten mußte. Er hatte mehrere Whisky getrunken, ich auch. Am Ende versöhnten wir uns über der gemeinsamen Empörung.

Wir erwarben Freunde. Wir bewunderten die music hall des Colleges und das gut ausgestattete Museum. Wir erkannten, wenn wir auf dem Campus gingen, ältere Ehepaare an ihrem Gang als Emigranten aus Europa. Ich mußte in Englisch einen Vortrag halten: "Prose writing today," den ich in Deutsch schrieb, von Dick Zipser übersetzen ließ und dann tagelang einübte. Früh ging ich in die Schwimmhalle schwimmen, mittags oder abends gingen wir öfter ins German House essen. Ich hörte einen Vortrag über die Shaker an und beantwortete die Fragen einer Frauengruppe über die Frauenemanzipation in der DDR. Ich war mir nicht sicher, daß wir mit Emanzipation dasselbe meinten, aber daß wir uns füreinander interessierten, war eindeutig. Ich wußte, dieses Interesse würde mir bleiben.

Am 12. Mai flogen wir von Cleveland nach New York, am 13. Mai von New York nach Prag, da waren wir dann schon so gut wie zu Hause.

Juli 2003

In ihrem jüngsten Buch, Ein Tag im Jahr. 1960–2000, *beschreibt Christa Wolf am 27. September 1983 den Besuch des Schweizer Autors Christoph Geiser in ihrer Berliner Wohnung. Sie kommen auf Oberlin zu sprechen, wo Geiser 1980 Writer-in-Residence war. Der entsprechende Textauszug ist dem Beitrag von Christoph Geiser hinzugefügt.*

Hauptwerke

Moskauer Novelle. Roman (1961)
Der geteilte Himmel. Roman (1963)
Juninachmittag. Erzählung (1967)
Nachdenken über Christa T. Roman (1968)

Lesen und Schreiben. Aufsätze und Betrachtungen (1972)

Unter den Linden. Drei unwahrscheinliche Geschichten (1974)

Kindheitsmuster. Roman (1976)

Kein Ort. Nirgends (1979)

Fortgesetzter Versuch. Aufsätze, Gespräche, Essays (1979)

Gesammelte Erzählungen (1980)

Kassandra. Vier Vorlesungen. Eine Erzählung (1983)

Ins Ungebundene gehet eine Sehnsucht. Gesprächsraum Romantik. Prosa. Essays. Zusammen mit Gerhard Wolf (1985)

Die Dimension des Autors. Essays und Aufsätze, Reden und Gespräche 1959–85, 2 Bände (1986)

Störfall. Nachrichten eines Tages. Roman (1987)

Sommerstück (1989)

Im Dialog. Aktuelle Texte (1990)

Was bleibt. Erzählung (1990)

Auf dem Weg nach Tabou. Texte 1990–94 (1994)

Medea. Stimmen. Roman (1996)

Hierzulande Andernorts. Erzählungen und andere Texte 1994–98 (1999)

Leibhaftig. Erzählung (2002)

Ein Tag im Jahr. 1960–2000 (2003)

Briefwechsel

Sei gegrüßt und lebe. Eine Freundschaft in Briefen 1964–1973. Brigitte Reimann, Christa Wolf (1993)

Monsieur — wir finden uns wieder. Briefe 1968—1984. Christa Wolf, Franz Fühmann (1995)

Ja, unsere Kreise berühren sich. Briefe. Christa Wolf, Charlotte Wolff (2004)

Filme

Der geteilte Himmel (1964)

Fräulein Schmetterling (1966)

Till Eulenspiel. Eine historische Legende nach Motiven des Deutschen Volksbuches und der Filmerzählung von Christa und Gerhard Wolf (1972)

Selbstversuch. Fernsehfilm (1990)

Englische Ausgaben

Nearly all of Christa Wolf's works have been published in English translation.

Ulrich Plenzdorf, the early 1970s.
Photo: Roger Melis.

Ulrich Plenzdorf   1975

U LRICH PLENZDORF, AUTHOR, SCREENWRITER, AND PLAYWRIGHT, is
the second outstanding contemporary writer from the German
Democratic Republik to come to Oberlin. Mr. Plenzdorf is accompanied by his wife, Helga, who is editor of an East German periodical
concerned with the problems of handicapped children. The Plenzdorfs
are visiting this country for the first time.

Ulrich Plenzdorf was born in Berlin in 1934. After completing his
Abitur in 1954, he studied philosophy in Leipzig, then served as stage-
hand for the DEFA from 1955 to 1958. Following 18 months of military service, he completed a four-year training course at a film academy
in 1963. Since that time he has worked as a scenarist for the DEFA Studio Babelsberg, and has written seven scenarios, five of which have
been produced.

Karla (1965), one of his early scenarios, tells of a young substitute teacher who downgrades the compositions of a senior class
written on the subject, "Was mir die Schule gegeben hat!" In her
judgment, they have not only mouthed socialist doctrines without
genuine sincerity but also have failed to exhibit any potential for independent opinion.

Perhaps Plenzdorf's best known film scenario is *Die Legende von
Paul and Paula* (1974), which is currently enjoying considerable pop-
ularity in Western Europe. It depicts the long rocky road of a specialist
in a foreign trade authority in his quest for a great love, which ends
tragically. The film book concludes with one of Plenzdorf's few
attempts at verse:

> Unsre Füße, sie laufen zum Tod
> Er verschlingt uns und wischt sich das Maul
> Unsre Liebe ist stark wie der Tod
> Und er hat uns manch Übels getan.
>
> Jegliches hat seine Zeit
> Steine sammeln, Steine zerstreun
> Bäume pflanzen, Bäume abhaun
> Leben und Sterben und Friede und Streit.

Ulrich Plenzdorf has not published extensively, but he quickly
achieved international acclaim for his controversial yet highly regarded
short novel, *Die neuen Leiden des jungen W.*, which propelled him to
the top among young writers of the German Democratic Republic
(*Der Spiegel*). It is a short novel with obvious roots in Goethe's
Leiden des jungen Werthers (1774). It presents the case of a young
"Aussteiger," or deserter from the socialist society. Edgar Wibeau, who
breaks off his apprenticeship in the small town of Mittenberg, flees the
restraints of a broken home and escapes to the "freedom" of the
metropolis (Berlin), where he lives alone in a dilapidated garden
house, makes music, "not any old Händelsohn Bacholdy, but genuine
music," plays and sings a "Bluejeans Song," paints in the abstract,
dances by himself, admires Salinger's *Catcher in the Rye*, and has an
affair with a young kindergarten teacher, Charlie, who marries her
stodgy twenty-five-year-old fiancé. At her suggestion, Edgar briefly
joins a work-brigade as a housepainter, but he finds it difficult to conform. In the end he "crosses the Jordan" as he tries to invent a new
electric paint gun: "Schätzungsweise war es am besten so. Ich hätte
diesen Reinfall sowieso nicht überlebt . . . Aber ich wär doch nie wirklich nach Mittenberg zurückgegangen. Ich weiß nicht, ob das einer
versteht. Das war vielleicht mein größter Fehler: Ich war zeitlebens
schlecht im Nehmen. Ich konnte einfach nichts einstecken. Ich Idiot
wollte immer der Sieger sein." The stage version of *Die neuen Leiden
des jungen W.* continues to be performed extensively to full houses in
both East and West Germany. A leading contemporary critic, Marcel
Reich-Ranicki, rates Plenzdorf's novel among the significant literary
documents of our time. In 1973 Plenzdorf was awarded the Heinrich
Mann Prize of the Academy of Arts of the German Democratic
Republic.

After Oberlin

Whether his works are set in the German Democratic Republic or the
united Federal Republic of Germany, Ulrich Plenzdorf continues to
portray the lives of everyday citizens and probe the degree to which
they conform to national ideals. His screenplay for the 1973 film, *Die
Legende von Paul und Paula,* has achieved near legendary status,
securing Plenzdorf's reputation as an author of lively, jubilant pop
culture that refuses to subordinate sensuality to reason. Indeed, the
film still enjoys a cult following among Germans more than thirty
years after its premiere. However, Plenzdorf also continues to reach
new audiences with the more serious themes of his imaginative and

original works. He has worked in virtually every genre and medium, from prose, poetry, and drama to film, television, and radio. His newest endeavors include translations of the young Native American author Richard van Camp's novels into German. Plenzdorf's rendering of these socially critical, even rebellious narratives bespeaks his unwavering commitment to furthering critical literary dialogue in Germany despite what he perceives to be imposing hurdles.

Today Plenzdorf examines Germany's ongoing efforts to refashion its national image and gives voice to those who doubt the wisdom of the emerging leadership. He sides with those who wish to pursue their own happiness, though he is often skeptical of their chances for finding it. His works resist tired ideology and didacticism and place the senses and emotions on equal footing with the intellect. He relates the seemingly smallest and most mundane aspects of life to the broadest national movements, showing why policies and people so often collide.

If banning and censorship may be said to honor a writer, then Plenzdorf's GDR distinctions warrant recognition here. Several instances testify to the risks that Plenzdorf was willing to take in the former East Germany in order to confront contemporary social problems: despite the banning of *Karla* after the notorious 11th Plenum in 1965 and systematic surveillance by the Ministry for State Security (or "Stasi") during his collaboration on the anthology *Berliner Geschichten*, Plenzdorf nonetheless persisted in writing honestly about the problems that confronted the GDR. These works were only made public after the collapse of East Germany, yet are appreciated today as authentic examples of rigorous engagement with life under socialism. They belong to the ongoing effort to understand the GDR not as a closed chapter in history but as an integral component of the fabric of today's united Germany.

After 1989 Plenzdorf continued to work with artists who first became prominent in the GDR, including Rainer Simon, Heiner Carow, Volker Braun, and Günter de Bruyn. In 1992 he replaced screenwriter Jurek Becker (now deceased) for the ARD television series "Liebling Kreuzberg," which stars Manfred Krug. In 1997 Plenzdorf wrote the script for *Abgehauen*, a film based on the best-selling autobiographical account of Krug's efforts to leave the GDR in the wake of the Biermann affair. The film was directed by renowned DEFA director Frank Beyer and broadcast in 1998 on ARD.

In these and other works, Plenzdorf's focus remains on the profound and ongoing difficulties of uniting East and West Germany.

Matulla und Busch, for example, exposes unresolved property disputes, unemployment, and a host of unfulfilled promises of Unification. Plenzdorf's incisive and sometimes bitter dialogue reveals persistent mistrust among citizens of each part of Germany. Generational misunderstandings moreover underscore the pervasive anxiety conveyed in the film. Despite moments of warm interpersonal encounters, Plenzdorf ultimately casts doubt on the prospects for true German-German reconciliation.

Although Ulrich Plenzdorf works predominately in film and television, he takes up the theme of troubled Unification in short fiction and poetry as well. He wrote an alternative development of a short story by Günter de Bruyn, "Freiheitsberaubung," which de Bruyn first published in 1978. Plenzdorf's version of the story, which appears in the collection *Eins und eins ist uneins* (1999), establishes a dialogue with de Bruyn's story and with the not-so-distant past. Other works in the volume include a political revue for the stage and songs that provide an often scathing look at both the logistical and the conceptual problems of Unification. Plenzdorf's social criticism has furthermore found expression in political activism. In 1997 Plenzdorf and other prominent authors signed the Erfurt Declaration supporting a coalition of the SPD, Bündnis 90/Die Grünen, and the PDS, in the hopes of replacing the administration of Chancellor Helmut Kohl.

The rather pessimistic tone of Plenzdorf's recent works is not to be overlooked, for he portrays in detail problems that do not appear to be solvable. That he continues to reject unfounded optimism, however, should not suggest that Plenzdorf has abandoned hope for the future. On the contrary, he has remained an articulate critic of social folly, an often ironic but nonetheless sincere portraitist of citizens who chafe against societal expectations.

Ulrich Plenzdorf has been awarded several prizes, including the Heinrich-Greif-Preis 1. Klasse, shared with Ingrid Reschke, for *Kennen Sie Urban?* (1971); the Kunstpreis des Freien Deutschen Gewerkschaftsbundes for *Kennen Sie Urban?* (1971); the Heinrich-Mann-Preis der Akademie der Künste der DDR for *Die Legende von Paul und Paula* (1973); the Heinrich-Greif-Preis (1973); the Ingeborg-Bachmann-Preis for *Kein runter kein fern* (1978); the Jacob-Kaiser-Preis, shared with Erich Loest, for *Es geht seinen Gang* (1982); and the Deutscher Jugendbuch-Preis for his translation of Richard van Camp's *The Lesser Blessed* (2002). In 2004 Ulrich Plenzdorf was appointed Gastdozent at the Literaturinstitut in Leipzig.

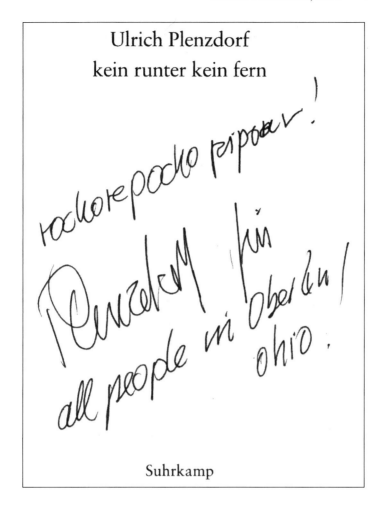

Werke

Mir nach, Canaillen! Drehbuch (1964)

Karla. Drehbuch (1965; Premiere 1990)

Weite Straßen — stille Liebe. Drehbuch (1969)

Kennen Sie Urban? Drehbuch (1970)

Die neuen Leiden des jungen W. Roman (auch als Stück und Film) (1972)

Die Legende von Paul und Paula. Drehbuch (1973)

Der alte Mann, das Pferd, die Straße. Drehbuch (1974)

Buridans Esel. Stück nach dem gleichnamigen Roman von Günter de Bruyn (1975)

Kein runter kein fern. Erzählung (1978)

Die Legende vom Glück ohne Ende. Roman (1979)

Es geht seinen Gang oder Mühen in unserer Ebene. Drehbuch zusammen mit Erich Loest (1982)

Insel der Schwäne. Drehbuch (1983)

Freiheitsberaubung. Drama nach der gleichnamigen Erzählung von Günter de Bruyn (1988)

Zeit der Wölfe. Stück in 26 Bildern und einem Prolog nach dem Roman "Die Richtstatt" von Tschingis Aitmatow. Drama (1989)

Häschen Hüpf oder Alptraum eines Staatsanwalts. Fernsehfilm (1991)

Liebling Kreuzberg. Fernsehserie (seit 1992)

Vater Mutter Mörderkind. Fernsehfilm (1993)

Das andere Leben des Herrn Kreins. Fernsehfilm (1994)

Matulla und Busch. Fernsehfilm (1994)

Der Trinker. Fernsehfilm (1995)

Berliner Geschichten. Operativer Schwerpunkt Selbstverlag. Eine Autoren-Anthologie; Wie sie entstand und von der Stasi verhindert wurde. Anthologie mit Klaus Schlesinger und Martin Stade (1995)

Der Laden. Fernsehfilm (1996)

Liebling, Prenzlauer Berg. Ein Anwalt kommt selten allein. Ein Anwalt fährt Rikscha. Prosatrilogie (1997–98)

Abgehauen. Fernsehfilm (1997)

Eins und eins ist uneins. Revolte Reform Revue und andere Texte (1999)

Der König und sein Narr. Drama nach dem gleichnamigen Roman von Martin Stade (2001)

Die ohne Segen sind. Übersetzung von Richard van Camps Roman *The Lesser Blessed* (2002)

Dreckige Engel. Roman. Übersetzung und Bearbeitung der Kurzgeschichten *Angel Wing Splash Pattern* von Richard van Camp (2004)

Englische Ausgaben

The New Sufferings of Young W. Translated by Kenneth Wilcos (1979).

"The Tale of Paul and Paula: Filmscript." Translated by Christiane E. Keck, *Dimension* 16:1 (1987).

Barbara Frischmuth, 1980.
Photo © Isolde Ohlbaum.

Barbara Frischmuth   1976

B ARBARA FRISCHMUTH, NOTED AUSTRIAN WRITER, was born in 1941
in Altaussee in Styria at the edge of the Salzkammergut. At the universities of Graz and Vienna, she specialized in non-Western languages,
particularly Hungarian and Turkish. Hence it is natural that her writings reveal a concern for language, the language of children, the language of everyday speech, the language of translation, and the
problems of communication which confront the foreigner.

Mrs. Frischmuth is primarily a writer of prose fiction. She has published short stories, radio plays, novellas, and novels. Her publications
include: *Die Klosterschule* (1968), *Amoralische Kinderklapper* (1969),
Der Pluderich, ein Kinderbuch (1969), *Tage und Jahre. Sätze zur Situation* (1971), her first novel: *Das Verschwinden des Schattens in der Sonne*
(1973), the tale of a young woman student who searches for dissertation material in the legendary dream world of Turkey's past, only to
experience the harsh realities of modern politics, and *Haschen nach
Wind* (1974), four stories concerned with the problems confronting
modern women. Just before she came to this country for the first time
in early February, Mrs. Frischmuth completed her most recent novel,
Die Mystifikationen der Sophie Silber, which is to be published by the
Residenz-Verlag in September.

Nach Oberlin

Über ein Vierteljahrhundert ist vergangen seit Barbara Frischmuth als
junge Schriftstellerin und Mutter eines dreijährigen Kindes in Oberlin
war. Heute ist sie eine international angesehene Autorin, deren umfangreiches Werk fast alle Gattungen umfasst: Romane, Erzählungen, Essayistik, Lyrik, Dramen, Kinderbücher, Puppenspiele, Hörspiele,
Fernsehfilme, und natürlich viele Übersetzungen aus dem Türkischen
und Ungarischen. Seit ihrer Rückkehr lebt die Autorin als freie Schriftstellerin in Wien und Altaussee.

Barbara Frischmuths Oberliner Aufenthalt fiel in die Zeit der
Entstehung ihrer ersten Romanfolge, der "Sternwiesertrilogie." Dem
ersten, schon beendeten Band, *Mystifikationen der Sophie Silber* (1976)
folgten 1978 *Amy oder die Metamorphose*, und 1979 *Kai und die Liebe*

zu den Modellen. Mit diesen drei Büchern vollzog sie die Wende von der für die moderne österreichische Literatur so charakteristischen Sprachskepsis zu einem auf Erfahrung und Verbindlichkeit beruhenden Sprechen und Erzählen hin, das sich zugleich intensiv auf Märchenhaftes und Mythisches bezieht. 1990 schloss sie eine zweite, die so genannte "Demeter-Trilogie" ab, die die Bände *Herrin der Tiere* (1986), *Über die Verhältnisse* (1987), und *Einander Kind* (1990) umfasst. In beiden Trilogien, ebenso wie in ihren anderen Werken der siebziger und achtziger Jahre, stehen Frauen und ihre Versuche um Selbstbestimmung im Mittelpunkt. Zugleich spielt die Sprache auch hier eine wichtige Rolle, nämlich durch die Entdeckung der "Muttersprache," der Sprache des Urvertrauens zwischen der Mutter und ihrer Tochter im zweiten Teil. Im dritten dann bekommt auch die männliche Figur die Chance sich als vollwertiger Partner und reife, umsorgende und somit mütterliche Gestalt an einer egalitären Beziehung zu beteiligen.

Ein weiteres durchgehendes Thema in Frischmuths literarischem Werk betrifft das heute multikulturelle Europa und die von ihr geforderte Hinwendung zu seinen Minderheiten. Schon ihr früher Roman *Das Verschwinden des Schattens in der Sonne* (1973) thematisiert die Erfahrungen einer österreichischen Studentin in der Türkei und ihre Schwierigkeiten, sich die fremde Kultur anzueignen, trotz Kenntnis der Sprache und enger Freundschaften. In den neunziger Jahren plädiert sie immer häufiger und dringender für Toleranz, Verständnis und Offenheit gegenüber dem "Anderen." Ihr Interesse gilt besonders der Vielfalt der islamischen Kultur und Religion und den Schwierigkeiten, mit denen die aus jenen Gegenden kommenden Einwanderer und ihre Kinder konfrontiert werden. Gezielt verweist sie auf das dichterische und essayistische Werk der deutsch-türkischen Autoren Zafer Şenocak und Emine Sevgi Özdamar, wie auch auf das des Iraners SAID. Nicht nur wirken diese Autoren ihrer Überzeugung nach als Vermittler zwischen den Kulturen, durch sie erfährt die deutschsprachige Literatur eine einzigartige Bereicherung. In Barbara Frischmuths vorläufig letztem Roman *Die Schrift des Freundes* (1998) spielt das Aufeinandertreffen verschiedener Kulturen und die Konflikte, denen die Migranten (in diesem Fall die türkischen Aleviten) ausgesetzt sind, eine wichtige Rolle.

In diesem Sinn fordert Barbara Frischmuth von der Literatur, was nur sie und nicht die Medien "in dieser polarisierten und polarisierenden Phase leisten kann. Zuerst einmal darf, ja, muss sie es sich zumuten, die Unterschiedlichkeit der Phänomene auszuhalten. Dort, wo politische Ideologie Einheitlichkeit erzwingen möchte, wird die

Literatur die Vielfalt bemerken, und wo man ewige Gültigkeit behauptet, denkt sie über die Wandelbarkeit von Menschengesetzen nach. Ob sie nun das Auge übers Ganze schweifen lässt oder ob sie eine Lupe benutzt, ihr Autor oder ihre Autorin bleiben kenntlich. [. . .] Die Wahrheit, die erzählt wird, ist eine Wahrheit, und niemand fühlt sich genötigt, sie als die einzige oder die ganze zu nehmen. [. . .] Was die Literatur im besten Sinne stiftet, ist Hinwendung, die Hinwendung des Lesers zum Gegenstand des Erzählens, und wahrscheinlich ist es das, was in einer Konfliktsituation am ehesten not tut. Eine geduldige Hinwendung, die 'das andere' als die Kehrseite der eigenen Medaille erkennen lernt und die intensive Wechselbeziehung zwischen Fremdheit und Vertrautheit als Bestandteil seiner Lektüre erlebt."[1]

Zu ihren literarischen Vorbildern zählt Barbara Frischmuth, wie dies vor allem aus ihren Münchner Poetikvorlesungen *Traum der Literatur — Literatur des Traums* (1991) hervorgeht, nicht nur die Humoristen und Märchenerzähler Lewis Carroll, Jean Paul, E. T. A. Hoffmann und Friedrich Dürrenmatt, sondern auch die Frauen, die sie als die Ursprungsgöttinnen der Prosa bezeichnet — Murasaki Shikibu, die im 11. Jahrhundert den ältesten Roman *Die Geschichte des Prinzen Genji* verfasste, die sprachgewaltige Mystikerin aus dem 12. Jahrhundert, Hildegard von Bingen, und vor allem Scheherezade, die tausend Nächte und eine Nacht erzählte, um ihr Leben zu retten.

Barbara Frischmuth ist mit vielen Preisen und Ehrungen ausgezeichnet worden. Zu den wichtigsten gehören die folgenden: Österreichischer Förderungspreis für Kinder- und Jugendbücher (1972), Literaturpreis des Landes Steiermark (1973), Anton-Wildgans-Preis (1974), Literaturpreis der Stadt Wien (1979), Österreichischer Würdigungspreis für Literatur (1987), manuskripte-Preis (1988), Internationaler Hörspielpreis (1990), Kinder- und Jugendbuchpreis der Stadt Wien (1994), Ingeborg-Bachmann-Preis (1997), Franz-Nabl-Literaturpreis (1999), Großer Joseph-Krainer-Preis (2003).

Warum ihr Oberlin-Aufenthalt zu einem Meilenstein in ihrem Leben geworden ist, beschreibt Barbara Frischmuth in dem folgenden Brief.

---

[1] Barbara Frischmuth, " 'Löcher in die Mauer bohren.' Rede zur Eröffnung des Symposiums 'Wir und die anderen' in Wien, März 1998," in *Das Heimliche und das Unheimliche. Drei Reden* (Berlin: Aufbau Verlag, 1999), 62–63.

Altaussee, 30. Januar 2003

Liebe Frau Griebel,

es ist nun 27 Jahre her, daß ich in Oberlin war und natürlich verblassen die Erinnerungen. Dennoch: da ich mit meinem kleinen Sohn (Jahrgang 1973) unterwegs war, sind mir viele Dinge im Gedächtnis geblieben, die ich ansonsten nicht mehr wüßte. Mein Verhältnis zu den Studenten war gut und lebhaft, da viele (beinah die ganze deutsche Abteilung) gelegentlich zum Babysitten in unser Haus kamen. (Mit einem von ihnen, Mark Head, bin ich noch immer in Kontakt.) Mein Sohn Florian sprach damals schon recht gut und die Studenten konnten sich ohne Scheu mit ihm unterhalten. Florian besuchte auch eine Nursery School des Colleges, was morgens nicht ohne Tränen abging. Meinen Beobachtungen zufolge, gab es viele Robins in Oberlin. In jedem Vorgarten, das heißt alle 5 bis 10 m, saß einer in der Wiese oder auf dem Zaun. Um Florian den allmorgendlichen Abschied zu erleichtern, erzählte ich ihm, daß ich ihm immer einen Robin mitschicken würde. Schließlich konnte ich bei der Menge an Robins sicher sein, daß immer einer in der Nähe war. Und die Tränen versiegten.

Wir hatten uns ein Fahrrad geliehen und fuhren so auch zum Einkaufen. Da ich von Europa her gewohnt war, meinen Gästen auch einen Schluck Wein oder Sherry anzubieten, mußte ich mit dem Fahrrad an die Stadtgrenze fahren. (Oberlin war damals noch eine Dry Town.) Von dort kamen wir dann folgendermaßen zurück: Florian saß auf dem Kindersitz hinter mir und von den beiden Seiten der Lenkstange hing jeweils eine Sherry-Karaffe. Zum Glück war nicht allzu viel Verkehr, den wir hätten behindern können.

Ich erinnere mich vor allem an Stella und Sidney Rosenfeld, die sehr hilfsbereit waren, aber auch an das Ehepaar Reichard, das sich hauptsächlich um uns (Unterbringung usw.) gekümmert hatte. An Elisabeth Rotermund und an ein reizendes kanadisches Ehepaar aus der altenglischen Abteilung.

Für mich war der Aufenthalt in Oberlin deshalb so wichtig, weil er mir zeigte, daß ich auch mit einem Kind (meine Ehe war damals schon in beginnender Auflösung) unterwegs und schriftstellerisch tätig sein konnte. Ich begann meine Flugangst zu überwinden und meine Unabhängigkeit zurückzugewinnen. Ich brauchte nicht zu unterrichten, hielt aber eine Reihe von Lesungen sowie einen Vortrag, dessen Manuskript allerdings nicht mehr auffindbar ist. Der Kontakt mit den Studenten war, wie schon gesagt, recht gut und daß ich selbst mein Englisch wieder üben konnte, ist mir ebenfalls zugute gekommen. So gesehen war Oberlin tatsächlich einen Art Meilenstein in meinem Leben.

Mit herzlichen Grüßen
Barbara Frischmuth

Werke (eine Auswahl):

Die Klosterschule. Roman (1968)

Geschichten für Stanek (1969)

Tage und Jahre. Sätze zur Situation (1971)

Das Verschwinden des Schattens in der Sonne. Roman (1973)

Rückkehr zum vorläufigen Ausgangspunkt. Erzählungen (1973)

Haschen nach Wind. Erzählungen (1974)

Die Mystifikationen der Sophie Silber. Roman (1976)

Amy oder Die Metamorphose. Roman (1978)

Entzug — ein Menetekel der zärtlichsten Art (1979)

Kai und die Liebe zu den Modellen. Roman (1979)

Bindungen. Erzählung (1980)

Die Ferienfamilie. Roman (1981)

Landschaft für Engel (1981)

Die Frau im Mond. Roman (1982)

Vom Leben des Pierrot (1982)

Traumgrenze. Erzählungen (1983)

Kopftänzer. Roman (1984)

Herrin der Tiere. Erzählung (1986)

Über die Verhältnisse. Roman (1987)

Mörderische Märchen (1989)

Einander Kind. Roman (1990)

Traum der Literatur — Literatur des Traums. Münchner Poetik-Vorlesungen (1991)

Wassermänner. Lesestücke aus Seen, Wüsten und Wohnzimmern (1991)

Hexenherz. Erzählungen (1994)

Die Schrift des Freundes. Roman (1998)

Fingerkraut und Feenhandschuh. Ein literarisches Gartentagebuch (1999)

Das Heimliche und das Unheimliche. Drei Reden (1999)

Schamanenbaum. Gedichte (2001)

Die Entschlüsselung. Roman (2003)

Der Sommer, in dem Anna verschwunden war. Roman (2004)

Theaterstücke

Der grasgrüne Steinfresser (1973)

Die Prinzessin in der Zwirnspule. Regie: Georg Ourth. Landestheater Salzburg (1976)

Daphne und Io oder Am Rande der wirklichen Welt. Schauspielhaus Wien (1982)

Mister Rosa oder Die Schwierigkeit, kein Zwerg zu sein. Groteske. Regie: Udo Schoen. Aachen: Stadttheater (1989)

Mister Rosa oder Die Schwierigkeit, kein Zwerg zu sein. Spiel für einen Schauspieler (1991)

Anstandslos. Eine Art Posse. Regie: Michael Gampe. Wien: Volkstheater in den Außenbezirken (1994)

Eine kurze Geschichte der Menschheit. Dramatisierung für "Optisches Konzert." Musik: Marco Schädler, Konzept, Bearb., Regie: Johannes Rausch. Choreografie: Guillermo Horta Betancourt. Feldkirch: Saal der Arbeiterkammer (1994)

Darüber hinaus hat Barbara Frischmuth zahlreiche Hörspiele geschrieben.

Kinder- und Jugendbücher

Amoralische Kinderklapper (1969)

Der Pluderich. Mit Illustrationen von Walter Schmögner (1969)

Der liebe Augustin. Bilder von Inge Morath (1981)

Sommersee (1991)

Alice im Wunderland. Mit Bildern von Jassen Ghiuselev (2000)

(und viele andere)

Englische Ausgaben

The Convent School. Translated by Gerald Chapple and James B. Lawson (1993).

Chasing after the Wind: Four Stories. Translated by Gerald Chapple and James B. Lawson (1996).

The Shadow Disappears in the Sun. Translated and with an afterword by Nicholas J. Meyerhofer (1998).

Max von der Grün, 1976.
Photo © Luchterhand Verlag.

Max von der Grün   1977

THE GERMAN NOVELIST AND SHORT STORY WRITER Max von der Grün was born in Bayreuth on May 25, 1926. There was nothing in his background or education to indicate a future literary career. The son of simple factory workers, he first attended grade school and then a commercial secondary school, before becoming a mercantile trade apprentice. During the Third Reich his father, a religious fundamentalist and conscientious objector, was taken to the Dachau concentration camp. Von der Grün himself was drafted, taken prisoner in Normandy and from there to a POW camp in the American South. In 1948 he returned to Germany, worked as a bricklayer and then, after resettling in the Ruhr, from 1951 to 1963 in the coal mines. Together with Fritz Hüser, director of the Dortmund Municipal Library, he founded the "Dortmunder Gruppe 61 für künstlerische Auseinandersetzung mit der industriellen Arbeitswelt." Since 1963 he has lived in Dortmund as a freelance writer.

Although Max von der Grün's fiction is set almost exclusively in the milieu of industrial workers, most particularly among the coal miners of the Ruhr, he rejects the label of a "workers' writer." His prime aim, he stresses, is to portray — as concretely as possible — human problems and conflicts, as they arise, to be sure, within the modern industrial system. His social criticism, however, is bound by neither political nor literary ideology. In subjecting the realities of the industrial world to critical examination, he is concerned above all with justice and human dignity. In his first novel, *Männer in zweifacher Nacht* (1962), he depicted the helplessness of the miners to cope with their political and social oppression. His next novel, *Irrlicht und Feuer* (1963), is set among the same Ruhr miners, but — as Franz Schonauer has emphasized — it more aggressively and directly attacks those in the industrial hierarchy who are responsible for such oppression.* The political uproar occasioned by this novel within the mining industry gained widespread attention. Also, it cost the author his job and led him to devote himself primarily to writing.

Von der Grün's most successful novel to date has been *Stellenweise Glatteis,* which appeared in 1973. Its central figure, Karl Maiwald, a Dortmund machinist and former truck driver, embroils himself in a highly charged conflict between workers, factory, and union, in which the lines that demarcate principle and practicality, solidarity and self-interest shift back and forth, and even Maiwald's successes in combating injustice become questionable.

In his short stories Max von der Grün sketches simple yet meaningful events and involvements in the lives of ordinary workers. In many, the autobiographical element is clearly pronounced. Included among his story collections are *Urlaub am Plattensee* (1970), *Stenogramm* (1972), and *Am Tresen gehn die Lichter aus* (1974). Two volumes of documentary prose likewise treat the everyday reality of workers: *Menschen in Deutschland* (1973) and *Leben im gelobten Land. Gastarbeiterporträts* (1975). His most recent book, *Wenn der tote Rabe vom Baum fällt* (1976), describes the author's travel experiences in western Asia and the Middle East.

* Schonauer's informative article "Der Schriftsteller Max von der Grün" is included in a special von der Grün issue of Text und Kritik *(Heft 45, Jan. 1975), to which these notes are indebted.*

After Oberlin

Since 1977, Max von der Grün's literary work has continued to be marked with his concerns for laying bare worker exploitation and systemic corruption pervading industry, while at the same time mirroring more generally the societal concerns that have accompanied Germany into the new century. "Wenn mich einer fragen würde, was ich in meinem Leben erreicht habe, könnte ich mit einem Satz antworten: Ich kann **nein** sagen. Ich habe gelernt, mich zu verweigern, mich kann niemand zwingen. Ich bin ein hoffnungsfroher Mensch, kein Pessimist,"[1] he wrote recently, a self-assessment that, on many levels, encompasses the convictions that form a *Leitfaden* through the lives of his characters as well as his own.

Flächenbrand (1979), in the tradition of his earlier novels, continues to reflect his interest in inequitable arrangements between workers and controlling forces. While at one level it is a story about the unemployed Lothar's efforts to sustain his convictions in the face of despair, *Flächenbrand* also stands as a crime novel, suspensefully unfolding a plot of Neo-Nazi crime and corruption. This text, along with others

---

[1] *Zum 70. Festschrift für Max von der Grün*, ed. Gisela Koch (Dortmund: Stadt- und Landesbibliothek Dortmund, 1996), 22.

including *Späte Liebe* (1982) and *Vorstadtkrokodile* (1976), was adapted for television, and in this form enjoyed international acclaim and success. *Vorstadtkrokodile*, intended as a children's book, adopts a style reminiscent of Erich Kästner's *Emil und die Detektive*, telling the story of a rag-tag group of children who become involved in uncovering a crime plot. (Indeed, von der Grün fondly recalls reading in one of his many fan letters from children one that earnestly stated, "Lieber Herr von der Grün, eigentlich wollte ich Erich Kästner schreiben, aber unsere Lehrerin hat gesagt, dass er längst tot ist. Deshalb schreibe ich Ihnen.")[2] Yet, in a significant twist, the central character Kurt is wheelchair-bound — a tribute to von der Grün's own disabled son, Frank. Kurt, like Lothar, embodies the marginalized character, who is at the same time poised to effect change, in part because of his very status as outsider.

The 1980s and 1990s saw Max Grün making sustained efforts to incorporate social critique within the context of an action-filled, crime-laced plot, including *Lawine* (1986) and his most recent novel *Springflut* (1990). In the latter novel, von der Grün deals not only with the issue of unemployment, but also with xenophobia and asylum politics among the problems of a major city in the *Ruhrgebiet*. During these same years, von der Grün's self-described "Naysayer" stance manifested itself in his professional activities as well as in his literary efforts to insist on exposing the wrongs he saw before him. He argues that his gradual disassociation from PEN, of which he has been a member since 1963, was a gesture of solidarity prompted by what he deems an unbearable discussion of East/West politics after 1989. "Unerträglich finde ich, daß man über Autorinnen und Autoren urteilt, ohne sich ernsthaft zu fragen, wie man sich selbst unter ähnlichen Bedingungen verhalten hätte."[3]

Since his visit to Oberlin some 28 years ago, Max von der Grün has been lauded internationally for his work and has been the recipient of numerous prestigious awards, including Das goldene Lorbeerblatt (1966), the Kulturpreis der Stadt Nürnberg (1974), the Preis der Prager Fernsehzuschauer (1978), the Wilhelmine-Lübke-Preis (1979), the Annette-von-Droste-Hülshoff-Preis (1981), the Gerrit-Engelke-Preis (1985), the Kulturpreis der Stadt Linz (1986), the Ehrenring der Stadt Dortmund (1987), the Ruhrpreis des Kommunalverbandes Ruhrgebiet

---

[2] *Zum 70. Festschrift,* 43.
[3] *Zum 70. Festschrift,* 39.

(1988), the Verdienstorden des Landes NRW (1991), and the Kogge-Preis der Stadt Minden (1998).

The author lived in Dortmund with his wife, Jenny, until his death on April 7, 2005.

In the following interview with Max von der Grün, conducted by Bob Reynolds on March 4, 1977, the author offers his impressions of Oberlin and the environs.

"Cake to Paradise" — *Max von der Grün*

Editors' note: Max von der Grün is this year's German Writer-In-Residence. Born in 1926, he worked as a bricklayer from 1948–1951, and from 1951–1963 as a coal miner in the Ruhr. In 1961 he became one of the founders of the Dortmunder Gruppe 61, a group of artists concerned with the industrial working world. In 1963 he lost his mining job because of the uproar which his novel, lrrlicht und Feuer, *created in the mining industry. Since then he has worked as a freelance writer. Very lively and also very informal, Max is available for anyone interested in meeting him — he does speak a fair amount of English. Details of his public appearances (a lecture and a reading on April 16) will be given later in the* Review. *Funds for Max von der Grün's residency are provided by the Max Kade Foundation.*

Interviewer: So, Herr von der Grün, now that you've been in America for some time. . .

Max: Some time — it's now exactly eight days.

Interviewer: . . . can you give me a couple of first impressions?

Max: What can I say? Up to now I've only seen one major city, Cleveland. I've been there twice now. I find it the ugliest city I've ever seen in my life. Dirty, ugly, unlivable — one would have to look into the question, why is it like that? Maybe because the citizens of Cleveland don't think of the city as their city; I don't know. But I hope, when I go back to "Old Europe" three months from now, I'll be able to answer some of the questions I've been asking myself lately.

Interviewer: And what do you think of our surroundings otherwise, of Lorain, Lake Erie, Oberlin?

Max: I find Oberlin very pleasant, quiet. I also find it, in terms of architecture — it fulfills something called aesthetics. I'm a very optical person. I have to see. Without seeing, one really can't write. I arrived in Oberlin late at night, and the first thing I did the next morning was to walk around for an hour; that's always good, so that you know where you've landed. I find it nice here.

Interviewer: In your writing your main interests are workers' problems and large industrial cities. Thus we thought you might want to see Lorain — the steel works and shipyards there. Would you be interested?

Max: Cleveland interested me, for the following reason: Cleveland has about the same population as Dortmund, where I come from; Cleveland has practically the same structure, as an iron and steel city, as Dortmund does, and, seen from the air, it's about the same size as Dortmund. But I always come back to my first impression, having seen Cleveland twice now; and if I were to compare it with Dortmund, then Dortmund is an open-air spa somewhere in Italy. My first impression — I don't think I'd care to qualify it.

Interviewer: O.K. I've been meaning to ask: What does a workers' writer, I know you don't like to be called that — a writer interested in workers' problems, then — what does he hope to find at a small, elitist college in the Midwest?

Max: What makes something elitist, or not, are the people involved. Perhaps a writer who comes here can help a little with the sort of academic young people who think they drank the milk of wisdom at their mother's breast — maybe help a little to reduce them to where they belong once they get out of school; that they also have to work sometime. This life won't always stay like this, will it? And the mountain of cake that has to be eaten through in order to get into paradise [the legend of Schlaraffenland, the Utopia of the idle] — it's never yet been eaten through. Maybe a writer can contribute something there. Before coming here, I spent a semester at the University of Essen and dealing with these problems, naturally more intense because it was in my own country, with my own students, coming from the context of my own society. And there was no language difficulty — we'll see how it goes in Oberlin. In four weeks we will know more.

Interviewer: Do you plan to do much writing here? Something about the U.S., for instance?

Max: In all likelihood, no. I don't plan to do that, except, maybe, I've been keeping a diary for several years. Except for a couple of the impressions I gain; you encounter people who make an impression on you. These encounters are important — these human encounters — that one holds on to that. But I'm certain, although one should never say "never," I'm certain I won't write about that. Everything that goes to the enrichment of one's own substance — one shouldn't take that and immediately write it out of one's soul. That's no way to do things, in my opinion.

©*The Oberlin Review*

Werke (Eine Auswahl)

Männer in zweifacher Nacht. Roman (1962)

Irrlicht und Feuer. Roman (1963)

Urlaub am Plattensee. Prosa (1970)

Zwei Briefe an Pospischiel. Roman (1970)

Stenogramm. Erzählungen (1972)

Am Tresen gehn die Lichter aus. Prosa (1972)

Menschen in Deutschland. Sieben Porträts (1973)

Stellenweise Glatteis. Roman (1974)

Leben im gelobten Land. Gastarbeiterporträts (1975)

Reisen in die Gegenwart. Vier Erzählungen (1976)

Wenn der tote Rabe vom Baum fällt (1976)

Vorstadtkrokodile. Eine Geschichte vom Aufpassen (1976)

Wie war das eigentlich? Kindheit und Jugend im Dritten Reich (1979)

Flächenbrand. Roman (1979)

Späte Liebe. Erzählung (1982)

Friedrich und Friederike oder Ist das schon die Liebe? Geschichten (1985)

Die Lawine. Roman (1986)

Brot und Spiele. Libretto (1989)

Springflut. Roman (1990)

Die Saujagd und andere Vorstadtgeschichten. Erzählungen (1995)

Jurek Becker in the German House Lounge, Oberlin, 1978.
Photo: Oberlin College German Department.

Jurek Becker   1978

Jurek Becker, the third author from the German Democratic Republic to visit Oberlin in recent years (the first being Christa Wolf in 1974, followed by Ulrich Plenzdorf in 1975), moved from East to West Berlin last December. He is in possession of an unusual two-year exit visa that enables him to go back and forth from the West to East Germany, where his two teenage sons live. To date, he is the only East German writer to be permitted such freedom of movement outside that country. In November of 1976, Becker became embroiled in a human rights conflict with the government when he — along with eleven other East German writers — publicly protested the forced exiling of dissident poet-singer Wolf Biermann. In the ensuing months, he resigned from the powerful Writers' Union, was thrown out of the Communist party, and subsequently was barred from making public appearances and publishing his writing in East Germany.

The son of Polish-Jewish parents, Jurek Becker was born in Lodz (Poland) in 1937. After the German invasion of Poland in 1939, he lived with his parents in the Lodz ghetto; from the beginning of 1943 until May of 1945 he was in concentration camps at Ravensbrück and Sachsenhausen. At the end of the Second World War he and his father (the only survivors of the immediate family) moved to Berlin, where young Jurek began to learn German and attended school for the first time at the age of nine. After completing his *Abitur* in 1955, he spent two years in the military service, then studied philosophy at the Humboldt University (East Berlin) until 1960 when he was expelled for political reasons. From this time on, Becker has earned his living as a freelance writer; before establishing himself as a novelist, he mainly wrote texts for political cabaret as well as screenplays for television and film.

International recognition came to Becker following the publication of his first novel, *Jakob der Lügner* (1969), which has been translated into twelve languages and made into a motion picture of the same title. It is the story of Jakob Heym, a middle-aged Jew in a Polish ghetto during the German occupation, who is forced by fate and circumstances to become a "liar." Quite by accident, Jakob overhears a radio broadcast announcing that the Russian army is very close by, which means that the ghetto may soon be liberated. When he tells his neighbors this good news, their utter despair is suddenly transformed into hope, and Jakob (who does not have access to an illegal radio) feels obliged to keep spirits high by fabricating more news of the advancing Russians. Hope is Becker's theme, and his novel shows that it is not necessarily a positive force in the lives of persons who are trapped in a hopeless situation. For although Jakob is able to give the Jews in the ghetto some hope, it does not prompt them to take action, but only serves to make them more passive than before. And whom should Jakob, the one person without hope, turn to in his plight?

In his second novel, *Irreführung der Behörden* (1973), Becker depicts the career of an opportunistic young writer, Gregor Bienek, who makes certain compromises and concessions as an artist in order to become successful. Less concerned with how somebody becomes or has become an opportunist, the novelist examines how somebody lives with the knowledge that he is an opportunist. "One can surely live as an opportunist," Becker contends, "the question is only whether or not one can remain a writer."

Der Boxer (1975), described by the author as "an attempt to translate my father into literature," is the most autobiographical of Becker's four novels. In brief, it is the story of Aron [*sic*] Blank, a survivor of the concentration camp living in post-war Germany, and his unsuccessful struggle to overcome isolation and free himself from the past. With reference to his novel's theme, Becker said "I am interested in the question of whether or not there are persons in society who, because they have suffered so much, have a special right to tolerance. I think there are. And I am also interested in the question of whether or not this right to tolerance is the same as the right not to be criticized. I think not."

The main character in Becker's latest book, *Schlaflose Tage*, published in February of this year, is a school teacher, Karl Simrock, who quite suddenly comes to the conclusion that he has been leading a false existence. At age thirty-six, he finally realizes that his job as a teacher never was to educate children, but merely to communicate to them instructions received from higher authorities. His determination to rectify this situation, to stop existing as an opportunist, leads him to make changes in his professional and family life. As a result, he loses his job and the comfortable bourgeois existence that went along with it, but is still happier than he had been with himself and his life. (It should be noted that the rejection of this novel for publication in East Germany was a major factor in Becker's decision to leave his country for an indefinite period of time.)

Becker's works reveal him to be one of the most original and talented novelists writing in the German language today. His books are serious in theme and, at the same time, highly entertaining reading. The Swiss writer, Max Frisch, has said of himself, "I try on stories like clothes," an assertion which Jurek Becker could make with equal force. Indeed, when it comes to the not-so-simple art of telling a story, Becker is a master craftsman able to employ all the tools of his trade with uncommon skill. Woven into the fabric of his novels are short stories and parables, fairy tales and dreams, tragically humorous or humorously tragic anecdotes and episodes — all written in the lucid, straightforward, and unaffected prose that has become Becker's trademark. Whether witty, melancholy, or satirical, his fiction is always devoid of the pathos found in so much of contemporary East German literature.

Among the prizes Becker has received are the Heinrich Mann Prize (1971), awarded by the Academy of Arts of the GDR, the Charles Veillon Prize (Zurich, Switzerland; 1971), the City of Bremen Prize (West Germany; 1974), and the prestigious National Prize of the GDR (1976) for the screenplay to *Jakob der Lügner.*

After Oberlin

In 1979, the year following his visit to Oberlin and his brief guest professorship at the Gesamthochschule Essen, Jurek Becker decided to leave East Germany and permanently resettled in West Berlin in the area of Kreuzberg, where he would live until his death in 1997. Becker's long-standing problems with the SED (Sozialistische Einheitspartei Deutschlands), combined with the more recent difficulties with censorship that he encountered when attempting to publish his novel *Schlaflose Tage,* were the foremost reasons for his decision to leave the GDR. He remained a prominent literary and political voice, often expressing criticism of both the rigidity of the GDR and the capitalist ideals of West Germany.

Becker used his stay in Oberlin to work on a collection of short prose, published in 1980 under the title *Nach der ersten Zukunft.* These texts, like his later novels *Aller Welt Freund* (1982) and *Amanda Herzlos* (1992), reflect the tension between Becker and the GDR, his own feelings of literary stagnation, and his disillusionment with the GDR in its failure to fulfill its lofty ideals.

Becker also returned to writing about the Holocaust and its long-term effects in his film *David* (1978/79), his novel *Bronsteins Kinder* (1986), and the film *Der Passagier* (1988). The films *David* and *Der Passagier* concern concentration camp survivors, with *David* telling the story of a young Jew in Germany who survived the Holocaust and *Der Passagier* showing a German-American Jew coming to terms with his past as a concentration camp prisoner. His novel *Bronsteins Kinder* deals with the reality of the long-lasting repercussions of the Holocaust and the communicative gap between generations within Jewish families. The novel's main character, Hans Bronstein, is confronted with a hitherto unknown aspect of his father's character and past when he discovers that his father and two other concentration camp survivors are holding a former concentration camp guard hostage.

Becker also wrote numerous original film and television scripts as well as film adaptations of his earlier novels during this time. He achieved wide recognition and critical acclaim for his television series *Liebling Kreuzberg* (begun in 1986) about an unorthodox and unkempt lawyer with the comical name of Liebling. After some 19 series based on scripts by Jurek Becker, Ulrich Plenzdorf took over the hugely successful show in 1992, with Becker returning for an additional season in 1996. He also received a great deal of praise for his series *Wir sind auch nur ein Volk* (1990), an ironic and comic portrayal of issues concerning reunification. Jurek Becker died of cancer in March 1997 at the age of 59.

Becker has received a number of prizes and honors for his later works. He held a visiting professorship at the University of Augsburg in 1981, served as Writer-in-Residence in the city of Bergen-Enkheim in 1982, received the Adolf Grimme Prize in conjunction with Manfred Krug and Heinz Schirk in 1986, the German Television "Telestar" Prize in 1988, the Hans Fallada Prize in 1990 and the German Film Prize in Gold in 1991 for his film *Neuner*.

During Jurek Becker's stay in Oberlin, the journalist Eva Windmöller spent several days visiting with him. The resulting sensitive and insightful portrait of the "Dichter zwischen den Welten" in Oberlin was published in the German weekly magazine Stern *(29/1978) and is reprinted here.*

Urlaub von der DDR
Eva Windmöller

Der Ostberliner Schriftsteller Jurek Becker — in seiner Heimat als Querkopf geduldet — lehrte ein halbes Jahr an einem amerikanischen College. Sternreporterin Eva Windmöller, mit Becker durch ihre Korrespondentenzeit in der DDR bekannt, beobachtete den Autor in der Neuen Welt.

US-Campus '78: Vogelgezwitscher. Unter Bäumen zupft einer die Gitarre. Über weiten Rasenflächen lassen Studenten Frisbeescheiben durch die laue Luft surren. Ich wandere an zinnenbewehrten Tudor-Villen vorbei und warte auf Jurek Becker. Es ist so friedlich hier, wie hält er das aus?

Das Oberlin-College in Ohio (2500 Studenten, 500 Konservatoriumsschüler) gilt als eine der feinen kleinen Privatuniversitäten Amerikas, an denen sich jüngere und mittlere Semester zwischen 18 und 23 Jahren in den Wissensgebieten ihrer Neigung bis zum Master of Arts vorarbeiten können, ehe sie an einer großen Uni ihren Doktor machen. Die Germanistische Abteilung, gesegnet mit Subventionen aus der Stiftung des deutsch-amerikanischen Pharma-Milliardärs Max Kade, hat eine besondere Vorliebe für DDR-Literatur entwickelt. So wohnen und lesen regelmäßig ostdeutsche Schriftsteller als "Writer in residence" auf Einladung des Colleges für ein paar Monate an diesem idyllischen Ort — 1974 Christa Wolf, 1975 Ulrich Plenzdorf und nun also, als eines der originellsten und international erfolgreichsten Erzähltalente, die das sozialistische Deutschland hervorgebracht hat, Jurek Becker.

Das letzte Mal hatte ich ihn vor zwei Jahren während meiner Ostberliner Korrespondentenzeit auf der Geburtstagsparty seines Freundes Stefan Heym getroffen. Er stand, wie immer funkelnd vor Vitalität und Spott, am Büfett und sagte, wir Westjournalisten sollten nicht mehr so komplexbeladen auf Zehenspitzen durch das Land unserer armen Vettern streichen, sondern denen, die's verdient hätten, unbefangen auf die Füße treten. Er selbst war darin ein Meister, aber nicht aus Opposition, sondern eher aus Engagement seinem Staat gegenüber, den er durch kritische Ironie "in eine demokratischere Richtung vorwärts pusten" wollte.

Daraus ist nichts geworden. Zwar hatte der Querkopf Becker ("Ich habe eine Kamikaze-Mentalität") erstaunlich lange die Gunst der Oberen genossen, die auch heute noch nicht gänzlich von ihm abgezogen ist. Antifaschistische Biographie, Gesinnungstreue und enorme Popularität machten ihn zum Renommierautor der deutschen "Arbeiter-und-Bauern"-Republik. Seine Kindheit verbrachte Jurek Becker, 1937 als polnischer Jude in Lodz geboren, im Getto und in den deutschen Konzentrationslagern Ravensbrück und Sachsenhausen. Seinen Werdegang beeinflussten FDJ, Philosophiestudium in Ostberlin, SED-Beitritt (1957) und die Auszeichnung mit dem Nationalpreis der DDR (1975). Seine Karriere begründete 1969 der (später verfilmte und für den Oscar nominierte) Warschauer-Getto-Roman "Jakob der Lügner," der in zwölf Sprachen übersetzt und, ebenso wie "Irreführung der Behörden" (1973) und "Der Boxer" (1976), auch in der Bundesrepublik veröffentlicht wurde.

Daß Jurek Becker im Oktober 1976 öffentlich für den verfemten Dichter Reiner Kunze eintrat und im November als einer der zwölf prominenten DDR-Autoren die Petition gegen die Ausbürgerung seines Freundes Wolf Biermann unterschrieb, hätte ihm die Obrigkeit noch verziehen. In Ungnade fiel er erst durch die Weigerung, Reue zu zeigen. Die SED kündigte ihm die Mitgliedschaft, er trat aus dem Schriftstellerverband aus, seine Bücher verschwanden aus den Buchläden, er durfte vor Publikum nicht mehr lesen. Beim Filzen seiner Westfreunde an den Ostberliner Grenzübergängen zerteilten die Uniformierten sogar Antibabypillen, worauf Becker an die Zollbeamten schrieb, sie sollten sich die Mühe sparen, er lasse immer über die Botschaften schmuggeln.

Nach einem Jahr der Schikanen war das Verhältnis zwischen Becker und seinem Staat auf einen kritischen, wenn nicht explosiven Punkt zugelaufen. Den neuen Roman "Schlaflose Tage" (in Westdeutschland inzwischen beim Suhrkamp-Verlag erschienen, STERN Nr. 17/1978) lehnte sein Hausverlag Hinstorff in Rostock ab. Ein einziger Leseabend in einer Ostberliner Kirche wurde dem Autor als "konterrevolutionäre Veranstaltung" angelastet, und das war schlimmer als das Berufsverbot. Es konnte Zuchthaus zur Folge haben. Statt dessen wurde Jurek Becker ein längerer Aufenthalt im Westen gewährt. Im Dezember 1977 zog er nach Westberlin um, seit Februar lebt er für ein halbes Jahr in den USA, um an einem Dutzend Universitäten aus eigenen Werken zu lesen. "Jurek Becker hält sein fünftes Kolloquium," steht in Blockbuchstaben auf einem Zettel an der Tür der Germanistischen Abteilung in Oberlin. Am Telefon war der Schriftsteller schwierig. Er befürchtet alte Fragen über Standort und Perspektive, die er sich im vorhinein verbittet. Akzeptiert? Ich hatte vergessen, wie kompliziert die Beziehungen zu DDR-Menschen sind, wenn man als Westdeutscher daherkommt. Akzeptiert.

Die Mädchen umschwirren "Jurek, the terrible"

Jurek kommt als gelernter Amerikaner daher, und das hält er einen ganzen Tag lang durch. Er ruft "Hi!" und "Terrific!" offeriert Chewing Gum, stellt in seinem alten Ford-Pinto den Rock-Sender an, fährt viele Meilen für die beste Eiscreme ("31 Sorten! Ein Ur-Erlebnis!"). Er macht Smalltalk mit Fremden, er bringt das alles ganz easy, in T-Shirt und Jeans geht er locker über den Campus und weist mit gewissem Lokalstolz auf die Ausmaße von Bibliothek, Konservatorium und Museum hin. Die Mädchen umschwirren ihn, ein Student hat sicherlich nicht grundlos die Karikatur "Jurek, the terrible" von ihm angefertigt.

Man könnte schon denken, der Becker habe gar keine Probleme, fiele nicht nebenbei der Satz: "Ich muß hier weg."

Durch solche Bemerkungen und durch Beobachtungen seiner Umgebung wird hinter dem Showman ein anderer Jurek Becker sichtbar. Der muß voll unter Dampf in diese Bildungsstätte eingebrochen sein, egozentrisch wie alle DDR-Abtrünnigen, zu denen er nicht gehören möchte, sein Problem zur Menschheitsfrage aufwerfend. Aber erstens interessieren Amerikaner sich nur sehr begrenzt für Europa, von Westdeutschland nicht zu reden, von der DDR schon gar nicht, und zweitens probten die Studenten in Oberlin gerade eine Theateraufführung, das war ihnen wichtiger.

Eine Weile schoß Becker mit geballter Energie durch die ihm neue Welt, auf dem Sprung, Widerstände nieder zu rennen, doch es boten sich ihm keine. Er lief leer.

"Die Studenten hier sind sehr unpolitisch," sagt Becker, "aber auf eine sehr angenehme Weise neugierig und intelligent. Es sind Kinder, mit dem Vorteil von Kindern, beweglich zu sein. Sie haben keine Scheu vor Autoritäten, eher vor sich selbst. Sie wollen sich untereinander keine Blöße geben." Er mag sie.

Am Abend dann das Kolloquium. 30 junge Leute, darunter ein paar Professoren und Assistenten, sitzen im Kreis und folgen einer East-Germany-Shortstory über die Belehrung eines Verkehrssünders durch einen Ordnungshüter, die beklemmend die Ohnmacht des autoritär regierten Staatsbürgers deutlich macht. In der dünnen Diskussion anschließend scheitert ein Systemvergleich an der sachlichen Übereinkunft, in den USA gebe es solche und solche Polizisten. Welch krasser Unterschied zu den oft selbstquälerisch deutschen Literaturdiskussionen in der DDR, in der dem Schriftsteller alsbald die brisante Frage nach seinem Engagement in der Gesellschaft gestellt wird — eine Frage, von deren Beantwortung dort seine Existenz abhängen kann.

Aber Jurek Becker ist's zufrieden. Auf meine Frage nach seinem Befinden sagt er: "Amerika ist von allem sehr weit weg, und das tut mir ganz gut." Dies ist nun eine höchst unbefriedigende Auskunft. Nachts wachliegend, wird mir klar: Becker entzieht sich. So kommen wir natürlich nicht weiter. Also gut, diesen Mann aus Polen, temporär aus Westberlin, der in Ostberlin seine kürzlich von ihm geschiedene Frau, zwei Söhne, viele Freunde und unter anderem auch "seinen Staat" zurückläßt und der in Oberlin auf einem Vortrag zum Befremden seiner amerikanischen Gastgeber erklärt, Israel sei für ihn das letzte Land, wo er hingehen würde — diesen Mann wird man doch fragen dürfen, wo er steht?

"Ich bin erhaben über den Verdacht, Antisozialist zu sein"

Auch Becker hat in dieser Nacht wohl nicht so gut geschlafen wie sonst, denn ich hatte ihm den Auszug der Rede des stellvertretenden DDR-Kulturministers Klaus Höpcke auf der diesjährigen Leipziger Buchmesse zu lesen gegeben. Darin wurde unter anderem die offizielle Ablehnung von Beckers neuem Kurzroman "Schlaflose Tage" begründet, in dem es darum geht, daß ein Lehrer Mitte Dreißig von einem Tag zum andern aus seiner beruflichen und privaten Existenz ausbricht, weil er nicht mehr "unterhalb seines Erkenntnisstandes" leben, also nicht mehr lügen will.

Die Lektüre hat genügt. Jurek Becker ist wieder mitten hineingeworfen in Zorn und Trauer über die DDR. "Ich bin über mehrerlei sehr aufgeregt," bekennt er. "Ich glaube, ich bin erhaben über den Verdacht, ein Antisozialist zu sein. Wenn Herr Höpcke meint, dieses Buch entspreche nicht dem, was er von einem sozialistischen Buch verlangt, dann sehe ich keinen anderen Weg für ihn, als es nicht zu lesen. Es zu verbieten ist ein empörendes Vorgehen. Mich regt die Arroganz auf, mit der er sagt, die Midlife-Crisis stehe in der DDR nicht zur Debatte. Das ist ungefähr so, als ob man sagte, Regen stehe in der DDR nicht zur Debatte."

Von draußen dringen Lachen, Musik und Vogelgezwitscher in das Apartment des "Writer in Residence." Rechts eine kleine Küche, links ein schmaler Schlafraum, dazwischen ein sparsam möbliertes Arbeitszimmer. Abends open house mit fröhlicher Kommunikation, tagsüber Ruhe. "Ja," sagt Becker, "hier sitz' ich und schreibe. Ist das nicht klasse?"

"Ich werde sicher kein westdeutscher Autor werden"

Er sitzt an einem Band von Kurzgeschichten, von denen er die meisten im Konzept schon mitgebracht hat. Die DDR-Stücke darin werden durch den Abstand von seinem Sujet noch entlarvender sein als seine bisherigen ironischen Attacken auf die Fehlentwicklung des DDR-Sozialismus. Er will das Buch wieder "seinem" Rostocker Hinstorff-Verlag anbieten: "Ich bin voller Spannung, was damit geschehen wird." Hofft er wirklich, daß es durchkommt? "Natürlich hoffe ich das."

Immerhin hat die staatliche Filmgesellschaft DEFA in Ostberlin das Aufführungsverbot von Beckers Filmkomödie "Das Versteck" mit dem im Sommer 1977 nach Westberlin übergesiedelten Manfred Krug kürzlich überraschend aufgehoben. Auch sind "Jakob der Lügner" und "Der Boxer" 1977 neu aufgelegt worden, weitere Auflagen für dieses Jahr wurden ihm angekündigt. Wie erklärt er sich selber die merkwürdige

Zuckerbrot-und-Peitsche-Taktik der DDR-Kulturbehörden? "Ach bitte, spekulieren Sie doch selbst darüber," wehrt Becker ab. "Vielleicht ist es deshalb, weil ich so'n prima Kerl bin."

Er lacht. Er berlinert jetzt wieder. Das Interview wird zum Katz-und-Maus-Spiel. Ich mit meiner Logik. Wie kann einer in einem Vakuum seinen Standort beschreiben? Listiger Blick: "Denken Sie, ich bleibe im Westen?" Jetzt hat er mich. Ich dachte es. Triumph: "Natürlich gehe ich in die DDR. Die Rolle, die ich zur Zeit spiele, gefällt mir nicht sehr gut. Und ich trachte danach, sie spätestens dann zu beenden, wenn ich mein nächstes Buch fertig geschrieben haben werde." Und wenn es wieder abgelehnt wird? Er gibt nicht auf: "Ich kann ein drittes Buch versuchen. Ich kann ein viertes Buch versuchen." Später räumt er ein, das Suchen nach einer für ihn akzeptablen Lösung müsse "in einem vernünftigen Verhältnis zu meiner Lebenserwartung stehen, die, was weiß ich, 70 oder 80 Jahre beträgt."

Es ist schon ein bißchen schizophren. Da sitzen, 10 000 Kilometer von Germany entfernt, zwei Deutsche in einem paradiesischen Schutzgebiet von Geist und Gemüt und schlagen sich mit dieser gottverfluchten DDR herum.

"Ich werde sicher so bald kein westdeutscher Autor werden," sagt Jurek Becker. Kurzes Lachen. "Ich weiß ja gar nicht, wie man das macht. Ich mag nicht darüber nachdenken wie einer, der sich prophylaktisch nach dem Platz umsieht, an dem er am bequemsten aufs Maul fällt."

Ein Heimatloser also? Ein Wanderer zwischen den Welten, den Systemen, der seinen neuen Radius abtastet? "Ich taste keinen Radius ab," stellt Becker richtig, er wehrt sich gegen die Bezeichnung "Oppositioneller" oder gar "Dissident," weil das Vokabeln sind, "auf die, wenn sie vom Westen her kommen, die DDR-Behörden sowie der berühmte Pawlowsche Hund mit vermehrtem Speichelfluß reagieren." Lieber bezeichnet er sich mit leichtem Grinsen als "einen Vertreter der reinen Lehre."

Einmal sagt er: "Nicht wahr, es gibt doch tolle Leute in der DDR?" Ja, die gibt es. Noch nie in seinem Leben hat er so viele Briefe geschrieben wie in Amerika. Denn er kriegt dauernd Briefe von drüben, auffallend viele davon wurden im Westen in den Kasten gesteckt, "und unsere Behörden," sagt er, "sollten sich wirklich mal überlegen, warum das so ist."

Was schreiben ihm die Leute? "Alles mögliche. Ein bißchen wie Streicheln soll das sein. Und wie der Zuruf: He, Mensch, vergiß uns nicht!"

(Mit freundlicher Genehmigung der Zeitschrift *Stern*)

Seine Witwe, Christine Becker, schickte uns die folgenden drei Briefe, die Jurek Becker aus Oberlin geschrieben hat. Sie sind aus dem von ihr herausgegebenen Briefband Ihr Unvergleichlichen, *der 2004 bei Suhrkamp erschien. Der Buchtitel ist die Anrede in einem Brief an Inge und Stefan Heym, der ebenfalls in Oberlin geschrieben wurde.*

Briefe aus Oberlin

An Siegfried Unseld[1]

27. Feb. 1978

Lieber Herr Unseld,

zuallererst will ich sagen, was eine kleine Schande ist: Auf der ganzen Welt ist es wohl Brauch, daß als erster der Davongefahrene ein Zeichen gibt, nicht der Daheimgebliebene. Nun ist es umgekehrt gekommen, meine Saumseligkeit ist Schuld daran, wir müssen damit weiterleben.

Danke für die guten Wünsche in Ihrem Brief und für die guten Nachrichten darin. In einem Punkt will ich Sie schnell beruhigen, obwohl Ihre Unruhe sicher auch so erträglich ist: Dieser Moment, da ich mich in Oberlin hinsetzte und mir die Frage stellte, wozu eigentlich ich hier bin, ist nie gewesen. Vielleicht kommt er noch, doch sehe ich ihm gelassen entgegen. Ich habe versucht, mir im Vorhinein ein Bild von meinem hiesigen Aufenthalt zu machen, und das Schicksal hat es so gefügt, daß dieses Bild recht richtig war. Das passiert mir öfter. Was ich hier tue: Mit Studenten Colloquien führen über allerhand; mit Studenten, die im übrigen nicht allzu schwer an ihrem Wissen über deutsche Literatur schleppen müssen, was ja alles andere als eine Schande ist; mit Studenten, die zum Großteil liebenswerte Kindergemüter haben und durchaus so sind, daß man sich in ihrer Nähe nicht zu graulen braucht.

Und dann schreibe ich, wie ich es mir vorgenommen hatte, an Geschichten, die helfen sollen, einige Zeit nach meiner Rückkehr Ihren und meinen Ruhm zu mehren. Die Sache läßt sich so gut an, daß wir hoffen dürfen.

Ihre Nachricht, daß Sie Ende April nach Washington kommen, erinnert mich an unser Vorhaben. Es müßte mit dem Teufel zugehen, wenn es nicht gelingen sollte, uns an irgendeinem schönen Tag und Ort in diesem Land zu treffen.

---

[1] Siegfried Unseld war bis zu seinem Tod 2002 Verleger des Suhrkamp-Verlags.

Ich grüße Sie herzlich,

Ihr Jurek Becker

An Marianne und Günter Kunert

4. April 1978
Ihr lieben Kunerts,

in einer Umgebung, die voll von eher unauffälligen Annehmlichkeiten ist, bedeutet Euer Brief ein Ereignis. Danke. Oberlin ist ein Ort, an dem sich nichts so gut tun läßt wie arbeiten. Und so arbeite ich, denn ich feiere die Feste, wie sie fallen. Natürlich, hin und wieder gebe ich mich auch anderen Verrichtungen hin, nur eben: das Resultat ist nie vergleichbar mit ein paar Stunden Schreibtisch. (Ich sehe Euch beide lächeln, mit Eurer schönen dicken Ehe.)

Entschuldigt einen seriös gemeinten Absatz: Vermutlich ist die Art von Ruhe, in die ich hier gefallen bin, gut für mich. Irgendwie fange ich an, das Durcheinander in meinen Plänen zu ordnen, und von den tausend einander widersprechenden Absichten die wenigen herauszufinden, bei denen ich unbedingt bleiben möchte. Anders: Der Aufenthalt hier hilft mir, aus dem Affekt herauszufinden. Wie kann das schlecht sein?

Natürlich bin ich schon dann und wann aus Oberlin rausgekommen, später erzähle ich es Euch genauer. Wie soll ich sagen: Amerika ist eigentlich so, wie ich es mir immer vorgestellt hatte, doch auf eine Art, die unerwartet kommt. Ich hoffe, es gelingt mir frühzeitig, die Rolle des gelangweilten Besserwissers aufzugeben und dafür ein bißchen Staunen reinzukriegen, was doch fürs Vergnügtsein so wichtig ist.

Vor etwa zwei Wochen war Mr. Leslie Willson aus Texas hier. Er hat mich zu einem Kurs eingeladen, den seine Uni in Neu Mexico macht, im Sommer. Vielleicht tu ichs. Willson hat mich auch nach Euch gefragt. Ich habe ihm ein wenig erzählt und dann behauptet, Ihr hättet mich beauftragt, ihn zu grüßen. Vielleicht stimmt das? Mich haben so viele Personen beauftragt, so viele Personen zu grüßen, daß kein Durchkommen mehr ist. Daher grüße ich jeden, den ich treffe, der jemanden kennt, den ich kenne.

Was soll ich noch schreiben. Daß ich alles richtig mache, wißt Ihr; daß ich Euch liebe, wißt Ihr; daß die Dinge manchmal unseren und manchmal ihren Gang gehen, ist auch ein alter Hut. Der Brief ist eben zu Ende.

Ich umarme und drücke Euch,
Jurek

(Der Abdruck erfolgt mit der Einwilligung des Schiller-
Nationalmuseums und des Deutschen Literaturarchivs in Marbach am
Neckar.)

An Erika Hinckel²

Oberlin, 5. April 1978

Liebe Frau Hinckel,

Sie werden sich denken können, daß es nicht ganz einfach für mich ist,
Ihnen einen Brief zu schreiben, der nichts als ein Behelf sein soll, um
eine lange Abwesenheit zu überbrücken; denn ob ich will oder nicht,
Sie sind eben nicht nur die Frau Dr. Hinckel, eine fast schon alte
Bekannte, sondern auch die Frau Zentralkomitee. So kommt es mir
nicht wenig merkwürdig vor, Ihnen mitzuteilen, wie es hier so ist und
wie es mir geht und wie es um den Frühling steht. Doch nun sitze ich
da und werde es tun, nicht nur, weil wir es gleichsam so verabredet hatten, sondern vor allem, weil ich es möchte.

Der Aufenthalt hier ist angenehm. Oberlin ist ein stiller Ort, an dem
sich gut arbeiten läßt, und das nutze ich aus. Ich schreibe an kurzen
Geschichten, mit denen ich bald ein Buch füllen möchte, wie ich es
Ihnen wohl schon sagte. Meine eigentliche Arbeit hier im College
betrachte ich, zumindest vom zeitlichen Aufwand her, eher als
Nebenbeschäftigung. Sie besteht darin, daß ich einmal wöchentlich mit
den Studenten ein Colloquium abhalte. Die Themen dabei sind
verschieden, wir sprechen über meine Geschichten oder über Amerika
oder über die verschiedenen Anwendungsmöglichkeiten des Konjunktivs
oder über die Zukunft der Menschheit, und das ist noch lange nicht alles.

Von Amerika habe ich noch nicht viel gesehen, und ich kann es
bisher nicht richtig packen. Vielleicht stimmt, was Peter Bichsel in
seinen Kindergeschichten schrieb: daß es Amerika überhaupt nicht
gibt. Ich will versuchen, es nachzuprüfen. Bis jetzt habe ich eine

---

² Erika Hinckel war persönliche Mitarbeiterin Kurt Hagers, der als Mitglied
des Politbüros zuständig für die politische Leitung der kulturell-künstlerischen
Bereiche war. Frau Hinckel bearbeitete die Anliegen der Schriftsteller und
Künstler, die sich an Hager wandten.

brauchbare Beobachtung gemacht, von der ich berichten werde, wenn man mich nach der Rückkehr fragt, wie Amerika eigentlich ist. Auf einem großen Reklameschild, neben einer Autobahn in Virginia, habe ich gelesen: "Antiquitäten — gebraucht und neu!"

In den hiesigen Zeitungen kommt das Wort Europa nur höchst selten vor, und wenn, dann meist in Zusammenhang mit Überschwemmungen, Flugzeugabstürzen oder der Ölpest. Da sich in der DDR nichts dergleichen zugetragen zu haben scheint, sind meine Informationen überaus dürftig. Ein paar Briefe, ein paar Telephongespräche. Die zwei einzigen Nachrichten von Bedeutung, die bis zu mir gelangten, klangen nicht gut. Die eine handelte von Werner Lamberz,[3] die ist schlimm.

Über die andere möchte ich ein paar Sätze verlieren. Dabei muß ich betonen, daß ich nicht genau weiß, wie gut oder wie richtig ich informiert worden bin, und nur darauf kann ich mich beziehen. Ich hörte, daß anläßlich der Leipziger Messe Herr Klaus Höpcke[4] über mein letztes Buch[5] gesprochen hat. Ich hörte, er habe gesagt, ich hätte ein Buch über die midlifecrisis geschrieben, über die Vorläufigkeit des Sozialismus (klingt wie Vergänglichkeit), und ich hätte auch die Berechtigung unserer Staatsgrenze in Frage gestellt. All dies seien Probleme, die in der DDR nicht zur Debatte ständen.

Ich will mich in diesem Brief nicht lang und breit über den Inhalt solcher Bemerkungen äußern. Im Grunde hat Höpcke genau das getan, was zu verhindern ich Sie bei unserer letzten Begegnung gebeten habe. Ich bin der Ansicht, daß es einem Minister durchaus freisteht, sich öffentlich über ein Buch eines DDR-Autors zu äußern, das der Öffentlichkeit zugänglich ist, und zwar der seines eigenen

---

[3] Werner Lamberz war Mitglied des Politbüros, zuständig für Agitation. Er galt als "Kronprinz" Erich Honeckers und war für viele ein Hoffnungsträger, da er sich Kunst und Kultur betreffend offener gab und Gesprächsbereitschaft zeigte. Er kam am 6. März 1978 durch einen Hubschrauberabsturz in Lybien ums Leben.

[4] Klaus Höpcke war bis 1989 stellvertretender Kulturminister und — als Leiter der Hauptverwaltung Verlage und Buchwesen — zuständig für die Erteilung von Druckgenehmigungen (Hauptzensor).

[5] Es handelt sich um den Roman *Schlaflose Tage*, der in der DDR keine Druckgenehmigung bekam. Er ist 1978 bei Suhrkamp erschienen.

Landes. In einem solchen Fall kann jeder, dem die Bemerkungen des Ministers nicht ganz geheuer vorkommen, das Buch kaufen, es lesen und zu seiner eigenen Meinung kommen. Öffentliche Kritik aber an einem Buch zu üben, das verboten ist, dazu noch eine Kritik, die mit Unwahrheiten operiert, halte ich für infam. Ich werde mich genau über Höpckes Äußerungen informieren, und ich werde mich dagegen zur Wehr setzen, ich weiß leider keinen anderen Weg.

Liebe Frau Hinckel, es ist gewiß nicht gut, daß ich in einem Brief an Sie, der eher wie eine Ansichtskarte sein sollte, über solche unangenehmen Dinge schreibe. Aber wem soll ich es sonst sagen, und der Ärger ist doch wirklich und nicht erfunden, und irgendwie steht Ihre Arbeit doch damit in einem Zusammenhang. Ich wünschte mir sehr, daß die Meinungsverschiedenheit in einem oder in vielen freundschaftlichen Gesprächen aufgeweicht oder gar beseitigt werden könnte. Aber ich fange an zu verstehen, daß das wohl so kaum geht.

Jedenfalls werde ich mich bei Ihnen melden, sobald ich zurück bin. Das wird voraussichtlich in der zweiten Juli-Hälfte sein oder Anfang August. Sollten Sie dann in den Urlaub gefahren sein, so hinterlassen Sie bitte eine Nachricht für mich, wann ich Sie wieder antreffen werde.

Ich grüße Sie sehr herzlich   (Jurek Becker)

(Der Abdruck des Briefes an Frau Hinckel erfolgt mit freundlicher Genehmigung des Archivs der Akademie der Künste zu Berlin.)

Werke

Prosa
Jakob der Lügner. Roman (1969)
Irreführung der Behörden. Roman (1973)
Der Boxer. Roman (1976)
Schlaflose Tage. Roman (1978)
Nach der ersten Zukunft. Erzählungen (1980)
Aller Welt Freund (1982)
Bronsteins Kinder. Roman (1986)
Erzählungen (1986)
Warnung vor dem Schriftsteller. Drei Vorlesungen in Frankfurt (1992)
Die beliebteste Familiengeschichte und andere Erzählungen (1992)

Amanda Herzlos. Roman (1992)

Ende des Größenwahns. Aufsätze (1996)

"Ihr Unvergleichlichen." *Jurek Becker, Briefe.* Ausgewählt von Christine Becker und Joanna Obrusnik (2004)

Filme, Fernsehserien und Hörspiele

Wenn ein Marquis schon Pläne macht (1962)

Komm mit nach Montevideo. Mit Kurt Belicke (1962)

Gäste im Haus (1963)

Zu viele Kreuze (1963/64)

Ohne Paß in fremden Betten. Mit Kurt Belicke (1964/65)

Immer um den März herum (1967)

Jungfer, sie gefällt mir. Mit Günther Reisch (1968)

Meine Stunde Null (1969/70)

Jakob der Lügner (1974)

Das Versteck (1976)

David. Mit Peter Lilienthal (1978/79)

Der Boxer (1979/80)

Schlaflose Tage (1982)

Rede und Gegenrede. Hörspiel (1983)

Liebling Kreuzberg. Fernsehserie (1985–88)

Der Passagier — Welcome in Germany. Mit Thomas Brasch (1988)

Liebling Kreuzberg. Fernsehserie. (1990)

Neuner (1990)

Bronsteins Kinder. Fernsehserie (1990)

Wenn alle Deutschen schlafen. Fernsehserie (1994)

Wir sind auch nur ein Volk. Fernsehserie (1994/95)

Englische Ausgaben

Jacob the Liar. Translated and with a preface by Melvin Kornfeld (1975).

Sleepless Days. Translated by Leila Vennewitz (1979).

Bronstein's Children. Translated by Leila Vennewitz (1988).

Jakob the Liar. Translated by Leila Vennewitz (1990).

Five Stories. Edited and with an introduction and notes by David Roch (1993).

The Boxer. Translated by Alessandra Bastagli (2002).

Johannes Schenk, 1981.
Photo: Johannes Schenk collection

Johannes Schenk   1979

SINCE HIS LITERARY START IN 1967 with the drama *Fisch aus Holz*, Johannes Schenk has published more than twenty volumes of prose and poetry and is counted among the most important of Germany's new generation of poets, and yet finding information about this man in literature handbooks remains a daunting task. The reader can discover that Schenk was born in Berlin in 1941, that he worked for six years as a merchant seaman, and that in 1969 he co-founded the "Kreuzberg Street Theater." His work, however, reveals the entire Johannes Schenk in palpable immediacy. There is scarcely a page in which the lyrical "I" is not identical with that of the author. As often as not, the motifs and images of his poems correspond with logbook fidelity to the realities of his own past and present. But even in the most fanciful transformations and rearrangements of experience, Schenk does not withdraw beyond eyeshot from the actuality of his existence, as it was formed from an impoverished childhood, through arduous, often wretched years at sea, to insecure surroundings in Berlin.

In *Jona*, a book of thirty connected poems published in 1976, Schenk himself is Jonah, in lone flight from Germany by way of Portugal to Casablanca; but unlike the biblical figure, he is stranded on the trials and anxieties of life in a hostile world from which he cannot escape. In his book, *Der Schiffskopf* (1978), Schenk takes to the sea again. But any expectation of colorful adventure awakened by the genre of the sea story is abruptly disappointed. Rather, Schenk's tales confront the reader with a desolate existence in which moments of freedom, respite from brutality and exploitation are found only fleetingly in abandon to alcohol or in the hour's warmth of a port-town embrace. In the final story, "Hunger," the narrator laments: "Now everything was aching, my knees and my head, and as always, my stomach. There was nothing that didn't ache. Outside and inside." Also on shore, in Berlin, the soreness persists, outside and in. With compelling candor Schenk confesses to his personal vulnerability, from which he seeks to free himself, again and again, through poetry.

The political Schenk is not a dogmatist or the literary window dresser of social theories, but a compassionate, sometimes outraged ally of the abused and oppressed in the scattered ports of his seaman's odysseys. His persuasions rest where the heart beats, but he writes, contrary to facile claims, not with red, but with plain black ink. Brecht and Marx are part of his baggage, as he tells in the poem "Das kleine Zimmer," but so too is Isaac Babel, and Schenk's utopia is the "sweet revolution" of Babel's "Gedalya." We read in the description of his Berlin room:

> [. . .]
> Eine Lampe
> und neben dem Bett der Koffer, in den reinpassen
> ein paar Bücher von Isaak Babel,
> von Brecht von Marx das Manifest
> und das Buch vom Baalschem.
> [. . .]

These are the textbooks of Johannes Schenk's unsentimental education, which began when he ran away from school to the sea but took a decisive turn later, when he discovered a teacher in Martin Buber.

When he packed for Oberlin, Schenk found space in his bag for some navigation maps and his seaman's passport, for a postcard by Chagall and a photo, glowing with life, of Natascha Ungeheuer (his good angel), for Babel and Buber, for a well-thumbed Bible, and perhaps another dozen treasures from the "little room" in Berlin that he brought to Oberlin and opens to anyone who wishes to learn firsthand how the sailor became a poet.

After Oberlin

Following his residency in Oberlin from February to May 1979, Johannes Schenk returned to Berlin. He was not yet forty years old and could look forward to many more years of traveling the globe and writing poems. He claimed to write very quickly — a quarter of an hour for a long poem. If he didn't write quickly, he tended not to like the poem.[1] To a large extent his poems continue to be poetic renderings of his travel impressions, whether such travels took him to the sea or to cities or villages on various continents or originated in Berlin. In 1980, he published *Für die Freunde an den Wasserstellen*. Each group of poems is arranged under the name of a city — Rome, Bremen, Berlin. But from these points, the poems, like dreams, roam the world and tenderly call attention to the weak and weakest and to ways of living

---

[1] "Meine Koffer und meine Gedichte." In *Für die Freunde an den Wasserstellen* (Reinbek: Rowohlt, 1980), 116.

Worpswede, den 25. Februar 2005

Liebe Frau Dorothea Kaufmann,

Ihr Brief wurde mir sehr spät aus Sommerdomizil Worpswede nach gewandt. Alle Fotographien von mir sind im Archiv der Akademie der Künste zu Berlin, also für mich im Moment weit weg, ol auch erst im Mai kurs wieder in der Stadt. So habe ich ein kleines Selbstbildnis gezeichnet. Sie müßten es stark verkleinern, dann ist es mir vielleicht ein bißchen ähnlich. Zwei Fotographien,

that contrast markedly with that in his own country, about whose past and present he is deeply troubled. In the prologue we read:

> [. . .]
> Nun bin ich in Roma, Du
> in Göteborg, ich denke an die Nacht,
> in der wir redeten über dies Deutschland,

in dem ich lebe, nicht gerne, aber liebe
die Sprache. Nicht aber die immer wieder
gekrümmten Köpfe seiner Bewohner, die
mir oft Angst machen, sie haben
vor sich so wenig Angst. [. . .]

He yearns for the city of New York and those who live

auf dem kleinen Planeten Manhattan
alle Menschen aller Länder, schmeißen die Stadt los und
treiben
über die Erde, die blaue. Da
will ich hin wo geredet wird
in allen Sprachen und doch versteht einer den andern.
[. . .][2]

Similar themes and concerns appear in the next two poetry collections, *Gesang des bremischen Privatmanns Johann Jakob Daniel Meyer* (1982) and *Café Americain* (1985). The poetic "I" takes the reader on journeys, mostly ocean journeys, which are by now recognizable as the central metaphor of the author's imagination. The world of ships, ports, ocean crossings, of fleeting encounters with prostitutes, of the sight of struggling working men and women, stands for society, desperately in need of change. The contrast between reality and utopia is ever present, although it is the dream of a utopia rather than a politically thought-out plan.

In 1986 Johannes Schenk opened the "Schenk'sche Sonntagscafé" in an old factory in Kreuzberg (Dresdener Straße 117), where until 1992 well-known authors who left the GDR, such as Jurek Becker, Thomas Brasch, and Hans Joachim Schädlich held readings. After he gave up the café, Schenk decided to move to Worpswede, the famous artist colony as well as the village, where he grew up until he ran away to sea at age fourteen, and which he describes in his memoir, *Dorf unterm Wind. Eine Kindheit in Worpswede* (1993). His restlessness had its origin during his childhood years in Worpswede, where he rarely felt at home. He moved into a circus wagon, where he continued to write. In 1995, in another circus wagon, he began to paint pictures on two-piece wooden boards. Five years later, Schenk built a lifeboat next to his circus wagon and started to read his poetry for the public from

---

[2] *Für die Freunde an den Wasserstellen*, 9.

inside it. Although he still lives in Berlin as well, Schenk prefers this simple life, as free of technology — he still writes by hand — and consumerism as possible.

Since 1996 Johannes Schenk has been a member of the PEN Zentrum Deutschsprachige Autoren im Ausland (Exil-PEN).[3] He still lives in Worpswede and Berlin. He was awarded the prize of Ehrengabe der Deutschen Schiller-Stiftung Weimar in 1997.

From his circus wagon in Worpswede Johannes Schenk sent us the following series of letters written in his characteristic large and beautiful handwriting.

Worpswede, den 26. September 2002

Lieber Sidney,

Ich habe eben, es ist nun halb zwei Uhr nachts, den ersten Brief an Dich verfaßt, dessen Handschrift Du doch bitte als Kopie der Frau Griebel geben magst. Hier im Dorf wird es allmählich herbstlich und die Zirkuswagen haben nun grüne Dächer, die habe ich so lackiert, weil im Winter seit siebzehn Jahren immer Algen auf den runden Circusdächern wuchsen, die auch grün waren. Nebenan liegt mein von mir als Bühne benutztes Rettungsboot und in zwei Tagen habe ich meine 14. Rettungsbootlesung vor meist zwanzig Zuhörern, die jedes Mal kommen, auch aus benachbarten Städten. Ich hoffe, Dir gefällt mein dreiseitiger Aufsatz. Umarme Stella von mir und alles Schöne von Deinem Johannes.

Briefe aus Worpswede

Der erste Brief, der von Oberlin handelt.

Ich hatte nie vorher das Purimfest gefeiert, nun, im Februar 1979 saßen Sidney Rosenfeld und ich im Wintergras zwischen Rice Hall und dem Appartementhaus mit einer Flasche Rotwein und enträtselten das Geheimnis der Ester-Megille zusammen mit den Sternen, die in dieser Winternacht so rund und groß leuchteten wie sonst nur die Sterne des

---

[3] By joining the Exil-PEN, Schenk, along with numerous others, made explicit his opposition to the merging of the P.E.N. centers of East and West Germany soon after Unification. In their view, accepting and even welcoming uncritically the members of the former DDR-PEN ignored and dismissed the role many of them played in supporting the totalitarian regime and the suffering of their victims.

südlichen Globus meiner Seefahrerzeit. Bis alles ziemlich durcheinander geriet, das Reden über Mordechai und Haman, den schrecklichen König, der besänftigt werden musste und Ester, die sich für die Rettung der Juden opferte. Die Rolle des Purimfestes, die Ester-Megille, wurde ein wenig torkelig überm Platz getragen unter den jüdischen Sternen über unseren Köpfen, die melancholisch schwankten und eine zweite Flasche Rotwein wurde gewiß geöffnet, bis wir den bösen Haman irrlichtern sahen, und die Schönheit von Ester über dem nächtlichen Universitätsplatz erschien. Am nächsten Tag saß ich im Studierzimmer mit den Studenten, bei nicht ganz klarem Kopf, es wurde dichterische Sprache enträtselt, wobei ich als zweiter Lehrer, als Assistent des wunderbar ruhigen Professors Rosenfeld meine eigenen Worte beklopfen sollte, was mir eher selten gelang, weil ich ja der Dichter war, und wissenschaftlich nur Marginalien zu verfassen wußte, und beim Lehren oft sprachlos vor den Studenten stand, das muß ich nun, dreiundzwanzig Jahre später, schon sagen. Beglückt, wenn mir eine Erklärung pro Seminarstunde gelungen war, schaute ich der schönen Studentin nach, die dann an mir vorüberging. Denn Oberlin war ja auch ein Ort der New Yorker Schönheiten, denen aus dem Village, aus Queens und der wilden frisbeespielenden Burschen aus der nördlichen Bronx, die später gelehrte Taxifahrer werden sollten, der Steel monkeys, Fahrradboten, wie Bernie Kallman, der noch bis heute in Berlin alle Jahre an die Tür klopft, bevor er in die Städte Polens fährt, um seiner Freundin die Stetl zu zeigen, wo die Großeltern gewohnt hatten, von den Deutschen zerstört. Alle Juden ermordet. Über Oberlin schwebte auch der erinnerte Schrecken aus Deutschland, ich lernte gegen ihn an, ich bekam Unterrichtsstunden von Simeon Kolko aus Rochester, dessen Traum es war, Rabbiner seiner Vaterstadt im Staate New York zu werden und der, von Oberlins Rabbiner beauftragt, mir Lächa Dodi beibrachte, das Kaddisch und das Haschkivenu. Er ist später Broker geworden und ich weiß nicht, wo er jetzt lebt. Simeon war klein wie ich und hatte schwarzes, pomadisiertes Haar, wie mein Vater es einst sorgfältig gekämmt trug. Simeon Kolko hatte Engelsgeduld mit mir und war dem blinden Rabbiner Shimon Brand die schönste Hilfe. Nach der Sabbathfeier in der studentischen Kosher Coop ging er zum oberlinschen Zaddik, einem rotgelockten, hochgewachsenen Mann, und feierte mit viel Wein das chassidische Fest und sang seinem Gott zu mit aller Inbrunst, die er hatte, wenn er auch nicht zum Kantor geboren war, besaß seine Stimme die schöne Gläubigkeit, die beim einzigsten König der Welt immer Gehör fand.

Worpswede, den 26. September 2002

Der zweite Brief, der von Oberlin handelt.

Die Eisenbahnschienen vertakelten sich mit dem Wintersgestrüpp und mündeten unsichtbar an einem der Großen Seen. Es schien, als ob die Oberliner Professoren der Abschaffung der Sklaverei auch jetzt im 20. Jahrhundert nicht trauten, würde doch immer noch einer der Passagierzüge mit den befreiten Sklaven der Südstaaten hier anhalten, Wasser nehmen, Kuchen der Professorinnen und Schmackhaftes für die Reisen nach New York und Philadelphia. Das darf niemand vergessen, haben doch die Oberliner Professoren täglich dabei geholfen, die Südstaaten-Schwarzen nach dem Norden zu schleusen. Daher auch die so gar nicht konservative Tradition der Universitätsstadt, schien Oberlin doch nun im Winter einem nach Ohio verschlagenen Stadtteil New Yorks zu gleichen, aber auch einer mittelenglischen Stadt mit reinen grauweißen steinernen Häusern, in denen die Professoren ihre Seminare abhielten und die geduckten Häuser der Studenten, in denen sie wohnten, schliefen und zu Mittag aßen. Die Mittagessen glichen Sprachseminaren, es wurde an den Worten Suppe, Paprika und Blumenkohl mit den Lippen gefeilt, bis sie beinahe akzentlos von den Studenten zu Gehör gebracht wurden, Professor Rosenfeld stolz nickte und der eingeladene Dichter Schenk seine Tabascoflasche aus der Westentasche klaubte und zur Ansicht auf den Tisch stellte, wehe, einer der Studenten sagte dazu "Hot spice," er mußte das Wort "Gewürz" solange üben, bis er einen tropfen Tabasco auf die erschöpfte Zunge nehmen durfte, um hörbar und genau "scharfe Gewürze aus rotem Pfeffer" zu artikulieren. In den Mittagsstunden wurde nur deutsch gesprochen im Max Kade Haus, dem Studenten, der nur drei Worte sprechen konnte, wurden die fehlenden von den späteren Semesterleuten hinzugefügt. Es gab eine nette und belesene Mutter der jungen Studenten, sie besaß sicherlich zwanzig oder dreißig junge Töchter und Söhne, hieß Elisabeth Rotermund[4] und hat mich später tatsächlich einmal in meinem Dorf Worpswede besucht. Sie war wohl auch die Mutter des eingeladenen Dichters für vier Monate, und nahmen einmal die Traurigkeiten überhand, vertrieb sie mir die Melancholie mit einem apothekekleinen Schlückchen Brandy, das mir schnell wieder aufhalf und fuhr mich in ihrem kleinen, roten Auto an die Küsten des großen Sees, und um die schroffen Kurven der taltiefen Gebirge. In winkelschiefen Holzhäusern am frostweißen Winterufer tranken wir amerikanischen Kaffee aus großen Bechern und fuhren

---

[4] See footnote 1 under Christoph Geiser.

zurück nach Oberlin, das mit seiner Ebene ein wenig Worpswede bei Bremen glich.

Johannes Schenk, 11. Oktober 2002

Dritter Brief, der von Oberlin handelt.

Einem kleinen Gedichtchen von mir soviel Aufmerksamkeit angetan, daß ich ganz von Freude durchrieselt bin, Professor Rosenfeld hat mich wieder in seine Seminarstunde gebeten und von draußen klirrt der ohionaschene Frost durch die Fensterscheiben, während es drinnen im Lehrgebäude aus grauweißem Stein warm wie 1974 ist im nelkenrevolutionären Lissabon, wo ich das Gedicht an einem Vormittagsstündchen an einem Cafétisch schrieb. Und Sidney Rosenfeld das von mir Geschriebene hin und her wendet, daß mir ganz benommen wird von so schöner Gelehrsamkeit, und ich dieses Gedicht doch einfach so bei einer Tasse Milchcafé schrieb, abseits des Platzes von Rossio unter sonnenüberflossener Markise:

"Cafe Santiago"

Er denkt ohne Sprache jetzt am Tisch
Im Cafe Santiago und sie fehlt ihm, die Sprache.
Sie ist ihm nicht davongelaufen.
Sie macht Kopfstände,
sie zieht sich die Jacke aus.
Die Verzweiflung von ihm im Cafe Santiago.
Aber drüben, mit Hüten Mützen,
den weißen Baretts der Marinesoldaten,
das Reden der Leute das den Abend warm macht.[5]

Ein andermal kommt der Professor mit einem dicken Buch, das wie ein alter Seeatlas aus dem siebzehnten Jahrhundert aussieht, ein Lederrücken hält den meergrünen Einband zusammen, es ist aber ein medizinisches Lehrbuch, in dem die Seite aufgeschlagen wird einer Krankheit, die es wohl gar nicht mehr gibt, wohl aber in einer meiner Kurzgeschichten, die in der karibischen See spielt, wo es all die spukhaften Seltsamkeiten der Seefahrt noch gibt, die ich erstmals kennen lernte und auch erdulden mußte. Ebenso, so wissend, wurde von einem Studenten dann das Buch wieder hinausgetragen, über den

---

[5] *Zittern* (Berlin: Klaus Wagenbach, 1977), 18.

frostweißen Platz in die Universitätsbibliothek, von der das Gerücht ging, sie, die neugebaute Bibliothek, sänke ob ihrer Schwere langsam in den oberlinschen Wiesengrund. Aber das war nur eine Gerücht, das ich immer mal hörte und vielleicht war es ja die Schwere der Gedanken, der wunderbaren Bücher, die das Haus barg, die Lust zum Lesen hat das Bibliothekshaus in die Waage gebracht, es beflügelt und so schwebte es über dem Platz mit weit geöffneten Türen. Von meinem Gedicht "Cafe Santiago" blieb ein nochmaliges Reden über die einzelnen Verse und ein Dichter, der das Gedicht inmitten von Cafébesuchern einfach so schrieb, des Redens wie Meeresbrandung.

Johannes Schenk, Worpswede, den 17. Oktober 2002

Vierter Brief, der von Oberlin handelt.

Mitten im Winter des Städtchens Oberlin, wobei der Schnee nach manchen Blizzards sich bis an das Fenstersims häufte, begann ich mit dem Gedicht "Die Rettung" meinen *Gesang des bremischen Privatmanns Johann Jakob Daniel Meyer* zu schreiben:

> Er lag in einem Packeis mächtig eingekeilt.
> Drumherum die Eisbären warten träge,
> und nicht weit da kräuselt Rauch aus
> einem Dampfer, ihn zu retten gehen
> an Deck geschäftig Leute, setzen
> Segel, ziehn an Leinen Ketten.
> Klettern Stege hoch aus Hanf,
> gucken durch
> gewaltige Fernrohre
> reißen an Ventilen
> kurbeln Schrauben."[6]

Nach einem Abendessen bei Stella und Sidney Rosenfeld zusammen mit einem Komponisten und seiner Frau, die Malerin war, traten wir vor das Haus und hatten während des angeregten Gesprächs nicht ein bißchen vom Sturm gehört, der draußen um das Holzhaus des Professors tobte. Der Komponist fand von seinem Auto nur einen Buckel Schnee am Straßenrand wieder. Wie von Zauberhand hatte er einen Besen in der Hand und versuchte sein Schneeauto vom weißen

---

[6] *Gesang des bremischen Privatmanns Johann Jakob Daniel Meyer* (Munich: AutorenEdition, 1982), 7.

Berg zu befreien. Melodisch wiederholte er dabei ein "Unglaublich" nach dem anderen "Unglaublich" und ich stapfte durch den Schnee nach dem gelben Fenster, hinter dem ich wohnte. Im Zimmer, wußte ich, war es tropisch warm, und ich würde gleich mit dem Gedicht "Der Hundertdollarhotelgast" anfangen:

> "Mein Zimmer geht zum Hafen raus.
> Ein Fenster, weißer Vorhang, eine Tür
> leicht angelehnt,
> vorm Fensterbrett die Masten der Boote,
> die silbernen Rücken der Bonitos,
> Tunas, das aufgerissene Maul
> Des Zackenbarsches, der gleich
> mein Haus mit mir drin fressen wird.
> Aber noch rechtzeitig packt ihn
> Josua, mein Freund, auf die Schulter
> Und trägt ihn davon."[7]

Aber noch geh ich durch die meterhoch zugeschneiten Oberliner Straßen, meine Seemannsjacke guckt gerade noch aus dem Trottoir. Und in dem fünften bald geschriebenen Gedicht wohnt Johann Jakob Daniel Meyer als Gast in einem kleinen westindischen Hotel, so wie ich als Gast Oberlins in einem warmen Zimmer, und schreibe an den 63 Gedichten meines Gesangs, der von mir und meinem jüdischen Uropa aus Bremen handelt, der von dort auch nach Amerika gegangen war in jungen Jahren. In Bremen war er getauft worden, aber meiner Oma, seiner Lieblingstochter, erzählte er immer von seinem G'tt und meine Oma mir. Nach ihm hatte Oma mich Johannes genannt. Und Amerika hatte mich eingeladen, damit ich hier den Gesang schriebe. Die Muße dafür, von der Albert Einstein schrieb, daß sie der Pate aller Künste sei, hatte mir 1979 Oberlin geschenkt, und einen engen Freund, mit dem ich bis heute, im Jahre 2002, korrespondiere: Sidney Rosenfeld. Die andere Hälfte des Gesangs schrieb ich ein Jahr später, in provençalischen Bonnieux, vorm Hause Nina Engels, der Frau des Pianisten Ernst Engel, der in das unbesetzte Frankreich floh und später in Paris lebte und den ich sehr verehrte seit meinen Kinderjahren. Nina hatte mich eingeladen, in ihrem kleinen Restaurant das Gedicht weiter zu schreiben. Umgeben von Lavendeldüften.

Worpswede, den 24. Oktober 2002

---

[7] *Gesang,*19.

Werke

Fisch aus Holz. Spiel in 11 Bildern (1967)

Bilanzen und Ziegenkäse. Gedichte (1968)

Zwiebeln und Präsidenten. Gedichte (1969)

Die Genossin Utopie. Gedichte (1973)

Jona (1976)

Zittern. Gedichte (1977)

Die Stadt im Meer. Kinderroman (1977)

Der Schiffskopf. Geschichten aus der Seefahrt (1978)

Utopie auf der Leine (1979)

Für die Freunde an den Wasserstellen. Gedichte (1980)

Gesang des bremischen Privatmanns Johann Jakob Daniel Meyer (1982)

Café Americain. Gedichte (1985)

Bis zur Abfahrt des Postdampfers. Gedichte (1988)

Licht im Moor. Erinnerung, mit Hans Saebens (1990)

Spektakelgucker. Gedichte (1990)

Unter dem Holunderbusche (1991)

Dorf unterm Wind. Eine Kindheit in Worpswede (1993)

Hinter dem Meer. 47 Gedichte (1998)

Segeltuch. 349 Gedichte (1999)

Überseekoffer. 127 Gedichte (2000)

Galionsgesicht. Ein Gedicht (2002)

Salz in der Jackentasche. 87 Gedichte (2005)

Hörspiele

Sardinendose (1973)

Das Buddelkastenschiff (1980)

Kapitän und Maklers Spätsommerabend (1981)

Liebe ohne Hoffnung, oder Die verkaufte Zwiebel (1984)

Der Löwe muß ins Pfandhaus (1985)

Die zerbrochene Parfümflasche (1995)

Theaterstücke

Transportarbeiter Jakob Kuhn (1972)

Hans Buckow (1975)

Christoph Geiser in the dining hall of German House at
Oberlin College, 1980.
© Fotoatelier Schweizerische Landesbibliothek.

Christoph Geiser   1980

CHRISTOPH GEISER IS A QUIETLY FRIENDLY young man, impeccably dressed in simple, durable clothes, always accessible, never too busy or absent-minded, always ready with precisely articulated answers, explanations, advice. One feels his unobtrusive presence, his constant alertness.

Christoph Geiser was born in Basel, Switzerland, on August 3, 1949, the first of two sons of a pediatrician and a former actress. Upon graduating from the *Humanistisches Gymnasium* in 1968, he launched the literary periodical *Drehpunkt*, which he co-edited with the writer Werner Schmidli. He also began studying sociology at the Universities of Basel and Freiburg i. Br., but broke off his academic pursuits in 1969, moved to Bern, and worked as a journalist for the maverick socialist magazine *Neutralität* and for the newspaper *Vorwärts*, an organ of the Swiss Labor Party, before deciding to become a freelance writer. His own leftist political orientation had been conditioned by the arteriosclerotic humanism of his Gymnasium, by his discovery of Bertolt Brecht, and by the activist student movements of the 1960s. He put his political theory into practice by declaring himself a conscientious objector to military service for political reasons; as a consequence, he spent three months in jail. His political activity was, in part, a way of liberating himself from family tradition. And so was his writing, in which he found his own medium of expression and his own form, starting out with poetry, proceeding to prose poems, short prose texts, a long narrative, and novels. His subject matter is taken from his own life and his social and family background. His perspective is that of a first-person narrator who selects what he wants to tell and omits what he does not. At first, this narrator could have been compared to a mirror or a mold, then to an attentive but aloof spectator; then he became an individual facing the world and himself, striving to achieve communication with real people and real things.

In 1968, at the age of nineteen, Christoph Geiser published a book of poetry and prose, *Bessere Zeiten*, which was followed in 1971 by a volume of poetry, *Mitteilung an Mitgefangene*, and a year later by *Hier steht alles unter Denkmalschutz*, a collection of prose stories which are almost prose poems. In this last book there is a pervasive feeling of being entrapped in smoothly functioning but stifling conventions, for example, in *Hausordnung*, which depicts life in a clean but rickety apartment building ruled by the terror of total orderliness. Similar feelings of suffocating confinement in a self-righteous, schoolmasterly social environment are expressed in *Warnung für Tiefflieger* (1974), another book of poetry and prose. The poem "Raserei" tells of a young fellow who loves to tear around in his car out of a yearning for freedom and who one day runs off the highway and into a wall, completely demolishing his vehicle; "he escaped death by the skin of his teeth/people said later/when restraints were put on him/penitentiary walls."

Zimmer mit Frühstück (1975), a long story, *Grünsee* (1978), a novel, and a forthcoming novel, *Brachland* (to be published in 1980), form a trilogy. The narrator in *Zimmer mit Frühstück*, an outsider who has ostensibly adapted himself to life in a mercilessly self-controlled society, decides to take a vacation trip, hoping, in quiet desperation, to be able to throw off his shackles, only to learn that there is to be no rebirth for him unless he drowns his old self. In *Grünsee*, the narrator, a young writer, goes to Zermatt, the posh, quintessential Swiss resort village, where he has regularly spent a few winter months with his family and his maternal grandmother ever since his boyhood. He intends to conduct a personal investigation of a one-time scandalous incident, an attempted concealment, for profit motives, of a typhus epidemic by the local authorities. He comes to realize how passive the reaction of his family had been, and ends up studying the life stories of its members, especially those of his patrician grandmother who upholds a noble but crumbling tradition; of his favorite cousin, who has committed suicide under clouded circumstances; and of his 'little" brother, a promising law student and daring skier. Surveying the terrain of one of Switzerland's most glorified and defaced mountainscapes while piecing together events of his family's past and present, he arrives at a melancholy truth: despite appearances, a slow but relentless decline is taking place. Having explored his roots (in contrast to the narrator in *Zimmer mit Frühstück* who ignored them), he goes his own, still lonely way. In *Brachland*, the narrator will not just explore his roots, but actually confront them.

Christoph Geiser points out certain influences on his art: Bertolt Brecht (as a poet), Robert Musil, Ingeborg Bachmann, Thomas Bernhard, and the Swiss writer Ludwig Hohl. But he has long since found his personal approach. By means of a precisely and finely honed language, he records and arranges details, creating shining but porous surfaces beneath which we may observe and surmise hidden forces and relationships.

Nach Oberlin

Christoph Geiser lebt heute, immer wieder von langen Auslandsaufenthalten in Berlin, Paris, London, den USA und Australien unterbrochen, als freier Schriftsteller in Bern in der Schweiz. Für sein umfangreiches Werk, in dem Außenseiter- und oft auch Künstlerfiguren eine zentrale Rolle spielen, ist Christoph Geiser mit vielen Preisen ausgezeichnet worden: Förderungspreis des Kantons Bern (1973); Preis der Schweizerischen Schillerstiftung (1974, 1978); Buchpreis der Stadt Bern (1975, 1976, 1985, 1987, 1996); Buchpreis des Kantons Bern (1979, 1982); Werkbeitrag der Pro Helvetia (1980, 1986, 1991, 1996); Buchpreis des Kantons Bern (1982, 1987); Kunstpreis des Lions Club Basel (1983); Berlin-Stipendium des DAAD (1983, 84); Basler Literaturpreis (1984, 1992); Werkjahr der Stiftung Landis & Gyr (1990); Stipendiat der Literaturkommission Bern (1991, 1992); Berner Literaturpreis (1992); New York-Stipendium der Stadt Bern (1999); Stadtschreiber der Landeshauptstadt Dresden (2000); Berner Literaturpreis (2004).

Befragt nach Erinnerungen an seinen Oberlinaufenthalt im Frühjahr 1980 verweist Christoph Geiser auf "substantielle Spuren," die in seinem Roman *Wüstenfahrt* (1984) zu finden seien. Tatsächlich gibt er, ohne den Ortsnamen zu erwähnen, in dem Kapitel "Der Irrflug" in vielen Details das College deutlich zu erkennen. Der Titel des Romans weist nicht nur auf seine Reise durch die Wüste in Arizona, sondern auch auf eine innere Reise, auf der er sich, wie er selbst sagt, von der "schweizerischen Enge" zu befreien beginnt. Die Schweiz als Gefängnis — eine Metapher, die Geiser immer wieder verwendet. Sein realer dreimonatiger Gefängnisaufenthalt auf Grund seiner Wehrdienstverweigerung als 19-Jähriger kommt auch in *Wüstenfahrt* mehrfach zur Sprache, wenn sich, zum Beispiel, der Ich-Erzähler angesichts der hier üblichen vergitterten Fenster eingesperrt fühlt, oder ihn die gefliese Mensa im Deutschen Haus an einen Gefängnisspeisesaal erinnert.

Die Befreiung aus dem *Gefängnis Schweiz* vollzieht sich für Geiser nicht nur auf den Ebenen von Politik, nationalen Konventionen und literarischen Traditionen, sondern auch auf persönlicher emotionaler Ebene. So nennt er seinen Roman *Wüstenfahrt* sein "literarisches Coming out," sein öffentliches literarisches Bekenntnis zur Homosexualität.

Hinter Kent, dem Musikstudenten, dem der Ich-Erzähler in den folgenden Textausschnitten begegnet, verbirgt sich ein realer Student, der seinerzeit am Konservatorium Klavier studiert hat. Er ist im Mai 1993 an Aids gestorben.

Auszug aus dem Roman Wüstenfahrt
von Christoph Geiser

Woran merken Sie, daß Sie in Amerika sind, wollte meine Betreuerin, die mich am Flughafen abgeholt hatte, schon auf der Fahrt zu meinem College, wissen. Ich schaute mich um, überlegte — kein Anhaltspunkt, oder doch: die Reklamen am Straßenrand, die Markenzeichen der Tankstellen sind größer als bei uns, riesenhaft — als sollte man sie, in der Leere ringsum, schon von weither sehen.

Nichts sonst; eine Landschaft wie in Watte verpackt, still unter einem fahlen Himmel; der rote Backstein der zweistöckigen Dormitories; in der Mitte, auf dem leeren, weiten Platz, das Gehirn des Colleges, eine Festung aus Eisenbeton, labyrinthisch im Innern, die automatischen Türen mit Photozellen und einem Alarmsystem gesichert: die Bibliothek. Ringsum flaches Land, durch das der Wind von Kanada her über die großen Seen den Schnee blies — rötliche Bäumchen am Horizont, aufgesteckt wie Streichhölzer.

Eine Lehranstalt in der Leere — die schon fast mythische Station zahlreicher meiner Kollegen aus dem deutschen Sprachraum, ein literarischer Ort: einige meiner Vorgänger in der kleinen Studentenwohnung, die auch ich bezogen hatte, wurden rasch krank und reisten ab; andere wurden zu Alkoholikern auf Zeit; die robusteren, älteren Patriarchen schufen sich eine kleine, treu ergebene Gemeinde aus Studenten.

Einer fand hier eine neue Frau.

[. . .]

Meine Generation gab's hier offenbar nicht. Die Professoren waren alle um mindestens ein Jahrzehnt älter als ich; seit Jahren undurchschaubar miteinander verfehdet, verschanzt in ihren dünnen Fertighäuschen, warteten sie auf die Frühlingstornados, träumten von Europa und kämpften, verbissen, um jeden einzelnen Studenten: niemand wollte mehr Deutsch lernen, höchstens noch Deutsch singen.

Berühmt ist das College nämlich hauptsächlich für sein Konservatorium.

Die Studenten waren alle mindestens ein Jahrzehnt jünger als ich.

Zum ersten Mal in meinem Leben war ich Angestellter, Mitglied eines Lehrkörpers, mit einem bürgerlichen Beruf auf Zeit und einer besonderen Identitätskarte, die mich auswies als Member of Staff; doch was sollte ich eigentlich unterrichten, eine Stunde pro Woche? Es war mir freigestellt.

Benommen saß ich am kleinen Schreibtisch in meiner Studentenwohnung, mit Aussicht auf andere anstaltsähnliche

Studentenhäuser, die das weite Geviert umstellten: ein verlassener, zugeschneiter Exerzierplatz, mit verlorenen Bäumen darin, in deren kahlem Geäst kleine, blaßgrüne Vögel hockten, wie Ganztöne zwischen verwirrten Notenlinien.

Ich hatte noch nichts deutlich wahrgenommen, hinter dem Schleier aus Schneegestöber, im weißen Licht der winzigen Wintersonne, über den Campus schwebend, geräuschlos in meinen neuen amerikanischen Bergschuhen aus Plastik, von meiner Wohnung ins Deutsche Haus und wieder zurück an meinen kleinen Schreibtisch hinter dem kaputten Mückengitter, das im Wind klapperte, ohne meine Schreibarbeit der letzten Jahre plötzlich, ohne deinen gewohnten Telefonanruf um neun Uhr früh, ohne Antwort noch auf meine ersten Briefe: ein Reisebericht, eine Landschaftsbeschreibung . . .

Ich hätte wenigstens gerne gewußt, wie diese auffälligen Vögel hießen, die da plötzlich, leuchtend zwischen den anderen, im Schnee herumhüpften: fett wie Buchfinken, knallrot, wie angemalt.

Meine Aussicht blieb ziemlich leer . . .

Kleine Grüppchen dick verpackter junger Leute gelegentlich, die sich in ihren gefütterten Windjacken, mit ihren Rucksäcken über das weite Geviert durch die Schneestürme kämpften, wie die versprengten Haufen einer aufgeriebenen Armee, auf dem Rückzug nach einer verlorenen Winterschlacht.

Die Romanarbeit, die mich die letzten Jahre hindurch beschäftigt hatte, war abgeschlossen, die Stoffe meiner Kindheit waren aufgebraucht; auf die erste Frage, die einem hier immer gestellt wird: "Where do you come from?," konnte ich antworten — doch wen interessierte *hier* der Zerfall des schweizerischen Großbürgertums, aus dem ich stamme? Ich hatte meine halbe Bibliothek mitgeschleppt, Schweizer Literatur, Robert Walsers gesammelte Werke: doch für mein Seminar, eine Stunde pro Woche, hatten sich sieben Studenten eingeschrieben, die alle im Hauptfach Gesang studierten und bloß Deutsch lernen mußten, um Deutsch singen zu können . . . Schnee. Licht, das wehtat, wenn die Sonne für einen Augenblick den verhangenen Himmel vor meinem Mückengitter aufriß; meine Erinnerung, meine Vergangenheit schien aufgeräumt, was blieb noch?

Du, natürlich. Unsere gemeinsame Sprache fehlte mir; du hättest diese leeren Räume ausgefüllt — mit deinen Plädoyers zumindest, die du mir gelegentlich probeweise hältst, in den verlassenen Wirtsstuben möglichst entlegener Landgasthöfe, bei ziemlich viel Weißwein, während ich, unter dem Siegel der Verschwiegenheit, als Richterattrappe, zuhöre . . .

Ich erschrak — blieb, kaum fehltest du, nichts als Leere? Außer dir, meiner Gegenwart, und der Romanarbeit, meiner Vergangenheit, hatte es für mich in den letzten sieben Jahren nichts gegeben.

Nichts Wesentliches — nichts, was mich mit diesem eigentümlichen Ort hier ein bißchen hätte verbinden können?

Manchmal bekam ich Besuch; in regelmäßigen Abständen klopfte es an meiner Tür, dann stand ein hemdsärmliger, uniformierter, bulliger Beamter der Verwaltung in meiner Wohnung, immer mit derselben Frage: Do you have a thermostat in your appartement?

A what? Beim zweiten Mal verstand ich wenigstens, was sie suchten. Mein Studentenhaus schien eine Dampfmaschine zu sein, die Heizung war außer Kontrolle geraten, morgens um vier ging das Feuerhorn los — archaisch und heiser.

Ich erwachte mit Schrecken und wußte im ersten Moment nicht mehr, wo ich war, stürzte in den Hausgang — Fehlalarm natürlich, kein Rauch, nur verschlafene, verschreckte Studentlein in Pyjamas den Wänden entlang.

Seither war ich ständig alarmiert: aufgeschreckt und betäubt zugleich, gefangen im Kokon meines Dämmerzustandes, ohne deutliche Wahrnehmung, unempfindlich wie nach einer Lokalanästhesie, wartete ich schon, gelähmt und ängstlich, auf die Rückkehr des Schmerzes, an den Rändern der Haut.

[. . .]

Im Deutschen Haus, zehn Minuten zu Fuß von meiner Wohnung entfernt, gab es zu essen, und zumindest einmal am Tag mußte ich richtig essen.

In der langen Schlange wartender Studenten, mein Tablett in der Hand, vor den Blechbottichen, ohne mich umzuschauen, ohne zu verstehen, was rund um mich gesprochen wurde, den Blick zu Boden gerichtet, nahm ich nur die Stimmen wahr, das eigenartig respektvolle "you," im warmen, rauen Klang freundschaftlicher Gespräche. Fetttriefendes, lauwarmes, süßlich-fades Hackfleisch: derart geschmacklos, daß ich schon fürchtete, im Jet Lag auch den Geschmackssinn verloren zu haben — bloß meine Verdauungsorgane merkten schon am ersten Tag, wie grausig dieses Hackfleisch tatsächlich war.

Im Eßsaal setzte ich mich zu Ruth[1] an den Tisch, dem einzigen mir vertrauten Menschen: eine Emigrantin, als Kind aus Deutschland

---

[1] Ruth, in whom the narrator finds a kindred soul, is modeled after Elisabeth Rotermund, Director of the Max Kade German House and lecturer

geflüchtet, in Südamerika aufgewachsen, vor zwanzig Jahren hier gelandet, in einem winzigen Zimmer, vollgestopft mit Plüschmöbeln — unbestimmbar alt, eben dem Alkohol entzogen.

Die ganze Sucht ist in die Zigaretten gefahren, klagte sie, während wir bei einem dünnen amerikanischen Kaffee saßen, der auch nicht viel half gegen unseren Nachmittagsdämmer, und endlich unsere Zigaretten rauchen durften — eine verpönte, üble Gewohnheit aus der Alten Welt, unter den gesunden jungen Leuten hier. Gespräche über Vertrautes, in unserer gemeinsamen Sprache . . .

Ziemlich anstaltsähnlich, fand ich: dieser Eßsaal, der immer im Dämmerlicht lag, während die Studentlein, die Küchendienst hatten, in ihren zu kurzen weißen Kitteln schon die Tische abräumten.

Wie die schon halbwegs entzogenen Patienten in der Klinik, fand Ruth.

Der Aufenthaltsraum eines Gefängnisses eher, fiel mir ein — eine plötzliche Erinnerung aus früher Zeit.

The Draft, heißt die militärische Einberufung hier: ein Schreckgespenst wieder, erstmals seit Vietnam — die Kriegsdienstverweigerung seitdem auch am College wieder aktuell . . .

Militärdienstverweigerung, heißt es bei uns, oder Dienstverweigerung, oder noch einfacher: bloß Verweigerung —

Ich bin ein Verweigerer, sagte ich, und dafür muß man bei uns noch immer ins Gefängnis; drei Monate, genau so lang wie ein Semester hier.

[. . .]

Ruth, willst du mich nicht endlich vorstellen?

Ich hatte schon eine Weile, in meinem rechten Augenwinkel, etwas aufleuchten sehen: die Helligkeit von Haar, ein lautloses Lachen, Bewegung, eine unruhige Neugier, während ich, an diesen langen Anstaltstischen im Eßsaal, mit den Sprüngen und Kratzern im vertrauten, blaß bläulichen Lack, bei unserem dünnen Nachmittagskaffee, ausführlich, als klammerte ich mich an diese Erinnerung, von meinem Gefängnis sprach und dich, meinen Besucher, natürlich verschwieg.

---

of German for a quarter of a century. Geiser's description corresponds quite closely to her actual life. Born in Brazil in 1921, she regularly visited Germany during the summer until 1939, when the political situation became too threatening. After separating from her husband, she moved to the United States with her two children. Fluent in four languages and knowledgeable about many cultures, she was completely devoted to her students. She retired in 1987 and died in 2001 at the age of 81.

Kent.

Folgsam, viel zu leise, stellte mir die deutsche Hausmutter vor, wer mir halt vorgestellt werden wollte.

Schlagartig überfiel mich das bekannte Schwindelgefühl, wenn sich, für Sekunden, der Abgrund auftut: das hatte ich nicht erwartet, nicht jetzt, nicht hier, nirgends.

Er lächelte — spöttisch, überheblich, ein blaugrüner Blick.

Ich mag zwei Tage alte Bärte, zum Spüren, an den Rändern meiner Haut.

Was unterrichten Sie hier? — Er nahm mich nicht ernst: ein noch nicht einmal ausgelernter Klavierspieler, Deutschstudent im Nebenfach — ich bin nicht nur begabt, sondern auch intelligent, aus Tennessee, wie der Jack Daniels: die beste von allen Whiskeymarken.

Williams, fiel mir ein: Tennessee Williams, doch ich brauchte eine tauglichere, weniger literarische Chiffre, irgendein Losungswort, während wir einander artig ausfragten, wie man das hier als erstes immer tut, auf deutsch und per Sie, in der Höflichkeitsform.

Mit unseren Blicken sagten wir einander längst schon Du. Ein Erwachsener — unter diesen zu gut trainierten Halbwüchsigen; ich spürte, in diesem Blick, die Möglichkeit einer Rettung, wußte, das ich diese Rettung schon gesucht hatte: und mißtraute folglich meiner Wahrnehmung. Ich war schließlich erst seit fünf Tagen auf diesem Kontinent, kannte die Spielregeln nicht, wußte nicht einmal, ob wir in diesem sektiererischen Staat legal waren — oder illegal: seine Formulierung später.

Hier sind wir wenigstens legal —

Es fiel mir kein Codewort ein, für uns; so mußte ich mich auf die Zeichen verlassen, die er mir gab.

Er war, am nächsten Tag, überall dort aufgetaucht, wo ich eben vorgestellt wurde, obwohl er sich gar nicht für mein Seminar eingeschrieben hatte, das er natürlich nicht brauchen konnte: typisch eine Lehrveranstaltung für Studenten, die eben noch irgendeine Stunde brauchten.

Ich achtete auf nichts anderes mehr: Im düsteren Licht der Studentenbeiz, dem "Rathskeller," den sie "the Rat" nennen, wo es wenigstens dünnes Bier gab — der einzige Alkohol, der hier öffentlich ausgeschenkt werden durfte -, warf er mir seinen Blick zu, über den ganzen langen Tisch, über die Köpfe der anderen Studenten und Professoren hinweg, mühelos: wegen seiner beachtlichen Oberlänge, gezielt, nicht mehr lächelnd, so als wolle er meinen Blick aufspießen und als hätte, bei diesem Spiel, verloren, wer als erster wegschaut. Abgelenkt von irgendwelchen Gesprächen, wagte ich nur kurz aufzublicken, rasch, ohne den Versuch, standzuhalten — um nicht endgültig zu verlieren.

Grüne Augen, die sich schnellend an meinem Blick festhakten: nicht mehr neugierig, sondern mit diesem verbotenen Ausdruck darin, der auffordert oder abwehrt, bannt, durchschaut.

Wie unter Verschwörern, in Lebensgefahr.

[. . .]

Ein kleiner, weißer Ansteckknopf, mit den beiden schwarzen Symbolen für "männlich" darauf, die sich schneiden.

Das Zeichen — und ich hatte verzweifelt ein Codewort gesucht . . .

Trägst du diesen Protestknopf immer?

Er hatte ihn eigens für mich einen Tag lang getragen und war mir nachgelaufen bis um vier Uhr früh.

Dein verdammter Pullover hat zu viele Falten — ich würde mich nicht getrauen, diesen Protestknopf öffentlich zu tragen, gab ich zu.

Aber ich. Ich will eine Ohrfeige sein für die braven Leute auf der Straße: Was haben unsere Vorfahren schon geleistet? Einen Kontinent erobert, Land geklaut; keine brauchbaren Mythen . . . Kent beneidet die Schwarzen um ihre heroische Sklavenvergangenheit, die Indianer um ihren Kampf für das Recht auf ihr Land. Uns — sagt Kent — bleibt höchstens der Protestknopf als Ohrfeige . . .

Und mir? Ich habe andere Protestknöpfe getragen, doch natürlich ist dies der persönlichste; Kent trug ihn links, über dem Herzen, offen und heiter: gay, heißt das Codewort hier.

[. . .]

Zu alt und zu jung — Angehöriger einer Generation, die es hier gar nicht gab — allein mit meinen Gedanken in der falschen Sprache . . .

Am späten Vormittag saß ich eine Stunde lang im Büro, das man mir zur Verfügung gestellt hatte, mit einem Plakat des Verkehrsvereins von St. Johann an der Tür, zwischen lauter Tonbändern deutscher Sprachlehrgänge, gestapelt in den Regalen, und wartete auf meine Post: zehn Tage alte Briefe — Neuigkeiten von deinen Schützlingen, Alltag, Harmloses. Im Eßsaal des deutschen Hauses wurde Kent nicht mehr gesichtet — er war dort, wie es schien, bloß aufgetaucht, um mir vorgestellt zu werden. Nur Ruth als Bezugspunkt: vor ihrer Tasse Kaffee, mit ihrem Schlüsselbund auf dem Tisch spielend, als wäre sie der Gefängniswärter hier, das Päckchen Zigaretten griffbereit, umgeben von lauter amerikanischen Halbwüchsigen, die artig miteinander Deutsch redeten. Meine Stunde hielt ich einmal in der Woche ab: am frühen Nachmittag, in der kleinen Bibliothek des

deutschen Hauses, einem schmalen Zimmerchen mit Sofas den
Wänden entlang, auf denen meine sieben Studenten dahindämmerten,
schläfrig um diese Tageszeit, wie ich. Selbst meine eigenen Texte, die
wir Abschnitt für Abschnitt zerpflückten, wurden mir hier irreal:
"Blattwerk" galt ihnen als Umschreibung für Gedrucktes, "Brandung"
hielten sie für eine Feuersbrunst, und die "leeren Räume" waren nichts
als ausgeräumte Zimmer. Ich zog es schließlich vor, von meinem Land
zu erzählen — von dem, was mich beschäftigte, konnte ich nicht
sprechen; hier nicht, nirgends.

Natürlich kümmerten sich auch die drei Professoren der Abteilung
um mich. Abwechslungsweise luden sie mich zu sich, zusammen mit
ihren beiden Kollegen. Alle drei kränkelten ein bißchen: psychosoma-
tisch der eine (ein Kribbeln im Kopf, dagegen schluckte er Valium), an
Uric Acid litt der Senior, den jüngsten quälte nichts als sein unstillbarer
Ehrgeiz.

Wenigstens gab es jedes mal bei diesen Einladungen Alkohol,
Southern Comfort, den südlichen Trost. Man stand herum in den
Wohnzimmern der dünnwandigen Fertighäuschen, die sich alle
glichen, das Glas in der Hand, bei Gesprächen, deren Themen auch ich
bald kannte, mit Blick auf die kleinen Gärtchen, die der Schnee
begraben hatte: nur die Ziertännchen ragten noch daraus hervor.

Die merkwürdig hochbeinigen Katzen hier benahmen sich eher
wie Hunde; den meisten fehlte ein Fuß oder ein Bein: amputieren oder
nicht — das Thema der Professorenfrauen.

Es gab hier, offenbar, heimliche Fallensteller — Tellereisen im
Dickicht, das über der stillgelegten Bahnlinie gewachsen war, hinter
dem Dorf.

Alle Professoren schienen sich vor den Studenten zu fürchten, die
die Leistungen ihrer Lehrer am Ende des Semesters schriftlich bewerten
mußten, und davon hing die Höhe der Professorengehälter ab. Einzig
wer publizierte, viel publizierte, brauchte sich vor den Noten der
Studenten nicht zu fürchten: Publikationen sind Reklame für das
College. Ein ungeheurer Streß, klagten alle — der eine flüchtete davor
zu seinem Tischtennis, das er mit wissenschaftlichem Ernst betrieb; der
andere vergrub sich in langwierigen Recherchen über die verborgene
politische Bedeutung der Duineser Elegien, und der dritte in die Mythen
seiner jüdischen Herkunft: mit ihm verstand ich mich am besten.

Er sorgte wenigstens für Abwechslung: mit einer Purim-Party, mit
jiddischen Liedern, einem russischen Sänger und einem eigentümlichen persischen Hackbrett als Musikinstrument.

Exterritorial, melancholisch, zunehmend folkloristisch: diese
Abende.

Erst, wenn ich im Rathskeller saß, und sich der Nebentisch mit einer Gruppe schwarzer Studenten füllte, wußte ich wieder, wo ich war: während ich vor meinem dünnen Bier wartete, der Tür gegenüber, um ihn nicht zu verfehlen. Sie wollten wohl unter sich bleiben, die schwarzen Studenten — selbstsicher, lustig, mit ihren musikalischen Stimmen.

Es war mein eigener Schrei, der von weither in meinen Schlaf eindrang: fremd, als wäre es der Schrei eines anderen.

Neun Uhr, daheim, auf dem anderen Kontinent, die Zeit, zu der du mich angerufen hättest . . .

Ich hatte Hunger; doch der Versuch, mir in meiner kleinen Küche italo-amerikanische Rigatoni zu kochen, mißlang: das Salz hier schien bloß ein Salz-Ersatz zu sein; der Burgundy, zwei Liter aus dem staatlichen Schnapsladen jenseits der City limit, war sauer —

It fades — fades — fades . . . wie die verwaschenen Jeans, auf der berühmten Reklame.

Den Plastikbecher in der Hand, mit dem blutroten Saft darin, ging ich eine Weile durch meine zwei leeren, überheizten Zimmer: wie du, denke ich, durch dein Haus, wenn du nachts nicht schlafen kannst.

Natürlich hatte ich versucht, Kent anzurufen, doch da kam ein Tonband: This is not a working number . . . Das College-Telephonbuch schien unbrauchbar.

A dirt is another word for a lonely person — erfuhr ich aus meinem kleinen entliehenen Transistorradio, in einer Sendung über Alkoholismus.

Die einsame Schreibmaschine klapperte jede Nacht, das einzige Geräusch; ich setzte mich hinter mein Mückengitter, vor mein amerikanisches Schulheft, bei hochgeschobenem Fenster, wegen der Hitze im Zimmer. Ich kam mir alt vor — ein zur Untätigkeit verurteilter Rentner, unter diesen jungen Leuten, die von morgens bis Mitternacht, ihre Rucksäcke geschultert, über den Campus schweben, von einer Lehrveranstaltung zur anderen, von einem Meeting zum nächsten: vollbeschäftigt mit Arbeit. Ich hatte die flüchtigen Berührungen, an den Rändern der Haut, wohl mißverstanden: als Versprechen . . .

Manchmal, an meinem Schreibtischchen, halluzinierte ich schon, sah seine Gestalt am Rande meiner Bühne auftauchen, die lederne Tasche umgehängt, in seiner verwaschenen braunen Windjacke, mit seinem Himmelwärtsgang, aus weichen Knien heraus von weither über den Schnee.

Doch er kam schließlich nur noch, um rasch von mir etwas zu lernen.

Warum ist ein jeder Engel schrecklich?

Klavierspieler üben doch immer, sagte Ruth, als ich sie einmal beiläufig in unserem Eßsaal fragte: was macht Kent eigentlich? — so als sei es mir im Grunde egal. Ich wollte weder ihn noch mich verraten; aber ich hatte schon angefangen, den alten Professor um seine kryptischen Duineser Elegien zu beneiden, eine ganze Doppelstunde pro Woche. Im übrigen beneidete ich ihn gar nicht: Er konnte bald nicht mehr gehen, mit Uric Acid, im Stich gelassen von seinem Arzt.

Ich hatte wohl, wochenlang, am falschen Ort gesucht. Das Konservatorium ist das größte Gebäude auf dem Campus — eine Mischung aus Neugotik und asiatischem Pagodenstil, weiß, verwinkelt, mit schmalen spitzbogigen Fenstern, erbaut von einem japanischen Architekten; ein größerer, ein kleinerer Konzertsaal, 150 winzige Übungszimmer, an langen, labyrinthischen Gängen, erfüllt von dem gedämpften Klang eines viel zu großen Orchesters, das seine Instrumente stimmt: sie würden *nie* zusammenklingen — lauter schmerzhafte Dissonanzen.

Ich habe wohl ohnehin ein gestörtes Verhältnis zur Musik — eine gewisse Scheu, wie vor allen allzu mathematischen Strukturen.

Ich wußte nicht — umherirrend an diesem fremden Ort, während ich ängstlich durch die quadratischen Doppelglasfensterchen der Türen spähte — wovor ich mich mehr fürchtete: ihn nicht zu finden, was wahrscheinlich war in diesem Labyrinth, oder ihn plötzlich dasitzen zu sehen, übend hinter seinem Flügel.

Was suchst denn du hier?

Ich hatte nichts hier verloren und konnte mich nicht rechtfertigen; nur Salü sagte ich, auf Schweizerdeutsch, vor Schreck.

Ziemlich verwildert stand er vor mir, mitten im Gang — unrasiert, in einem blumigen, vollkommen zerknitterten, schmuddeligen Hemd, in verwaschenen Jeans: ohne Protestknopf, mit kaum verblichenen schwarzen Stempelspuren auf beiden Handrücken.

It fades — fades — fades . . . Wo kommst denn du her?

Er wollte es mir zeigen — und im übrigen wasche er sich prinzipiell nur noch jeden dritten Tag, sein Äußeres sei ihm neuerdings "scheißegal."

Um so schlimmer für mich; er hätte sich in einem Spiegel sehen müssen — aber er wußte offenbar auch so, wie er aussah.

Der Mensch, behauptet Kent, ist eben ein gesellschaftliches Wesen. Nur du bist anscheinend eine Ausnahme. Woher weißt du das, nach einer Nacht, hätte ich fragen mögen, während er mich zu seiner Zelle führte; doch ich ließ es.

Die wahren Abenteuer lagen offenbar außerhalb dieses Ortes, und mir fehlte ein Auto: Kent hatte eins, ein großes, rotes, uraltes, das augenscheinlich trotz allem noch fuhr.

Was soll man hier anderes tun, als üben? Nur wenn er spiele, lebe er richtig.

Ich sah es — auf dem kleinen Stühlchen am Fenster: setz dich hierher, damit du meinen Händen zuschauen kannst — während mich die Tonflut in der schalldichten Zelle zur neugotisch-asiatischen Fensterverglasung in den Schnee hinauszuschwemmen drohte — neidisch sah ich es: voller Potenzneid.

Muskelbildend, wirklich.

Und ich konnte nicht mitspielen.

Er wollte, später, nicht in den Konzertsälen von New York spielen, sondern in den Saloons, den Gemeindehäusern, den Schulhäusern der kleinen Ortschaften, im Süden, im Mittleren Westen: Debussy und Ravel besonders Debussy und Ravel, damit, sagte er, sind sie dort nämlich nicht verwöhnt. Was kannst du in New York schon bieten? Bloß immer perfektere Perfektion. Praktische Hände, zupackende Hände, mit kurzen, konischen Fingern — die kaum verblichenen Stempelspuren *konnten* gar nicht alle aus dem Rathskeller stammen; ich hatte mich da, dachte ich, während ich sah, wie mir meine siebente Nacht abhanden kam, in der Person von Kent, hoffnungslos offenbar, in den falschen Kontinent verliebt.

Ein Alb — ein Feuerteufel, wir hatten beide das richtige Wort nicht gefunden, weder auf Englisch noch auf Deutsch, für "le lutin," das kleine französische Wesen im Titel des Musikstückes, ein zwerghaftes Ungeheuer, ein Dämönchen, das nachts anfängt zu tanzen.

Ich bin gänzlich ungeeignet dafür, hätte ich ihm erklären müssen, doch wir brauchten nicht darüber zu reden; ein Mißverständnis eben, das übliche, außerdem waren wir beide nur auf Abruf hier, für kurze Zeit noch, und nachher gab es keinen gemeinsamen Ort mehr für uns.

Warum ist das Schöne nichts als des Schrecklichen Anfang?
Warum entgeht da der Trinkende seltsam der Handlung?
[. . .]
Wir, sagt Ruth, die wir schon nichts mehr von den Genüssen des Lebens haben — was heißt da: wir? — wir brauchen wenigstens ein Auto; so hatte sie mir eines beschafft: einen aquamarinblauen Pinto Station Wagon, mit einem Faß von Benzintank, für viele Gallonen, das reinste Perpetuum mobile, ein Traktor, vollautomatisch: die Freiheit — dachte ich.

Osterspazierfahrten, allein, ins Nichts. Die Straßenkarte ist ein Schachbrett, nur Nummern, keine Namen von Ortschaften, weil es keine Ortschaften gibt: vereinzelt die Hofburgen der Wiedertäufer, ineinander verschachtelte Holzhäuser, ohne Verputz, ohne Vorhänge, ohne Elektrizität, aus religiösen Gründen; die Straßen stürzen plötzlich in eiszeitliche Gräben ab, auf den Warntafeln angekündigt als "hills" — umgekehrte Hügel im topfflachen Land. Aufgewühlte Erde, fett und dunkel, brachliegende Äcker, ausgedehnt bis zum Horizont; durchsichtige Wälder aus rötlichem Geäst; manchmal kommt eine Pferdekutsche entgegen — ein schwankendes schwarzes Häuschen, mit einem kleinen Fenster und riesigen Speichenrädern, biblische Kutscher in schwarzen Roben, mit breitrandigen Hüten und weißen Vollbärten. Abraham, fiel mir ein, doch angeblich heißen sie alle Noah — Hostettler zum Beispiel — im letzten Jahrhundert ausgewanderte Schweizer und Elsässer, die ein archaisches Deutsch sprechen und sich der Zivilisation verweigern.

Kein Verkehr sonst — bloß überfahrene Hasen und Katzen auf der Straße.

Angst — ohne Navigator und Mitfahrer — mich in diesem Labyrinth aus geometrischer Rechtwinkligkeit zu verirren: Meine Gehirnwindungen sind nicht gemacht zur Speicherung der Himmelsrichtungen; wo, fragte ich mich, liegt mein College, wenn, um drei Uhr nachmittags, die Sonne in meinem linken Wagenfenster steht?

Ich fuhr von der falschen Seite her, an lauter identischen Holzhäuschen vorbei, auf die Wiesen des Campus zu, auf denen sich die Studenten halbnackt der Sonne dieses Ostersonntags hingaben: ausgelassen und heiter, als wüßten sie genau, daß außerhalb *nichts* ist — nur Leere.

In Ohio, sagt Monica aus Wyoming, bekomme man Platzangst, Beklemmungen, obwohl es weder Berge gibt noch Hügel: aber der Himmel, behauptet sie, hängt zu tief. Kein Atlas, der ihn hochstemmt und festhält.

[. . .]

Das nächstgelegene Ziel war Cleveland, eine gute Autostunde entfernt, ein Sonntagsausflug in meinem aquamarinblauen Pinto, durch das flache Land. Die Erwartung wächst, sobald die schnurgeraden Überlandstraßen in die Autobahn übergehen, die allmählich vierspurig, dann sechsspurig wird, während der Verkehr zunimmt, einen Augenblick lang beängstigend dicht, Wagen an Wagen, auf den Kunstbauten der Viadukte, an der Peripherie der Stadt, von der man noch nichts sieht. Die Außenquartiere sind bewohnt, die Straßen breit und ruhig, voller Schlaglöcher; einstöckige Reihenhäuschen aus nacktem Backstein, vor jedem Reihenhäuschen ein abgezirkelter Rasen, auf jedem Rasen ein hemdsärmliger weißer Mann mit einem Rasenmäher, unter einem milchigen Himmel ohne Sonne und Luft.

Durch die Viertel der Schwarzen, schon in den inneren Bezirken gelegen, soll man nur mit hochgekurbelten Fenstern und verriegelten Türen fahren, möglichst schnell, ohne anzuhalten: schimmlige Holzhäuser, jedes auf einem Grashügel gelegen, unter dem Vordach eine Bank, auf jeder Bank ein schwarzes Paar, grauhaarig, unbeweglich. Doch hier waren die Straßen ein kurzes Stück weit belebt — verbeulte riesige Straßenkreuzer, Gruppen bunt gekleideter Jugendlicher, in Trauben vor den Türen der Saloons, Transistorradios auf den Schultern, Bierbüchsen in den Händen, Lärm, Musik, Lachen. Das amerikanische Gefühl. In meinem aquamarinblauen Pinto, bei verriegelten Türen, aber schon halboffenen Fenstern, während ich verlangsamte, begriff ich plötzlich, zum ersten Mal in meinem Leben, daß meine Haut *weiß* ist.

Ich wäre der einzige gewesen.

Dort, wo es sich lohnen könnte, darf man in diesem Land nicht anhalten.

Aus: Christoph Geiser, *Wüstenfahrt*. Roman
© 1984 Nagel&Kimche im Carl Hanser Verlag, München/Wien
(aus dem Kapitel "Der Irrflug")

In Christa Wolfs Buch Ein Tag im Jahr. 1960–2000, *erschienen 2003, in dem sie den jeweils 27. September eines jeden Jahres beschreibt, findet sich — am 27. September 1983 — die Schilderung einer Begegnung mit Christoph Geiser, der Christa und Gerhard Wolf in ihrer Berliner Wohnung einen Besuch abstattet. Da sie sowohl über Geisers vor der Veröffentlichung stehenden Roman* Wüstenfahrt *reden, als auch auf Oberlin zu sprechen kommen, fügen wir hier die entsprechende Passage mit ein:*

Auszug aus Ein Tag im Jahr. 1960–2000 *von Christa Wolf*

(27. September 1983)

Um Dreiviertel sieben kommt Christoph Geiser, den wir seit unserer Begegnung in Bern vor acht Jahren nicht mehr gesehen haben. Er hat ein Stipendium des Deutschen Akademischen Austauschdienstes für ein Jahr, um damit in Westberlin zu leben, und versucht nun seit drei

Monaten, sich an die Atmosphäre der Stadt zu gewöhnen. Zuerst, im
Sommer, bei der Hitze, als kaum Kulturleute da gewesen seien, habe er
einfach viel Zeit am Wannsee verbracht. Dann, da er ungern U-Bahn
gefahren sei, weil es ihn so störte, nach dem Aussteigen die
Orientierung für die Himmelsrichtungen verloren zu haben — dann
sei er viel durch die Stadt gelaufen. Nun habe er schon Anschluß gefunden, oder, wie man dort sage, "Kontakte." Das laufe zuerst über das
Sektfrühstück am Samstag Vormittag in der Autorenbuchhandlung,
dort habe er gleich Klaus Schlesinger kennen gelernt und andere DDR-
Autoren, zu denen er, das müsse er sagen, besser Kontakt finde als zu
den meisten Westberlinern; diese seien so sehr auf das eingestellt, was
er überhaupt an Westberlin bemerke — auf Konsum. Auch auf
Kulturkonsum. Man konsumiere Theater, Film, Konzerte, und auch
die Kommunikation laufe meistens über den Konsum: in Kneipen zum
Beispiel, während man ziemlich viel trinke. Da gehe so ein Abend sehr
schnell und auch kurzweilig vorbei, kaum je gehe man vor zwei Uhr
nachts ins Bett, doch wenn man sich nachher frage, was eigentlich
gewesen sei, falle einem gar nichts ein. Er müsse nun sehen, daß er
wieder einen Arbeitsrhythmus finde. Sehr oft sei er auch in einer der
fünf Bars, die er von seinen beiden Fenstern aus sehe, in seiner beinahe
leeren Wohnung, mit drei Schreibtischen und drei Betten. Wenn er
über Check Point Charlie hier herüber komme, gefalle es ihm
eigentlich besser. Nicht so hektisch, die Leute ruhiger. Mehr
heimatlich. Heute habe er sich zum Beispiel die Schinkel-Figuren angesehen, die da neu auf einer Seite der Jungfernbrücke aufgestellt seien,
sehr weiß noch, aber das ganze Ensemble gefalle ihm gut, er sehe hier
mehr architektonische Gelassenheit als drüben.

Ich sage ihm, daß dies Westlern oft so gehe, daß sie hier, ohne die
Nachteile spüren zu müssen, mit Wollust an den Vorteilen einer engeren
menschlichen Verbundenheit und einer weniger weit entwickelten
Technik teilnähmen.

Er sprach, stockend, über sein letztes Buch, das er noch einmal
habe umarbeiten müssen, weil er da so heikle Fragen behandle,
die dann auch das Persönlichkeitsrecht anderer mit berührten.
Eigentlich gehe es um das Ende einer Freundschaft, aber er könne
noch gar nicht recht darüber sprechen, er gehe noch damit um, bis
er die Druckfahnen gelesen haben werde, doch sein nächster Stoff
sei ihm schon gegenwärtig, er rücke immer etwas weiter vom
Autobiografischen ab. Er fragte nach dem Erscheinungstermin von
"Kassandra" hier, ich äußerte die Vermutung, daß es einen ziemlichen
Aufruhr geben werde, ich würde jetzt schon bemerken, wie verletzt
manche Männer sich durch dieses Buch fühlten, er sagte, aber das

feministische Thema sei doch nicht die Hauptsache, es gehe doch eigentlich um ein übergreifendes Thema, die Logik der Macht. Er wollte wissen, welche Stellen gestrichen worden seien, ich sagte es ihm, er habe sich das schon denken können.

Ich fragte ihn nach Bekannten ab, Bichsel hatte er in New York im Village auf der Straßenkreuzung getroffen, Erica Pedretti habe Sorgen mit ihren Kindern, sei wohl auch krank gewesen, Krebs, soviel er wisse. Otto F. Walter gehe es wohl ganz gut, im Herbst erscheine ein neues Buch von ihm. Muschg lebe in Zürich. Der Zusammenhalt der Autorengruppe Olten, der sich ja gegen etwas gerichtet habe, nämlich gegen die verkalkten gesellschaftlichen Verhältnisse und gegen den verkalkten Literaturbetrieb, sei jetzt schwächer geworden, jeder habe sich wieder mehr auf sich selbst zurückgezogen, müsse aber sehen, wie er finanziell durchkomme. Seine Bücher erschienen in einer Auflage von 3000–5000 Exemplaren, dann müsse er eben Lesungen machen, es gebe auch kantonale Förderungsmaßnahmen, und diese Stipendien müsse er eben annehmen. Allein gehe es ja, mit einer Familie würde es nicht gehen.

Ich hatte schon im Stillen gedacht, was hinter seiner Einzelgängerei eigentlich stecken mochte. Er sieht markant aus, eher klein, nicht stark gebaut, sehr feine Hände, einen kleinen Kopf, im Gesicht einen mächtigen gebogenen Schnurrbart, die Haut voller pockenartiger Narben, schwarzes krauses Haar, wie ein Italiener, wollte ich ihm schon sagen, aber das ließ ich lieber.

Inzwischen war Gerd da. Wir aßen die Kaviarbrötchen, den Borscht, guten Käse. Tranken Weißwein. Das Stichwort "Oberlin" fiel. Dort war also auch er gewesen, 1980, wir tauschten Erinnerungen aus, gräßlich, sagte er, eigentlich tödlich dieser finstere Mittelwesten, diese Collegestadt. Dort habe er auch kaum arbeiten können, habe sich dann aber ein Auto genommen und sei für den Rest des Geldes durch die USA gefahren, zwei seiner Kapitel seines nächsten Buches würden in den USA spielen. Ich denke an meinen alten, uralten Plan mit dem Buch, dessen Hintergrund meine USA-Erfahrung sein sollte.

Lange reden wir über unsere neuen Talente, Namen wie Gert Neumann, Wolfgang Hilbig, Christoph Hein fallen, Gerd bringt seine Lyrik-Materialien von den "jungen Wilden" an, ausführlich erzählen wir mit verteilten Rollen von Dieter Schulze, der nun in Westberlin wiederum ihm, Christoph — als Name, als Legende — über den Weg gelaufen ist. Die bizarre Geschichte von Schulzes Ausreise — die wir, eine Reihe von Autoren, "ganz oben" erreicht hatten, weil zu befürchten war, daß er hier straffällig werden würde; wie Fühmann ihn dann über die Grenze brachte . . . Mann, sagt Christoph, Ihr erlebt doch was!

Wir sprachen über Grenzgängerei, wie sie uns anstrenge; daß es jedes mal eines Entschlusses bedürfe, um herüber- und hinüberzugehn. Er, sagte er, fühle sich durch jede Grenze angestrengt, aber durch diese hier besonders.

Gerd brachte die Seghers-Erzählungen, die ich bei Luchterhand herausgebracht habe, ich schrieb ihm etwas rein, er sagte, er kenne die meisten Texte nicht. Die wenigen, die er von ihr kenne, hatten ihn allerdings außerordentlich beschäftigt. Wir sprechen von "Transit"; wie sie, als ich ihr sagte, wie ich dieses Buch bewundere, erwiderte: Viele meiner Genossen mögen es nicht . . . Von ihrem Verhältnis zur Partei, für das er Verständnis zeigte.

Kurz vor elf fing er an, von Abschied zu sprechen, dann ging er um halb zwölf. Wir, Gerd und ich, redeten ein bißchen, sahen Fetzen in verschiedenen Fernsehprogrammen und die letzten Nachrichten im III. Programm West. Der Club of Rome, der diesmal zu meiner Überraschung in Budapest tagt, hat erklärt, die Zahl der Hungernden auf unserer Erde werde bis zum Ende des Jahrtausends verfünffacht, wenn nicht eine radikale Änderung der Weltpolitik geschehe. Die Tagung des Clubs steht unter dem Thema: "Nahrung für sechs Milliarden Menschen." — 66% der Bundesbürger sind nach den neuesten repräsentativen Umfrageergebnissen gegen die Stationierung von US-Raketen in der Bundesrepublik selbst dann, wenn die Genfer Konferenz kein Ergebnis bringen sollte. — Nur 66 Prozent? sagt Gerd. Ich sage: Aber das ist doch eine ganze Menge.

Aus: Christa Wolf, *Ein Tag im Jahr. 1960–2000*
© 2003 Luchterhand Literaturverlag München

Hauptwerke

Bessere Zeiten. Lyrik und Kurzprosa (1968)
Mitteilung an Mitgefangene. Gedichte (1971)
Hier steht alles unter Denkmalschutz. Erzählungen (1972)
Eigentlich wird nicht viel sonst geredet. Monodrama (1972)
Warnung für Tieflieger. Lyrik und Kurzprosa (1974)
Zimmer mit Frühstück. Erzählung (1975)
Grünsee. Roman (1978)
Brachland. Roman (1980)
Disziplinen. Vorgeschichten (1982)

Wüstenfahrt. Roman (1984)

Das geheime Fieber. Roman (1987)

Das Gefängnis der Wünsche (1992)

Wunschangst. Erzählungen (1993)

Kahn, Knaben, schnelle Fahrt. Roman (1995)

Die Baumeister. Roman (1998)

Über Wasser. Passagen. (2003)

Desaster. Roman (noch nicht veröffentlicht)

Walter Helmut Fritz, Oberlin, 1981.
Photo: Oberlin College German Department.

Walter Helmut Fritz   1981

WALTER HELMUT FRITZ WAS BORN IN Karlsruhe in 1929. He studied literature, philosophy, and modern languages at the University of Heidelberg, then returned to teaching, first at the secondary level, more recently at the university in his native city. Meanwhile, he has achieved an impressive record as a freelance writer. In 1963–1964, he was awarded the prestigious fellowship for study at the Villa Massimo in Rome, and his writing has been recognized by a number of significant prizes. This is his second visit to the United States. He presented a series of readings along the West Coast in the spring of 1978.

Fritz's first volume of poems, *Achtsam sein*, appeared in 1956. The title hints at what has subsequently been Fritz's cardinal admonition to his readers: Recognize the worth of the simple people, occurrences, and objects in the daily life about you; they want, need, and deserve your concern. Armed with such awareness, you can live more meaningfully and share yourself with others.

Six volumes of poetry have followed the first: *Bild und Zeichen* (1958), *Veränderte Jahre* (1963), *Die Zuverlässigkeit der Unruhe* (1966), *Aus der Nähe* (1972), *Schwierige Überfahrt* (1976), and *Sehnsucht* (1978). His *Gesammelte Gedichte* appeared in 1979.

Fritz has also published several collections of shorter prose works and four novels, each of which deals with some aspects of the uncertainty of human existence: the first three are *Abweichung* (1965), *Die Verwechslung* (1970), *Die Beschaffenheit solcher Tage* (1972). These are not really novels in the traditional sense. They are rather somewhat loosely connected series of narrative units with periodic breaks, during which more questions may arise in the mind of the reader than answers appear in the text. In the diary-like notations of his most recent novel, *Bevor uns Hören und Sehen vergeht* (1975), which recounts the day-to-day experiences of a student at the University of Heidelberg in the early days following the Second World War, the theme of transitory existence emerges as the unifying element, accompanied by Fritz's firm yet gentle message that life can have substantial meaning for those who earnestly seek it:

> Jeder, der die Sehnsucht hat, daß etwas in Sicht kommt.
> Wer einen Weg freischaufelte.

Wer die Vorurteile hinter sich ließ.
Wer die Unruhe in sich wachhielt.
Wer dem anderen half.
Wer neue Ufer suchte.
Wer hörte und sah und wußte, wie wichtig es ist,
zu sehen und zu hören, bevor uns Hören
und Sehen vergeht.

In the end, however, Walter Helmut Fritz remains primarily a lyric poet. His poems exhibit a certain constancy in form and length. His style is simple, unpretentious, direct, and frequently laconic in expression. In this he admits an affinity to the later Brecht or to Günter Eich, a kinship to Walt Whitman or William Carlos Williams. Again and again in his poems, Fritz calls his readers' attention to familiar objects whose significance is often overlooked, to a table, a door, a cloud, or to the people whom everyone takes for granted: the bus driver, the cook, the cobbler. In choosing his themes, he tends toward the problematical in human life, toward problems of time, ephemeral existence, or uncertainty. In a poem entitled "Ich weiß nicht," he muses with worldly wisdom, "daß die Ungewißheit nicht zu Ende ist." In a sense, Fritz is something of a moralist, yet he presents no formal program; he prefers to stimulate an inner awareness. The title poem of his latest collection, *Sehnsucht*, stands interestingly not at the beginning as a guidepost, but at the end as a beacon that sends flashes of insight penetrating into the dark uncertainty of the future, Fritz combines many of the essential ingredients of his poetry:

Sehnsucht

Je mehr wir verstehen,
daß nichts so leicht
zu machen ist
wie ein Fehler,
je mehr uns
die Frage umtreibt,
ob, warum schon die Zeit
Schuld bringt,
je zahlreicher
die Verhöhnungen werden,
die Schreckensnachrichten,

die Schatten der Gefolterten
und Getöteten —
um so mehr wächst
die Sehnsucht danach,
daß wir füreinander endlich
bessere Auslegungen sind,
daß nicht so viel
weiter verstellt ist,
daß wir mehr vom Leben
vor dem Tod spüren,
daß der Augenblick sich erwärmt,
wenn wir zusammen reden,
gleich jetzt
an einem solchen Tag,
der als Schnee kommt.

Nach Oberlin

Seit seinem Aufenthalt in Oberlin vor einem Viertel Jahrhundert war Walter Helmut Fritz an den Universitäten Mainz und Karlsruhe als Poetikdozent tätig und hat weiterhin als freier Schriftsteller kontinuierlich produziert und publiziert. *Cornelias Traum und andere Aufzeichnungen* (1985) ist ein Band mit Kurzprosa, in den auch ausdrücklich Erfahrungen aus Oberlin mit eingeflossen sind. Der Titel des Bandes verweist auf einen Traum, in dem die Literatur zu Grabe getragen wird, wobei die Betrachter der Szenerie allerdings zu wissen meinen, dass der Sarg leer ist.

Vor allem aber hat Fritz als Lyriker die literarische Landschaft im deutschsprachigen Raum um ein umfassendes, viel gelobtes Werk bereichert. In seinen Gedichten geht es vorwiegend um alltägliche Dinge oder Menschen in Alltagssituationen, auf die er in seiner präzisen unbestechlichen lakonischen Sprache die Aufmerksamkeit richtet. Die Worte Robert Walsers "Keine Beredsamkeit," die Fritz seinem Roman "Bevor uns Hören und Sehen vergeht" voranstellt, scheinen für sein gesamtes Werk programmatisch zu sein. Sparsam verwendet er sprachliche Bilder; klar, unpathetisch und unverrätselt folgt er seinem literarischen Anspruch "Unbestimmtheiten" zu reduzieren. Im Jahrhundert der Katastrophen richtet er sein Augenmerk auf jene Momente, die es *auch* gibt, auf den "Augenblick, [der] sich erwärmt, wenn wir zusammen reden." Sein Ton ist verhalten, die Heillosigkeit der Welt immer mit anwesend, wenn er uns Lesern Alltägliches als etwas Kostbares vorführt.

Für seine Liebeslyrik erhielt der Dichter die uneingeschränkte Zustimmung der Kritik. Die Akademie der Wissenschaften und Literatur in Mainz hat im Jahr 2002 eine Sammlung eigens der Liebesgedichte herausgegeben. Davon ausgehend, dass erst "im Miteinander des Sprechens, Suchens, Lebens, Arbeitens so etwas wie Sinn entsteht,"[1] richtet er den Blick auf alltägliche unspektakuläre Szenerien des Zusammenlebens. Die Anwesenheit des anderen schärft die Wahrnehmung, hilft verstehen:

> Weil du die Tage
> zu Schiffen machst,
> die ihre Richtung kennen.
> . . . . .
> Weil ich durch dich verstehe,
> daß es Anwesenheit gibt

"Unsentimentale Zärtlichkeit"[2] bestimmt den Grundton seiner Liebesgedichte, die ihre Schönheit auch aus dem vielen Nicht-Gesagten, Mitgedachten beziehen. So gipfelt in dem Gedicht "Der Rest vom Honig" in Mitten der Verheerung die Lakonie in dem stillen Fazit: "So sind wir hier,/du und ich und unser Leben." In seiner Befürchtung, "daß uns der Tod/in Gestalt/vieler Worte erreicht,"[3] mag seine feine Kunst des Aussparens und Andeutens begründet liegen.

Walter Helmut Fritz war Turmschreiber der Stadt Deidesheim (1990) und hat zahlreiche Literaturpreise bekommen, darunter den Stuttgarter Literaurpreis (1986), den Georg-Trakl-Preis (1992), den Oberrheinischen Kulturpreis der Johann-Wolfgang-von-Goethe-Stiftung Basel (1994), den Großen Literaturpreis der Bayerischen Akademie der Schönen Künste (1995).

---

[1] Walter Helmut Fritz: *Die Liebesgedichte*; herausgegeben und mit einem Nachwort von Matthias Kussmann, [Darmstadt]: Wissenschaftliche Buchgesellschaft, 2002, S. 120.

[2] Unter dem Titel: "Wie kann man von sich selbst sprechen?" formuliert Fritz seine Vorstellung darüber, wie der Autor sich (in ein Gedicht) einbringt: "Unsentimentale Zärtlichkeit in der Anschauung dessen, was uns umgibt,. . ." in *Süddeutsche Zeitung* 3./4. August 1985, S. 117.

[3] Michael Basse: *Walter Helmut Fritz* in: Kritisches Lexikon zur deutschsprachigen Gegenwartsliteratur; hrsg. Heinz Ludwig Arnold (München: Edition Text +Kritk, 1987-).

*Walter Helmut Fritz schickte uns im Juni 2002 das folgende Oberlin-
Gedicht und den sich anschließenden Text über die College-Stadt als Ort
der Inspiration zu poetisch-philosophischen Assoziationen:* Oberlin,
Ohio.

Aus dem Zyklus: Die Dichte beweglicher Körper

V

Steigt ein, Sidney und Stella,
Christina, Olga, Elisabeth,
Stuart, David, Joe und Anita,
steigt ein in das kleine Boot

aus Worten, das einen Augenblick
noch einmal gleitet durch diesen
Winter und Frühling in Oberlin,
Ohio, tischebene Landschaft

südlich der großen Seen.
Steigt ein und laßt uns noch einmal
denken an unsere Erzählungen,
Schnee, Liebe, die Blüte des Dogwood

an Nachmittage unter Studenten,
an Cleveland, Milan und Huron.
Steigt ein mit eurem Wunsch zu reisen
zu den Gesteinen der Appalachen

den Mammut-Bäumen in Kalifornien
und eurer Sehnsucht danach,
es möge nicht länger
so vieles verstellt sein.

Aus: *Werkzeuge der Freiheit. Gedichte* (1983)
Copyright © 1983 by Hoffmann und Campe Verlag, Hamburg

Oberlin, Ohio

Der Mittlere Westen zu weiten Teilen unter Schnee. Unter Schnee
einer seiner Bundesstaaten, Ohio, einer der Orte darin: Oberlin. Die

Herrlichkeit der Kälte. Auch Schnee hat Augen, auch in ihnen erkennt man sich wieder. Er trennt und vereint. Er ist eine Anspielung. Manches verbirgt er, manches macht er erst kenntlich: So erprobt sich eine andere Symmetrie. Ein anderes Spiegelbild. Schneetreiben: auch Raum kann vergehen.

Eine Studentin bricht in Tränen aus, während sie von Werther spricht. Eine heißt mit Vornamen Pallas Athena (sie zitiert den schönen Satz von Kant: Reich ist man nicht durch das, was man besitzt, sondern mehr noch durch das, was man zu entbehren weiß), eine andere Antigone.

Aus einem Gespräch mit S. blieb mir zweierlei in Erinnerung. Einmal seine Bemerkung, es gebe Vorgänge, Kräfte, Menschen, Dinge, deren Art es sei, durch Abwesenheit zu erscheinen. Dann seine Äußerung, früher habe er — wie alle andern — das Glück gesucht, jetzt aber, mit fünfzig, entdecke er, daß jenseits davon weitere, tiefere, reichere Zonen zu finden seien.

L. studiert außer Literatur und Geschichte der Kunst auch Wirtschaft, weil sie Kunsthändlerin werden will. Sie sei sehr ehrgeizig, sagt sie, und egoistisch, könne sich nicht anpassen. Ihren Freund, den sie seit einem Jahr kennt, nennt sie eine Belastung. Ihre Eltern sind geschieden, lehren beide an einer Universität. Ob sie unter der Scheidung gelitten hat? Nein. Sie habe schon verstanden, daß nichts stabil sei. Man dürfe sich nirgends festhalten wollen. Seit einigen Wochen nimmt sie teil an den Gesprächen einer Gruppe, in der man sich über Körper und Sexualität unterhält, etwa über die Frage — so wird sie im Veranstaltungsprogramm formuliert — warum Übergewicht, warum Fett Frauen gegen Sexualität schützen kann. Bei diesen Gesprächen habe sie begriffen, daß nicht nur die Vereinigung der Geschlechter eine schöpferische Synthese sei, sondern auch der Akt der Erkenntnis. Große Worte? Worte seien klein.

D. kommt aus Schweden. Sie will Sängerin werden. Ihr Vater ist Dirigent in Chicago. Im Haar trägt sie einen gelben Reif, das Gestell ihrer Brille ist gelb. Löwenzahn, ruft sie beim Blättern in einem Fotoband, Löwenzahn.
Seit Monaten liest sie Shakespeare. Sie ist begeistert von einem Abend, an dem vier Schauspieler der Royal Shakespeare Company ein Programm spielen, das die Verwandlung von Feste, dem Clown der "Twelfth Night," in den Narren von "King Lear" zum Thema hat. Die

Aufführung erforscht seine Metamorphose, sagt sie, und den Weg von der Komödie zur Tragödie. Danach trinkt sie im "Ratskeller" — das gibt es nur einmal in der Woche — viel Bier.

Am Fernsehen Karl Popper. Ein wissenschaftliches System nennt er unwissenschaftlich, wenn von ihm behauptet wird, es könne nicht widerlegt werden. Dagegen sei zum Beispiel das System Einsteins wissenschaftlich, weil dieser Mann ausdrücklich gesagt habe, er lasse seine Theorie fallen, sobald sie experimentell widerlegt werden könne. Was empfanden Sie als wichtigste Aufgabe in Ihrem Leben, fragt ihn sein Partner. Seine Antwort: Ertragen zu lernen, daß man immer neu widerlegt wird, so lange, bis man eines Tages merkt, daß dadurch so etwas wie Glück entstehen kann. Ist Sisyphos also glücklich? Sicher, ja.

Die Fenster der Wohnung gehen auf eine von einzelnen Birken und Buchen bestandene weite Rasenfläche. Das nächste Gebäude, die Bibliothek, ist dreihundert Meter entfernt.
April. Einer der ersten wärmeren Tage. Einzelne Studenten nehmen das erste Sonnenbad. Ein Mädchen beginnt zu tanzen, klettert dann ziemlich weit in eine der Buchen hinauf und setzt sich in eine Astgabel.
Später ein Gang um den See am Rand des Ortes. Wilde Narzissen. Im vollen Licht Steine als Inschriften, als Denkmünzen. Das Geräusch einer Schreibmaschine aus einem Garten.
Seiten von Emerson. Warum gibt es den Raum und die Zeit? Damit der Mensch lerne, daß die Dinge nicht durcheinander- und zusammengeworfen, sondern geschieden und als einzelne vorkommen. Eine Glocke und ein Pflug haben beide ihren Zweck, und keines kann den Dienst des anderen versehen. Maeterlinck über Emerson: Er hat uns gezeigt, wie alle Kräfte des Himmels und der Erde damit beschäftigt sind, die Treppe vor der Haustür zu stützen, auf der zwei Nachbarn vom Regen sprechen.

Kurz nach dem Erwachen der Satz, den gestern jemand erwähnte: Es liegt an uns, wenn wir den ungeheuren Rang der Dinge nicht erkennen.
Draußen geht eine alte Frau vorüber. Sie erinnert mich an eine Griechin, die ich vor Jahren an einer Straße hinter Olympia aufspringen und winken sah, weil sie Tomaten verkaufen wollte.
Wir waren zu bequem, zu halten, bereuten es schon wenige Minuten später.

Einer der letzten Tage. Wieder das Gefühl (wie immer, wenn etwas vorbei ist), in der zurückliegenden Zeit nicht genug getan, wahrgenommen, gesagt zu haben. Das Erkennen in der Erinnerung. Das Wachstum neuer Augen. Die jähe Steigerung der Leuchtkraft. Alles verschwunden und mehr anwesend als je. Wenn sich die Bilder entfernt haben, beginnen sie in uns zu leben. Proust: Ich begriff, daß Noah die Welt nie so gut sehen konnte wie von der Arche aus, obwohl sie verschlossen war und es Nacht war auf der Erde.

Aus: *Cornelias Traum und andere Aufzeichnungen*
Copyright © 1985 Hoffmann und Campe Verlag, Hamburg

Werke

Achtsam sein. Gedichte (1956)

Bild + Zeichen. Gedichte (1958)

Veränderte Jahre. Gedichte (1963)

Umwege. Prosa (1964)

Abweichung. Roman (1965; als Hörspiel 1966)

Die Zuverlässigkeit der Unruhe. Gedichte (1966)

Bemerkungen zu einer Gegend (1969)

Er ist da, er ist nicht da. Hörspiel (1969)

Die Verwechslung. Roman (1970)

Der Besucher. Drama (1971)

Aus der Nähe. Gedichte 1967–1971 (1972)

Die Beschaffenheit solcher Tage. Roman (1972)

Bevor uns Hören und Sehen vergeht. Aufzeichnungen (1975)

Kein Alibi. Gedichte (1975)

Schwierige Überfahrt. Gedichte (1976)

Sehnsucht. Gedichte (1978)

Gesammelte Gedichte (1979)

Wunschtraum — Alptraum. Gedichte und Prosagedichte 1979–1981 (1981)

Werkzeuge der Freiheit. Gedichte (1983)

Cornelias Traum und andere Aufzeichnungen (1985)

Wie nie zuvor. Gedichte (1986), mit Holzschnitten von Alfred Pohl

Immer einfacher, immer schwieriger. Gedichte und Prosagedichte 1983–1986 (1987)

Unaufhaltbar (1988)

Mit einer Feder aus den Flügeln des Ikarus. Ausgewählte Gedichte (1989)

Zeit des Sehens. Prosa (1989)

Die Schlüssel sind vertauscht. Gedichte und Prosagedichte 1987 bis 1991 (1992)

Teil der Dunkelheit. Gedichte (1993), mit Zeichnungen von Hannelore Goldammer

Gesammelte Gedichte 1979–1994 (1994)

Pulsschlag. Gedichte (1996)

Das offene Fenster. Prosagedichte (1997)

Zugelassen im Leben. Gedichte (1999)

Die Liebesgedichte (2002)

Maskenzug. Gedichte (2003)

Bernd Jentzsch, Oberlin, 1982.
Photo: Oberlin College German Department.

Bernd Jentzsch   1982

Bernd Jentzsch was born in Plauen (Vogtland) in 1940. His parents, social democrats, had previously lived in Chemnitz (Saxony), where his father worked as a typesetter at one of the city's newspapers. In 1933, he was dismissed by the Nazis and banished to Plauen, where he worked at a factory. During those years, both parents lived and suffered under the constant surveillance and harassment of the Gestapo. After the war the family moved back to Chemnitz (1953–90 named Karl-Marx-Stadt), where they were automatically integrated in what was to be the Socialist Unity Party (SED) in 1946. Bernd Jentzsch attended the *Gymnasium* (1954–58) and served in the National People's Army (1958–60). He studied German literature and art history at the Universities of Leipzig and Jena (1960–65). In 1965 he moved to East Berlin, where he took a position as editor for the Verlag Neues Leben, which he held for nine years. He married — his wife Birgit was a high school teacher of German and Russian — and had a son, Stefan. In 1974 Bernd Jentzsch became a freelance writer.

Not long afterward, his fortunes took a dramatic and unexpected turn. In the fall of 1976, while doing research for an anthology of Swiss poetry in Switzerland, he learned about the expulsion of fellow-writer Reiner Kunze from the GDR Writers' Union and the expatriation of the prominent poet-singer Wolf Biermann on the order of the GDR government. Stunned and angered by these actions, he wrote a scathing and detailed open letter to head-of-state Erich Honecker, in which he made the demand that the regime reconsider and reverse its decisions. He submitted it for publication to several newspapers in the GDR, the Federal Republic of Germany, and Switzerland, without considering possible negative consequences. The reprisals against Jentzsch, his family, his widowed mother, and his friends were not long in coming. His open letter did not appear in any GDR newspaper but was instead turned over to the State Security Service, which promptly indicted Jentzsch for "hostile agitation against the State." Faced with the prospect of a mock trial and two to ten years' imprisonment, he decided to remain in Switzerland. His wife, her brother, his son, and even his retired, staunchly and actively socialist mother were harassed, humiliated, and ostracized by the GDR authorities. In the spring of 1977 his wife and son were finally permitted to leave the country with a passport for stateless persons, and they joined him in Switzerland. His mother, however, was repeatedly denied permission to visit; their correspondence was scrutinized, and their occasional telephone conversations were monitored and disrupted. She was driven to despair and, ultimately, in the fall of 1979, to a sudden death, the cause of which has never been established. Jentzsch himself was officially branded as a criminal fugitive from the GDR; his publications were banned, his name was removed from reference books, and his contributions were deleted from subsequent editions of anthologies.

Since 1977 the Jentzsch family has been living in Kusnacht near Zurich; Jentzsch is again working as an editor, and he maintains a studio close to the Zurich Central Library; his wife is director of a home for deaf-blind children, and his son has already mastered Swiss-German.

As for the GDR, Jentzsch says: "Everything that made socialism great has been liquidated. This is the terrible truth."

Bernd Jentzsch's main literary activities have been and continue to be writing poetry and short narrative fiction (including stories for children); editing anthologies with texts from different periods of German literature as well as works by individual authors; and translating poetry by outstanding poets of various nationalities.

Bernd Jentzsch's poetry features a wide range of themes and concerns — landscapes, childhood memories, love, portraits of human beings, victims of the Nazis, current social and political problems (since his exile with increasing bitterness). He is a master of somber wit, the precise phrase, the juxtaposition of contrasting metaphors, associative word-plays, and end-rhymes (which he uses sparingly). In his narrative fiction, he excels at depicting individuals and key situations and in creating delightful fairytale fantasies, here too subjecting himself to stringent discipline. His anthologies are distillations of profound knowledge, sharp judgment, and refined taste. One of his most significant achievements in the GDR was his editorship of a poetry series, *Poesiealbum* (Poetry Album), which introduced the public to new (and old) poets, both German and foreign, many of whose works had (for political reasons) not previously been accessible; one hundred and twenty-two booklets appeared monthly in large editions between 1967 and 1976.

Three Poems by Bernd Jentzsch
(In English Translation)

Elegy

The leaves on the sky as light as you and I.
The hawthorn told us what it knew.
If you almost closed your eyes, everything was beautiful.
The roofs floated out to sea.
A man moved past in the dust
With his luggage, his tear sacs.
Behind us, before us: glorious years.
Ice Age, Ice Age.

1975 (Translated by Stuart Friebert)

Calendar

The lilac bush in front of grandmother's house
A ship full of Davy Joneses,
On which I sailed across the oceans.
After half a lifetime
My ship cut down and removed,
Grandmother in heaven,
No trip across any ocean,
My heart heavy as lilac umbels.

1978 (Translated by Peter Spycher)

Kings

Once upon a time and the mightiest far and wide
Very proud and very cocky
Seven sumptuous palaces
Golden ladies in golden beds
The treasure chamber, the torture chamber
Your most gracious Majesty
The jails full since time immemorial
Who owns the grain, you men?
The noble Count, they said.
And if he doesn't, he must be dead.

1978 (Translated by Peter Spycher)

After Oberlin

After his stay in Oberlin, Jentzsch returned to Switzerland. He worked for the Walter Verlag, editing two series, *der kleine walter* (children's books, 1980–82) and the *Walter Literarium* (Bibliothek der Vergessenen, 1980–85). With Anthony W. Riley he was instrumental in the new scholarly conception and edition of Alfred Döblin's *Ausgewählte Werke in Einzelbänden*. Between 1978 and 1981 he also edited the literary journal *Hermannstraße 14* together with Helmut Heißenbüttel. In 1986 he moved to the Federal Republic, where he lived first in Iserlohn and then in Euskirchen, where he still lives today. He continued his freelance publishing work, including editing the pocket book series *Rowohlt Jahrhundert* (1987–89). In 1988 he was a research associate with the Konrad-Adenauer-Stiftung in the area of media and culture. Although Jentzsch continued his extensive work as a translator of poetry and editor of poetry collections, he never again achieved the widespread public reception that he had had with his *Poesiealbum* in the GDR. The *Poesiealbum* served a double function. It began as a venue for East German and classical poets, among them Brecht and Goethe, but in time expanded to include poets from West Germany, such as Günter Eich, Hans Magnus Enzensberger, and Erich Fried, as well as Thomas Brasch, who had recently left the GDR. It also featured translations of poetry by modernists from other countries, including Federico Garcia Lorca, Langston Hughes, Pablo Neruda, W. H. Auden, Giuseppe Ungaretti, and Nâzim Hikmet, to name just a few. This meant that the readership became acquainted with a great variety of styles and themes, the publication of which was significant not only in aesthetic but also in political terms. Each publication was eagerly awaited and sold out quickly — testimony to the important role literature played in the GDR. Bernd Jentzsch's own body of writings has remained smaller, and many view his 1978 book of poetry *Quartiermachen* as his best. The themes of expulsion, both spiritual and physical, of rebellion against repression and subsequent resignation, of homelessness and loneliness, appear like an open wound throughout his writings after 1976. Prizes he has received for his poetry include the Werkjahr der Stadt Zürich (1978), the Förderpreis des Kulturkreises im Bundesverband der deutschen Industrie (1982), the Werkpreis des Kantons Solothurn (1985), the Märkisches Stipendium für Literatur (1987) and the Eichendorff-Literaturpreis (1994). He is a member of the Freie Akademie der Künste zu Leipzig and the Sächsische Akademie der Künste. His poems have been translated into eighteen languages.

The fall of the GDR and the reunification of Germany in 1990 brought many changes for Jentzsch, including new positions and a return to his native Saxony. He had joined the *Verband deutscher Schriftsteller* (VS) in 1988, and during reunification he became assistant chair of the *Schriftstellerverband der DDR* as well as a member of the VS national board; he left the VS in 1991. A member of the *PEN-Zentrum* since 1978, he was elected vice-president in 1991. Also in 1991 he founded the *Deutsche Gesellschaft für Buchkunst und Buchform* together with Juergen Seuss.

Jentzsch played an instrumental role in the founding of the *Deutsches Literaturinstitut* Leipzig at the University of Leipzig, which offers a unique degree in creative writing.[1] As the director of the Institute from 1992 to 1999, he promoted the coexistence of the traditional and modern while encouraging experimentation. This position at the Institute had been one of particular prestige among writers in the GDR, making Jentzsch's "return home" to Saxony all the more meaningful.

In his latest book, *Flöze. Schriften und Archive 1954–1992* (1993), Bernd Jentzsch presents texts that provide insight not only into the deep rift caused by the loss of his homeland and years of persecution from afar, but also into his uncompromising opposition in word and deed to instances of injustice, racism, anti-Semitism, chauvinism, fascist remnants, and conformism, institutionalized or otherwise. It also contains many expressions of solidarity with and admiration for writers and artists whom he sees as kindred spirits. The work reveals much about an era and especially about a man who should have been allowed to play a prominent role in a state which so many had imbued with great hope and expectations.

In answer to our inquiry, Bernd Jentzsch sent us the following poem, which he presented during his reading in Oberlin in May 1982.

Irrwisch

> Sage, Wilhelm, sage, Sauhirt,
> Warum gehst du so gebückt?
> — *Paul Scheerbart*

Ich trete vor euch hin, den Kopf unterm Arm,
Um euch nicht die Aussicht zu nehmen

---

[1] During GDR times, a precursor institution existed in Leipzig under the name of *Literaturinstitut Johannes R. Becher;* several of our writers in residence learned the craft of writing there.

Auf den Himmel und die versprochene Himmelfahrt,
Oder weil ich genug habe von ihm, dem Besserwisser,
Der mich mit Mühlrädern verwirrt,
Durch die Wand will, dröhnt und raucht,
Auf Zehenspitzen, menschliches Maß zu erlangen,
Meinen eckigen Kopf unterm Arm, merkwürdig offen
Stehe ich vor euch in der Wüste, rufend nach einigen
Dingen, mit tieferer Stimme jetzt, sie heißen wie ich
Sie kenne seit langem, eine Mauer bleibt eine Mauer,
Aber die fliederfarbenen Euter der Kühe,
Die Wurzel, die den Fels umarmt und sprengt,
Ihr könnt ihr vertrauen, sprengt die Umarmung, übt
Den Ungehorsam, den Sprung in den Uhrenkasten,
Umarmt euch, eh ihr in der Kiste liegt wie ich,
Die sich hingeben ohne Besinnung, die Schlafwandler,
Wollüstig von einem Horizont zum andern,
Das wuchernde Kraut, ineinander verschlungen,
Längst bevor die Schlinge das Gegenteil lehrte,

Das erste Veilchen war der erste Garten.

Nicht die Blockade, das Bombardement, die Bedrängnis,
Nicht die Kugel, die ins Schwarze trifft,
Und es ist gar nicht schwarz,
Nicht die Gruben, die wir dann graben müssen,
Aber das Grübchen in deinem Gesicht,
Der Schnürschuh, die Bänder, die aufgehakten Mieder,
Die Lieder und nicht das Gejohle,
Der Fensterflügel, der im Wind fliegt und glaubt,
jetzt tanze ich Polka, und er tanzt Twostep,
Die Hühner in ihren Mulden, in ihren Himmeln
Taube und Täuberich, du und ich,
Und der Taube soll hören, daß ich ihn liebe,
Der Lahme an die Decke springen, kopfüber,
Vor Freude und Schmerz, beides zugleich,
Die Trauer beweine sich selbst mit blanken Augen,
Das Tränengas löse sich lachend auf in nichts,
Und nichts sei gerichtet gegen alle,
Die ihre Arme ausbreiten und singen
Wie die Amsel über ihrer Brut,
Sie gibt das Beispiel, die Bräutliche,

Und nicht der Habicht über dem Habenichts.

Und der Eisberg erwärmt sich auf siebenunddreißig Grad,
Der Tote stirbt noch einmal, ohne Hand an sich zu legen,
Die Lüge schämt sich ihrer Beine, der Henker hängt sich,
Gesteh es, wo steht das geschrieben?

Damit ihr mir glaubt oder nicht,
Oder beides zugleich, meine ungläubigen Brüder,
In der blauen Stunde, auf dem Bock,
Den Daumen in der Daumenschraube, frage ich euch,
Brüder der dritten Art, was soll ich gestehen?

Daß ihr den Mann im Mond besucht und ihn heftiger
Liebt als den, der den Mond von unten betrachtet?
Ich gesteh es. Daß ich lebe in eurer Hut
Wie ein Toter, der wandelt? Ich gesteh es.
(Euch wandle ich nicht, das gesteh ich auch.)
Daß ich verdopple, was ihr einfach verschweigt?
Ich gesteh es. Daß ich maßlos bin, und wie!
Und nicht weiß, wie leicht ein Kilo Elend wiegt
In euren Händen? Das auch. Daß auch ich
Unterm Holunder träume, anstatt die wilden Triebe
Zu gießen mit Inbrunst und in Habachtstellung?
(Meinst du den Schößling am Holzbein des Veteranen?)
Daß ich verregnet bin, daß ich lichterloh brenne,
Meine gespenstischen Brüder, meine Widergänger,
Ich gesteh es, mir wird übel von euch, ich verlösche
Unterderhand und unter allen Umständen,

Und beides zugleich, Habicht und Habenichts,
Die da sind, über und unter uns, und vergehen.

Schon geh ich in die Knie, auf dem Buckel ein Bündel
Toter Zwillinge, die zucken und gebärden sich,
Als wären sie noch am Leben, die halbierten Vaterländer,
Ich meine das Meine und eure zwei, meine Brüder,
Jetzt sind es schon vier, sie vermehren sich
Schnell nach jeder Badekur, und die geviertelten Städte
Zu Lande und zu Wasser, im Himmel wie auch auf Erden,
Wie heißt die eine, aus der ich gefallen bin?
Sprich lauter, ich kann nichts verstehen,

Die Fangschüsse, die Volltreffer, die Tellerminen
Aus dem Staatshaushalt, so heißt sie nicht,
Wie heißt sie, die sich so viele Hunde hält
Im Graben vor der schönen Akademie der schönen Künste,
Zwölf Rudel, die dich verarbeiten ohne Wenn und Aber,
Aber wenn du es hinter dir hast, darfst du kommen
Drei Tage und ewig, mein zusammenhangloser Bruder,
Ach, wie heißt sie, es ist ein schöner Name,
Wenn du da bist in Sack und Asche
Flüstere ich ihn dir ins fehlende Ohr.

Laß das, leg deinen Finger auf die offene Wunde,
Thüringen grenzt an Hessen, laß das niemanden hören,
Und der Pfarrer in Flammen, laß das niemanden hören,
Wie Zunder, ein Strohmann, mein Bruder,
Und deiner auch, und die Abschriften des Lebens,
Gegeben zu Berlin, den siebzehnten Juni, und immer,
Gegeben zu Prag, den einundzwanzigsten August,
Immer haben sie es uns gegeben in dieser lieben Sommerszeit,
Immer aufs neue das Alte, was fällt euch ein? nichts,
Das ist zuwenig, euer Rinnsal, ich will schwimmen
Im Glück, das mich verrückt macht
Nach mehr, ich nehme mir, was ihr habt,
Alles, die ganze Hand, die Lust und den Klee,
Oder sage es endlich mit eigenen Worten,
Bruder des Bruders, der uns jetzt fehlt,
Ein Stein des Anstoßes, der Steinbrecher,
Es werden reden die schweren Steine.

Laß das niemanden hören, wenn du allein bist,
Wenn du mit dir schweigst, hören sie zu,
Deine treusten Hörer, die Gutachter aller Seufzer
In Wort und Schrift, der Paßwürdigkeit und der Luftzufuhr,
Sie wollen der Kaiser deiner Seele sein,
Die sich entfernt hat aus ihrer Operette,
Du bist ihr Sorgenkind, du denkst,
Du schlägst ihren Rat in den Wind und verblutest
Auf eigene Faust, wohin gehst du? in die Irre,
Und hängst an deinen Lippen und sprichst,
Indem du schweigst, von nichts anderem als von
Ihnen, deinen liebestollen Gebietern,
Sie werfen ein Auge auf dich über alle Grenzen,

Ihre Liebe ist stark wie die Liebe des Henkers zum Hanf,
Im Schlaf umarmen sie dich, jeder einzeln,
Mit ihren eingeseiften stummen Stimmen
Fallen sie über dich her an einem lichtlosen Tag
Und dir um den Hals, im Rausch, und träumen, im Rausch,
Wie sie sich anspann, die verschlungene Liebschaft,

Unter Brüdern, er hat uns gerufen.

Ich kann nichts hören, den Kopf unterm Arm, ich war,
Was ich bin, in der Minderheit, ich war ein einzelner Mann,
Ein schlechter Schüler, der alles lernte,
Das Verkehrte zuerst, man gibt mir zu verstehen,
Daß ich gut dafür bin, gut für den Landwehrkanal, so gut wie
Tot als auch lebendig, oder ich war es, ich erinnere mich,
Ich winke euch zu, zwischen zwei Fangschüssen,
Aus meinem luftigen Grab über der Erde, die hart ist,
Ich erwachte und wollte einen Bissen weißes Brot essen,
Ich wurde hellwach auf dem Bock, ob ich wollte
Oder nicht, und sprang ein klein wenig,
Ich wollte dem Hürdenläufer über die Hürden helfen
Und ihn in die Arme nehmen, am Ende, die Hürden auch,
Ich wollte so vieles, den Lerchen die Hauben stärken,
Der Elektrizität einen fremden Blitz unterschieben,
Ich habe gewollt, daß die Kugel zurückkehrt
An ihren Ursprung, in die Stille der unterirdischen Adern,
Ich wollte das Schiff, das anlegt ohne Strategen an Bord,
Den Stein, der redet, die Rede, die nicht versteinert,
Ich wollte alles oder nichts, das bekam ich,
Ich wollte meinen Kopf behalten und vor euch hintreten,
Einen besseren Schüler als mich an der Hand,
Ich wollte der bessere Schüler sein,
Das war zuviel, ich falle,

Ich wollte, ich hinge an meiner Nabelschnur
Oder an deiner, mein Zwillingsbruder, und schrie,
Bei siebenunddreißig Grad, in die vollendete Zukunft:

Es wiederhole sich der Tag meiner Geburt,
Den ich verfluche, mich, auf einen Schlag, mit einem
Schlag auf das Leben vorzubereiten,

Ich sehne mich nach mir, wie ich war.

Ich habe gelebt, wenn das wahr ist, ich mehr als ich,
Ich habe geredet wie ein Buch mit sieben Siegeln,
Ich zähle die Sterne und die Zähne der Sterne,
Im Kirschbaum die Schwangere zählt ihren Leib.

Die Augen sagen: in die Welt,
Die Füße sagen: in die Erde,

Ihr Alten, bleibt jung, ihr Jungen, blüht auf,

Sprecht, damit ich euch sehe,

Ich habe euch so viele Dinge zu sagen
Vom Habicht und vom Habenichts,

Und das andere auch,

Und beides zugleich.

Werke

Bekanntschaft mit uns selbst. Gedichte junger Menschen (1961)
Alphabet des Morgens. Gedichte (1961)
Jungfer im Grünen und andere Geschichten (1973)
Der Muskel-Floh Ignaz vom Stroh. Kinderbuch (1975)
Der bitterböse König auf dem eiskalten Thron. Kinderbuch (1975)
Ratsch und ade! Sieben jugendfreie Erzählungen. Mit einem "Nach-Ratsch" (1975)
In stärkerem Maße/Med växande styrka. Gedichte deutsch und schwedisch (1977)
Quartiermachen. Gedichte (1978/87)
Vorgestern hat unser Hahn gewalzert. Kinderbuch (1978)
Prosa. Gesammelte Erzählungen (1978)
Berliner Dichtergarten und andere Brutstätten der reinen Vernunft. Erzählchen (1979)
Die Wirkung des Ebers auf die Sau. Kinderbuch 1980
Irrwisch. Ein Gedicht (1981/85)

Die Kaninchen von Berlin oder Von den strengen Ordnungen. Kinderbuch (1983)

Rudolf Leonhard, "Gedichteträumer." Ein biographischer Essay (1984)

Schreiben als strafbare Handlung. Fälle (1985)

Poesiealbum 276. Bernd Jentzsch (1991)

Von der visuellen Wohlhabenheit. Der Autor und seine buchästhetischen Vorstellungen. Vortrag (1991)

Die alte Lust, sich aufzubäumen. Lesebuch (1992)

Flöze. Schriften und Archive 1954–1992 (1993)

Herausgaben und Übersetzungen

Auswahl 66. Neue Lyrik — Neue Namen (1966)

Auswahl 68. Neue Lyrik — Neue Namen (1968)

Auswahl 70. Neue Lyrik — Neue Namen (1970)

Auswahl 72. Neue Lyrik — Neue Namen (1972)

Auswahl 74. Neue Lyrik — Neue Namen (1974)

Poesiealbum. 122 Hefte (monatlich erschienen 1967–77)

Ich nenn euch mein Problem. Gedichte der Nachgeborenen (1971)

Das Wort Mensch. Ein Bild vom Menschen in deutschsprachigen Gedichten aus drei Jahrhunderten (1972)

Schweizer Lyrik des zwanzigsten Jahrhunderts. Gedichte aus vier Sprachregionen (1977)

Hermannstraße 14, mit Helmut Heißenbüttel (1978- 81)

Ich sah das Dunkel schon von ferne kommen. Erniedrigung und Vertreibung in poetischen Zeugnissen (1979)

Der Tod ist ein Meister aus Deutschland. Deportation und Vertreibung in poetischen Zeugnissen (1979)

Ich sah aus Deutschlands Asche keinen Phönix steigen. Rückkehr und Hoffnung in poetischen Zeugnissen (1979)

Walter Literarium. 18 Bände (1980–85).

der kleine walter. 7 Bände (1980–82)

Rowohlt Jahrhundert. 53 Bände (1987–1989)

Die rückwärtsgesprochenen Namen. Gedichte in gegenläufiger Chronologie 1970–1952. Poetologische Texte, Übertragungen, Gespräch im Gebirg / Paul Celan (1996)

Among Jentzsch's many translations are the works of such notable poets as Guyla Illyés, Jewgeni Jewtuschenko, Harry Martinson, Jacques Prévert, Jannis Ritsos, and Andrej Wosnessenski.

Peter Rosei, Oberlin, 1983.
Photo: Oberlin College German Department.

Peter Rosei   1983

T HE AUSTRIAN WRITER Peter Rosei was born in Vienna in 1946. In
  1968 he was awarded the Doctor of Law degree at the University
of Vienna. After completing military service he worked as private secretary to the painter Ernst Fuchs and later directed a textbook publishing house. Since 1972 he has been a freelance writer, residing near
Salzburg and, presently, in Vienna.

Peter Rosei's early collection of narrative prose *Wege* contains these
reflections on the seemingly prosaic phenomenon of "unterwegs sein,"
of going or moving, the simple negation of standing still: "Opinions on
going can differ. While some claim to be constantly leaving various
places, others say they are always on the way to various places. These
two views of the nature of going premise a tie, the one a tie with the
past, the other a tie with the future. But there is still a third manner of
going, that is: simply to be on the way, from Nowhere to Nowhere,
going for the sake of going. This manner of going, too, has an under-
lying intent. It can be summed up by saying that motion, even if pur-
poseless and senseless, is preferable to standing still."

From the start of his literary career to the present, motion (going,
traveling, moving) has permeated Rosei's fiction. Its thematic prominence is reflected in the titles of his books, from the first, *Landstriche*
(1972) and *Wege* (1974), to the more recent *Von hier nach dort* (1978)
and *Reise ohne Ende* (1983). The early works depict an agonized going
amidst somber, threatening landscapes whose portrayals are doubly
imposing: in the vivid evocation of their physical presence as well as the
force with which they conjure nature's hostility to the values and mean-
ings that render life humane. Rosei's landscapes abound in decay, violence, and misery. They resist cultivation and are sparsely peopled.
(A book of his "middle" period bears the half-title *Entwurf für eine
Welt ohne Menschen* (1975). Those who trudge and labor in their bar-
ren, forbidding spaces are, in the main, abject creatures, amoral and
prone to cruelty and violence. The wanderer's going is aimless, an
ordeal without meaning.

In later works — *Wer war Edgar Allan?* (1977), *Von hier nach dort
(1978),* and *Das schnelle Glück* (1980) — the journey goes on without
goal or sense, but it has become markedly subjectivized. The landscape

is diminished in its looming autonomy, receding before nameless towns and cities that are drawn with familiar detail and yet elude location. Rosei's protagonists, ceaselessly on the move, experience these surroundings as a flow of images and impressions, as arbitrary stations for fleeting, generally trivial episodes and encounters. As they proceed from Nowhere to Nowhere, they take note of the world about them with fatalistic indifference. Life, between sleeping and eating, holds out no reward beyond an occasional bodily satisfaction that is coarse and shallow. "Das schnelle Glück" appears as a travesty of happiness, the descent into perversion with which the novel of this title concludes.

In Rosei's fictional world all systems of meaning, all belief and binding values have disappeared; they exist not even as a memory. His novels and stories demand that the reader confront this unsettling reality entirely on its own terms, without prospect of help or consolation. In the face of life's ineluctable misery the author pretends to no special wisdom and endows his figures with none. What he offers, with remarkable literary craft, in language and images of utmost integrity, are contemporary mythical portrayals of man in flight "from here to there," from one Nowhere (which is everywhere) to another. Implicitly, his books challenge us to encounter this frightening vision. The prospect is bleak. Indeed it would be paralyzing if, in a lone episode of *Das schnelle Glück,* there didn't appear the frail hope, one that the author may have permitted himself and us against his own worst knowledge, that along the senseless way the isolated individual might join with another and say: you.

After Oberlin

Peter Rosei currently lives in his native city of Vienna, where he continues to work as a freelance writer. He still travels a great deal, and traveling — often to places to be found on no map — remains a central theme of his literary activity. Primarily a writer of novels and stories, he has also published poetry, essays, a play, several screenplays, radio dramas, and travel books. In addition, he has translated two works by the Italian director and screenwriter Michelangelo Antonioni into German. His novels, however, may be regarded as his most influential work, with those of the 1980s revealing a shift from the didactic tone of his earlier works to a more complex, open-ended style and a focus on the significance of the seemingly mundane aspects of life. The novels of this middle period, *Milchstraße* (1982), *15000 Seelen* (1985), and *Rebus* (1990), portray various aspects of life in modern urban Viennese society, including the complex relationship between modern

consumer culture and Austrian tradition. They describe lonely people
in an urban setting, unable to achieve their goal of happiness, but nevertheless doing the best they can. Rosei's style of writing at this time
tended toward reportage, not so much in a documentary sense, but as
a consequence of his stance toward reality, which can be characterized
as "Schauen": "The more you look, the more you see. Da ist eigentlich
alles drin. Hinschauen, offen sein, nicht fertig mit der Welt. Sehen ist
dann eine Art Verdichten, ein Zusammenfassen einer größeren Menge
Erfahrungsmaterial, sehen im geistigen Sinne . . . Neuigkeiten sind
eher spärlich, das meiste ist nur Wiederholung. Das Neue liegt in der
Art des Verdichtens, im Dichten."[1]

In the 1990s his works show yet another shift, one that breaks radically with traditional narrative techniques. The four texts published
under the title *Verzauberung* (1997), and *Liebe & Tod* (2000) not only
are increasingly fragmentary and often plotless, but also describe banal
or trivial happenings strangely paired with exalted motifs. This discon-
nected, almost haphazard, and episodic assembly of places, people, and
situations led readers and, according to Rosei, especially American students, to see even *Rebus* as an Internet novel. And while the author at
that time had no idea about the Internet, he acknowledges that certain
"theories" appear as the result of conditions characteristic of the times.
He explains: "Ich wollte einen Gesamt-Atlas der Lesemöglichkeiten
von Leben im Stadtraum schreiben, Stadt an sich in einer
Industriekultur, was geht dort vor? [. . .] Der springende Punkt ist ja
dann, dass bei mir das Lebendige in der Einzelinformation steckt und
das Zusammenführen mechanisch ist. Wenn man das so beschreibt,
sieht man auch die Nähe zur Computerkultur."[2]

Rosei believes that writing, the creative impulse, derives from a certain deficit. In a perfect world, there would be nothing left to add. In
the course of thirty years, he has, as he asserts, not changed his attitudes. "Ich wollte immer wissen: Was ist hier los? Diese einfache Frage
wollte ich beantworten. Wenn ich aus dem Fenster sehe, dann ist da ein
Durcheinander, da gehen irgendwelche Leute, da fährt ein Autobus, da

---

[1] Schwarz, Wilhelm, *Peter Rosei: Gespräche in Kanada* (Frankfurt am Main;
Bern; New York; Paris: Peter Lang, 1992), 2. See also Kathleen Thorpe, "Peter
Rosei: A Case Study." In Donald G. Daviau/Herbert Arlt, eds. *Geschichte der
österreichischen Literatur,* vol. 3, part 2, 475–82. Österreichische und interna-
tionale Literaturprozesse (St. Ingbert: Röhrig, 1996).

[2] "Per Mausklick in den Kopf des Autors. Walther Vogl im Gespräch mit Peter
Rosei." In Walter Vogl, ed., *BasicRosei* (Vienna: Sonderzahl, 2000), 238–39.

steht ein Baum im Winde, was immer es ist, ich möchte mir das
erklären können, mir einen Reim darauf machen. Das war immer mein
Wunsch. Meine Antworten sind verschieden ausgefallen, weil mein
Instrumentarium verschieden war und ebenso meine Positionierung."[3]
In the earlier works, such as *Entwurf für eine Welt ohne Menschen,* the
answers he came up with were desperate and negative. But then, he
explains, he changed his theories, which led him to different answers.
These were not necessarily positive. As Peter Prochnik remarked in a
revue of *Die Milchstraße:* "Rosei's work is undoubtedly gloomy, but
not unremittingly so. In a world he views as devoid of certainties
and fixities, he creates in sharp detail the emotional driving forces
behind human relationships. Individuals may slither through life,
be deluded losers, but the urge for some kind of self-assertion is
never wholly absent." Of Peter Rosei's language Prochnik writes
equally perceptively: "His prose is deceptively simple and sparse, but
his uncommon imagination opens up terrifying hallucinatory inner
spheres as he explores the darker, less tangible areas of human relationships with a curious mixture of cold detachment and intense poetic
sensibility."[4]

*Den folgenden Text schrieb Peter Rosei in Oberlin und trug ihn zum
Abschluss seines Aufenthalts vor. Besonders in den Naturschilderungen, so
teilte er uns mit, finde sich die Landschaft in und um Oberlin wieder. Der
Text wurde später im Verlauf weiterer Arbeit zum Teil eines Konvolutes,
das unter dem Titel* Ein philosophisches Notizbuch *mehrfach publiziert
wurde. Eine Übersetzung ins Englische findet sich in dem Buch* Ruthless
and other Writings, *das 2003 in den USA erschienen ist.*

I. Amerika

Ich kam nachts hier an (erster Satz jeder Biographie). In der Tiefe
große, vor Helligkeit knisternde Stadtteilfächer. Dann Autofahrt: Auf
der Herfahrt sah ich nur ein paar bleich angeleuchtete Pfosten, schiefe
Stangen, die zu leeren Baumkronen hinaufzeigten, dürre Grasbüschel,
den Straßenrand.

---

[3] "Per Mausklick," 222–27.

[4] Prochnik, Peter. "Patterns in Motion." In *Times Literary Supplement,* 7
October 1983, 1094.

Dann waren flache Gebäude, nach hinten ins Dunkle sinkende
Mauern. Dann Ziegelmauern. Dann eine Veranda, die, gut erleuchtet,
gleichsam auf einem Turm stand.
Der Begleiter sagte: Wir sind da! — in dem Sinn: Jetzt sind wir zu
Hause! Aber natürlich war nur er da zu Hause, ich nicht.

Ich schaue aus dem Fenster: In einiger Entfernung sehe ich ein Haus,
seinen Giebel, sein Dach. Es ist ein Holzhaus, braun und gelb
gestrichen. Auf dem First sitzt der Kamin, er trägt eine Abzugshaube.
Und das Segel der Abzugshaube bewegt sich, schwingt hin und her.
Neben dem Haus steht ein Baum, eine Kiefer. Ihre Äste bewegen sich
auch, tanzen. Eigentlich tanzen sie gar nicht: Sie werden leicht ange-
hoben und sinken, läßt der Wind aus, wieder herunter.

Dass man immer gleich *VERSTEHT!* — Ja, denken wir: Die Äste
tanzen! Sie gehen also irgendwie auf und ab, drehen sich dabei vielleicht ein wenig. Es sieht anmutig aus.
Hören wir ein bestimmtes Wort, ist es, als zeigte einer im Supermarkt
auf irgendein bestimmtes Regal, etwa auf das mit den Süßigkeiten:
Und den speziellen Geschmack, der da gemeint wird, findet jeder sich
selbst.

Ist man gänzlich fremd, bleibt immer die Natur als das Vertraute.

Es war in meiner Unterkunft, in dem Zimmer, in dem Haus: schöne
Wohnung! Ringsum standen die Möbel mit ihrer Geschichte, die ich
nicht kannte und die mir deshalb wie Geschichtslosigkeit vorkommen
wollte. Ich beugte mich zu den Möbeln hinunter, ihre Wunden,
Kratzer und ausgerissenen Ecken kennenzulernen.

Rechts zeigt der Türstock nach unten, vorn schneidet die Kante
meines Schreibtisches ins Bild, links der andere Türstock. In dem Spalt,
der so entsteht, steht dieser Sessel: seine Lehne ist geschwungen, aus
grauem Kunststoff. Sie bildet eine Schale, die sitzgerecht sein soll.
Die Schale rastet auf einem Gestell aus Aluminiumstangen auf. Die
Aluminiumstangen glänzen, wo das Licht sie trifft.
Die Sprache entwirft da eine Art von Szenario, eine Abfolge von
Fingerzeigen und Winken, mit denen wir die Dinge umgeben. Es
kommt mir vor, als fuchtelte ich mit einem langen Stab um die Dinge
herum. Als suchte ich den Geist der Dinge zu beschwören.
Anderes Bild: Als würfe ich, wie ein Maurer, Mörtel gegen die Dinge,
da und dort, in der Hoffnung, daß dann in der Mörtelhülle das Ding
enthalten wäre.

Meine Wohnung hier ist wunderbar. Alles so praktisch, so bequem. Insbesondere die Küche gefällt mir! Da ist der Tisch, mit diesen körpergerechten Stühlen herum, ich sitze da wie ein König! Ich brauche bloß die Hand auszustrecken, schon habe ich mir die Schinkenstücke aus dem Kühlschrank, die gebratenen Eier vom Herd geholt.

Wie die Geschichte gleich anders klingt! So, in ihrer Gerichtetheit, enthebt sie uns jeden Nachdenkens, denn sie erzählt ein Urteil. Ich könnte ein Theaterstück schreiben, in dem ich der Hauptdarsteller bin, die Welt um mich herum Kulisse. Und es wäre dann eine Komödie, eine Tragödie — wie es Euch gefällt!

Ich wüßte gern, was ein Sessel ist.

DIESER Sessel hat eine Oberfläche wie schimmerndes Elfenbein. Gibt es hier Elefanten?

Es gibt Rotkehlchen, Eichhörnchen und Stare.

Versuch's doch mit einem der Stare!

Der Star hat etwas Unsolides in seinem Aussehen. Grüne und goldene Polarlichtsonnen überspielen sein Gefieder — und doch sieht er aus wie ein Strolch. Er sieht aus, als hätte er vom Himmel gefallene Sterne eingesammelt und auf sein Gefieder gepickt. Wie weicher grüner Samt ist der Untergrund seiner Federn, darauf glänzender Kohlenruß gefallen ist: Und obenauf schwimmen, eine opake Flüssigkeit scheint noch den Rußmantel zu umhüllen, dottergelbe und goldene Flecken. Dabei schillert das Kleid, springt der Vogel davon und fliegt auf, ins Metallene, Eisige!

Wo kommt also der Star her? Aus Grönland, aus den warmen, sonnenüberglasten Zonen, vom Grund des Meeres, aus einem Vulkan? — Er kommt von dem Zweig dort, der tanzt, und dann von dem anderen Zweig, auf dem er gesessen, und dann von der Mauer und dann von dem dicken Ast — dort kommt er her.

Wer in einem fremden Land zum ersten Mal unter Leute kommt, dem will alles, was sie zu ihm sagen, so vorkommen, als sei es gar nicht zu ihm gesagt. Er fühlt sich nicht betroffen und schaut, wer es denn sein könnte, zu dem die Leute da reden.

Wächst mir da ein Zweiter, ein siamesischer Zwilling, aus der Brust heraus, denkt er. Zwar schauen mir die Leute ja in die Augen, als meinten sie mich, mir selber kommt es aber vor, als wäre mein richtiger alter Kopf nach hinten gesunken, als wäre meiner Brust ein anderer Leib noch entsprungen, er ist durchsichtig, eine Art von Drahtkäfig, mit Wasser oder Eisstücken gefüllt.

Wenn ihn einer nicht gleich verstand, hatte er, im Reden, das Gefühl einer Wolke von Bedeutungen um sich herum: Das Wort, das er da sagte, erzeugte sie. Es war eine helle, freundliche Wolke, und doch quälend.

Da drinnen, in der Mitte, stand reglos das Wort, als eine kleine, bösartige Wespe, und rundherum war ein Gesumm von anderen Worten, die alle auf das Wort in der Mitte hinzeigten und etwas erklären wollten.

Er kam sich vor wie ein Zauberer, dessen Zauber nichts wert ist. Und wieviele Jahre zauberte er nicht schon!

Mit ausgebreiteten Armen steht der Zauberer vor dem Erdspalt, aus dem Rauch und Dampf emporsteigen. Er hebt die Arme. Aus Rauch und Dampf soll die Gestalt werden! — Der Zauberer weicht zurück, versinkt er gar selber?

Wie in der Erinnerung manchmal alles hintüberfällt und zu kleinen Leisten zusammenschmort: wie alter Schnee an einer Landstraße.

Die Worte sind aus ihrer Ordnung gekommen. Es ist, als hätte sich ihnen, die früher verpuppt waren, ein lebendiger, anarchischer Wink mitgeteilt. Es ist Frühling geworden. Die Worte brummen und kreisen, und die Hand hascht schwerfällig nach ihnen.

Pfauenauge! Hirschkäfer! Admirale! Stubenfliegen.

Man könnte sagen: Das gewohnte Spiel funktioniert nicht — eben dies VERSTEHEN, das immer geübt wird.

Ich will jetzt die andere Betrachtungsweise einmal außer acht lassen: die von den Lebensbedingungen ausgeht.

Manchmal erstrahlt hinter allen Bedeutungen, hinter dieser Wolke von Wörtern, das einfach Gemeinte: ein Leib, eine Gestalt, von der eine Süße ausgeht, die unverweslich ist.

Oder es kann, durch ein fast beiläufiges Abfallen aller Hinweise darauf, wo, an welchem bestimmten Ort man ist, das Fremde als Zustand eintreten, als eine sanfte Stille ohne den Wunsch nach Änderungen: man ist da, ein hoher Pfahl, von dem das Sonnenlicht abrinnt.

Das Unverwesliche ist die Ahnung, zu der eine Bereitschaft in den Dingen korrespondiert: Ahnung und Bereitschaft sind aus demselben Stoff.

Da berührt sich mein Wunsch mit dem Abglanz des Schöpfungswunsches, als dessen Ergebnis die Dinge dastehen.

Das würde voraussetzen, daß *ALLES* aus *EINER* Quelle kommt — und manchmal will es so aussehen.

In der Unterkunft: Hier gibt es vier Türen, die nicht nur durch Schlösser, sondern auch durch Vorhängeketten gesichert sind. Die Ketten hängen ein wenig durch, bilden eine kleine Schlinge. Nachts konnte es vorkommen, daß er erwürgte Hunde daran hängen sah; als die bösen Begierden, denen die Ketten wehren sollten.

Die Wohnung hat tiefblaue Spannteppiche, massive Polstermöbel, Stehlampen, ein breites Bett, Klappfenster, Deckenleuchten. Im Licht der Lampen stehen die Möbel reglos, manchmal dampft ein wenig Staub aus der Polsterung, oder die Möbel versinken langsam in der blauen Fläche der Teppiche.

Nachts sind die Straßen ganz leer, und als rötlich-gelbliche Säcke stehen alte Kiefernstämme entlang. Es ist etwas Seltsames um diese Bäume.
Probier's!
Tagsüber hängen ihre Äste in schönem Schwung herunter, von fern wie schaumige, doch erstarrte Kaskaden anzuschauen, auf denen oben, wo sie Wirbel und Trichter wie leibhaftige Wasser bilden, das Licht spielt. Manch ein Ast geht auch seitwärts fort, wie der Fetzen eines zerrissenen Kleides, wie ein heruntergetretener Hochzeitsschleier. Die Borke ist dann wie Kork, leicht am Festen der Stämme aufgetragen, es rund umhüllend, gemakelt, gesprenkelt wie gute, warme Haut.
In der Dämmerung stehen die Bäume wie hungrige Vögel, das Gefieder abgestreckt, schwarz und weiß. Das Astwerk ist dunkel, skeletthaft. Es biegt sich stark, wie aus innerem Willen heraus.
Und mittags stehen die Bäume so still, wie Prinzen. Ihr Kleid ist ganz hell und ausgebreitet, und bloß hier und dann zuckt etwas daran: ein Insekt? ein Falter? ein dünner Ast? Fällt dann ein Glanz, eine Rindenschuppe, die glänzt, herunter?
Die ganze lange Straße entlang stehen die verzauberten Prinzen: unsere Kiefern!

Man sieht schon: Ich versammle hier eine große Anzahl von Bildern, um nur das Eine, das Rechte, zu sagen. Tue ich das aber? Was ich sage, ist schön. Das aber nur beiläufig: Ich möchte das Wahre sagen, und es wird mir schön. Freue ich mich? Ja. Strebe ich zur Freude? Nein. Ich strebe zum Ganzen der Dinge, die ich anschaue. Sehe ich sie recht, kommt mir Freude entgegen.

Zwei Männer an der Drehtür zu einem palastartigen Haus. Der eine sagte: Wenn die Tür sich dreht, kommt man hinein! Der andere widerspricht: Dreh die Tür doch selber!

Vielleicht zünde ich mir bloß überall Lichter an, überall, stecke Lichter auf die Zweige, ins Geäst, in die Wipfel der Bäume, ins Gras, in die Gebüsche der Ferne, verwandle mir so die Welt. Dann ist die Welt eine mächtige, wenn auch windschiefe, regengraue, winderfüllte Kirche, ein etwas verwitterter Kathedralenbau, in dem sich das Fest ereignet: *MEIN* Fest!

Was tut man nicht alles, wenn man einsam ist, sagte Robert Walser zu Carl Seelig.
Was tut man nicht alles, wenn man *NICHT* einsam ist? (Gespenstersätze)

Bei Regenwetter sind die Kiefern bloß farbloses, ragendes Gestrüpp, wie alle anderen Bäume auch: die Ulmen und Erlen, Eichen und Platanen. Verhalte ich mich nicht wie ein Kind, das einen Sarg eine schwarze Kiste nennt, einen Kirchturm einen brummenden Riesen, vom Regen selber glaubt, da flennt einer?
Wie sehen die Kiefern also bei Regen aus?
Stamm und Rinde haben all ihr Lebendiges verloren, das sich nun so recht als von der Sonne verliehen herausstellt. Die Zweige und Nadelbüsche regen sich nicht. Über die ganze Zeit stehen sie still. Manchmal nur, daß eins sich von der Last des Regens jäh befreit und nach oben schnalzt.
Als dämmrige, unscharfe Flecken stehen die Bäume an der Straße. Fast sieht es aus, als regnete es an den Stellen stärker, als verfestigten sich die Regentropfen um die Baumwolken herum zu Eis.
Aus der Nähe freilich gleichen die Bäume wassertriefenden Kleiderständern, abgebrauchten Reisbesen, alten Schuhen, ausgegangenen Kerzenleuchtern — was weiß ich.

Heute regnet es. Der Himmel ist eine gleichförmige Fläche von Grau — oder, doch eigentlich, ein höchst delikater Raum, der von vibrierenden Kernen, von hellen, graustrahlenden Körnern erfüllt ist. Was den Himmel so unbehaglich macht, ist seine Einförmigkeit, Ausdruckslosigkeit. Wie eine Maske will einem dieser Himmel vorkommen. Freilich setzt diese Vorstellung voraus, daß da etwas ist, das sich maskiert — es könnten auch bloß unsere Hoffnungen sein, die wir da verwischt und, ein Vorhang ist heruntergesunken, nach weiter hinten verbracht sehen.

Der eine sagt: Jetzt ist das Wasser heiß, ich will mir Tee aufgießen! — Aua, sagt der andere, jetzt habe ich mich verbrannt.
Oder einer ruft: Da sind wir hoch heroben! Schau! — Und der andere: Ich springe!
Im Mit- und Gegeneinander überschneiden sich die Pläne: So bildet sich die Vorstellung, daß etwas IST, und darüber gerät in Vergessenheit, daß wir ursprünglich etwas gewollt.
Was steckt denn hinter einem Plan anderes als ein Wollen? — So kann es vorkommen, daß der Regen erlösend aus dem Himmel fällt, mit herrlichen Tüchern aus Kristall der Himmel verhängt ist, daß die Tropfen köstliche Löcher in die Erde bohren oder daß einer, der sein Gesicht zum Himmel aufhebt, meint: Ich bin nicht verzweifelt, es regnet mir nur ins Gesicht.

Man nimmt jedes Stück von der Welt, das sich einem darbietet, und verzehrt es, so gut es eben gehen will. Ob es schmeckt, nicht schmeckt, ist nicht die Frage.
Die Reste, die hinter dem Mahl zurückbleiben, sind immer reichlicher als das Mahl selbst.
Es heißt etwa: Nun ist für Dich angerichtet! Also iß!

Nach dem Regen der Spaziergang: Eine ausgesperrte Katze lief mir über dem Weg. Erst lief sie in der Mitte der Straße, dann, als sie meiner ansichtig wurde, zu mir her. Herangekommen, den Kopf erhoben, rief sie mich.
Ich übersetzte ihren Ruf mit MIAU. Natürlich war diese Übersetzung ganz falsch, denn eigentlich hatte die Katze gerufen: So hilf mir doch! Bring mich an einen trockenen Platz! Wo ist mein Körbchen etc.

Menschlicher Umgang: Der Sinn der Worte ist ihr Gebrauch, sagt Wittgenstein. Deshalb war ja auch meine Übersetzung der Katzensprache falsch.
Und doch hat man zuweilen den Eindruck, als hätten die Worte einen Sinn, der unabhängig von ihrer Verwendung im Sprachspiel ist, unabhängig auch von ihrer materiellen Geschichte.
Welch wundersamer Wahnsinn ist das Alleinsein, sagt der Romantiker (ich selber).

Versuch es doch anders! Gib das Bild der Welt aus zwei, drei verschiedenen Perspektiven, Ansichten, verwirke sie miteinander, bilde ein Netz! Sieh zu, was sich darin fängt!

Ein Einheimischer wird etwa, aus dem Haus tretend, denken: Schöner Tag heute! Warm! Was der Baum da nur wieder für einen Schatten macht. Vielleicht sollte man doch den großen Ast absägen, den da. Und du denkst: Der Schatten von dem Baum schaut wie ein kühles, rauschendes Kleid aus, das er sich umgelegt hat. Oder nein, besser: Der Schatten ist eine Art Hülle, ein dämmriger Zylinder um den Baum herum, eine köstliche, geschmeidige Wasserhülle — und irgendwie stimmt das ja auch: Im Schatten liegt doch der Tau: Dort! Wie das blitzt! Und das Kind klettert auf den Baum hinauf, aus bloßem fröhlichem Überschuß an Kraft, oder weil es sich einen Rundblick, die abenteuerliche Freude eines solch ungewöhnlichen Blickes verschaffen will — und dann hat es doch Bedenken, ob das richtig und erlaubt war, denn Hosen und Hände sind voller Harz: Oje! Und die Katze schärft sich die Krallen an der Rinde des Baums. Kommt ein Hund gelaufen, springt sie in die Astgabel. Der Kopf der Katze ist rund, kleiner als unserer und voller Pelzhaare.
Und morgen steht der Baum immer noch!

Wohin führt das Streben nach Harmonie? Zur Lauheit. Und das andere Streben macht bitter und streng.

Geht draußen der Wind, fliegen die braunen Samen am Fenster vorbei. Die Luft ist voll von diesen kleinen Fallschirmsamen. Der Luftraum wird groß, betrachtet man die planetarischen Bahnen dieser Samen: wie sie kreisen und fallen, wieder gehoben sich sehen, fortfliegen, taumeln, trudeln, stürzen, fallen, sinken und niedergehen.
Sollte dies das rechte Streben sein: nicht streben?

Es gibt eine Einsamkeit, die nur ein Hilfe weiß: noch mehr Einsamkeit. Das ist die wirkliche Einsamkeit.

Die Freundlichkeit eines Mundwinkels, eines abstehenden Ohres, von hellen Fingerkuppen: die Verkäuferin hält die Hand hin und du legst ihr das Geld hinein.

Oder auf der Straße: Einer geht vor dir her, und der Wind nickt an seinen Hosenbeinen.

Ich schaue aus dem Fenster: Heute ist ein freundlicher Tag. Von einer dünnen Dunstschicht zerteilt, kommt die Sonne gleichsam aus allen Richtungen über die Gegend herein und erhellt sie. Alle Dinge, die Bäume, die Häuser, haben helle Säume umgelegt, und an den näherliegenden sieht man so recht ihre Raumgestalt. Es ist etwas in ihnen drinnen, denkt man, etwas, das sie erfüllt. Die Erfüllung läßt die Dinge strahlen, denkt man, vielleicht, weil man selber ganz unerfüllt und bloßes Anschauen ist.

Ich schaue aus dem Fenster: Eine dunkle Wolkenwand wirft das Sonnenlicht zurück, und alle Dinge, die Bäume, die Häuser, stehen nun flach und stumpf vor dieser leuchtenden Wand. Aber die Farben! Es ist, als schaute man in ein Brennen und Flackern hinein. An den Bäumen brennt das Grün, an den Häusern lecken die Ziegel wie Flammenzungen hinauf. Und indem das Gewitter noch nicht da ist, reibt es gewissermaßen schon all die Farben an und bläst in ihre Glut, damit sie aufflammen, wenn der Blitz fällt, und schreien: Starr steht dann alles, es ist weißes, totes Licht, das die Konturen mit einem Schlag umfängt, alles ragt! Alles ragt schwarz! — Als wäre die Welt voller Galgen, an denen die Bösen hängen und schreien.

In der Abendstunde ist es schön, den Wolken zuzuschauen, die vorübertreiben. Wie aus hellem Kalkstein sind diese Wolken gemacht, mit blauen Schattenflecken, und klein erscheint der Mensch unter ihnen. An der Nachtseite der Wolken ist Violett, die Sonnenseite wie Schwanenbäuche. Das Land wie nichtswürdig darunter, mit ein paar Dachzipfeln, ein paar verschlungenen Ästen und ein wenig Gold über der fernen Kimmung.

Die Welt ist dann ein Berg aus Schweigen. Und dies Schweigen ist ganz wirklich ein fester Stoff, etwa ein riesiger Haufen aus grobem Schnee, der die Dinge bedeckt. Jedes Ding hat in dem Stoff seine Höhle, eine eigene kleine Schneehöhle, die es aufgetaut hat. Von oben tropft es herunter. Da stehen sie nun, die vertrauten Dinge. Und dies Tropfen, das Verrinnen der Zeit, ist das Sprechen der Stille, es ist ihr Laut.

Vielleicht sollte ich jetzt einen Plan der Gegend entwerfen, auf der weitläufigen Tafel die Straße und Wege einzeichnen?
Der Plan der Gegend ist recht einfach: Es ist flaches Land, durch nichts begrenzt als durch die feine Linie, wo Erde und Himmel aneinanderkommen. Dort steigen die Wolken herauf, oder auch kleine Dunstbälle im Blau, oder der schwarze, stämmige Fuß der Gewitter. In diesen Füßen sind weiße Bahnen oder Striemen, die wie riesige Wasserfälle anzuschauen sind, und man vermeint, ist das Vordringen und Schwellen der Gewittersäule auch lautlos, ein Donnern und Getös daraus zu hören.

Dies Land stellt einem kein Hindernis in den Weg. Die Straßen ziehen gerade, als feine Kanäle von Grau, durch das Land, wie hingestrichelt. Ins Ferne verliebt sind diese Straßen, und der Punkt ihres Verschwindens am Erdrand draußen hinterläßt im Betrachter das Gefühl der Verwirrung: als würde er, sanft und ein wenig traurig, geküßt.

Dadurch, dass die Straßen einander im Feld vielfach kreuzen, es sind gleichsam zwei einander überschneidende Lagen von Straßen hinschraffiert, entsteht ein Muster von Quadraten. Wie vielfältig sehen diese Quadrate aber aus! Während die nächsten fest an den Boden geleimt scheinen, mit geraden Winkeln und Linien, bekommen die ferneren gleichsam Flügel, heben sich leicht von der Erde ab, mit blauen Schatteträndern, sind sphärisch gebogen: Baum und Haus darauf schwimmen schon wie auf Schiffen, treiben auf schräg verworfenen Eisschollen — und draußen, dort draußen, verliert sich jeder Zusammenhang, der Bann der Schwere ist überwunden, denn lose und wahrhaft frei schweben die Landschaftteile, die Wiesenstücke und die braunen, wolligen Waldflöße, durch die Luft, überkreuzen sich, kommen wieder frei — wie Blätter aus Papier, in deren Weiße man eine Welt und ein Leben hineingeträumt hat.

Schau aus dem Fenster! — Während vorn, im Vordergrund, alles in seiner Leibhaftigkeit, mit Gelächter, Übermut, Qual oder Krankheit erscheint — da biegt sich ein Ast her, ein Mann hebt seinen Arm, Rauch wallt, dort sperrt eine Abfallkiste ihr Maul auf — stehen die entfernten Bäume, es sind Fichten, schon wie stolze Masten von Segelschiffen auf: als ginge es ans Fortgehen: leb wohl!

Ich will ein paar Tannen, ein paar Ulmen aufstellen und über die Ebene hin Buschwerk verteilen und ein paar eingesunkene, strotterhafte Scheunen.

Dann kommt die Einsamkeit, kommen die großen, blau leuchtenden Eisblöcke der Einsamkeit.

Sie zerschmelzen in der von Vogelstimmen punktierten Stille, zergehen: So kommt die Einsamkeit, der Urstrom, in die Welt.

Überall dort, wo während der Eiszeit große Gletscher die Kontinente bedeckten, finden wir Urstromtäler. Es sind kilometerbreite, flache Senken oder Gräben, durch die das Schmelzwasser einst abfloß.

Man trifft Menschen, an denen die Welt wie Wasser abrinnt. Sie haben imprägnierte Seelen, wasserundurchlässig wie Lehm, wasserabstoßend wie rostfreier Stahl.

Man sagt: Der ist im rechten Fahrwasser, oder auch: Der ist mit allen Wassern gewaschen, oder auch: Der schwimmt im Wasser wie ein Fisch. Große Hechte! — Sind solche Leute nun Raubzeug oder nicht? Jedenfalls haben sie kein Herz, was man Herz nennt — oder höchstenfalls eines aus Stein, wie der Held aus dem *KALTEN HERZ* — schlechte Menschen: Der Teufel soll sie holen!

Gemüt nennt man die Möglichkeit des Herzens, den Verstand im geeigneten Moment zum Schweigen zu bringen.

Toleranz und Gemütlichkeit schließen einander aus.

An manchen Tagen schaut die Gegend hier aus wie nach einer abgelaufenen Sintflut. Nicht daß Schlamm und Algen alles bedecken würden. Aber eine graue Schicht von Nichtigkeit ist um die Dinge herum, eingetrocknete Hornhaut. Wie betäubt stehen die Dinge unter diesem schäbigen Panzer da, als tote, präparierte Käfer. Und die Versammlung dieser Käfer ist alt, grau, von Motten und Milben angenagt. Keine Hirschkäferscheren! Kein Pfauenaugenglanz! Kein Admiralsband! Keine Seele.
Die Platanenäste erinnern in ihrer Weiße an abgehauene Trümmer eines Kreidefelsens. Die Rüstern kehren den Himmel mit ihren Astwerkbesen aus. Selbst die sonst so geistvolle Katze sitzt heute als bloßer Fleischklumpen in der Dachrinne: Ist sie gar ausgestopft? Mief der Mumien! Handtellergroße Fäulnisflecken! Im Garten drüben haben sie einen Strauch umgesägt, knapp am Erdboden entlang. Jetzt schauen die Augen der gekappten Äste herauf, rund und braun — oder sind es Stümpfe von Armen und Beinen, die man abgehauen hat? Schon verwest? Menschliches Elend taucht da so groß, so wuchtig auf, wie ohne jede Bedingung, dass bloß noch Gelächter es bändigen kann: Ein Mann steckt seinen Kopf in eine Mülltonne. Eine Frau wartet an einer Bushaltestelle, ihr Gesicht blank und glänzend in aller Gemeinheit: Schlaffheit ihres Körpers, Pluderhosen, lackierte Fingernägel. Und noch ein Mann: Tadellosigkeit seiner Kleider, Glamour der Krawatte, ausgestellte Füße, schwammiger Kopf, Perückenhaar und triefende Augen, so kommt er her, geradewegs, wie eben geschaffen; aus der tauben, gelähmten Hand Gottes entsprungen.
Und doch, am Abend, wenn die Vögel schwarz, in ihrer Farbigkeit unkenntlich, in den Kronen der Bäume sind und gegen die untersinkende Sonne hinschauen, wenn alles still steht wie in großem Zutrauen, ja Glauben, wenn die Wege gegen Westen hin glänzen, die langgestreckten Wasserlachen sich kräuseln, die Nacht knackt leise im

Gartenunterholz, dann will es einem vorkommen, als sei alles zum besten gerichtet.

Freilich widerspricht der Verstand gleich dem Herz.

II.

Schreibe ich etwas auf, brauche ich immer schon eine gedankliche Struktur, ehe ich mit dem Aufschreiben beginnen kann. Diese Struktur entspringt der unmittelbaren Anschauung: So muß es sein! oder sie ist angelernt: So ist es gemacht worden!

Etwa betrachte ich einen Baum und teile ihn gleich in Stamm und Krone ein.

Oder ich öffne eine Muschel und sage mir: Es schaut aus wie ein Auge — und so beschreibe ich die Muschel dann.

Gleich mit den ersten Worten entwickelt das Aufgeschriebene die Macht der Struktur: Sie will alles Weitere richten und zwingen: Sie will "alles für sich."

Überspitzt könnte man sagen: Nur der erste Einfall ist frei.

Die Struktur des einmal Geschaffenen ist der natürliche Feind des Gedankens: des Weiterdenkens in eine *ANDERE* Richtung. Nehmen wir zwei gleich kräftige Maurer an, die beide das gleiche Baumaterial zur Verfügung haben: Derjenige, der ein gutes, tiefausgelegtes Fundament macht, wird oben wohl nur mehr ein bescheidenes Haus zusammenbringen — und umgekehrt.

Vorstellbar, daß einer alles in die Fundamente steckt und dann für das Haus selber weder Ziegel noch Balken mehr hat.

Irgendwo muß der Teller aufhören, das Essen beginnen; sagt der Pragmatiker.

Ein Krug voller Nüsse, jemand steckt seine Hand hinein, um die Nüsse herauszuholen. Es geht aber nicht. Er muß die Nüsse fahren lassen, will er die Hand wieder herauskriegen.

Man muß den Krug beschreiben, und zwar: von ALLEN Seiten! — immer in der Hoffnung, daß die Nüsse dann in der Beschreibung, in dem Bild von dem Krug drinnen sind: "Sie sind ja auch in dem wirklichen Krug drinnen!"

Man kann den Krug auch zerschlagen. — Dann kommt man zwar an die Nüsse, aber nicht an den Krug.

Eine Bestecklade, auf der unterhalb des Messerfaches steht: MESSER, unterhalb des Gabelfaches: GABELN usf. macht uns schmunzeln: Würde denn einer, der etwa ein Messer will, in das Messerfach greifen, wenn dort Löffeln liegen würden? Es gibt keinen Löffel, der Messer heißt.

Ist die Bestecklade leer, sind die Aufschriften nützlich. Es kommt eben auf die RICHTUNG der Tätigkeiten an. Niemand wird etwa seine Schuhe erst eincremen und dann vom gröbsten Schmutz befreien.

Man könnte sich vorstellen, daß überall in der Welt alles kleine Tafeln trüge, auf denen nun stünde: BAUM, HAUS, KANALDECKEL usf. — Das würde uns aber nicht helfen, die Welt besser zu verstehen, es würde uns bloß erheitern.
Stünde nun aber auf jedem Ding nicht nur sein Name, sondern auch etwa, auf einer Wolke zum Beispiel: WOLKE, KONDENSIERTER WASSERDAMPF, HAUFENWOLKE — und darauf folgte dann alles, was die verschiedenen Wissenschaften über die Wolken zusammengetragen haben — so würden wir vielleicht nicht mehr schmunzeln, sondern mit dem Kopfnicken und sagen: Aha! Dies alles wissen wir von den Wolken!

Aus *Naturverstrickt* (1998)

Werke (eine Auswahl)

Landstriche. Erzählungen (1972)

Bei schwebendem Verfahren. Roman (1973)

Entwurf einer Welt ohne Menschen. Entwurf für eine Reise ohne Ziel. Prosa (1975)

Der Fluß der Gedanken durch den Kopf. Logbücher (1976)

Wer war Edgar Allan? Roman (1977)

Regentagstheorie. Gedichte (1979)

Das Lächeln des Jungen. Gedichte (1979)

Chronik der Versuche, ein Märchenerzähler zu werden. Erzählungen (1979)

Die Milchstraße. Sieben Bücher (1981)

Versuch, die Natur zu kritisieren. Essays (1982)

Komödie. Prosa (1984)

Mann & Frau. Roman (1984)

15000 Seelen. Roman (1985)

Die Wolken. Roman (1986)

Der Aufstand. Roman (1987)

Rebus. Roman (1990)

Aus den Aufzeichnungsbüchern (1991)

Fliegende Pfeile. Aus den Reiseaufzeichnungen (1993)

Persona. Roman (1995)

Frühe Prosa (1995)

Viel früher. Gedichte (1998)

Naturverstrickt. Essays samt einem Duett mit Redmond O'Hanlon (1998)

Liebe & Tod. Roman (2000)

St. Petersburg, Paris, Tokyo. Reisefeuilletons (2000)

Album von der traurigen und glücksstrahlenden Reise. Essay (2002)

Hörspiele und Fernsehfilme

Klotz spricht mit seinem Anwalt. Hörspiel (1972)

Reflektion dieses Gesichts. Hörspiel (1976)

Tage des Königs. Hörspiel (1984)

Die Engel. Hörspiel (1985)

Die Schauspieler im Glück. Hörspiel (1986)

Die Rehe. Hörspiel (1987)

Die Goldtatze. Hörspiel (1988)

Search/Auf der Suche. Ein Spiel für etliche Personen und eine musikalische Espressomaschine. Hörspiel (1989)

Die Reise. Hörspiel (1989)

Reise ohne Ende. Fernsehfilm (1989)

Am Meer — On the Beach. Hörspiel (1990)

Tage des Königs. Drama (1991)

Verzauberung — A Serial Memory. Hörspiel (1997)

Kolchis. Hörspiel (1997)

Am Abend vor der Reise. Hörspiel (2001)

Englische Ausgaben

From Here to There. Translated and with an afterword by Kathleen Thorpe (1991).

Wilhelm Schwarz: *Conversations with Peter Rosei.* Translated by Christine and Thomas Tessier (1994).

Try Your Luck! Translated and with an afterword by Kathleen E. Thorpe (1994).

"Blameless." In *New Anthology of Contemporary Austrian Folk Plays*, ed. Richard H. Lawson (1996).

Ruthless and Other Writings. Translated and with an afterword by Geoffrey Howes (2003).

Gert Hofmann, ca. 1990.
Photo: Karl-Heinz Meybohm, Eva Hofmann collection.

Gert Hofmann   1984

T HE WEST GERMAN NOVELIST AND WRITER of short stories and radio
dramas Gert Hofmann states that when reading gets dull, "it's
often because the words keep going after it's clear how the sentence
ends." Against this predictability, he has developed an elliptic style, a
style that often makes lightning fast changes from indirect to direct
speech and from persona to persona. Hofmann calls it "nervous."

Not an outwardly nervous man, Hofmann does have a certain preoccupation (both in work and in life) with being on the move. Born in
the East German province of Saxony in 1931, he emigrated to West
Germany while in his twenties to work toward a doctorate in
Germanics at the University of Freiburg. Since then, he says, he's
always "had one foot in the university," by which he means universities
all over the world.

He has taught one year in France, eight years in Great Britain, one
year in Mexico, ten years in Yugoslavia, and two years in the United
States (at Berkeley and Yale).

With Hofmann in Oberlin are his wife Eva and ten-year-old daughter Susi. Three older children — one of them pursuing a literary career
in England — remain in Europe.

Hofmann's literary interests are commensurately international. He
claims William Faulkner, Henry James, and James Joyce as influences
in his writing. His collection of novellas, *Gespräch über Balzacs Pferd*,
is inspired by the lives of great authors such as J. M. R. Lenz and
Honoré de Balzac.

Hofmann began his career with radio dramas — he estimates that
he has written between forty and fifty of them to date. These works
have been translated and produced in virtually every part of the world.
He has also written stage dramas. One, about the poet Robert Walser,
was recently performed in Düsseldorf and Berlin and will be produced
in Munich this May.

It wasn't until 1979 that the first prose work by Hofmann, a novel
entitled *Die Denunziation*, appeared. The work was awarded the
Ingeborg Bachmann Prize. Since then, Hofmann has received a number of other prestigious prizes — including the Döblin Prize and the
Prix Italia — and has published a book every year.

Describing last year's book, *Auf dem Turm*, critic Peter Laemmle (*Die Zeit*, Hamburg) writes: "So hochkarätige Prosa hat man schon lange nicht mehr gelesen . . . , blank-polierte, traumhaft sichere . . . , wie formbewußt, wie kunstvoll, wie technisch exakt ist das alles gearbeitet!" Hofmann's stay in the U.S. coincides with the American appearance of this book, translated as *The Spectacle at the Tower* (the first English translation of his work). His latest novel, *Unsere Eroberung*, was recently released in Germany. While in Oberlin, Hofmann hopes to complete a manuscript that he says is more than half-drafted; the work is tentatively titled *Unsere Vergeßlichkeit*.

After Oberlin

After leaving Oberlin in 1984, Hofmann continued to write a book on an almost yearly basis until his death in Erding, Bavaria in 1993. He received the Literaturpreis der Landeshauptstadt München posthumously in 1993. His works experienced a consistently positive reception among literary critics and have been called "die bekanntesten unter den literarischen Geheimtips." In a speech accepting the Hörspielpreis der Kriegsblinden 1983, Hofmann said about his works:

> Der Schauplatz meiner Werke, ob man sie nun liest oder hört, ist und bleibt der Menschenkopf, der, da es ein moderner Kopf ist, ein unübersichtlicher und heikler, von allem Seiten bedrängter, von Druck, Lärm und Gestank unablässig überfluteter, mit sich selbst und den anderen tödlich entzweiter Kopf ist.

In 2002, Gert Hoffmann's wife Eva Hoffmann sent us a letter in which she wrote about her memories of Oberlin, including the warm reception she, her husband, and her daughter received and their accommodations at the College. She also described her husband's method of writing and her own important role in it:

> Vor allem auch eine Schreibmaschine bekam ich bald, denn bei der Arbeitsweise meines Mannes mußte (durfte) ich ständig alles, was G.H. geschrieben hatte, abtippen, damit er ein makelloses Skript möglichst sofort vor Augen hatte, in dem er dann rücksichtslos herumfuhrwerkte, strich, ergänzte — und so in unendlichen Prozessen schließlich seine im Ganzen und in der kurzen Zeit von kaum mehr als zehn Jahren neun Romane und ein Dutzend oder so Erzählungen, Theaterstücke, Hörspiele etc. zustandebrachte.

Gert Hoffmann, as his wife once explained, only truly lived when he wrote: "Er war besessen — und das ist keine Übertreibung — von

dem, was in ihm war und geschrieben werden wollte."[1] As he continued his work while at Oberlin, the accommodations provided by the
College were only one element of the conditions necessary for writing:

> Wichtig war für meinen Mann, daß er einen Text "in progress" mit
> nach O. brachte. Problematisch wäre es gewesen, wenn er dort mit
> leeren Händen angekommen wäre, und ohne einen Keim zu einer
> neuen Arbeit im Kopf. Denn dafür hätte alle menschliche und ein-
> fühlsame Zuwendung und Vorbereitung von den Kollegen, den net-
> ten Menschen in O. nicht sorgen können. — Und dann wäre es für
> meinen Mann ein Fiasko gewesen.

This text-in-progress became the novel *Unsere Vergeßlichkeit*
(1987).

In her letter Eva Hofmann also refers to their son Michael: "Unser
Sohn, Michael Hofmann, übrigens, der englische Lyriker, Essayist,
Kritiker, unterrichtet jedes Jahr ein term an der University of Florida in
Gainesville." Moreover, Michael Hofmann belongs to the most
acclaimed translators of German fiction into English. He has translated
works by Bertolt Brecht, Franz Kafka, Joseph Roth, Herta Müller,
Wolfgang Koeppen, and many, many more. He has also translated three
works by his father, one of which is the famous novel *Der Kinoerzähler*
(1990), and two recent novels by our last Writer-in-Residence, Peter
Stephan Jungk, *Tigor* and *Der König von Amerika*.

In his contribution to Erinnerungen an Gert Hofmann, *published on the
fifth anniversary of Hofmann's death in 1998, Sidney Rosenfeld describes
his observations of the author at work during his stay at Oberlin.*

Zum 5. Todestag Gert Hoffmanns

Keine Sprachmaschine:
Gert Hofmann in Oberlin/Ohio

Von Sidney Rosenfeld

Der Kalender zeigte den 22. Februar 1984. Anstatt den Geburtstag
unseres Landesvaters George Washington zu feiern, fuhren wir auf der

---

[1] Eva Hofmann im Gespräch mit Heidi Rehn, in *Erinnerungen an Gert
Hofmann*, Miriquidi Sonderheft (1998), 4.

verschneiten Landstraße 10 im Nordosten Ohios von Oberlin zum Clevelander Flughafen. Über den damals noch arg verschmutzten Erie-See flog keine Schwalbe, sondern der eisige Abendwind wirbelte uns den seit dem Vortag fallenden Schnee entgegen. Am Flughafen, der trotz der eigentlich kurzen Strecke noch weit schien, sollten wir den aus München angeflogenen Schriftsteller Gert Hofmann abholen. In der Reihe unserer Gastautoren war er nun der siebzehnte, der Oberlin mitten im tiefsten Winter kennenlernen sollte. Für uns aber war er ein Glücksfall, und diesen hatten wir dem bis heute andauernden Wohlwollen der Max-Kade-Stiftung in New York zu verdanken. Zu deren Gründer hatte unser Abteilungsleiter John Kurtz den ersten Kontakt geknüpft, und im Laufe der Jahre hatten sich die freundschaftlichen Beziehungen wiederholt zu unserem Vorteil ausgewirkt. So kam es, daß wir am kleinen Oberlin College alljährlich einen Autor bzw. eine Autorin aus den deutschsprachigen Ländern zu einem Aufenthalt von zehn Wochen einladen konnten. Fast ohne Ausnahme waren Gert Hofmanns Vorgänger schon wohlbekannt als sie nach Oberlin kamen, so daß man alle sechzehn aufzählen müsste, wollte man jedem von ihnen gerecht werden. Von Gert Hofmann wußten wir aber, als sein Schriftstellerkollege Peter Härtling ihn uns empfahl, kaum mehr als den Namen. Zwar waren seine Bücher, wie wir bald darauf entdeckten, von den Kritikern durchaus anerkennend besprochen worden, auch hatte er schon einige bedeutende literarische Preise erhalten, doch war seine Wirkung auf einen relativ begrenzten, wenn auch anspruchsvollen Leserkreis beschränkt geblieben. Daß dies über seinen künstlerischen Rang so gut wie gar nichts aussagte, sollten wir in den folgenden Wochen in aller Deutlichkeit erkennen lernen.

Für solche Überlegungen blieb aber kein Raum, als wir mit unserem Gast, seiner Frau Eva und der damals zehnjährigen Susi, alle drei vom langen Flug ermüdet, die inzwischen noch finsterer gewordene Straße, über die der Wind jetzt dünne Schneeschleier trieb, nach Oberlin zurückfuhren. Im Wagen wurde hauptsächlich geschwiegen. Bald aber sollten sich genügend Möglichkeiten zum Gespräch ergeben, dies aber öfter mit der lieben, gescheiten Frau Eva und, nachdem sie ihre Scheu überwunden hatte, der ebenso lieben und klugen Tochter Susi als mit Gert Hofmann selber. Denn kaum hatte die Familie Hofmann die kleine Wohnung in der South Hall, einem weitläufigen, unmittelbar am Campus gelegenen Studentenheim bezogen, als Gert sich in die Arbeit vergrub.

Schon am zweiten Tag saß er fest eingeschlossen im Zimmer 114 der Rice Hall, wo sich die Deutschabteilung befand, und schrieb an dem Roman, der ihm drei Jahre später als *Unsere Vergeßlichkeit* wieder einmal einen beachtlichen Kritikererfolg bringen würde. Als Peter Laemmle in der *Zeit* Gert Hofmann eine "Sprachmaschine" nannte, schien er den Nagel auf den Kopf getroffen zu haben. Denn mit acht bis neun Stunden Schreibarbeit am Tag ging es nun im steten Schritt weiter. Für unseren Hausmeister Jim Weaver, der am ehesten für die letzten Sportergebnisse ein lebhaftes Interesse zeigte, war die Welt erst dann in Ordnung, wenn er beim Arbeitsbeginn morgens um halb sieben hinter der dichtverklebten Glastür die Schreibmaschine seines "buddy," d.h. seines Kumpels Gert, schon fleißig klappern hörte. Öfters passierte es mir, daß ich etwa zwei Stunden später auf dem Weg zur Arbeit unserem Autor zwischen der Rice Hall und der Elm Street, in der auch wir wohnen, begegnete. Er trug in der Hand einige vollbeschriebene Blätter, sah müde und in sich selber gekehrt aus. Seit fünf sei er auf, nun wolle er auf eine Tasse Kaffee kurz in die Wohnung, hieß es dann. Während er bald wieder über der Arbeit hockte, tippte in der South Hall Frau Eva die ihr eben gelieferten Blätter bereits ins Reine.

Auch bei geselligen Anlässen, die zumeist bei dem einen oder anderen Kollegen stattfanden, hatte man das Gefühl, Gert Hofmann wäre am liebsten woanders. Er zeigte sich wortkarg, schien am Gesprächsthema uninteressiert, war in seinen Gedanken sichtlich weit fort. Oder weniger weit fort, in der Rice Hall eben, bei seiner Arbeit.

Übelgenommen hat ihm diesen Zustand der Abwesenheit keiner. Hatten wir anfänglich gefürchtet, wir würden es mit der Gastlichkeit irgend falsch anstellen, so erkannten wir nach einer Weile, dass wir es in Gert Hofmann mit einem Menschen zu tun hatten, dessen Leben sich völlig ums Schreiben drehte, der erst im Schreiben lebte.

Gegen Ende seines Aufenthalts hielt Gert vor einem größeren Publikum eine kurze Rede mit dem Titel "Über den Snobismus" und anschließend las er aus seinen Werken. Bei meinen einführenden Worten durfte ich den Zuhörern und damit auch ihm berichten, wie die Studenten in seiner wöchentlichen Diskussionsrunde ihn sahen und wie sie über ihn dachten. Ohne Ausnahme, konnte ich erzählen, fänden sie ihn freundlich und offen. Sie seien von einem Menschen, der seine Berufung als Schriftsteller so konsequent und leidenschaftlich lebte wie er, zutiefst beeindruckt. Immer wieder hätten sie bewundert, wie Gert Hofmann kaum einen eigenen Satz oder den eines anderen Autors lesen konnte, ohne über den Sinn dieses Satzes oder gar einzelner Worte darin reflektieren zu müssen. Sie waren ihm für die Einsichten in den Schaffensprozeß, die er ihnen vermittelt hatte, dankbar und auch dafür, daß er ihnen erlaubt hatte, als Gesprächspartner das Werden eines neuen Romans zu verfolgen.

Auf jede Sitzung, betonte eine Studentin, habe sie sich die ganze Woche gefreut, niemals habe Gert Hofmann die Erwartungen der Kursteilnehmer enttäuscht. Daß er die Anhänglichkeit und Hingabe seiner Oberliner "undergraduates' — im Schnitt waren sie zwanzig Jahre alt — durchaus geschätzt hat, erfuhren wir zwei Jahre später, als er sich wieder in den USA aufhielt, diesmal als Gastautor an der ungleich größeren Staatsuniversität Texas in Austin. In Oberlin, sagte uns Eva am Telefon, habe Gert menschliche Wärme und lebendiges Interesse an seinem Werk erlebt. Noch immer denke er dankbar daran zurück. Recht hatte Peter Lämmle in seinem Zeit-Artikel nur scheinbar, eine "Sprachmaschine" war Gert Hofmann nicht. Eher war er ein zäher, leidenschaftlicher Satzbauer, ein von der Arbeit an der Sprache, die ihm alles war, Besessener. Durch sein schriftliches Dasein, wie es jeder von uns fast täglich beobachten konnte, hatte er auch einem runden Dutzend junger Amerikaner in Ohio im Mittleren Westen der USA eine erste Ahnung vom hohen Wert der Sprache vermittelt. Gehe ich in die Rice Hall am Zimmer 114 vorbei, so ist mir manchmal, als ob ich ihn noch bei der Arbeit hörte.

Werke

Die Denunziation. Novelle (1979)

Die Fistelstimme. Roman (1980)

Gespräch über Balzacs Pferd. Vier Novellen (1981)

Die Überflutung. Vier Hörspiele (1981)

Fuhltrotts Vergesslichkeit. Erzählungen (1981)

Auf dem Turm. Roman (1982)

Unsere Eroberung. Roman (1982)

Der Blindensturz. Erzählung (1985)

Veilchenfeld. Erzählung (1986)

Die Weltmaschine. Erzählung (1986)

Unsere Vergeßlichkeit. Roman (1987)

Vor der Regenzeit. Roman (1988)

Der Kinoerzähler. Roman (1990)

Tolstois Kopf. Erzählungen (1991)

Das Glück. Roman (1992)

Die kleine Stechardin. Roman (1994)

Die Rückkehr des verlorenen Jakob Michael Reinhold Lenz nach Riga. Erzählung (1998)

Englische Ausgaben

The Burgomaster. Translated from the German by Donald Watson in collaboration with the author (1968).

The Spectacle at the Tower. Translated by Christopher Middleton (1984–89).

Our Conquest. Translated by Christopher Middleton (1985).

The Parable of the Blind. Translated by Christopher Middleton (1986–88).

Balzac's Horse and Other Stories. Selected and translated by Christopher Middleton (1988).

Before the Rainy Season. Translated from the German by Edna McCown (1991).

The Film Explainer. Translated from the German by Michael Hofmann (1995/96).

Luck. Translated from the German by Michael Hofmann (2002).

Lichtenberg and the Little Flower Girl. Translated and with an afterword by Michael Hofmann (2004).

Rainer Malkowski, 1985.
Photo © Isolde Ohlbaum.

Rainer Malkowski 1985

R AINER MALKOWSKI'S DESIRE TO write poetry was long eclipsed by
his involvement in the business world. Born in Berlin in 1939,
he had the ambition to be a writer throughout his childhood and his
years at the Gymnasium there. But he admits that he became "troubled because my ability to view my works critically was far better
than my ability to write in a way that met my critical demands."
He also wanted to live independently "and of course needed money
for that."

From 1959 till 1971 he held numerous positions with newspaper
publishers and advertising agencies, including that of creative director
in the German office of the American advertising firm Young and
Rubicam and, from 1967 on, of co-owner of Germany's largest advertising agency. This brought about some travel through Germany, leading him to Frankfurt in 1961 and Düsseldorf in 1967.

"I left my company," Malkowski says, "because I was becoming
increasingly ill at ease with the business world and because my desire to
write was growing too strong to ignore. A day came when I no longer
worried about what might happen if I gave up my regular income; I
just wanted the freedom to write."

After his change of career Malkowski moved to Brannenburg, a
small town near Munich, to try his hand at freelance writing. "At that
point," he says, "I didn't have a stack of manuscripts lying around."

Numerous publications in newspapers and magazines, as well as
radio broadcasts of Malkowski's work, resulted in his first poetry volume, *Was für ein Morgen*, published by Suhrkamp in 1975. The book
was called "the poetry discovery of the year" and the Neue Zürcher
Zeitung claimed that "anyone who wants to list the essential lyricists
now in middle age will not get by any longer without naming Rainer
Malkowski." In 1976 he received the Förderpreis des Bayerischen
Staates, the first in a series of several prices and fellowships awarded to
Malkowski.

Between 1977 and his current Oberlin College residence, Malkowski
has produced three further volumes of poetry and a children's book and
has edited two anthologies. He received the Leonce-und-Lena-Preis
für Lyrik in 1997 and the Villa-Massimo-Stipendium, which enabled

him to study in Rome for a year. A similar fellowship last year from the Stiftung für deutsch-holländischen Schriftsteller-Austausch enabled him to work in Amsterdam.

A fifth poetry collection is currently underway and should appear next spring. Malkowski has also written prose for newspapers and magazines and expects to publish a collection of these works sometime after his next poetry volume.

Malkowski's approach to poetry has been the search for the "surprising turn of phrase which strikes the reader as both strange and inevitable"; he seeks "a moment in each poem when the reader says, 'Yes, that's exactly how it is.'"

The element of inevitability is essential to him, and it is not surprising to find he admires Hemingway's admonition to writers to "write the truest sentence that you know."

But equally important is the surprise of poetry, and this carries over into life. Malkowski says he purposefully tried not to find out too much about what life would be like in a small Ohio town, "because figuring out in advance what I could expect would lessen it as an experience."

Malkowski has only been to the United States on one other occasion, a short visit to New York City in 1969. "That visit made such a lasting impression," he says, "that I even had passing thoughts of moving there."

After Oberlin

Rainer Malkowski returned to Brannenburg am Inn, where he continued to live as an independent writer. He published a number of poetry collections as well as a volume of short stories and the highly praised adaptation of Hartmann von Aue's *Der arme Heinrich*. He also continued to edit anthologies for the Insel Verlag. In 1989 he received the Märkisches Literaturstipendium and in 1999 he was awarded the Joseph-Breitenbach-Preis. He was a member of the Akademie der Wissenschaften und der Literatur in Mainz. Many poems in his book *Was auch immer geschieht* draw on his experiences at Oberlin. In 2003, our inquiries prompted Malkowski to reread them after almost 20 years. This led him to revise "Mein junger Freund," the new version of which we are printing here.

We were greatly saddened to learn that on September 1, 2003, only a few months after he had sent us the poems, Rainer Malkowski, "einer der bedeutendsten Lyriker der Gegenwart," died in Brannenburg after a long illness.

Mein junger Freund

Für einen Zwanzigjährigen

viel zu sehr auf der Hut.
Komm, möchte ich sagen,
so gefährlich
ist das Leben nun auch wieder nicht.

Aber ein Blick in seine Augen,
voller Erinnerung
an unbegriffene Verletzungen,
läßt mich schweigen.

Lange rührt er in seinem Kaffee,
bevor er zu sprechen beginnt.

Sätze, störrisch,
siebenmal überlegt
in schlaflosen Nächten.

Dazwischen lange Pausen,
in denen er die schärfsten Wendungen
unausgesprochen
wieder zurücknimmt.

Das Schlittern einer Katze
im Winter,
steht auf dem Manuskript
mit seinen Gedichten.

Mehrfarbige Erinnerung

Einmal lebte ich an einem Ort,
der war ziemlich grün.
Ein wenig roter Backstein und weiße Holzhäuser
standen auf den Rasenflächen.
Hätte ich in jeden blauen Briefkasten,
den ich sah,
an eine andere Frau einen Liebesbrief geworfen,
wäre ich bis an mein Lebensende
unglücklich.
Statt dessen beobachtete ich Studenten, Professoren
und graue Eichhörnchen,
die erst ein Stück aufwärts liefen

und dann
vorsichtig um den Stamm herumlugten.
Wenn es windig war —
und das war es oft —,
klapperten in meiner Wohnung alle Türen.
Wo bin ich hier,
fragte ich mich in meinem schaukelnden Bett,
das eine Schwarze bezogen hatte.
Wo es wunderlich ist,
antwortete das ratternde Fliegengitter.
Überall
bist du zu Hause.

Kein besonderer Tag

Die Beobachtung einiger Gegenstände
aus der Entfernung —
unvollständige Sätze wie dieser
aufgeschrieben vor dem Rasieren.
Abends blutet mein Zeigefinger.
Der zu fest sitzende
Schraubverschluß aus Blech.
Glasweise verabschiede ich
ungeliebte Gesichter.
Worte rollen über den Tisch,
ohne anzuhalten.
Das Blatt Papier vom Morgen liegt noch da.
Auf dem Teppich jetzt Weinflecke.
Trust God,
empfiehlt im Radio eine Stimme.
Fast zur selben Sekunde höre ich meine eigene.
Einmal, sagt sie, lagst du im Gras,
und bricht ab, als ich aufmerksam werde.
Die Heizung, wieder zu warm,
klappert.
Kein besonderer Tag,
wirklich nicht.
Daß es dich gibt,
warum hilft es, warum versagt es
von einer Stunde zur andern?
Ich stülpe eine Schale über den Aschenbecher.
Morgen, gähnend

präge ich sie mir ein,
verschiedene Termine.

Aus Rainer Malkowski, *Was auch immer geschieht* (1986)

SV

Ich grüße Oberlin!
Rainer Malkowski
9.1.03

Werke

Was für ein Morgen. Gedichte (1975)
Einladung ins Freie. Gedichte (1977)
Vom Rätsel ein Stück. Gedichte (1980)
Die Nase. Kinderbuch (1981)
Zu Gast. Gedichte (1983)
Was auch immer geschieht. Gedichte (1986)

Gedichte. Eine Auswahl (1989)

Das Meer steht auf. Gedichte (1989)

Ein Tag für Impressionisten und andere Gedichte (1994)

Hunger und Durst. Gedichte (1997)

Im Dunkeln wird man schneller betrunken. Hinterkopfgeschichten. Erzählungen (2000)

In den Fugen der Biographie. Gedichte (2001)

Hartmann von Aue. Der arme Heinrich. Nachdichtung (2003)

Die Herkunft der Uhr. Gedichte (2004 postum)

Herausgaben

Das Inselbuch zur Mitternacht (1981)

Das Inselbuch der Tröstungen (1984)

Von Tugenden und Lastern. Ein Inselbuch (1987)

Vom Meer, von Flüssen und von Seen. Ein Inselbuch (1990)

Karl-Heinz Jakobs, ca. 1986.
Photo © Peter Peitsch.

Karl-Heinz Jakobs   1986

D ESPITE KARL-HEINZ JAKOBS'S SUPPORT of the ideology of modern
socialism, he has in the last decade become estranged from the East
German socialist state. His writing shows great commitment to the
concerns of socialism — concerns he felt first hand as a citizen of the
German Democratic Republic. But the critical eye he cast toward that
state in the 1970s and the support he gave to intellectuals chastised by
the East German authorities led to his removal from the ruling SED
(Socialist Unity Party) and, in 1981, to his relocation in the West.
He now lives with his wife and teenaged son in Velbert, Rhineland.

Jakobs was born in 1929 in the East Prussian village of Kiauken.
After the war, he pursued several trades other than writing before finding work as an editorial assistant and journalist. These early jobs
included construction work, mining, and masonry — employment that
entailed international travel. In 1967/68, he worked for ten months
building walls as part of a construction crew that hoped to aid economic development in Mali. Masonry still has great attraction for him;
he says he "couldn't live on poetry alone."

In 1956, Jakobs began two years of study at the Johannes R. Becher
Literary Institute in Leipzig, after which he turned full time to freelance
writing. As for his studies at the Becher Institute, he there became convinced that "all good East German writers come from Leipzig."

His first novel, *Beschreibung eines Sommers* (1961), met with
unprecedented success in East Germany, selling a half-million copies.
His career since then has won him critical acclaim and honors that
include the prestigious Heinrich Mann Prize. Among his later works
are six further novels (two of them based on travel experiences in the
Soviet Union and Africa), three story collections, a volume of essays,
and a recent, largely autobiographical book *Das endlose Jahr.
Begegnungen mit Mäd* (1983), which deals with the events that followed the revocation of "dissident" East German writer Wolf
Biermann's citizenship.

The Biermann affair — especially since it followed close on the
heels of writer Reiner Kunze's expulsion from the East German Writers
Union — brought protest from a number of that country's prominent
writers and intellectuals, including Jakobs. His hardened criticism led

to Jakobs' dismissal from the Berlin Writers Union, of which he was a prominent member, as well as from the executive committee of the East German Writers Union, and finally to his removal from the SED in 1977. Because of his deteriorating relations with the authorities of the German Democratic Republic, Jakobs was given a three-year "visa" and asked to leave the country for that time. When the period expired in April 1984, he decided not to return.

Although restricted in some ways by this special arrangement, Karl-Heinz Jakobs increased his commitment to confront the problems of his socialist nation directly. In a 1979 *Süddeutsche Zeitung* interview, he explained his belief that the typical path of an East German writer "led to schizophrenia," because one must "always paint the details but leave the whole out of sight."

Early during his years in limbo, Jakobs broke with this schizophrenic tendency and wrote *Wilhelmsburg* (1979), a novel that examined the dynamics of a provincial city in a nameless German-speaking socialist state. The hero is a man who keeps his opinion to himself for fear of the consequences, a man who says "yes" even when he thinks "no." Just prior to the novel's publication, Jakobs told the *Westfälische Rundschau* that an East German writer conscious of history must tell "what happened, and what happened unjustly. The moment of hesitating at this is gone for me."

In addition to novels, essays, and an early volume of poetry, Jakobs' work has included writing for the stage, film, television, and radio. He wrote screenplays of two novels — *Beschreibung eines Sommers* and *Eine Pyramide für mich*. Last year he produced two documentary pieces for German television: *Landschaft mit Denkmal und Leuten* and *Auf der Seite der Schwachen*.

According to Jakobs, his recent work depends on a consciously developed distance from his material: "To have written my latest novel from emotion? Never. Without distance it would be better not to have written it."

Auf der Grundlage seiner Aufzeichnungen von 1986 schrieb Karl-Heinz Jakobs im Jahr 2003 für unser Projekt seine Erinnerungen an Oberlin auf. Unter der Überschrift "Und heute" beendet er seinen Beitrag mit einem Blick auf die darauffolgenden Zeiten und die gewonnenen Einsichten.[1] Außerdem stellte er uns seinen Essay Lob der

---

[1] Deshalb verzichten wir in seinem Fall auf einen After-Oberlin-Text.

Zensur *zur Verfügung, den er seinerzeit in Oberlin geschrieben und vor-getragen hat.*

Self-portrait, Oberlin, 1986.

Oberlin Memorial

Die Einladung

1986 wurde ich vom Department of German and Russian des Oberlin-Colleges in Ohio eingeladen, vom 15. Februar bis 15. Mai am Writer-in-Residence-Programm teilzunehmen. 5.000 Dollar würde ich dafür erhalten, doch außer meinen Verpflichtungen am Ort müßte ich noch für Gastreferate in anderen Bundesstaaten zur Verfügung stehen, die extra honoriert würden. Frühere Stipendiaten seien Fritz Hochwälder gewesen, Tankred Dorst, Christa Wolf, Jurek Becker, Barbara Frischmuth, und zwölf andere, eine überaus achtenswerte Versammlung von Autorinnen und Autoren aus beiden deutschen Staaten, Österreichs und der deutschsprachigen Schweiz.

Johann Friedrich Oberlin, las ich im Lexikon, habe um 1800 als Pfarrer in den Vogesen das Baumwollspinnen eingeführt, mit dem die Armut jener Gegend ein wenig gelindert wurde, habe Schulhäuser, Brücken und Straßen bauen lassen, den ersten Kindergarten errichtet, in denen Frauen und Mädchen der Gegend zum erstenmal Gelegenheit bekamen, sich in Ausbildung und Erziehung zu betätigen. Aber wie kommt eine kleine Ortschaft im Land der unbegrenzten Möglichkeiten dazu, sich nach diesem in Deutschland halb vergessenen Menschenfreund und Armenpfarrer zu benennen? fragte ich mich verblüfft, denn daß es ein kleines Städtchen war, erkannte ich nach langem Suchen auf der Karte von Ohio, die ich mir zugelegt hatte, nachdem meine Suche auf der USA-Karte vergebens gewesen war.

Mein erster Amerikaner

An sich ist es leicht, mit Einladung, Bürgschaft und Einkommenszusage ein Visum für die USA zu erhalten, es sei denn, man gehört Kategorien von Menschen an, denen das Betreten amerikanischen Bodens verboten ist. Zu beantworten ist eine lange Reihe von Fragen, zum Beispiel: Sind oder waren Sie schwachsinnig? Sind Sie rauschgiftsüchtig oder Drogenhändler? Sind oder waren Sie Mitglied einer kommunistischen Partei? Bei der letzten Frage machte ich mein Kreuz in das Ja-Kästchen und der Beamte, dem ich den Fragebogen übergab, überflog ihn und sagte: "Dann muß ich Sie in mein Büro bitten."

Mein Verhör dauerte eine Stunde und der Beamte hielt meine Aussagen zur Person auf gelbem Papier fest. Seitdem trägt mein Visum für die USA den handschriftlichen Zusatz: 212 (d) (3) (A): 28. Das bedeutet: Dem Paragrafen 212 des Einwanderungsgesetzes gemäß, sei es mir als ehemaligem Mitglied einer kommunistischen Partei prinzipiell verboten, amerikanischen Boden zu betreten. Entlastend treffe allerdings auf mich zu, daß ich nicht mehr Mitglied sei (d). Belastend dagegen: Ich sei nicht freiwillig ausgetreten, sondern ausgeschlossen worden (3). Es sei aber für die USA von Vorteil, mich vorübergehend ins Land zu lassen (A). Eine sorgfältige Befragung habe schließlich erwiesen, daß ich nicht die Absicht habe, den Kampf gegen die USA bewaffnet aufzunehmen (28).

Chesterton vor 70 Jahren: "Auf dem Visumsantrag, den ich im amerikanischen Konsulat ausfüllen mußte, hatte ich auch die Frage zu beantworten: Beabsichtigen Sie die Regierung der USA mit Gewalt zu stürzen? — Ich schlage vor, schrieb ich, mir diese Frage am Ende meiner Reise noch mal zu stellen."

Erste Erfahrungen

Oberlin ist ein ruhiges Nest in Nord-Ohio, 10 Kilometer entfernt vom Eriesee, vom Flugplatz Cleveland über den Freeway 480 nach 20 Kilometern zu erreichen; die Ehefrau des Chairmans hatte mich abgeholt.

Hier in Oberlin lernte ich zum erstenmal kennen, wie man auf Straßen gesittet sein Fahrzeug bewegt: Kein Aufheulen des Motors bei Grün an der Ampel, wie ich es von zu Hause kenne, kein Kreischen der Bremsen bei Rot. Langsam und lautlos fast rollen die Fahrzeuge an die Ampel bei Rot, nur das Rollen der Räder auf dem Asphalt ist zu hören, langsam und lautlos fast fahren sie bei Grün weiter. Überwältigender Erfolg der automatischen Schaltung. Der Mensch erschafft die Maschine nach seiner Vorstellung, die Maschine erzieht das Volk nach seinem Willen. Nur wenn Teile der Karosserie mit Draht zusammengehalten werden, was oft vorkommt, was aber wir in Deutschland nicht kennen, so etwas wie einen Technischen Überwachungsverein (TÜV) gibt es hier nicht, hört man leises melodiöses Scheppern.

Oberlin aber wurde, wie ich erfuhr, von deutschen Siedlern gegründet, die im Geiste von Oberlin die Wildnis bewohnbar machen wollten, indem sie, mit der Bibel als Waffe wie in den wilden Vogesentälern ihres Namensgebers, systematisch das Land mit Obstgärten, Viehweiden, festen Straßen, festen Häusern, Schulen, Kindergärten und Kirchen überzogen. Als während des Bürgerkrieges 1861 bis 65 schwarze Sklaven, verfolgt von Kopfjägern, in immer größerer Zahl nach Norden flohen, war Oberlin Undergroundstation, das heißt, die Bürger nahmen die Fliehenden auf und versteckten sie. Ihre Gräber werden heute noch gerne Fremden gezeigt. Zum Beispiel: "Hier liegt John Ball, geboren als Sklave, gestorben in Würde als freier Mann."

Ohio ist etwa so groß wie die DDR, hat aber nur zwei Drittel ihrer Einwohnerzahl. Um die Größe Ohios zu erreichen, müßten Belgien, Niederlande und Dänemark ihre Flächen zusammenlegen. Die Devise seiner Bewohner: Mit Gott ist alles möglich. Die Blume des Staates ist die rote Nelke, der Baum des Staates die Kastanie. Zumindest die letzte Aussage ist nicht ganz vollständig, denn Ohio ist auch der Staat von Johnny Appleseed, einem Tramp am Anfang des 19.Jahrhunderts, der sich bei seinen Wanderungen durch den Bundesstaat jeden Tag von den Obstpressereien einen Rucksack reifer Apfelsamen abholte und sie dort ausstreute, wo die Wildnis am tiefsten war und wo sich trotzdem Menschen ansiedelten. Deshalb ist neben der Kastanie der Apfelbaum charakteristisch für Ohio, denn als Ergebnis von Johnny Appleseeds Wanderungen leuchtet im April das ganze Bundesland im Weißrosa der Apfelblüte.

Und das College

Das Oberlin College, das über ein halbes Hundert Gebäude verfügt, ist für 3000 Studenten eingerichtet, die in 2 Dutzend Gebäuden untergebracht sind. Die bedeutendsten Fächer, in denen unterrichtet wird, sind Biologie & Chemie, Ökonomie, Englisch, Geologie, Deutsch & Russisch, Geschichte, Judaica & Nah-Ost, Mathematik, Philosophie, Physik, Romanische Sprachen, Soziologie & Anthropologie, Theater & Tanz. Die überregional bedeutendste Abteilung ist The Conservatory of Music.

Fünf Straßen von Nord nach Süd, fünf Straßen von Ost nach West, das ist die ganze Stadt, und das College mit allen Dienstleistungen ist so gut wie der einzige Arbeitgeber. Rice Hall ist eins der Professoren-Gebäude, wo ich im Erdgeschoß mein Büro hatte. In Finney Chapel finden Konzerte und Großversammlungen statt, im Service Gebäude sind auf riesigen Computern alle Daten des Lehrbetriebes gespeichert. Der Campus hat ein eigenes Krankenhaus, eine eigene Eissport-Anlage sowie ein gewaltiges Sportzentrum mit Hallenbad, Sauna, Tennis- und Squash-Plätzen, Trainingsräumen für Ringer, Gewichtheber, Radsportler und Trainingsmaschinen für alle anderen denkbaren Sportarten.

Das Writer-in-Residence Stipendium für deutschsprachige Autorinnen und Autoren war eingerichtet worden, um den Studenten der Germanistik ein anschauliches Bild vom Zustand der gegenwärtigen deutschsprachigen Literatur zu geben. Die Studenten sollten neben ihrem Lehrplan mit eigenen Augen sehen, wer die Autorinnen und Autoren seien, die im Lehrplan vorkamen, und sollten sich ein eigenes Urteil bilden können.

Ebenso verblüffend wie das College, seine Geschichte und seine Zielvorstellung waren die European and American Paintings and Sculptures im Allen Memorial Art Museum. Daß ein Ort von 9.000 Einwohnern sich ein Museum leistet, in dem neben Bildenden Künstlern aus den USA auch ein Blick über fast die gesamte europäische Malerei und Bildhauerei gegeben wird, sah ich als einmalig an. Italienische Malerei aus dem 14. Jahrhundert war ebenso vertreten wie flämische und spanische Malerei aus dem 16. Jahrhundert. Von Turner, Delacroix und Hogarth reichte das Angebot über Monet, Cézanne, Sisley, Pissaro und Jawlensky bis zu Picasso, Vlaminck, Modigliani und Kokoschka, sowie Chagall, Schwitters und Giacometti und vielen, vielen anderen. Von 4000 Jahre alten sumerischen und ägyptischen Reliefs und Skulpturen reichte die Spannweite der bildhauerischen Exponate bis zu Maillol, Kirchner, Henry Moore und Hans Arp . . .

Ein Arbeitstag

1.

Morgens um halb neun beginnt das Tagewerk in meinem Office, Rice Hall, Zimmer 113. Die Linke in der Hosentasche, City Bag über der Schulter, schlendere ich heran, schließe auf, lege mein kleines Gepäckstück ab und begebe mich hinüber zu Retha, der Sekretärin, auf der anderen Seite des Flurs, die mich mit den Worten empfängt: "Ach, ich liebe diese schönen, sonnigen Wintermorgen. Schauen Sie mal, wie die Sonne auf dem Schnee glitzert." — "Richtiges Urlaubswetter," kontere ich, "und ich? Ich muß nach Cleveland." — "Den Bus um halb zehn nach Lorain schaffen Sie nicht mehr." — "Und halb zwölf?" — "Mit gutem Anschluß nach Cleveland. Vielleicht sollten Sie sich doch ein Auto mieten." — "Wahrscheinlich haben Sie recht, aber so oft muß ich ja nicht weg. Und schließlich bin ich hier nicht zum Autofahren hergekommen." — "Wozu denn?" frotzelt sie. "Woher soll ich das wissen, bin ich Jesus?"

Auf dem Rückweg zu meinem Büro begegne ich Olga, der Assistant Professorin für Russisch. Ob es mir gesundheitlich endlich besser gehe, fragt sie. Doch, doch, sage ich, zum Glück wars keine Grippe. — Sie ist eine große, schöne Person und sehr freundlich, aber ihr gegenüber habe ich noch nicht den richtigen Ton gefunden. Bin erst zwei Wochen hier. Ihr Büro liegt ein paar Nummern von meinem entfernt. Ich habe das Bedürfnis, das kleine Gespräch fortzusetzen, aber leider spricht sie kein Wort Deutsch, und da mir Smalltalk auf Amerikanisch noch nicht geläufig ist, verziehe ich mich nach 113.

An der Tür von Nr. 113 steht der Name des Burschen, der nun hier residiert: Der neue Writer-in-Residence, und da hier saloppe Umgangsformen herrschen, ist gleich unter meinem Namen eine Karikatur angebracht. Studentin Anja hat sie angefertigt nach dem ersten Eindruck, den ich bei ihr hinterlassen habe: Ein schmuddliger Kerl mit strubbeligem Haar, Brille und unordentlichem Bart, offenbar Bakunin. Die Tür lasse ich offen, um jedem, der will, Gelegenheit zu geben, mit mir zu plaudern.

2.

Die Studenten des Departments werden von 9 Lehrern unterrichtet, deren Gehalt sich in 4 Kategorien bemißt: 3 Full Professoren, 2 Associate Professorinnen, 2 Assistant Professorinnen sowie eine Dozentin für Deutsch und ein Dozent für Russisch. Ihnen steht als gemeinsame Sekretärin Retha zur Verfügung und schließlich gibt es noch mich, der für 10 Wochen zum Plaudern engagiert wurde.

Und worüber soll geplaudert werden? Über die einfachsten Dinge der Welt: Montage- und Assoziativtechnik im Roman, Ironie im

Roman, das Erzieherische im Roman, Reportage-Elemente im Roman
und so weiter und so fort. Das Blöde an der Sache ist, daß es dabei
vornehmlich um meine Romane gehen soll, aber ich werde versuchen,
diese mir unangenehme Tendenz ins Allgemeine abzubiegen.

Sidney, der Full für Deutsch, eilt an seinen Arbeitsplatz, kehrt um,
als er mich am Schreibtisch sieht: "Hallo, Karl-Heinz." — "Hallo,
Sidney." — "Stella möchte dich für morgen Abend einladen, geht
das?" — "Morgen habe ich Sprechstunde." — "Dann übermorgen."
— "Ich komme gerne. Was gibts zu essen?" — "Wirst schon sehen."

Sidney ist schon seit 22 Jahren hier und das, was er von der sichtbaren Welt am besten kennt, ist sein Weg von der Wohnung zur Rice
Hall, Zimmer 112, von dort zum Unterrichtsraum in Kings Hall, mittags von dort zum koscheren Speisesaal und abends zurück in die
Wohnung, und das seit 22 Jahren ohne große Umwege. Höchstens mal
nach Elyria in die Value City, wo man Sachen zum halben Preis erwer-
ben kann. Gestern waren wir dort. Seine Frau Stella, Litauerin und
Professorin in Cleveland, hat hübsche Sachen gekauft für Mutter und
Geschwister in der alten Heimat.

3.

So, nun kann die vormittägliche Schinderei an der Schreibmaschine
beginnen. Ursprünglich war mir eine antike Rarität der Marke Adler
ohne Motor und Korrekturband anvertraut worden, doch nachdem ich
bei Retha rumgejammert hatte, war sie so gnädig gewesen, mir ihre
Kugelkopfmaschine zu geben. — "Ich brauche sie sowieso nicht
mehr." — Natürlich braucht sie die nicht mehr, sie hat ja ihren
Computer. Aber ihre KKM hat die amerikanische Tastatur, die keine
Umlaute kennt und wo die meisten Buchstaben und Zeichen verkehrt
stehen. Die ersten Texte, die so entstehen, sehen auf dem Papier aus
wie eine Geheimschrift. Werde wohl noch ein bißchen lauter jammern
müssen.

Letzten Dienstag hatte ich meine erste Sprechstunde, die neben
den Seminaren dazu dienen soll, das gegenseitige Vertrauensverhältnis
zu stärken. Ich hatte Wein und verschiedene Chips eingekauft, hatte
Schnittchen vorbereitet und Würstchen aufs Feuer gestellt. Diese
meine erste Sprechstunde dauerte bis morgens um sechs. Sidney sagte
später, ich hätte die Besucher Mitternacht rausschmeißen sollen. —
"Bei meiner ersten Sprechstunde?" — Ich habe längst mitbekommen,
daß nicht nur die Studenten beurteilt werden, sondern auch die Lehrer.
Eine schlechte Beurteilung meiner Seminare oder Sprechstunden hätte
zu einem vernichtenden Endergebnis meines Writer-in-Residence-
Daseins geführt. Nachts um halb 5 wollte Anja noch von mir hören,

wie ich die politische Motivation des Buches *Nachdenken über Christa T.* verstehe. Sollte ich sie bei derart brennenden Problemen etwa im Dunkeln stehen lassen?

Die Beschaffung des Weins, übrigens, war gar nicht so einfach. Da Oberlin eine Trockene Stadt ist, Spirituosen jeder Art anzubieten ist verboten, mußte ich mir ein Taxi nach Amherst nehmen, wo Spirituosen, wie in Skandinavien, nur in besonders kontrollierten Läden angeboten werden. Deshalb habe ich mir, wie in Zeiten der Prohibition, gleich ein kleines Schnaps- und Weinlager angelegt. Für alle nicht vorauszusehenden Fälle.

4.

Leise wird an der offenen Tür gepocht. Ohne auf Antwort zu warten, tritt Dick ein, der Chairman. Lächelnd wie immer: "Darf ich?" — "Na, klar." Dick hat ja immer was zu erzählen. Seit Tagen ist das Thema: seine Bewerbung nach Delaware. — "Soll ich annehmen oder soll ich nicht?" — Natürlich hat er sich längst entschieden, aber fragt, als sei alles noch offen. Von 134 Bewerbern war er nach mehreren Auslesen unter die ersten drei gekommen, und schließlich als der einzige übrig geblieben. Da wird er doch nicht Nein sagen. Aber er fragt. XYZAB Dollar mehr als in Oberlin würde er als Chef des Fremdspracheninstituts erhalten. "Ein Haufen Kohle." — Eine Weile geht es hin und her: Soll er oder soll er nicht? bis er aufsteht, auf die Uhr schaut: "Entschuldige, ich muß zum Unterricht."

Rechts von mir residiert Christina, Assistentin für Deutsch, Ehefrau des Präsidenten. Zu ihr habe ich rasch Kontakt gefunden, wahrscheinlich auch deswegen, weil ich gleich zu Beginn meines Einsatzes bei ihr abends eingeladen war. Es gab gegrillte Krebsschwänze, "eben aus Louisiana eingeflogen," wie der Präsident versicherte, daneben gegrillte Kalbshaxen, dazu Broccoli nebst Reis und Weißbrot. Der Präsident hatte mich gleich in die Küche abkommandiert, um zusammen mit ihm die Krebsschwänze abzupellen. Mit einer Flasche Bourbon daneben gab's keine Probleme.

Zum Abschluß beehrte er mich noch mit einem Klarinetten-Solo. Er ist Boss des Louisiana Repertory Jazz Ensembles und — mit weitreichenden Beziehungen zur US-Oberschicht — ein Geldbeschaffungsgenie. Spricht perfekt Russisch, und als ich anfing, von meinen Reisen in der Sowjetunion zu erzählen, nach Wologda, Jasnaja Poljana oder Ulan Ude, nickte er zustimmend: "Genau so ist es," denn auch er war schon dort, mit Klarinette. Seine Frau kommt aus Leipzig, von wo aus sie als Kleinkind 1956 mit ihrer Familie getürmt war.

5.

Gleich in der ersten Woche meines Da-Seins in Oberlin hatten sich 300 Studenten zu einer Demonstration gegen die Trustees zusammengerottet. Die Trustees, 30 Personen insgesamt, bilden die Regierung des Colleges. Was sie beschließen, muß gemacht werden. Sie sind ausgewählt aus der großen Zahl der Mäzene und Förderer des Colleges, die ihr gestiftetes Geld gut angelegt sehen wollen. Und was forderten die Studenten? In Oberlin gebe es zu wenige Frauen, zu wenige Schwarze, zu wenige Latinos.

Der Präsident und namentlich beschuldigte Trustees versuchten, die Aufgebrachten zu beruhigen: "Die Situation zur Zeit bedauern auch wir. Wir tun alles, um die bedauerlichen Lücken zu schließen, aber leider gibt es zu wenig Bewerber." Erinnert wurde auch an die Tradition von Oberlin als Underground-Station, als hier in den Tagen des Bürgerkrieges aus dem Süden fliehende Sklaven Unterschlupf gefunden hatten. — "Die Vergangenheit ist vorbei!" skandierten die Protestierenden. "Mehr Frauen heute! Mehr Schwarze heute! Mehr Latinos heute!"

Das Haus, in dem ich wohne, ist South Hall. Dieses besteht aus vier Einzelobjekten mit Namen berühmter Spenderinnen: Mary Kellogg, Caroline Rudd, Mary Hosford und Elisabeth Prall. Studenten, die ich nach den Verdiensten der begüterten Damen fragte, zuckten allerdings die Schulter: "Gehen Sie ins Archiv." — Die College-Bibliothek trägt den Namen eines berühmten Spenders aus Kalifornien mit Namen Mudd. Ein anderes Haus ist nach einer Miss Harkness benannt. Möglicherweise nicht im Sinn der edlen Spenderin ist unter dem Hausnamen weit hin sichtbar die Inschrift angebracht: Nuclear weapons free house!

6.

Seit der ersten Sprechstunde lerne ich Amerikanisch nach einer von uns gemeinsam ausgeklügelten Methode. Bob erzählt mir etwas aufs Tonband. Ich schreibe es ab. Gemeinsam korrigieren wir den Text nach Hör- und Schreibfehlern und ich kann dann versuchen, mit dem Klang des Textes vom Tonband in den Ohren, die Sätze einigermaßen ordentlich sprechen zu lernen. Das ist insofern nötig, da ich zwei meiner Vorträge in der Landessprache halten soll. Zuerst hatte sich Bob dafür zur Verfügung gestellt, dann John, Anja und Scott. Scott ist ein Riesenkerl mit Irokesenschnitt, der neben Deutsch zu lernen noch zum Ballettunterricht im Warner Centre geht. Er läuft mit einem alten Militärmantel herum. Ich muß ihn mal fragen, wieso?

Die Studenten hier arbeiten wie verrückt. Schließlich ist das Privileg, hier studieren zu dürfen, nicht umsonst zu haben. Wer das Studium in 4 Jahren abschließen will, muß 112 Credits aufweisen, Zwischenzeugnisse. Die Eltern haben für jeden Credit 400 Dollar zu zahlen, hinzu kommen die Kosten für Unterkunft und Verpflegung. Also ist mit insgesamt 60.000 Dollar in 4 Jahren zu rechnen. Weil die Schule hier so teuer ist, arbeiten die Studenten unmäßig viel. Die meisten haben neben ihrem Unterricht noch einen Job nebenbei, um den Eltern nicht allzu sehr auf der Tasche zu liegen.

Volles Schulgeld zahlt etwa die Hälfte der Studierenden. Außerdem gibt es ein kompliziert gestaffeltes System von Darlehen, die aus Washington D.C. gewährt werden, vom Bundesstaat und/oder von der Gemeinde. John zum Beispiel, dessen Vater Assistant Professor für Französisch ist und dementsprechend wenig verdient, braucht nur die Hälfte zu zahlen. Außerdem arbeitet er als Studenten-Manager im Kade-Haus wo er für seine Kommilitonen das Essen zu organisieren hat, wofür ihm bei zwei Stunden am Tag und vier Tagen in der Woche 1000 Dollar im Jahr angerechnet werden. Andere Studenten verdingen sich als Kellner im Campus, als Besorger und Reiniger. Damit es nicht zum Mißbrauch der Darlehen kommt, müssen die Eltern für ihren Nachwuchs vom Finanzamt bestätigte Einkommenserklärungen abgeben. So streng sind hier die Bräuche.

7.
Eben noch rasch ein Telefonat. "Hallo, Professor, here is the new Writer-in-Residence." — "O, ja, ich erinnere mich." — Verdammt, er soll mit mir amerikanisch reden! — "Yesterday you had your memorial speech. . . ." Gestern nämlich hatte er die Gedenkrede zu Ehren eines verstorbenen Kollegen gehalten, kurz, aber von schallendem Gelächter des Auditoriums begleitet. Es war die verblüffendste Gedenkrede, die ich je gehört hatte. Anstatt zur "Ehre seinem Angedenken" zu sprechen, hatte er den überaus beliebten Professor mit Anekdoten ins Gedächtnis gerufen. Lachen zu Ehren des Verstorbenen. Ob ich das Manuskript haben könnte? — Ein Manuskript existiere nicht, aber er werde seiner Sekretärin die Grundzüge seiner kleinen Rede diktieren. Woher solle ich sie holen? — Er nannte mir Haus und Zimmernummer. — "Ok, see you later, alligator." — Na, bitte, es geht doch. — "See you in a while, crocodile," antworte ich gut gelaunt.

In meiner Zeit in Oberlin habe ich auch ein Fund-raising miterlebt: Jedes Jahr zweimal werden die wohlhabend gewordenen Absolventen des Colleges in einer tagelangen Aktion telefonisch bestürmt, Geld zu spenden. Professoren und Studenten waren wie ausgewechselt: Es wurde gesäuselt und geschrieen, gelockt und geschimpft, gebettelt und befohlen, gelacht und geheult, überredet und geschmeichelt. Die eifrigsten walteten mit rot angelaufenen Köpfen ihres Amtes und ich wunderte mich, daß alle durchhielten und daß keiner unter der Gewissenslast zusammengebrochen ist. Den Alumnies mit den weitesten Spendierhosen werden dann Gedenktafeln errichtet, Wandelgänge erhalten ihren Namen, Seminare werden nach ihnen benannt und den größten Wohltätern werden Gebäude und Anlagen gewidmet.

Nun sitze ich im Bus nach Cleveland. Mit Verhaltensregeln für die Hauptstadt des Landes[2] wohl versehen, schau ich aus dem Fenster über das platte schneebedeckte Land.

(1985)[3]

Und heute?

Stipendiat in Oberlin war ich mit 56 Jahren, heute bin ich 74. Eine Brille, wie damals in Oberlin, brauche ich heute nicht zu tragen, denn nachdem mir zwei künstliche Linsen eingesetzt wurden, habe ich wieder 100%ige Sehkraft. 4 Bypässe wurden mir zwischen Weihnachten und Neujahr 1996 gelegt. Ich bin aber längst wieder hergestellt und unternehme seit zwei Jahren jede Woche fünf- bis sechsstündige Wanderungen über Berg und Tal, muß aber lebenslang steuernde Medikamente einnehmen.

Der Untergang der DDR stand nicht in meinem Lebensplan. Hätte ich 1981 voraussehen können, daß die Mauer 8 Jahre später fallen würde und die DDR als Staat nur noch 10 Jahre vor sich hätte, wäre ich nicht ausgewandert. 1981 aber stand die DDR auf ihrem existenziellen Höhepunkt, der auch in den darauffolgenden Jahren nicht nachließ. Staatsmänner aus aller Welt, auch aus den USA, gaben sich beim Besuch des DDR-Staatsratsvorsitzenden die Klinke gegenseitig in die Hand.

Noch 1985, als ich von Oberlin aus nach Toronto zu einem Vortrag eingeladen war, wurde ich nach kurzer Überlegung in vorauseilendem

---

[2] Cleveland ist die nächste große Stadt; die Hauptstadt des Staates Ohio ist Columbus.

[3] Karl-Heinz Jakobs irrt sich in der Jahreszahl. Er war 1986 in Oberlin. Auch seinen Text "Lob der Zensur" datiert er auf das Jahr 1985.

Gehorsam wieder ausgeladen, weil zur gleichen Zeit eine DDR-Literatur-Delegation erwartet wurde und man die Freunde aus der DDR nicht mit der Anwesenheit eines Gegners verprellen wollte. Mit Professoren und Studenten haben wir das Thema damals ausgiebig diskutiert. Protestschreiben wurden nach Toronto geschickt.

Von Oberlin aus nahm ich mehrere Gastreferate in Chicago, Lexington, Urbana und anderen Universitäten und Colleges an, und die Kontakte blieben auch die nächsten beiden Jahre erhalten. Von dem Oberlin-Stipendium ausgehend habe ich mit Hilfe von Einladungen und auf eigene Kosten umfangreiche Reisen, einige mit meiner Ehefrau, von Washington bis Kalifornien, Arizona und New Mexico unternommen, von Nevada und Utah bis Arkansas, Tennessee und Mississippi, von Alabama, Georgia und Florida bis South und North Carolina. In Reportagen habe ich darüber berichtet.

Leider war das Interesse in der BRD-Öffentlichkeit nicht so sehr auf die USA gerichtet, weil darüber schon alles bekannt war und ich nur dann zum Zuge kam, wenn ich etwas Neues vom DDR-Standpunkt hinzufügen konnte. Ich aber wollte nicht mehr "etwas Neues vom DDR-Standpunkt hinzufügen," weil ich fertig war mit dem Land. Damals war die DDR, wie es schien, auf allen Gebieten der Wirtschaft und Kultur weltweit geachtet und mir klangen die Ohren von fernen, übermütigen Kommentaren und Statements der Funktionäre und Befürworter.

Meine Stasi-Akte, in der ich unter dem Opfernamen "Besserwisser" geführt wurde, ist 12 Bände dick mit insgesamt etwa 6.000 Blatt. Drei Bände davon sind abgehörte Telefonate. In den anderen Bänden werden minutiöse Spitzelberichte dokumentiert. Hinzu kommen raffinierte oder dümmliche psychologische Einschätzungen, Beschimpfungen und Denunziationen. Wolf Biermann sagte dazu: Die Stasi war mein Eckermann.

(2003)

Jakobs' Abschiedsrede in Oberlin am 19. April 1986
Lob der Zensur

Mit Erstaunen hat die Kritik in der Bundesrepublik vermerkt, daß in der DDR mit einemmal phantastische Geschichten von hoher Qualität entstanden waren. Man hat sogar eine Jahreszahl angegeben, die den Beginn einer überraschenden Entwicklung ausdrücke: 1975. 1975 nämlich war ein Buch herausgekommen, das diese neue Qualität sinnfällig nachwies. "Blitz aus heiterm Himmel" hieß der Band, der in der

internen Literaturgeschichte der DDR als ein sehr wichtiges Werk gilt.[4]
Sieben Autoren hatten Erzählungen zu einem Thema geschrieben, das
ihnen die Herausgeberin Edith Anderson, eine in der DDR lebende
Amerikanerin, gestellt hatte: Sie sind ein Mann, haben ihr Leben lang,
eingesperrt in Ihrer Haut, die Erfahrungen eines Mannes
durchgemacht. Was, glauben Sie, würde sich an Ihrem Da-Sein ändern,
wenn Sie eines Tages feststellten, Sie seien eine Frau geworden. So
waren die männlichen Dichter angesprochen worden. Den weiblichen
Dichtern wurde die Frage andersrum gestellt: Was wäre, wenn Sie feststellten, Sie seien zu einem Mann geworden? Versetzen Sie sich in die
Situation des anderen Geschlechts.

Edith Anderson hatte eine Initiative ergriffen, zu der sich kein
anderer von uns für befähigt hielt. Als 1961 die Mauer in Berlin gebaut
wurde, da hat manch einer meiner Generation gesagt: Bisher habt ihr
dafür gesorgt, daß nichts im Lande veröffentlicht wird, das dem
Klassenfeind Material gegen uns in die Hand geben könnte. Jetzt sind
wir unter uns. Jetzt wollen wir unbeeinflußt alles schreiben, das uns auf
den Nägeln brennt. Aber da schlug 1965 auf dem berüchtigten 11.
Plenum die Partei endgültig zu. Damals wurde sozusagen alles verboten. Unter den Schriftstellern herrschte Selbstmordstimmung. [5]

---

[4] Der Band *Blitz aus heiterm Himmel*, herausgegeben von Edith Anderson,
erschien 1975 beim Rostocker Hinstorff-Verlag. Er enthielt acht Erzählungen
(nicht wie hier angegeben sieben) von vier männlichen und vier weiblichen
Autoren zum Thema "Geschlechtertausch," unter ihnen Christa Wolf, Sarah
Kirsch und Günther de Bruyn. Irmtraud Morgners Erzählung *Die gute
Botschaft der Valeska* wurde nicht aufgenommen. Christa Wolfs Text
Selbstversuch ist bereits 1973 in der Zeitschrift *Sinn und Form* und 1974 in
ihrem Erzählungsband *Unter den Linden* im Aufbau-Verlag erschienen.

Die Titelerzählung *Blitz aus heiterm Himmel* von Sarah Kirsch wurde in
ihrem Band *Die Pantherfrau* ebenfalls schon 1973 beim Aufbau-Verlag veröffentlicht.

Irmtraud Morgner hat ihre Geschichte, die in dem Band nicht erscheinen
durfte, in ihren Roman *Leben und Abenteuer der Trobadora Beatrix nach
Zeugnissen ihrer Spielfrau Laura* (1974) mit einmontiert.

(Unter dem Titel *Geschlechtertausch — Drei Geschichten über die
Umwandlung der Verhältnisse* erschien 1980 beim Luchterhand-Verlag ein
Band mit den Erzählungen von Christa Wolf, Sarah Kirsch und Irmtraud
Morgner.)

Jahre danach, als tröpfchenweise zuerst, später mehr und mehr Werke erscheinen durften, fiel Edith Andersons Vorschlag zu ihrer Anthologie mit dem Thema "Geschlechtertausch" auf fruchtbaren Boden. Eine Flut von Büchern dieser Art erschien in den darauffolgenden Jahren.

Angeregt von diesem Buch und es opulent ergänzend, entstanden Anthologien mit phantastischen, skurrilen oder absurden Geschichten und Gedichten, herausgegeben von Lektoren, die bisher kaum besonders hervorgetreten waren. Unzufrieden mit sich und ihrer Arbeit wie auch mit dem Stand der Literatur im Lande hatten sie nach einem Betätigungsfeld gesucht und es hier gefunden. Sie machten es der Edith Anderson nach und stellten ihrerseits den Schriftstellern Themen: Stellen Sie sich vor, Sie besäßen eine Tarnkappe. Schreiben Sie uns doch bitte ein neues deutsches Märchen. Schreiben sie uns eine Gute-Nacht-Geschichte. Was fällt Ihnen ein zum Thema Telefon? Sportgedichte wurden mit einemmal verlangt. Aber es war schon klar, daß die Dichter keine Gedichte einsenden würden, in denen sie den Sport bejubelten. Dafür waren die Zeitungen da, die die DDR-Sportler als die besten der Welt, die sie auch wirklich waren, gebührend feierten. Es war klar, daß die Dichter sich ironisch mit dem Sport auseinandersetzen würden. So war dann auch eins der besten Gedichte dieser Sammlung das von Adolf Endler, der die Sportart beschrieb, der er selbst huldigte: Sich-den-Berg-hinunterkullern-lassen. In dem Gedicht beschrieb er sich selbst als einen kleinen dicken Mann mit langen Haaren und verfilztem Bart, wie er den Berg hinunterkullert, wobei seine Haare in den Disteln hängen bleiben und so weiter und so fort. Sauf- und Freßgedichte wurden mit einemmal verlangt, absurde Geschichten, phantastische Reisen, phantastische Kindheiten. Die Schriftsteller stürzten sich mit Feuereifer in diese neuen Themenwelten. Nicht alle. Es stellte sich bald heraus, daß eine ganz bestimmte Sorte von Schriftstellern sich derart animieren ließ, deren Namen dann auch andauernd in immer neuen thematischen Anthologien auftauchten.

Hartgesottene Realisten gaben Sammelbände heraus mit phantastischen, skurrilen oder absurden Geschichten und begannen, sich im Unerklärlichen zu tummeln. Die Öffentlichkeit in der Bundesrepublik konnte sich dieses Phänomen nur erklären als Flucht aus der Wirklichkeit. Viel interessanter aber als diese Feststellung wäre das Nachdenken darüber, wie es zu dieser überraschenden neuen Thematik gekommen ist, denn der eigentliche und ursprüngliche Anlaß dazu war das Vorhandensein der Zensur. Alle Welt zieht heutzutage über die Zensur her. Ich will sie heute mal loben. Ohne Zensur sähe die

Literatur der DDR ganz anders aus. Aber was ist denn das eigentlich, das alle Welt Zensur nennt, die es offiziell in der DDR nicht gibt und die dennoch vorhanden ist und bedeutend effektivere Ergebnisse aufweisen kann, als alles andere, das in Vergangenheit und Gegenwart sich so genannt hat oder so gescholten wird? In alten Zeiten saß der Zensor in seinem Büro und da er nichts zu verbergen hatte, war außen an seiner Tür groß und breit rangeschrieben: Zensor. Wenn dann der Verleger oder der Autor mit seinem Buch kam, nahm er seinen Rotstift und strich selbstherrlich alles, was seiner Meinung nach Sitten und Vaterlandsliebe verletzte. Schriftsteller und Verleger, die dagegen rebellierten, druckten dann das Werk so, daß die gestrichenen Stellen leer blieben. Das war für den Leser das Zeichen: Hier hatte die Zensur zugeschlagen. Im Kampf der Macht gegen den Geist hatte die Macht zwar gesiegt, der Geist aber hatte in seiner Niederlage den moralischen und historischen Sieg davongetragen.

Die Zensur in der DDR arbeitet so nicht. Sie ist subtiler und wirkungsvoller. Unter der Zensur alten Stils blieb die Seele des Dichters intakt. Das System der Zensur in den Ländern des realen Sozialismus dagegen ist imstande, die Persönlichkeit des Dichters zu spalten. Nicht daß er sich beugte wäre dabei das Problem, sondern: indem er, vom System ununterbrochen provoziert, sein Werk mit Informationen füllt, die eigentlich dort gar nicht hineingehören, verfälscht der Prosadichter den Erzählanlaß, trübt der lyrische Dichter seinen poetischen Einfall. Anders gesehen aber erhält manches Werk durch den Einfluß der Zensur eine Schärfe, die ursprünglich vielleicht gar nicht beabsichtigt gewesen war. Die Spaltung der Persönlichkeit des Dichters liegt darin, daß er nicht mehr unbekümmert schafft, sondern den ersten Zensor seines Werkes vor Augen hat, nämlich sich selbst. Mit seinem ersten Zensor, mit sich selbst, liegt der Dichter in einem unaufhörlichen Dialog. Dieser, sein erster Zensor, rät ihm zur Mäßigung oder zur Unversöhnlichkeit. Ein Dichter beispielsweise, der schriebe: Die Partei ist ein Scheißhaufen, in den ich hineingetreten bin, was tatsächlich ein Dichter einmal geschrieben hatte, leidet in besonderem Maße unter dieser Spaltung seiner Persönlichkeit, denn bei wachem Verstand hätte er diesen Satz nicht geschrieben, da er unwesentlich ist, ein Bonmot eigentlich nur, das sich darin spreizt, Dichtung zu sein. Der erste Zensor seines Werkes ist also auf ganz merkwürdige Weise der Dichter selbst. Der zweite Zensor ist der Lektor und das ist eine noch heiklere Sache. Lektor und Autor sind auf eine überaus schöpferische Weise miteinander verbunden. Der Autor muß von seinem Lektor sagen können: Er ist der Mann meines Vertrauens und der Lektor muß in dem Autor den Mann seiner Erwartung sehen können.

Andererseits aber ist der Lektor der Abteilung im Ministerium
für Kultur gegenüber verantwortlich, die das Papier verteilt. Er ist
verantwortlich dafür, daß der wertvolle Rohstoff Papier nicht an
unwürdige, künstlerisch und politisch bedeutungslose Machwerke ver-
schleudert wird. Dafür ist er ausgebildet. Dafür wird er bezahlt. Wenn
man Anfänger ist, nicht nur als Dichter, sondern auch als Lektor,
kommt einem diese Welt feindlich vor. Man weiß sich nicht zu verhalten. Man hat eigentlich nicht Angst vor der Macht. Man hat vor allem
Angst, als Dichter oder als Lektor beruflich zu versagen. Nachdem
Dichter und Lektor ihr erstes gegenseitiges Mißtrauen überwunden
haben und nachdem ihnen klargeworden ist, daß der andere nicht der
Gegner sondern der Partner ist, daß sie beide in ähnlicher Weise Opfer
der Macht sind, haben sie sich verständigt und haben begonnen, sich
aus den Verstrickungen mit der Macht zu lösen. So sind im Laufe der
Jahre tiefe und dauerhafte Freundschaften entstanden. Der erste
Versuch von Lektoren und Dichtern, gemeinsam etwas auf die Beine
zu stellen, was sie dann auch gemeinsam gegen die Abteilung im
Kulturministerium verteidigen wollten, die das Papier verteilt, war
eben die vorhin genannte Anthologie "Blitz aus heiterm Himmel," das
entscheidende Jahr dafür war aber nicht wie vorhin erwähnt 1975, sondern 1970, denn es dauerte fünf Jahre eines erbitterten Kampfes mit
der Papierverwaltung, bis es endlich gelang, dieses Buch herauszubringen. Im Jahre 1970 nämlich hatten 15 Schriftsteller und
Schriftstellerinnen von Edith Anderson den Brief mit der Aufforderung
bekommen, sich vorzustellen: Was wäre, wenn Sie dem anderen
Geschlecht angehörten? Einer der derart aufgeforderten Schriftsteller
schrieb zurück, daß er genug damit zu tun habe die wirkliche
Wirklichkeit zu erforschen, er habe einfach keine Zeit, sich auf literarische Spielereien einzulassen. Ein anderer schrieb ironisch zurück, er
sehe wohl ein, daß dieses Thema von allen das allerbrennendste sei,
fürchte aber, die Papierverwaltung werde das möglicherweise nicht
ebenso positiv sehn. Ein alter und sehr mächtiger Schriftsteller schrieb
zurück: Er hoffe, die Papierverwaltung werde für ein solches
Schmuddelerzeugnis kein Papier bereitstellen, mehr noch: ja, er werde
alles tun, damit nicht etwa doch noch Papier auf betrügerische Art etwa
abgezweigt werde. Damit waren die Fronten klar. Acht Schriftsteller
blieben am Ende übrig: Günter de Bruyn, Christa Wolf, Gotthold
Gloger, Rolf Schneider, Sarah Kirsch, Irmtraut Morgner, Edith
Anderson und ich. Für den einleitenden Essay zu dieser waghalsigen
Anthologie war die Germanistin Annemarie Auer gewonnen worden,
die zwar zu den Haupteinpeitscherinnen des sozialistischen Realismus
gehörte, sich gelegentlich aber einsichtig zeigte. Sie interpretierte das

Thema dann auch recht geschickt als notwendige gesellschaftliche
Auseinandersetzung über die immer noch nicht vollzogene
Gleichberechtigung der Geschlechter. Ich war damals mit Sarah Kirsch
und Irmtraut Morgner recht eng befreundet, kannte also deren
Absichten, und um eine größere Vielfalt in der Behandlung des
Themas in den Band zu bringen, faßte ich es ganz anders an. Ich nann-
te meine Geschichte QUEDLINBURG und beschrieb in ihr einen Tag
im 20. Jahr nach der Gründung einer matriarchalischen Republik.

Edith Anderson war eine amerikanische Kommunistin, die ihrem
Mann, einem deutschen Kommunisten, der vor den Nazis in die USA
emigriert war, in die DDR gefolgt war und hier über die Zustände
todunglücklich war. Sie hatte bei dem Plan, ein solches Buch herauszubringen, keine Provokation im Sinne. Es wurde aber von der
Papierverwaltung als eine solche angesehen. Aber auch die Berater des
Mannes, der im Ministerium für Kultur das Papier verwaltete, waren
sich uneins. Auch unter ihnen gab es Leute, die mit dem Zustand der
Literatur in Lande nicht einverstanden waren und sagten: Lassen wir
doch erst mal die Leute ihre Geschichten schreiben, vielleicht werden
die gar nicht so schlimm, verbieten können wir sie hinterher immer
noch. Schon mancher Kulturfunktionär, der so vorgegangen war,
hatte den Hut nehmen müssen, als sich seine Hoffnung als trügerisch
erwiesen hatte, man werde das so entstandene Werk irgendwie herausbringen können. Fünf Jahre dauerte das erbitterte Ringen um das
Buch. Und als das Buch herauskam, lebten wir in einer völlig verän-
derten Welt. Der Kampf um das Buch hatte eine neue kulturpolitische
Wirklichkeit geschaffen. — Ich bedaure sehr, daß noch kein Germanist
auf die Idee gekommen ist, die Historie dieses Werkes zu erforschen.
An ihm läßt sich vieles erklären. Die Konflikte dieses Buches mit der
Zensur haben bei vielen Dichtern meiner Generation zum Umdenken
und zum Betreten neuer Wege geführt. Insbesondere die Irmtraut
Morgner von heute ist ohne das 5-jährige Ringen um das Buch
undenkbar. Vorher hatte sie zwei sozialistisch realistische Werke
geschrieben. Als *Blitz aus heiterm Himmel* herauskam, lag ihr erstes
Werk ihrer neuen Arbeitsphase vor.[5] Wie ein Blitz aus heiterm Himmel

---

[5] Editors' note: Man kann hier anmerken, dass Irmtraud Morgners "neue
Arbeitsphase" schon wesentlich eher begonnen hat. Ihr Roman *Rumba auf
einen Herbst* ist bereits in die Mühlen des 11. Plenums 1965 geraten und
durfte nicht gedruckt werden, was auf Morgner prägenden Eindruck hinter-
ließ. Auch von diesem Roman hat sie wesentliche Stücke — an der Zensur
vorbei — in den *Beatrix*-Roman eingebaut.

hatte sie die Erleuchtung getroffen, daß sie in der falschen Richtung
lief. Sie machte kehrt und lief in der entgegengesetzten Richtung ins
Ziel. Um ihre Geschichte für die Anthologie kam es damals zum
ersten Aufstand der Schriftsteller meiner Generation gegen die
Papierverwaltung. Denn nach langem Hin und Her hieß es eines
Tages: Gut, die Anthologie könne erscheinen, aber nur, wenn
Irmtraut Morgner ihre Geschichte zurückziehe. Im ersten Zorn
darüber wollten wir alle unsere Geschichten zurückziehen. Aber auf
der entscheidenden Sitzung in der Wohnung von Edith Anderson gab
Irmtraut Morgner bekannt, sie ziehe die Geschichte freiwillig zurück,
sei auch gar nicht schade darum, denn sie habe sie längst in ihren
neuen Roman eingebaut, der ohnehin in Kürze erscheine. Bei der
Gelegenheit stellte sich heraus, daß auch Christa Wolf, Sarah Kirsch
und ich gleichfalls die Absicht hatten, die für Edith Anderson
geschriebenen Geschichten in umfangreichere Werke einzubauen,
Sarah Kirsch in den Band *Die Panterfrau*, Christa Wolf in den Band
Unter den Linden und ich in den Band phantastischer Geschichten
Fata Morgana. So kam es, daß wir drei die arme Edith Anderson
bitten mußten, auf ihr Erstveröffentlichungsrecht zu verzichten.
Es gab Tränen, aber am Ende sah Edith Anderson unsere insgesamt
beschissene Situation ein. Ja, es war so, daß, wenn wir unsere
Geschichten vorher etwa in eigenen Büchern herausbringen könnten,
es auch die Initiatorin des provokatorischen Buches *Blitz aus heiterm
Himmel* leichter haben würde, das Werk endlich zu veröffentlichen.
Merkwürdigerweise hatte Irmtraut Morgner mit ihrer kleinen
Erzählung, eingebettet in den Roman, gar keine Schwierigkeiten.
Denn im Gegensatz zur Zensur alten Stils, die nimmer müde wird, hat
die Zensur in den Ländern des realen Sozialismus öfter mit
Ermüdungserscheinungen zu kämpfen. Genau genommen ist es so,
daß jedes Werk einmal die Chance hat, gedruckt zu werden. Der
Schriftsteller muß nur die Geduld aufbringen, zwei Jahre, fünf Jahre,
zehn Jahre auf den günstigen Moment zu warten, da die Zensur
einmal vor Übermüdung für Sekunden die Augen schließt.
Diese Geduld aber haben nur wenige. Ich habe nur ein Jahr gewartet
auf die Druckgenehmigung für mein Buch *Eine Pyramide für mich*.
Dann schrieb ich an den Mann, der noch höher steht als die
Papierverwaltung: Geehrter Soundso, mein Verlag betont jetzt seit
einem Jahr, daß er gar keine Möglichkeit sehe, meinen Roman
herauszubringen. Was soll ich nun tun?

Ich könnte den Roman zu meinem Lebenswerk erklären und bis
ans Ende meiner Tage an ihm arbeiten und feilen bis jedes Wort eitel
Gold geworden ist. Oder ich könnte aus dem Manuskript

Einlegesohlen schneiden, die es in der DDR auch nicht zu kaufen gibt. Daraufhin wurden der Verlagschef, der Cheflektor und ich ins Büro des Herrn bestellt, der unverblümt erklärte, ja, er habe das Manuskript gelesen. Es sei von einer solchen Qualität, daß er den unverzüglichen Druck empfehle. Alle waren baff. Alle hatten mit einem Donnerwetter gerechnet aber nicht damit. Als wir dann schon auf dem Weg hinaus waren, rief er mich noch mal zurück. An mich persönlich habe er nur eine kleine Bitte. Ein einziger Satz sei ihm aufgefallen, den er bitte zu streichen. Er nannte mir den Satz. Es waren genau fünf Wörter, die er für absolut unpassend hielt. Werde die Druckgenehmigung davon abhängig gemacht, ob ich diese fünf Wörter streiche oder nicht, fragte ich zurück. Nein, nein, um Gottes Willen, ich solle doch bloß so was nicht denken, er bitte mich nur sehr ernst um einen Gefallen, den ich ihm dann auch tat. Es war mein achtes Buch und ich hatte inzwischen gelernt mit der Zensur umzugehen. Schon seit langem waren junge Künstler auf den Gedanken gekommen, vorsätzlich Reizpartikel in ihre Werke einzubauen und dann in der Diskussion bis zu gespielten Nervenzusammenbrüchen zu streiten. Bis die Zensur müde geworden war und nach ihrem vermeintlichen Sieg über den Künstler keine Kraft mehr zu weiterer Diskussionen fand. So manches Buch hat mit diesem Trick erscheinen können, so mancher Film, so manches Werk der Bildenden Kunst. Der Herr dort hatte genau die fünf Wörter heraus-gefunden, um die ich hatte streiten wollen. Als ich die Lage derart vereinfacht fand, strich ich wortlos diese fünf Wörter ohne Bedauern. Später bekam ich für das Buch den Heinrich-Mann-Preis. Der Schriftsteller in den Ländern des realen Sozialismus ist vor allen anderen Menschen hervorgehoben, denn ihm sind besondere Aufgaben übertragen worden. Hält er sich an die ihm übertragenen Aufgaben und erfüllt er sie gar, ohne sie anzuzweifeln, so wird er nichts befürchten und vermissen. Seine Werke werden in hohen Auflagen gedruckt. Ohne daß er sich jemals wieder um sein dichterisches Werk bemühen müßte, werden ihm Jahr für Jahr neue Orden und Titel ver-liehen. Im Feuilletonteil der Zeitungen werden ihm herzhafte patrio-tische Aussprüche zugeschrieben. Zum 60. Geburtstag erhält er die Ehrendoktorwürde, zum 70. wird eine Schule oder eine Kaserne nach ihm benannt. Bedrängte Bürger wenden sich in Bittschriften an ihn, dessen Bild jedermann aus der Zeitung kennt. Schulkinder bekommen schulfrei, wenn sie ihn besuchen wollen. Sie stellen sich in seinem Garten in Reih und Glied auf, singen patriotische Lieder und nachdem er sie in würdevollen Worten belehrt hat, ruft er ihnen zum Abschied freundlich ein ermunterndes: "Seid bereit!" zu, die Kinder legen die Hand über den Scheitel und antworten laut und deutlich im Chor:

"Immer bereit!" Wenn er stirbt, so wird sein Sarg auf einer fahnengeschmückten Lafette zum Ehrenfriedhof gefahren, das Stabsmusikkorps intoniert: "Unsterbliche Opfer, Ihr sanket dahin" und die Ehrenkompanie der Nationalen Streitkräfte feuert so viele Salven über seinem Grab ab, wie es seiner gesellschaftlichen Stellung gemäß ist. Ja, es ist sogar vorgekommen, daß eine Stadt halbmast flaggte, als ihr Dichter starb. "Was hat er eigentlich geschrieben," fragten sich seine Freunde und Kampfgefährten im Trauerzug. Doch so sehr sie sich auch bemühten, es herauszufinden, es wollte ihnen nicht einfallen. Entweder hatten sie es nie gewußt oder sie hatten es vergessen. "Er wird schon was geschrieben haben," rief drohend der Parteisekretär angesichts der betretenen Gesichter seiner Genossen, die sich gleich bemühten, ihre zeitweiligen Zweifel zu unterdrücken.

Ich könnte die Stadt nennen und den Namen des Dichters, der solcherart geehrt wurde. Er war ein Mann in meinem Alter und starb vor 10 Jahren. Wozu aber den Namen einer unschuldigen Stadt hier in Amerika ins Gerede bringen und den Namen eines Dichters, der schon zu Lebzeiten eine Leiche war. Nirgendwo in der Welt erfährt der Schriftsteller eine solche gesellschaftliche Wertschätzung wie in den Ländern des realen Sozialismus, wenn er die ihm übertragenen Aufgaben erfüllt. Erfüllt er sie aber nicht, entweder weil er es nicht will oder weil er es nicht kann, und bleibt er dabei, läßt er sich weder belehren noch umstimmen, so geht es ihm sehr, sehr dreckig. Gesellschaftliche Hochachtung, und zwar über jedes vernünftige Maß hinaus, und gesellschaftliche Verachtung, und auch diese von keiner Vernunft mehr gesteuert, sind die beiden Pole sozialistischer Kulturpolitik, zwischen denen der Schriftsteller hin und her geschleudert und nicht selten zermalmt wird. Getätschelt zu werden und geohrfeigt, bejubelt und besudelt zu werden, in die höchsten Himmel erhoben und in die schrecklichsten Höhen verdammt zu werden, das ist das tagtägliche Schicksal des Dichters in Ländern des realen Sozialismus. Nirgendwo in der Welt geschieht es, daß Schriftsteller von Spitzenpolitikern des Landes in öffentlichen Reden genannt werden, die einen als leuchtende, die andern als verächtliche Beispiele. Morgens, wenn dem Dichter die Zeitung auf den Tisch kommt mit der Rede des Spitzenpolitikers zu kulturellen Fragen der Gegenwart, überfliegt er mit zitterndem Finger die Spalten: Hoffentlich wird mein Name nicht genannt! Denn das beste ist, nicht genannt zu werden. Das beste ist, die Kulturpolitik übergeht einen. Denn wird der eigene Name lobend erwähnt, so muß man um seinen guten Ruf fürchten. Die Kollegen tuscheln hinter einem her, als hätte man eine Schweinerei begangen. Man traut sich gar nicht, ihnen ins Gesicht zu sehen. Man läuft mit verlegenem Gesicht umher, nimmt bei Gelegenheit seine besten Freunde beiseite: Ich weiß auch nicht, weshalb die mich genannt haben. Du kennst mich doch; ich bin ja gar nicht so. Wird der eigene Name aber verächtlich genannt, ist es noch schlimmer. Dann kann es passieren, daß sich sogar gute Freunde zurückziehen von einem, um nicht in den Sog des Untergangs zu geraten und von der Gewalt der Kulturpolitik verschlungen zu werden. Die zerstörerische Bosheit einer solchen öffentlichen Brandmarkung eines Dichters will ich an einem Zitat erläutern. Über ein Theaterstück und seinen Autor wurde folgendermaßen geurteilt: "Pornografie ist nichts gegen die rüpelhafte Obszönität, die Tag für Tag in der Volksbühne über die Rampe geht. Wir dürfen nicht zulassen, daß wir auf unserem Weg zum Sozialismus aufgehalten werden von einer Handvoll verwirrter Spinner. Damit muß endlich Schluß sein. Wir können doch nicht jedes Jahr über dieselben Dummheiten einiger verbohrter Schreiberlinge diskutieren." Andererseits wurde einem Dichter in veröffentlichter Rede von der Tribune eines Parteitages mit den Worten gehuldigt: "Die Klarheit seiner Verse, ihre volksliedhafte Innigkeit, ihr Gedankenreichtum und ihre packende Bildhaftigkeit gehören zum Schönsten, das je in deutscher Sprache geschrieben wurde." Schriftsteller sind als Giftmischer bezeichnet worden, als Unrat, als Volksschädlinge. Eine Dichterin, die auf einer öffentlichen Veranstaltung ein Gedicht gelesen hatte, das in der Zeitung als Verrat an der Sache der Arbeiterklasse bezeichnet worden war, übte sofort Selbstkritik: "Für unser Volk zu schreiben, für unseren Staat, ist für mich eine Selbstverständlichkeit. Leider habe ich mein Gedicht zu allgemein angelegt und unexakte Metaphern verwendet, so daß es falsch ausgelegt werden konnte. Also ist das Gedicht nicht gut und ich werde es nicht veröffentlichen. Die Kritik erkenne ich voll und ganz an und ich danke für das in mich gesetzte Vertrauen."

Hier an meinem Schreibtisch in Amerika weit entfernt von sozialistischen Problemen frage ich mich: Wie ist es dazu gekommen? Was steckt dahinter? Wozu diese unvernünftige Maßlosigkeit? Wozu diese Hinrichtungswut auf der einen Seite, wozu die Lobhudelei auf der andern Seite? Hier in Amerika und fern aller Selbsttäuschungen kann ich ohne Zorn und ohne Selbstmitleid über das nachdenken, das sich sozialistische Kulturpolitik nennt. Nach marxistischen Kriterien ist der Mensch das Produkt seiner Erziehung und seiner Umgebung. Erziehung und Umgebung haben den Menschen in der bürgerlich kapitalistischen Welt zu dem Wesen gemacht, das er heute ist: von Eigennutz geprägt und von Aggressionen, verwildert in der Wolfsgesellschaft und im erbarmungslosen Kampf des einen gegen den andern. In den Ländern des realen Sozialismus dagegen ist die Ausbeutung des Menschen durch den Menschen abgeschafft und der

Mensch kann wieder zu dem sozialen und solidarischen Wesen werden, das er ursprünglich in der klassenlosen Gesellschaft war. Den Bürgern diese Lehre ins Bewußtsein zu rücken ist die Aufgabe der Schriftsteller. Der Marxist sagt, Kunst ist nicht dazu da, die Seele des Individuums aufzusuchen und ihren vielfältigsten Regungen nach zu gehn, sondern die Aufgabe der Kunst ist es, ins Tagesgeschehen einzugreifen, sie soll parteilich sein und als Waffe im Kampf gegen den politischen Gegner benutzt werden können.

Darüber hinaus ist dem Schriftsteller noch die Aufgabe übertragen worden, Erzieher des Volkes zu sein. Dafür aber wären folgende Voraussetzungen nötig: Das Ziel der Gesellschaft müßte übereinstimmen mit dem Ziel des Dichters. Der Dichter wäre im Besitze gesellschaftlicher Wahrheiten und weiß daher, was für das Volk am besten ist. Der Dichter steht über den aktuellen Geschehnissen. In einer unansehnlichen Umwelt wäre der Dichter die Person, die dem Volk Hoffnung gibt. Er wäre damit in die Rolle des Priesters oder Seelsorgers gerückt. Da der Dichter das Ziel der Gesellschaft bejaht und das Volk im Sinne der Gesellschaft erzieht, hat er im Weigerungsfalle auch die Mittel, sein Erziehungsziel anders als mit künstlerischen Mitteln durchzusetzen. Das bekannteste Mittel wäre die öffentliche Denunziation, aber auch die schlichte Verschleierung, die Lüge, die Verächtlichmachung anders Denkender gehören zu den Mitteln, mit denen parteitreue Dichter das Volk erziehen. Mit der erzieherischen Aufgabe des Schriftstellers könnte man sich unter Umständen abfinden. Denn man kann sie auch anders herum auffassen: Erziehung zum Widerstand. Erziehung dazu, die gegebenen Verhältnisse nicht als unabänderlich hinzunehmen. Erziehung zu selbstständigem Denken. Eine große Zahl von Schriftstellern in den Ländern des realen Sozialismus hat diese erzieherische Aufgabe übernommen. Sie sind dann die kritischen Dichter geworden, die dissidentischen. Ich habe das Erzieheramt des Dichters für mich und meine Arbeit immer abgelehnt. Ich war weder dazu zu gebrauchen, das System zu umschmeicheln, noch es zu kritisieren. Ich habe auf dem positivistischen Standpunkt gestanden, der sagte: Die Welt ist zu kompliziert, als daß ich mir anmaßen könnte, ein Urteil über sie abzugeben. Meine Aufgabe ist es nicht, Partei zu nehmen, meine Aufgabe ist es darzustellen und zwar ohne Zorn und ohne Mitleid. So und so ist es bestellt mit der Welt. Ich sag nicht, sie ist gut, ich sag nicht sie ist schlecht, sie ist wie sie ist und so stelle ich sie dar.

Mit der Aufgabe, Erzieher des Volkes zu sein, kann man sich als Schriftsteller durchaus zufrieden geben. Weshalb aber kommt es dann aber immer wieder zu Konflikten zwischen den Schriftstellern und der

Kulturbehörde? Ich will es an einem Beispiel erläutern. Sie werden gleich merken, worin die vertrackte Dialektik besteht: Der sozialistische Schriftsteller in der bürgerlichen Gesellschaft wird sich auf die Seite der Schwachen stellen, auf die Seite dessen, dem Unrecht geschehen ist, auf die Seite dessen, der aus Mangel an materieller Macht mit den Machthabern in Schwierigkeiten gerät. Anna Seghers hat ein Buch geschrieben, das dann auch folgerichtig heißt: "Die Kraft der Schwachen." In ihm wird dargestellt, wie sich die Machtlosen mit Erfolg gegen die Mächtigen behaupten und am Ende historisch den Sieg davontragen. Folgt man der marxistischen Theorie, so sind in den Ländern des realen Sozialismus die hier an die Macht Gekommenen die ehemals Schwachen und Wehrlosen. Nach der Theorie müßte nun alles in Ordnung sein. Die Schriftsteller meiner Generation sind der Argumentation der SED bis hierher gefolgt. Bei der sich daraus ergebenden Schlußfolgerung aber ist die SED nicht den Schriftstellern gefolgt. Denn die lautet: "Die Literatur hat immer die Mächtigen angegriffen. Jetzt ist die Partei an der Macht. Da muß sie es sich gefallen lassen, angegriffen zu werden." Das eben war ein Zitat, und der das sagte, war ein hoher Wirtschaftsfunktionär mit großen Verdiensten, der eines Tages anfing, Romane zu schreiben und sogleich mit der Kulturpolitik in Konflikt geriet. So lange er die Wirtschaft lenkte, wurde er jedes Jahr mit Orden und Ehrenzeichen dekoriert. Nachdem er angefangen hatte zu schreiben, wurde er aus der Partei ausgeschlossen, beschimpft, verfolgt, in den Tod getrieben. Das alles klingt dramatisch, ist es auch. Denn er hatte eins nicht bedacht: Die Partei erwartete von ihm, sozialistischer Realist zu sein. Das steht schon im Statut des Schriftstellerverbandes: Mitglied kann nur sein, wer nach der Methode des sozialistischen Realismus arbeitet. Das hatte die Schriftsteller meiner Generation kaum beunruhigt, denn man kann ja mit etwas Geschick sein Werk durchaus so interpretieren, daß es in dieses Schema paßt. Sogar Picasso hat man in das Schema gepreßt. Einmal nämlich wurde der türkische Dichter Nâzim Hikmet listig und provokativ gefragt: Ist Picasso nun ein dekadenter Formalist oder sollte man ihn unter die sozialistischen Realisten einreihen? Hikmet antwortete so: Picasso ist Mitglied der kommunistischen Partei Frankreichs, er ist auf der Seite der Arbeiter und gegen die Kapitalisten, er ist Antifaschist und er ist für den Frieden, folglich ist er ohne Zweifel ein Meister des sozialistischen Realismus. Früher hatte mich niemand dazu bewegen können, über den sozialistischen Realismus zu reflektieren, zu groß war mein Abscheu vor dem Begriff und dem endlosen Gezeter darüber. Es hat Tote und Schwerverletzte gegeben in diesem Streit um Begriffe. Heute, da ich raus bin aus all dem, sehe ich die ganze Sache gelassener. Maxim Gorki war ein starker sozialistischer Realist, der die Leiden russischer Revolutionäre beschrieb und obwohl sie nicht gesiegt haben, hat er sie in ihrer Niederlage so beschrieben, als hätten sie gesiegt oder ihr Sieg stehe unmittelbar bevor. Anschauliches Beispiel wäre das Theaterstück: *Die Matrosen von Cattarro* von Friedrich Wolf. Es ist das Drama eines niedergeschlagenen Aufstands. Aber der letzte Satz interpretiert die Geschehnisse völlig neu: Das nächste Mal besser, Kameraden, ruft einer der Matrosen, bevor er erschossen wird. Auch Upton Sinclair ist sozialistischer Realist, denn er beschreibt den Verfall des amerikanischen Kapitalismus. Das Elend der Arbeiter stellt er so dar, daß der Leser zornig wird, sich innerlich auf die Seite der Entrechteten stellt und wünscht, sie mögen sich endlich erheben. Anna Seghers ist eine starke sozialistische Realistin, vor allem in ihrem ersten Buch *Der Aufstand der Fischer von Sankt Barbara*, in dem sie erzählt, wie eine Erhebung niedergeschlagen wird. Doch so wie sie es darstellt, regt sich im Leser die Gewißheit, diese eine Schlacht haben die Entrechteten verloren, es gibt aber keinen Zweifel, daß sie am Ende den Sieg davontragen werden. Über die DDR sozialistisch realistisch schreiben hieße dementsprechend aufzuzeigen, daß die Welt heil und harmonisch ist, daß die Widersprüche lösbar sind, daß wir einer glücklichen Zukunft entgegengehen und es sich lohnt, in der Gegenwart vorübergehende Leiden und Entbehrungen auf uns zu nehmen. Das alles wäre noch zu ertragen gewesen, denn wieso soll nicht ein optimistischer Mensch die Welt optimistisch beschreiben dürfen? Das Beklemmende an der Sache war, daß diese Theorie zur Methode erklärt worden war. Eine Methode, das aber bedeutete, daß bestimmte literarische Formen dabei zugelassen wären, andere nicht. Nicht zugelassen an der Methode des sozialistischen Realismus waren Innerer Monolog und Bewußtseinsstrom, Assoziationen und Surrealismen, Montage und Collage, harte Schreibweise und Lyrismen. Es kam zu lang anhaltenden lächerlichen und entwürdigenden Diskussionen, beispielsweise: Was ist vorrangig, künstlerische Meisterschaft oder ideologische Klarheit. Natürlich meldeten sich genug Schriftsteller zu Wort, die ideologische Klarheit zum Primat erhoben. Ein öffentlicher Streit wurde vom Zaun gebrochen mit dem Problem, nach wie vielen Glas Bier wird ein Mensch zum negativen Helden? Die Antwort: Gut, soll er saufen, man muß ihm aber einen Gegenspieler geben, der ihm das Verwerfliche seiner dummen Angewohnheit glaubhaft nachweist. Ein Lyriker wurde auf einer ganzen Zeitungsseite fertiggemacht mit einer Denunziation unter dem Titel: Der Dichter im ideologischen Sumpf. Tag für Tag wurden wir mit Fragen traktiert von dem Kaliber etwa: Was bist du zuerst,

Schriftsteller oder Kommunist, und damit auch keiner auf die Idee käme, darauf falsch zu antworten, lautete in der Zeitung eine Schlagzeile: Scholochow — In erster Linie bin ich Kommunist.

Ich lese jetzt ein Gedicht vor.

> Nachmittags nehme ich ein Buch in die Hand
> Nachmittags lege ich das Buch aus der Hand
> Nachmittags fällt mir ein es gibt Krieg
> Nachmittags vergesse ich jedweden Krieg
> Nachmittags mahle ich Kaffee
> Nachmittags setze ich den zermahlenen Kaffee rückwärts
> zusammen
> Schöne schwarze Bohnen
> Nachmittags zieh ich mich aus mich an, erst schminke ich mich,
> dann wasche ich mich
> Singe, bin stumm.

Dieses Gedicht[6] war auf dem VI. Schriftstellerkongreß[7] Gegenstand einer ungeheuerlichen Diskussion geworden. Der Autorin wurde vorgeworfen, sie treibe mit der Kriegsgefahr ihr Spiel. Verächtlichmachung des Friedenskampfes wurde ihr vorgeworfen. Anstatt die amerikanische Hochrüstung zu brandmarken, kokettiere sie mit Worten. Niemand kam ihr zu Hilfe. Einige der wesentlichsten jüngeren Schriftsteller waren nicht delegiert worden oder waren der Konferenz ferngeblieben, um sich nicht als Alibi-Lieferanten der Inquisition mißbrauchen zu lassen. In der folgenden Auflage des Buches wollte die Dichterin das angeprangerte Gedicht herausnehmen. Nein, wurde ihr gesagt, so leicht komme sie nicht davon. Sie wurde gezwungen, das Gedicht zu ändern. In der nächsten Auflage hatte es diese Form:

> Nachmittags mahle ich Kaffee
> Nachmittags setze ich den zermahlenen Kaffee rückwärts
> zusammen

---

[6] Das zitierte Gedicht ist von Sarah Kirsch und heißt *Schwarze Bohnen*. Es ist in der vollen Fassung in der Anthologie *Saison für Lyrik* 1968 beim Aufbau-Verlag (S. 130) erschienen.

[7] Der VI. Schriftstellerkongress fand im Mai 1969 statt.

Schöne Schwarze Bohnen
Nachmittags ziehe ich mich aus, mich an, erst schminke dann
wasche ich mich
Singe bin stumm

Die vier ersten Verse, die die eigentliche poetische Idee ausdrücken, fehlten:[8]

Nachmittags nehme ich ein Buch in die Hand
Nachmittags lege ich das Buch aus der Hand
Nachmittags fällt mir ein es gibt Krieg
Nachmittags vergesse ich jedweden Krieg.

Heute lebt die Dichterin wie so viele andere gute Autoren im Westen. Wie viele andere gute Autoren ist sie nicht freiwillig aus Übermut abgehauen, sondern sie wurde zum Gehn genötigt. Es ging oft nur um Worte, oder wie in diesem Fall um Verse, in diesem Fall waren es die entscheidenden Verse.

Ein junger Autor hatte seinen ersten Roman herausbringen können. Am Tag der Auslieferung rasten Sonderkommandos der Papierverwaltung durch alle Buchhandlungen des Landes, um die soeben ausgelieferten Exemplare wieder einzusammeln. Das Buch wurde eingestampft. Der Autor bekam nicht einmal seine Belegexemplare zu sehen. Fünf Jahre hat er dann an der zweiten Fassung gearbeitet. Über der Arbeit wurde sein Haar grau. Als das Buch dann herauskam, war es ein kaum lesbares Werk, das keinen mehr interessierte. Er solle doch froh sein, sagte man ihm, daß schon seine zweite Fassung hätte gedruckt werden können, Gottfried Keller hat vom Grünen Heinrich drei Fassungen hergestellt.

Ich habe nicht gehört, daß der junge Autor später noch ein anderes Werk geschrieben hat.

Hauptwerke

Guten Morgen, Vaterlandsverräter. Gedichte (1959)
Die Welt vor meinem Fenster und andere Geschichten (1960)
Beschreibung eines Sommers. Roman (1961)

---

[8] In dieser verstümmelten Form findet sich das Gedicht in Sarah Kirschs Band *Zaubersprüche* (1973, S.12), ebenfalls beim Aufbau-Verlag erschienen.

Das grüne Land und andere neue Geschichten. Erzählungen (1961)

Merkwürdige Landschaften. Erzählungen (1964)

Einmal Tschingis-Khan sein: ein anderer Versuch, Kirgisien zu erobern (1964)

Das Abenteuer (1966)

Eine Pyramide für mich. Roman (1971)

Die Interviewer. Roman (1973)

Tanja, Taschka und so weiter. Reiseroman (1975)

Heimatländische Kolportagen. Ein Buch Publizistik (1975)

Wüste kehr wieder — El Had. Roman (1976)

Fata Morgana. Phantastische Geschichten (1977)

Wilhelmsburg. Roman (1979)

Die Frau im Strom. Roman (1982)

Das endlose Jahr. Begegnungen mit Mäd. Prosa (1983)

Leben und Sterben der Rubina. Roman (1999)

Herausgaben

Das große Lesebuch vom Frieden. Eine Anthologie (1983)

Die Sonntagsgeschichte oder Alles fängt doch erst an (1994)

Festessen mit Sartre und andere Sonntagsgeschichten (1996, mit J. Monika Walther)

Dazu kommen mehrere hundert Reiseerzählungen, Essays, Hörspiele, Reportagen und Features in Presse, Funk und Fernsehen.

Gernot Wolfgruber, 1990.
Photo © Die Presse/Harald Hofmeister.

Gernot Wolfgruber   1987

B ORN IN GMÜND, AUSTRIA, IN 1944, Gernot Wolfgruber, after attending school, worked at various trades as an apprentice and laborer, and later as a computer programmer. After earning his Matura he then studied journalism and political science. He now lives in Vienna as a freelance writer. To date he has completed five novels: *Auf freiem Fuß* (1975), *Herrenjahre* (1976), *Niemandsland* (1978), *Verlauf eines Sommers* (1981), and *Die Nähe der Sonne* (1985), as well as his television screenplay *Der Jagdgast* (1978), all with the Austrian Residenz Verlag.

Wolfgruber's first three novels are set among factory and office workers in an Austrian small-town milieu. In all three, the male protagonist struggles doggedly and, in the end, vainly, to escape the unalleviated bleakness of his day-to-day existence at the factory, in his parents' home, the provincial town, and, in *Herrenjahre* and *Niemandsland*, a marriage grown sour. The avenues of flight are as futile as they are limited: compulsive cigarette breaks in the factory latrine, hopes of social advancement, alcohol, and sex. Although in these novels Wolfgruber depicts the work environment consistently and with unerring realism, he was from the start not an ideological author, and his theme transcends the economically determined problems of proletarian existence. Rather, he draws on a world that he himself knows intimately in order to shape the focus of the individual's quest for meaning and freedom — or, plainly put, happiness amid the alienation that characterizes modern society.

The question raised by some critics after *Niemandsland* of whether the author would now move creatively beyond the proletarian and lower-middle class setting that typified his earlier work was answered in his next novel, *Verlauf eines Sommers*. Martin Lenau, its protagonist, belongs to the middle class. After working at a bank, he makes an unsuccessful try at medical studies (supported by his wife's income as a teacher), and finally resigns himself to a lackluster job as a sales agent for a dental supply company. The motifs with which Wolfgruber portrays Lenau's attempts to escape from the dreariness of his work and marriage are familiar from the earlier novels: empty camaraderie, drinking to the point of numbness, and sexual flings. But he employs these motifs with such precision of language and remarkable richness of detail that one never feels he is citing himself. Just as little are they an end in themselves. Rather, they convey collectively the desperation of a man groping after a genuine identity, but caught by the destructive demands placed on him by his roles as middle-class son, husband, and father.

Die Nähe der Sonne illustrates the efforts of its protagonist — the architect Stefan Zell — to free himself from the bonds of social convention, personal attachments, and workaday routine. But in this, Wolfgruber's most recent work, circumstances of class define the negative hero's plight far less than Zell's burning drive to experience existence in its essence, the "enormity of a single moment," and to achieve this with utter clarity and intensity. The narration of Zell's flights into the most radical, even pathological subjectivity is distinguished by a finely nuanced, lyrical voice attuned to the subtlest stirrings of an acute consciousness. The power and persuasiveness of Wolfgruber's new novel once again earned him critical acclaim and underscored his distinct place among contemporary German-language writers.

In Oberlin, Gernot Wolfgruber has been working on his sixth novel, of which he has hinted only that it will deal with the world of the child.

Heute

Gernot Wolfgruber lebt weiterhin in Wien. Wie er uns mitteilte, ist er noch immer mit dem Roman beschäftigt, den er in Oberlin begonnen hat. Er schickte uns seine Tagebuchaufzeichnungen vom 15. Februar bis zum 22. April des Jahres 1987. Sie beschreiben die Wochen in Oberlin als eine Zeit, in der es der Frühling schwer hat, sich gegen den Winter durchzusetzen und in der der Autor einsam um einen Romananfang ringt. Hier eine Auswahl von neun Einträgen:

Aus seinem Tagebuch

17.2.

Wenn man im Max-Kade-House, wo ich zu Abend esse, die Essenstabletts abgibt, schiebt man sie übers Blech eines langen Pultes, man sieht, daß Hände sie nehmen, die Speisereste in eine Rinne scharren, wie auf dem Fließband, so hastig. Aber man sieht keine Menschen: über dem Pult, noch unter Brusthöhe, beginnt schon wieder die Wand, ein etwa ein halber Meter breiter Schlitz ist das nur, wo man sein Tablett hineinschiebt, es ist nicht so, als würden Menschen da arbeiten, sondern **es** wird erledigt, wie von einer Maschine. Man hat gegessen, wirft — so ordentlich ist man abgerichtet — die Papierserviette in einen vor dem Pult stehenden Sack, das Besteck in einen mit irgendeiner Flüssigkeit gefüllten Behälter und schiebt das Tablett mit Tellern und Tassen und Speiseresten in den Automaten — aus! Es würde mich wundern, wenn irgendeine oder einer der Studenten dabei schon einmal daran gedacht hätte, daß dahinter Menschen sind, die eine Arbeit verrichten.

TV: Werbung um 12 Uhr Mitternacht, nach einer Stunde Nachrichten samt Princeton-Professor und Brzezinsky, dem früheren Sicherheitsberater Carters, über die Sowjetunion, also wirklich kein Massenprogramm, nachher also kommt die Werbung irgendeiner Organisation: It's never too late: To learn to read.

19.2.
Gegen meine Hoffnungslosigkeit, meinen Mißmut, vermag heute auch die Sonne nichts, die wie gestern auf dem Fenster lag, als ich erwachte. Der gestrige Abend hängt mir nach, so als wäre ich verantwortlich dafür gewesen, die Menschen aus etwas zu erlösen, das sie wie Marionetten gefangen hielt, und ich hätte es nicht getan.

Ich war auf einer dieser Stehpartys zu Ehren eines neuen Professors am Russischinstitut (bei meiner Ankunft hätte auch für mich so eine Party stattfinden sollen, aber ich habe mich geweigert), und statt einfach nur zu schauen, habe ich zu funktionieren versucht, und so ist sicher auch aus mir nichts als Geschwätz und Gestammel herausgekommen, ich habe tatsächlich "Antwort" auf die Frage zu geben versucht, was die Österreicher über Gorbatschow dächten, ich habe tatsächlich geantwortet, kopflos, als gäbe es darauf etwas anderes zu sagen, als daß niemand sagen könne, was DIE Österreicher denken, aber nein, das habe ich nicht gesagt, ich habe funktionieren wollen, immer wieder versuche ich das in ähnlichen Situationen, dabei sollte ich wissen, daß das nicht geht, immer wieder probiere ich ins Tarngewand zu kriechen, das mir nicht passt, um mich herum schlottert und mir gleichzeitig viele Nummern zu klein ist, so daß Arme und Beine aufs Lächerlichste daraus hinausstehen.

Diese Partys sind eine seltsame Art von Geselligkeit, nichts als Smalltalk, etwas anderes ist gar nicht möglich, für mich schon deshalb eine Unmöglichkeit, weil meine Schublade für Smalltalk-Phrasen und Floskeln schon im Deutschen sehr leer ist, wie dann erst im Englischen. Ich hatte die ganze Zeit den Eindruck, daß von all den anwesenden

Leuten kein einziger die Sache genossen hat, sie standen und lehnten herum, Alkoholfreies in Händen, manche wie traumverloren, ein Gespräch, an dem sich mehrere beteiligt hätten, kam nicht zustande, fing wo eines an, trocknete es gleich wieder aus, der Ehrengast lag die meiste Zeit mit halb geschlossenen Augen im Sessel, war in erster Linie zum Anschauen da, die Leute schienen irgend etwas zu erwarten, von dem man aber wußte, daß es sowieso nicht kommt, vielleicht nur etwas wie das Schrillen der Pausenglocke in der Schule, wie ein Bann, etwas über die Leute Verhängtes, kam mir das vor, man blieb auf dem Posten, kein Lachen, keine gute Stimmung, nichts als eine Pflichtübung schien das zu sein, etwas, das man eben so machte, was aber vermutlich niemandem mehr bewußt war, ein Teil des American way of life eben, den keiner in Frage stellt, und ich hatte den Eindruck, die Anwesenden würden trotz aller Langeweile überhaupt nicht aufatmen, wenn ihnen gesagt würde, daß das eigentlich gar nicht so sein müsse, stocksteif, denke ich, würden sie herumstehen und nicht wissen was nun, und dann heftig zu reden anfangen, um sich zu beweisen, daß das für sie gar keine Pflichtübung sondern reines Vergnügen sei, ratlos, denke ich, würden sie sein, als wäre von der Kanzel verkündet worden, daß eines der Zehn Gebote ab heute nicht mehr gilt. Was wäre in Österreich vergleichbar? Wie selbstverständlich fällt mir dazu nichts ein, weil "unsere" Traditionen ja sowieso immer nur das Allerallervernünftigste sind.

3.3.
Als könnte sich mit ihrem Verschwinden für mich etwas ändern, zum Positiven natürlich, so habe ich seit meiner Ankunft zugeschaut und protokolliert, wie die Schneeflecken schmelzen, und heute ist wieder alles weiß, schon als ich schlafen ging und lüftete, hatte es geschneit, doch als ich erwachte, schien die Sonne so frühlingshaft aufs Fenster, daß mich der Winter draußen dann wieder ganz unvorbereitet traf. Aber rund ums Haus tropft und rinnt es, jetzt, gegen Mittag, fließen die aufgequollenen Wattewolken immer mehr ineinander, es zieht sich zu. Wenn die Sonne hervorbricht, blitzen die Tropfen als grelles Quecksilber vom Dach gegenüber, und schon im nächsten Augenblick ist alles stumpf wie Hoffnungslosigkeit.

Woran ich mich noch immer nicht gewöhnt habe: daß man hier über den, jetzt verschneiten, Rasen gehen kann. Dabei ist das das Selbstverständlichste hier. Der Briefträger macht nicht etwa einen Bogen, um auf dem asphaltierten Weg von Haus zu Haus zu kommen, so, wie ich das tue und wie es bei uns selbstverständlich wäre, sondern er geht ebenso selbstverständlich über den Rasen. Ist das nun ländliches Verhalten oder amerikanisches?

Als ich abends zum Essen gehe, wundert es mich auf einmal, daß ich Englisch reden höre, genauso ist es, daß ich mir das erst ins Gedächtnis rufen muß, wenn ich die Kinder von nebenan vor dem Haus spielen sehe: so sehr bin ich, wenn ich schreibe, in Österreich, eine ganz zufällige Umgebung ist dann um mich herum da draußen, zufällig Amerika. Die Momente (die jetzt schon anfangen, länger zu dauern), in denen ich nicht weiß, wo ich bin, wo ich überhaupt nichts von mir weiß, sind die einzigen, in denen ich mich wohl fühle: als Erinnerungs- und Formulierungsmaschine. Genau da hin wünsche ich mich immer: daß ich mich nicht mehr weiß, alles schon vergangen ist. Meine Unzufriedenheit "mit dem Leben sonst" kommt mir dann als nichts denn ein Aufmucken vor, ich möchte neben dem Schreiben noch etwas haben, und das geht natürlich nicht. Wenn das Schreiben funktioniert, brauche ich es ohnedies nicht, bloß ein wenig Ablenkung, wie eben jetzt, wenn ich abends essen gehe, aber wann funktioniert es schon so perfekt?

9.3.
Sturm und Frost. Dabei sind an manchen Bäumen schon die Knospen geplatzt, rote, federige Kätzchen auf der Pappel vor dem Haus; dahinter ist ein gleichmäßig grauer Himmel. Neben mir glüht wieder der Heizstrahler.
Ich habe ein paar Sätze, die der Anfang sein könnten! — und Herzklopfen.

Sonntag, 15.3.
Immer wenn ich den Kopf hebe, fällt Schnee von einem Baum, ein Ast schnellt hoch, eine kleine Lawine rutscht vom Dach. Die Sonne scheint, aber der Himmel ist nicht klar, es dürfte nicht so bleiben. Alles tropft. Sonst rührt sich nichts draußen, es ist Vormittag, lazy Sunday, wie man sagt. Im Raum, wo ich schreibe, stinkt es so nach Zigaretten, nach kaltem, in den Vorhängen abgesetztem Rauch, daß einem übel werden kann. Weil es sowieso zieht, die einfachen Fenster nicht dicht sind, habe ich vergessen zu lüften, und selbstverständlich quillt, seit ich schreibe (am Roman), der Aschenbecher wieder über.
Im Telefonbuch steht: Wouldn't your teen-ager love the convenience of a private teen line? Und: Free the family-phone — add a teenline. Und: Share happiness — Call Long Distance. Und: When children become lost, their best friend can be their telephone number. Help your children by teaching them their telephone number. Es ist unglaublich, was diese paar Sätze alles erzählen.

30.3.
Es ist alles sehr schnell in eine Richtung gelaufen, die wegführt von dem, was ich möchte. Es waren ein paar intensive Schreibtage, ich möchte sie nicht missen, doch jetzt weiß ich nicht weiter. Ich weiß nur wieder einmal mehr: So geht es nicht. Es ist wahrscheinlich zu viel auf einmal, was ich möchte.

Meine Fußspur, die, als ich vom Abendessen kam, die einzige war, die aufs Haus zuführte, ist schon zugeschneit, als ich eine Stunde später den Müllsack, der voller Flaschen klirrt, hinausstelle neben die Straße, und es schneit noch immer: aufs Gras, das schon so grün war, und auf die geplatzten Knospen. Und eben rollt auch der Donner. Neun Uhr abends. Ich warte darauf, daß es Zeit wird zu Bett zu gehen.

1.4.
Ist es die Idylle Oberlin oder diese Wartesaalsituation, in der ich mich befinde, daß mir beinahe alles (außer dem Schreiben), was mich in Wien bedrückte, mir Angst machte, alles mit einem Fragezeichen versehen ließ, so aus dem Kopf verschwunden ist, daß, wenn es mir einfällt, es nur wie eine ferne, blasse Erinnerung scheint? Hochrüstung, Umweltzerstörung, die Arbeitslosigkeit überall, der Hunger in der Welt, der Zustand, in dem die Menschen sich befinden; wo ist das alles hin verschwunden? Selbst jetzt sind das nur Wörter, Knochen ohne was drum herum. Vielleicht aber liegt das an nichts weiter, als daß ich, seit ich hier bin, keine Zeitungen mehr gelesen habe. Vielleicht an der Größe des Landes, die einen so in Sicherheit sich wiegen läßt: daß es schon weitergehen wird. Dabei fühle ich mich auch ohne all dieses Entsetzliche außen nichts als elend, immer mehr nahm das den Nachmittag über zu. Vom Schreiben kann keine Rede sein, nicht einmal Gedanken habe ich übrig für den Roman. Ich sitze hier an diesem so sicheren Oberliner Schreibtisch, der mir letzte Woche, als ich in Chicago wie an meinem eigenen Rand entlang lief, noch als ein Ort erschien, zu dem ich mich hinwünschte, wo ich mich gerettet gemeint hatte, und ich weiß, daß es für mich überhaupt keinen Ort auf der Welt gibt, wo ich das wäre. Hindenken kann ich, so viel ich will, überall sehe ich mich nur sitzen wie hier. Draußen regnet es in den Schnee, es ist kalt, und im Lauf der Nacht wird es wieder schneien. Es gab Zeiten, wo ich mir Sätze über meine Gefühle und meine "Welt"-Erfahrung aufschrieb, wenn ich mich in einem solchen Zustand wie jetzt befand, etwa irgendeine nutzlose Hoffnung auf anderes Wetter, das nichts ändern würde, aufschrieb als etwas, was ich für ein Buch verwenden konnte, einen Roman, als eine Erfahrung, auf die ich bei Bedarf zurückgreifen könnte, und so hatten selbst die aussichtslosesten

Zustände noch einen "Sinn," die trübsten Momente beinah einen silbernen Rand: daß es wenigstens nicht ganz umsonst gewesen wäre. Jetzt sind die Notizen hier wie ein bißchen Zappeln, um nicht ganz unterzugehen, oder wenigstens für die Zeit, wo ich damit beschäftigt bin, diese dünnen Gedanken mühsam und mit sozusagen gedankenloser Konzentration zu formulieren, nicht zu merken, was WIRKLICH ist, da hinter dem Papier, dann, wenn ich den Stift aus der Hand lege, an den ich mich jetzt geradezu klammere.

Samstag 4.4.
Nachts hat es geschneit, den ganzen Tag geht Sturm, daß man fast nicht aus dem Haus kann. Alles ist verweht, in wirbelnden Fahnen treibt der Wind den Schnee über die Dächer, und ich sehe zu, frierend am Schreibtisch: der Heizstrahler ist plötzlich erloschen, kein Strom. Und damit geht auch die elektrische Schreibmaschine nicht. Es ist knapp nach eins, und ich bin neugierig, wie lange es hierzulande dauert, bis ein Stromausfall behoben sein wird, der hier, wo alles mit Strom betrieben wird, schlimmer als anderswo sein muß im Winter. Nach einer halben Stunde glüht der Strahler Gott sei dank wieder.

Um halb acht, ich sehe mir gerade Nachrichten im Fernsehen an, ist der Strom wieder weg, aber die Straßenlampen brennen. Ich liege und weiß nicht, was tun. Es ist genauso, wie wenn ich nachts wach liege und nicht einschlafen kann. Übers Fenster, gegen das der Wind die Flocken schlägt, rinnt der schmelzende Schnee so langsam herunter, als wäre es eine ölige Flüssigkeit.

(Am nächsten Tag erfahre ich, daß ein Baum umgestürzt ist und die Leitungen zerrissen hat; kein Wunder, wo man hier keine Erdkabel verwendet, sondern Freileitungen, oft ganze Bündel an den Masten, daß man meint, man wäre in der tiefsten Türkei. Die beiden Studenten aus Deutschland, denen gegenüber ich mich beim Mittagessen über diese amerikanischen Stromleitungen ein wenig lustig mache, versuchen sie aber sofort, wie nicht anders erwartet, zu verteidigen, wie sie ja immer schon die geringste Kritik an den USA sofort abwehren, als könnte ihr rosarotes Amerikabild und dann sie gleich mit ins Rutschen geraten.)

20.4.
Vier Uhr nachmittags: 80°F = 27°C! Seit gestern (Ostersonntag) ist Sommer. Ich mag mich nicht recht an den Schreibtisch setzen, weil da draußen, wenn ich aufblicke, die amerikanische Flagge flattert, so aufdringlich, daß meine Gedanken immer sofort abstürzen. Gestern hat der Nachbar diese Fahne mit einem solchen Ernst und mit so sorgfältigen

Handgriffen montiert, daß ich erwartet habe, er werde dann für den Rest des Tages mit der Hand am Herzen davor habt acht stehen und einen Gesichtsausdruck machen, wie Präsident Reagan das so schön vormacht, aber sicher nicht leicht zu imitieren ist.

Werke

Auf freiem Fuß. Roman (1975)
Herrenjahre. Roman (1976)
Niemandsland. Roman (1978)
Verlauf eines Sommers. Roman (1981)
Die Nähe der Sonne. Roman (1985)

Drehbücher

Der Einstand (1977)
Der Jagdgast (1978)
Das Vorbild (1980)

Englische Ausgabe

Footloose (Auf freiem Fuß). Translated and with an afterword by Robert Acker (1999).

Helga Schütz, 1988.
Photo: Oberlin College German Department.

Helga Schütz   1988

HELGA SCHÜTZ, THE 1988 Max Kade German Writer-in-Residence, lives and works in Potsdam, East Germany. Her background is crucial to her work: she describes her novels as not quite autobiographical, but as creations which use her life story as a chessboard on which figures who arise out of her fantasy can move about. She has written five novels, and she says that a continuity connects their characters. The figures take on a life of their own, and their stories do not end with the end of the book. Thus, Anna (of her latest novel) and Julia (of her previous novels) could conceivably be sisters.

Through her characters, Schütz wants first and foremost to express a certain "life feeling" — even an "everyday feeling" — that her readers can sense as they follow the story. She is not primarily a "political writer," refusing to write according to expectations of either the "official" or the "oppositional" line. She feels that literary critics are often overeager to find the "political" elements within a work, looking for a type of formulation that is blind to the complexities of human experience, to that which can perhaps strike a responsive nerve in the reader.

Nonetheless, her latest novel, *In Annas Namen,* is written primarily for an East German audience. Behind the story of a problematic relationship between a man and a woman lies an engagement with the tensions of the East/West situation. One question with which Schütz is especially intrigued is whether readers in the West can sense the pain and concerns portrayed in the novel — sensitivity to the specific problems of one society make it difficult and even artificial for an author to build a bridge to "outside" readers. As an East German, Schütz feels a responsibility to remain in her own land and to represent accurately the specific mood of life of the people of her country.

It was the work of Johannes Bobrowski, a German writer originally from Poland, that introduced Schütz to the concept of literature as something that springs from within the individual. Bobrowski used events of the past to reflect upon, mirror, and explain his own experiences. However, Schütz's fascination with literature actually began when she was a child in Dresden, where she grew up after spending her earliest years with her grandparents in a small village in Silesia. Her first career training was as a horticulturist, after which she received her high-school diploma at a school for children of workers and farmers. She then went on to study film making.

During her years of study, Schütz developed an interest in theater — in playwrights such as Brecht — as well as an awareness of her own ability to write from her personal impressions and experiences. Her writing began with film scenarios, and she has since written many documentary films, several feature films, literary adaptations for the screen, and films based on authors' lives. Today she concentrates primarily on writing prose.

Schütz writes almost exclusively in the present tense, emphasizing her desire for continuity, her feeling that events and stories don't really pass and come to an end. Her first novel, *Schöne Gegend Probstein*, appeared in 1970. Her novel *Julia oder Erziehung zum Chorgesang*, published ten years later, begins by reaching back to the time in Probstein which constituted the first novel and proceeds to trace Julia's life in the city. Peter Härtling has written in *Die Zeit:* "Helga Schütz is not afraid of emotions. She has no fear of big words. Her voice is worthy of these words, plays with them, warms them, and makes them bearable."

Schütz will be in residence in Oberlin through the semester, after which she will spend two weeks on horseback in Arizona, accompanying a German photographer and writing the text for a photo documentary on the American Southwest.

After Oberlin

Helga Schütz returned to her Potsdam home in June of 1988, with her cowboy boots in her suitcase and, because it didn't fit anywhere in her luggage, her cowboy hat on her arm. Only a little more than a year later the Berlin Wall fell. This was an event she had hardly anticipated when she was finally, after two earlier denials by the GDR authorities, granted a visa to come to Oberlin. Her life began to change significantly after Unification, although her writing is to this day located in GDR realities. She spent the year 1991 in Mainz as the recipient of the Stadtschreiberpreis der Stadt Mainz. In 1993, she was appointed Professor of Screenwriting at the Potsdam School for Film and Television, a position she held until the end of 2002. In her teaching, she aimed at establishing ways of screenwriting in opposition to the dominant American models, schools, and workshops. During this time she also wrote the script for the acclaimed film *Stein* and published several prose works. Her novels *Vom Glanz der Elbe* and *Grenze zum gestrigen Tag* are both concerned with life as it was experienced in the

GDR, the country that disappeared so suddenly in 1989. Her most recent publication, *Dahlien im Sand. Mein märkischer Garten,* is a diary — poetic, horticultural as well as historical in scope — centered around her own beautiful "forest-garden" of pines, birches and rhododendrons. From February to April of 2003, she resided in Hermann Hesse's birthplace in Calw at the invitation of the Hermann-Hesse-Foundation.

Today Helga Schütz continues to work as a freelance writer in Potsdam. Her home and her garden, which once seemed to be near the "end of the world," are now — after the Berlin Wall came down — close to the new German capital and its vibrant cultural life.

Helga Schütz has been awarded many prizes, including the following: Heinrich-Greif-Preis (1969); Heinrich-Mann-Preis for her first story collection *Vorgeschichten oder Schöne Gegend Probstein* (1973); Theodor-Fontane-Preis der Stadt Potsdam (1974); Stadtschreiberpreis des ZDF und der Stadt Mainz (1991); Ehrengabe zum Andreas-Gryphius-Preis (1991); Literaturpreis des Landes Brandenburg (1994); Preis der Deutschen Schillerstiftung (1996); Hermann-Hesse-Stipendium der Stadt Calw (2003).

In the following letter of January 2003, Helga Schütz recalls her time in Oberlin — three exciting months in the year 1988 — which would leave far-reaching impressions on her.

Potsdam, den 8. 1. 03

Liebe verehrte Undine!

Gern hätte ich Ihnen sofort nach Ihrem ersten Brief geantwortet. In diesen Tagen hatte mich, der Zufall wollte es, eine Studentin besucht, die schon eine Zeitlang in Potsdam, vorher aber einige Semester am Oberlin College gewesen war. Ich hörte von einigen Professoren und Professorinnen, die mir noch in lieber Erinnerung waren. Hinzu kamen überraschend die Grüße von Heidi Tewarson, einer schwesterlichen Seele von einst. In meinen Alltag hinein plötzlich viel Anlaß für Erinnerungen.

In den ersten Jahren nach meinem Aufenthalt bei Ihnen am College kamen viele Besucher. Studenten des German Departments, sogar gelegentlich Eltern der jungen Leute. Europareisen hatten sie nach Berlin und in einem Abstecher nach Potsdam geführt. Ich erinnere mich an wunderbare Wiederbegegnungen, viel Spaß und auch an gemeinsame Arbeiten. Die Mutter einer Studentin, Gitta Brightes, hatte einen Roman von mir vom Deutschen ins Englische übersetzt. Später, wie es das Leben will, wurden die Besuche seltener.

Gelegentlich einer Dissertation zu einem Roman von mir, in dem ein bißchen USA herumgeistert, sollte ich Auskunft geben, in welchem Jahr ich denn in Oberlin war. Ich hätte schwören mögen, daß es zu Zeiten tiefster DDR, also lange vor dem Mauerfall, gewesen sein mußte. Umso überraschter war ich, als ich mich durch erwähnten Besuch und Ihren Brief der Wahrheit gegenüber sah. 1988. Ein Jahr vor dem Ende des Landes, aus dem ich seinerzeit gekommen war. Mein Aufenthalt in Oberlin hat wahrscheinlich gerade daher einen so festen Platz in meinem Leben. Die drei Monate klemmten noch im alten Zeitgerüst, im Gefüge, das auf hundert Jahre ausgelegt war, in dem wir jeden Tag um so große Dinge wie ein Visum oder um die Bezugsberechtigung für ein Buch gerungen haben. Die Mauer stand damals noch betonfest, unüberwindlich, wie für die Ewigkeit.

Damit wird mir manches wieder oder erst richtig klar. Das Unerreichbare, das ich für drei Monate berührt hatte, war plötzlich nahe. Besuch kam von dort als wäre es ganz selbstverständlich. Ich denke fast, es kann niemanden geben, für den der Aufenthalt in Oberlin für den Augenblick und für später wichtiger war als für mich. Ich würde höchstens noch für Jurek Becker einräumen, dass er mit einer am College gefundenen Lebensgefährtin im Gewinnen vor mir stand.

Mit meiner Ankunft in Oberlin war ich in eine andere Welt gefallen. Gewiß wäre eine Riesenstadt für mich nicht so tief erlebbar und so bilderreich geworden wie eben dieser übersichtliche Ort in Ohio. Mir wurde ziemlich alles zum Ereignis, der klirrend kalte Winter mit den Kardinalvögeln, der plötzliche Frühling mit Dogwoodblüten und barfuß laufenden Studenten, die natürliche Großzügigkeit der Menschen, mit denen ich in Verbindung kam, die Nutzbarkeit der Bibliotheken, Sportstätten, der Oberlin College Events. Ich hatte meine Nase überall. Ich war über die Maßen neugierig, vor allem auf mich, wie ich mich in dieser Welt bewegen würde. Ich könnte darüber viele Details anbringen, Geschichten erzählen. Ich würde tagelang sitzen und schreiben, und hätte Ihnen immer noch nicht nahe gebracht, in welcher euphorischen Stimmung ich war. Ich wollte den Augenblick nutzen, indem ich so tat, als würde ich mich ihm gewachsen fühlen. Allein die erste Begegnung mit einem Computer, vor dem ich nicht kapitulieren wollte, der aber seine Geheimnisse nicht von allein hergab. Meine sonntäglichen Exkursionen mit den Botanikern, wir fuhren in die Umgebung Pflanzen bestimmen, mein Kampf mit der Sprache, mit der Geldkarte, mit der letzten Zigarette, denn ich war in der ersten Woche die vorletzte Raucherin auf dem Flur. Obwohl, oder grade weil ich die Dinge und mich sehr ernst nahm, war ich wohl oft eine komische Figur. Jedenfalls fallen mir immer mehr Details ein, in denen ich mich so sehe. Je länger ich zögerte, umso mehr verlor ich die Möglichkeit einer stichhaltigen Antwort auf Ihre Anfrage.

Sechs Monate sind vergangen. Nun kam Ihr zweiter Brief und eine e-Mail von Heidi. Heute sollen Sie endlich erfahren, was mit mir los ist. Mein Zögern heißt, daß ich die Bedeutung meines Aufenthalts am Oberlin College nur noch schlecht in wenigen Sätzen ausdrücken kann. Meine hohe Wertschätzung, mein Wohlfühlen kann ich nicht nur auf kluge Studenten, dazu hilfsbereite, freundschaftlich aufgeschlossene Mitarbeiter, auf eine schöne Unterkunft (was alles zutrifft!) zurück bringen. Zu allem gehören tief geprägte Bilder und detaillierte Geschichten, gehört meine Neugier, meine Offenheit und stille Zurückgezogenheit, die Kontaktfreude und -scheu zugleich, vor allem mein ständiges gedankliches Zwiegespräch mit zu Hause. In dem ich mir und allen daheim beibringen wollte, daß wir trotz aller Schußligkeit hinter der Betonmauer noch für die Welt und ihre seltsam anderen Herausforderungen taugen. Ein rührend komischer Eifer.

Inzwischen ist ein Übriges geschehen. Ich habe eine ziemlich große Kiste mit dem Etikett "Oberlin" aufgemacht. Nun kann ich alle meine Studenten wieder namentlich nennen. Ich kann ihre Biographien nachlesen, ihre Hausarbeiten. Ich habe Programmzettel von Musik- und Theaterveranstaltungen aufgehoben, Protokolle von Vorlesungen, die ich über einige Kapitel deutscher Geschichte in Oberlin gehört habe. Einen freundlichen Brief von Roberta, die mich mit frischer Wäsche versorgte. Ich finde in der Kiste eine Mappe mit Tagebuchaufzeichnungen von den Jahren davor. Sie rufen mir ins Gedächtnis, wieso auch diese Jahre schon zu meinem Oberlin-Erlebnis gehören. Dreimal wurde ich von der Max-Kade-Stiftung eingeladen. Zweimal wurde mir von den Behörden die Ausreise aus der DDR verwehrt. Ich war umso unglücklicher, da ich wußte, daß Jurek Becker, Christa und Gerhard Wolf und Ulrich Plenzdorf bereits vor Jahren bei Ihnen am College gewesen waren. Ich fühlte mich persönlich betroffen und, wie ich mich erinnere, auch bedroht. Was hatte ich Unwürdiges an mir? Warum wurde grade ich so zurückgesetzt? Nach der zweiten Ablehnung des Ausreisevisums habe ich über Monate ein Tagebuch geschrieben. Als ich schließlich beim dritten Antrag nach Oberlin reisen durfte, hatte ich diese traurig wütenden Aufzeichnungen im Gepäck. Gedanken, denen man im Nachhinein anmerkt, daß das Ganze hier zu einem Wandel führen mußte — friedlich oder mit schrecklichen Folgen. Was auf dem Platz des Himmlischen Friedens in Peking geschah, konnte vorausahnend mancherorts zu einer blutigen Lösung führen. Ich hatte Angst, doch die Reise nach Oberlin, meine Erlebnisse am Ort und anschließend die

Wochen in einer Studentenwohngemeinschaft in San Francisco und die Wochen zu Pferde quer durch Arizona stimmten mich hoffnungsvoll. Und so ist ja schließlich alles erst einmal sehr gut gegangen, denn, nach Potsdam zurückgekehrt, fiel ein Jahr und einige Monate später die Mauer. Ich sage, erst einmal, denn man sucht immer einen Ausgangspunkt für die aktuellen Gefahren und zögert im Urteil.

In meiner Oberlin-Kiste finde ich Dankesworte für die Einladung und den Aufenthalt in Oberlin, Blätter von a bis e, geschrieben auf gelbem College-Papier, gesprochen habe ich die Worte gelegentlich eines Abschiedsessens. Wenn Sie wollen, schreibe ich Ihnen die Seiten ab.

Mit freundlichen Grüßen
Ihre Helga Schütz

Natürlich waren wir interessiert an dem Text auf gelbem College-Papier. Aber bei erneutem Nachfragen hatte sich bereits ein neues Prosa-Projekt vor Helga Schütz' Oberlin-Kiste geschoben.

Hauptwerke

Vorgeschichten oder Schöne Gegend Probstein. Roman (1970)
Das Erdbeben von Sangershausen und andere Geschichten. Erzählungen (1972)
Festbeleuchtung. Roman (1974)
Jette in Dresden. Roman (1977)
Julia oder Erziehung zum Chorgesang. Roman (1980)
Martin Luther. Erzählung für den Film (1983)
In Annas Namen. Roman (1986)
Heimat süße Heimat. Zeitrechnungen in Kasachstan. Ein Tagebuch (1992)
Vom Glanz der Elbe. Roman (1995)
Grenze zum gestrigen Tag. Roman (2000)
Dahlien im Sand. Mein märkischer Garten. Gartentagebuch (2002)
Knietief im Paradies. Roman (2005)

Drehbücher für Spielfilme

Lots Weib. Mit Egon Günther (1966)
Wenn du groß bist, lieber Adam. Mit Egon Günther (1970)
Die Schlüssel. Mit Egon Günther (1974)
Die Leiden des jungen Werthers (1976)

Addio, piccola mia (1979)

Ursula (1979)

P.S. (1979)

Fallada, letztes Kapitel (1988)

Heimat, süße Heimat (1990)

Stein. Mit Egon Günther (1991)

Josef Haslinger, Oberlin, 1989.
Photo: Oberlin College German Department.

Josef Haslinger   1989

THE FIFTY OR SO MILES that separate Josef Haslinger's home town from his current residence in Vienna belie the distance that Haslinger has traveled in achieving prominence in the Austrian literary world.

Born in conservative Zwettl, in lower Austria, at the age of five Haslinger was already driving a tractor on the family farm. His childhood dream of becoming a priest faded when experiences at a Catholic grammar school led to disillusionment with the church. Disagreements with his family about religion were one factor that caused Haslinger to leave home at sixteen. He financed his continued education by working in Germany as a guest worker during school vacations. Experiences as a waiter, disc jockey, gas station attendant, warehouse worker, and office clerk provided material for his later work.

In the story "Claudius," in *Der Konviktskaktus,* a journalist asks the author Hetner why he began to write. Hetner replies that it was because he couldn't play soccer. Haslinger, too, pursued writing rather than athletic hobbies while growing up. Interest in literature led Haslinger to study Theater, German Literature, and Philosophy at the University of Vienna. He wrote his dissertation on Novalis, and it was subsequently published as a book under the title *Die Ästhetik des Novalis* (1981).

In 1977, Haslinger became an editor of the Viennese literary magazine *Wespennest.* In 1984 he was awarded the Theodor Körner Prize by the city of Vienna and since 1986 he has served as general secretary of the "Grazer Autorenversammlung."

Haslinger has concentrated on shorter literary forms. *Der Konviktskaktus,* a collection of short stories, was published in 1980, when he was only twenty-five years old. This was followed by *Der Tod des Kleinhäuslers Ignaz Hajek* in 1985. Haslinger's most recent work, *Politik der Gefühle,* a book-length essay on Austrian politics from 1945 to the controversial election of Kurt Waldheim as President, appeared in 1987.

A Brecht enthusiast who hitchhiked in order to see plays in Vienna, Haslinger became interested in the use of literature as a political tool while a student at the Gymnasium. "Literature is resistance," he writes. "Not necessarily the most effective resistance that a writer can mount, although it can be that too, but all told it is certainly one of the most potent cultural forces against the constant threat of an obliteration of the social good by the patterns of economic and political realities."

Herr Schönbacher, in the story "Wie die Schönbachers zu einer Wohnung kamen," complains that "average citizens no longer get even a glimpse into the machinations that go on with everyday commodities. How, then, can they possibly know what games are played in bigger transactions?" The feelings of ignorance and powerlessness described by Schönbacher provide themes for *Der Konviktskaktus*. Whether a young musician whose life becomes dictated by unethical managers and legally-binding contracts, or an Austrian guest worker who is used by his boss to cover up a crime, or the Schönbacher couple, who are duped by swindlers in a fraudulent real estate deal, Haslinger's characters are victims of greed in a world in which profit is valued more highly than human lives.

Especially notable is "Grubers mittlere Jahre," the collection's longest work. The story narrates the final years of Gruber's life, as he dies of cancer. The scenes alternate from the present to the past as the progression of Gruber's illness is traced. Not only powerless against the advance of the disease, Gruber is at the mercy of doctors and natural healers who keep him uninformed about his illness. The story also represents subtler themes, examining Gruber's relationships with his hardworking wife and his oldest son, and the clash between the modern world and the old-fashioned lifestyle of the farm.

The village is also the setting for *Der Tod des Kleinhäuslers Ignaz Hajek*. Written in the form of a novella (a form favored by nineteenth-century German authors), the story revolves around the suicide of Ignaz Hajek. It begins as Hajek's adopted son Josef prepares to attend his father's funeral. In the course of the day Josef discovers his father's past and his own.

In his nonfiction work, *Politik der Gefühle. Ein Essay über Österreich,* Haslinger analyzes current Austrian political life in the context of the events of the thirties and forties. An early section of the essay describes the phenomenon of "emotional politics." The political nature of electoral battles has been lost, according to Haslinger. Unlike the ideologue of the past, who advocated a political program by appealing to the emotions of an audience, today's candidate manipulates the emotions of the electorate without promoting a concrete political agenda. Enlisting the aid of the same specialists who market soft drinks and shampoo, the candidates reduce political discourse to competing sales pitches.

Further sections of the essay analyze the impact of the Nazi era on today's Austrian politics. Haslinger reveals the inadequacies of the denazification program and describes festering anti-semitism among Austrian citizens and officials. The essay includes a memoir, "Ilse M. Ascher erzählt," that relates the events of the Nazi and postwar years from the perspective of a surviving Jewish woman. Haslinger then returns to the present to examine Austria's art of forgetting its own history, the problems of the Social Democratic party, and social injustices in contemporary Austria.

During his stay in Oberlin Josef Haslinger has been working on a novel that will incorporate political themes.

Nach Oberlin

In den Folgejahren arbeitete Joseph Haslinger als Literaturwissenschaftler mit Lehraufträgen und Gastprofessuren in Deutschland, Österreich und den Vereinigten Staaten. Von 1986 bis 1995 war er Organisator der "Wiener Vorlesungen zur Literatur." Er wurde 1995, zunächst befristet, als Professor für literarische Ästhetik an das Deutsche Literaturinstitut Leipzig berufen. Inzwischen ist Haslinger dort geschäftsführender Direktor und hat Leipzig, wo er nun mit seiner Familie lebt, zu seiner Wahlheimat erklärt.

Der bis dahin vor allem als Novellist und Essayist bekannte Autor sorgte 1995 mit seinem Bestseller-Roman *Opernball*, einem provokanten politisch-literarischen Thriller, für außerordentliche Schlagzeilen. Das Buch entwarf die Vision eines Terroranschlags durch ein Selbstmordkommando auf den Wiener Opernball, dem hunderte von Menschen (und nahezu die gesamte Regierung) zum Opfer fielen — eine Vision, die inzwischen mehrfach von der Realität überboten wurde. Die TV-Inszenierung des Romans 1998 machte Haslingers Werk einem Millionenpublikum bekannt. 1996 erschien der Essayband *Hausdurchsuchung im Elfenbeinturm*. Nach einem zweijährigen Arbeitsaufenthalt in New York präsentierte Haslinger im August 2000 einen neuen Roman mit dem Titel *Das Vaterspiel*. Ein 35-jähriger Ich-Erzähler wird in drei Familiengeschichten aus dem 20. Jahrhundert — dem "Jahrhundert der Extreme" und dessen "Widerlichkeiten"[1] — verwickelt. Haslinger nennt dieses Buch das ihm nächste, weil es am stärksten von seinen eigenen Lebenserfahrungen geprägt ist. Unter dem Titel *Klasse Burschen* brachte er 2001 einen weiteren Essayband heraus.

---

[1] Ein Gespräch mit Joseph Haslinger zu seinem neuen Roman *Das Vaterspiel* in www.fischerverlage.de/presseinfo.haslinger.

Joseph Haslinger gilt als ein eminent politischer Autor. Sein Engagement beschränkt sich aber nicht auf das Schreiben. So war er 1992 Mitbegründer der antirassistischen Plattform "SOS-Mitmensch." Der Autor erhielt unter anderem die folgenden Preise: das Dramatikerstipendium des Bundesministeriums für Unterricht und Kunst (1988); den Preis der Salzburger Literaturzeitschrift "erostepost" (1989); die Buchprämie des Bundesministeriums für Unterricht und Kunst (1990); das Elias-Canetti-Stipendium der Stadt Wien (1992/93); den Förderungspreis des Landes Niederösterreich für Literatur (1994); das Stipendium des Deutschen Literaturfonds (1994); den Preis der Stadt Wien und die Ehrengabe des Österreichischen Buchhandels (2000); den Preis der LiteraTour Nord (2001); den Würdigungspreis des Landes Niederösterreich 2004.

Haslinger war von 1986 bis 1989 Generalsekretär der Grazer Autorenversammlung.

Die Idee zu seinem politischen Erfolgsroman Opernball *(1995) entwickelte Josef Haslinger in Oberlin, worauf er in den folgenden Erinnerungen an seine Zeit als Writer-in-Residence am Oberlin-College auch zu sprechen kommt.*

Echo eines Max-Kade-Writers

Wien, 18. November 2003

Liebe Heidi Tewarson,

von Dir wieder zu hören, hat geradezu einen Erinnerungsstrudel in mir hochgerissen. Meine Erfahrungen mit Oberlin haben etwas Märchenhaftes für mich. Oberlin hat mir buchstäblich eine Neue Welt eröffnet. Während meines ersten Oberlin-Aufenthalts warst Du offenbar in der Schweiz. Wir lernten uns erst im Herbst 1990 kennen, bei meinem zweiten Oberlin-Aufenthalt.

Es begann 1987. Ich hatte ein Buch veröffentlicht, das sich kritisch mit dem österreichischen Verhältnis zur eigenen Vergangenheit auseinander setzte. *Politik der Gefühle.* Das Buch hat mir die Welt in zwei Teile zerrissen, in Freunde und Feinde. Die Feindesseite hat mir nicht sonderlich böse zugesetzt, ein paar öffentliche Angriffe, ein paar dumme Briefe, ein paar Beschimpfungen. Keine ernsthaften Drohungen. Die Freundesseite war da wesentlich eifriger. Unter anderem erhielt ich viele Anrufe, die meist mit Einladungen verbunden waren. Einer dieser Anrufe kam aus Amerika. Von einem Mann namens Sidney Rosenfeld, seines Zeichens Chairman am German Department des Oberlin College in Ohio. Oberlin College? Nie gehört. Ohio? Gerade einmal mitgekriegt. Muss irgendwo in der Mitte der USA liegen. Und dorthin wurde ich von Sidney Rosenfeld eingeladen. Und ich musste keine Sekunde überlegen, um ja zu sagen.

Seit meiner Jugend wollte ich in die USA reisen. Ich hatte als Siebzehnjähriger in Frankfurt am Main gearbeitet und schon das Ticket nach New York gekauft. Aber eines hatte ich vergessen: Ich hatte mich nicht rechtzeitig um das Visum gekümmert. Die Zuständigen vom amerikanischen Konsulat in Frankfurt sagten, sie seien für mich nicht zuständig, sondern die Zuständigen in Wien. Ich schickte meinen Pass zu einer Freundin nach Wien und bat sie, sich um das Visum zu kümmern. Bald stellte sich heraus, ich hätte persönlich kommen müssen. Und so flog das Flugzeug ohne mich nach New York.

Egal wohin Sidney Rosenfeld mich eingeladen hatte, ich wäre in jedes Kaff der USA gefahren. Meine Zusage hat mit Oberlin letztlich nichts zu tun. Ich wollte einfach einmal sehen, wie es sich fühlt im Land der "Easy Riders," der Hippies, der Bürgerkriegskämpfer und Rassisten, im Land von Bob Dylan, Timothy Leary, Jerry Rubin, ja auch von John Wayne, von Johnny Cash und Woody Guthrie, im Land von Jack Kerouac und Ernest Hemingway. Oberlin kam in meinen ersten Gedanken nur als eine Art Absteige vor, von der aus ich die USA erkunden wollte. Am Ende meines ersten Oberlin-Aufenthalts hatte ich 43 Bordkarten gesammelt. (Wohlgemerkt: 43 Flüge innerhalb von 3 Monaten). Oberlin war tatsächlich vor allem eine Absteige zwischen den Flugtouren in alle größeren Städte der USA gewesen. Objektiv betrachtet war das so.

Aber ich erlebte es anders. Oberlin entwickelte einen unwiderstehlichen Charme. Ich begann dieses Kaff zu mögen. An den wenigen Abenden, an denen ich in Wirklichkeit da war, ging ich in Konzerte des Konservatoriums. Wenn ich an einem Freitag Abend in Oberlin war, öffnete der Jude Sidney Rosenfeld — der bis heute in unserer Familie als Onkel Sidney firmiert — dem seines Glaubens verlustig gegangenen Katholiken Josef Haslinger eine ganz andere Welt. Onkel Sidney nahm mich zur Sabbath-Feier mit und er brachte mich mit seinen Freunden zusammen, zum Beispiel mit Jakov Lind. Woher ich die Zeit nahm, mit Onkel Sidney auch noch regelmäßig Tischtennis zu spielen, vermag ich nicht zu sagen. Ich war doch ständig irgendwo unterwegs, hatte aber doch einen wöchentlichen Kurs zu absolvieren, ein wöchentliches Gespräch mit etwa 10 StudentInnen über die österreichische Gegenwartsliteratur zu führen, in erster Linie über meine eigene Literatur, wenn ich mich recht erinnere. Und ich hatte keinen dieser

Kurse ausfallen lassen. An noch eine regelmäßige Aktivität erinnere ich mich. Ich ging oft ins Schwimmbad und übte den Salto vorwärts. Habe ich seither nie wieder gemacht.

Diese drei Monate in Oberlin kommen mir enorm gedehnt vor, in der Intensität mit nur wenigen Zeiträumen meines Lebens vergleichbar. Ich lief wie ein kleines Kind mit offenen Augen und Ohren herum. Und schrieb auf, klar, aber es war gar nicht so viel. Ich schaute vor allem. Und dachte in den Flugzeugen nach, worüber ich schreiben könnte. Über einen Fensterputzer, den ich am Flughafen in Detroit beobachtete. Ich machte mir ein paar Notizen über ihn. Und erfand eine kleine Geschichte dazu. Aber ich wurde schnell wieder abgelenkt von meinen literarischen Überlegungen, weil es schließlich ein neues Land zu erkunden galt. Und nicht nur das. Es galt auch noch Zeitungen und Zeitschriften zu lesen, um zu erfahren, was in meinem alten Land los war. Mein Land? Wo lag das überhaupt?

Da gab es plötzlich eine Gruppe von Menschen, die behaupteten sie kämen von Europe, aus einem Land also, von dem ich bislang nichts gewusst hatte. Was ich damit sagen will: Ich bekam in Oberlin erstmals ein Gefühl (nein, einen Anhauch) von europäischem Bewusstsein. Die Kroatin, die Deutsche, die Französin und ich, wir waren Europäer. Wir rauchten, wir tranken und stritten angesichts des Zerfalls von Jugoslawien über die Sinnhaftigkeit von Nationalstaaten. Und dieser Streit einte uns. Wir hatten gemeinsame Sorgen in einem seltsamen, fremden Land, das uns alle gleichzeitig faszinierte. In Europa wären wir auf Nimmerwiedersehen auseinandergelaufen. Dort trafen wir uns, wann immer es ging.

Als ich 1989 nach Oberlin kam, war in den USA George Bush sr. gerade Präsident geworden. Als ich Oberlin verließ, war in der UdSSR gerade Michail Gorbatschow Präsident geworden. Die Völker Osteuropas muckten auf. Die Polen, die Rumänen, die Kroaten und Slowenen. Wenn ich in Oberlin war, saß ich häufig in diesem großen Aufenthaltsraum im Deutschen Haus (in dem ich mich nie ganz wohl fühlte) und las den *Spiegel*, oder ich saß in einem kleinen Aufenthaltsraum der Rice Hall und las die *New York Times*. Letztere musste damals vor Ort gelesen werden. Ich durfte sie nicht ins Zimmer mitnehmen. Eine klare Instruktion von Onkel Sidney. Die Lektüre der *New York Times* beanspruchte besonders viel Zeit. Und zwischendurch dachte ich über einen möglichen Roman nach und machte mir Notizen.

Die Lage in Europa spitzte sich zu. Und in den Großstädten marschierten Glatzköpfe auf und schrieen Heil Hitler. Was heißt das, dachte ich. Sind alle antifaschistischen Anstrengungen der Nachkriegszeit umsonst gewesen? Der Nationalismus kommt zurück und schon ist auch der Massenmord wieder denkbar.

Und dann hatte ich die Idee zu einem Roman. An dem Buch sollte ich noch 5 Jahre lang schreiben. *Opernball* war mein erfolgreichstes Buch. Es wurde in 13 Sprachen übersetzt. Leider nicht ins Englische. Als ich 1995 alle Unterlagen, die sich für dieses Buch angesammelt hatten, wegräumte, fand ich einen Zettel, den ich in Oberlin geschrieben hatte.

Es war die erste Notiz überhaupt zu diesem Projekt. Darauf stand: "Romanidee: Die Rückkehr des Massenmords nach Mitteleuropa." Und das Verrückte ist, dass ich dieser Idee treu geblieben bin. Sie wurde zum Kern des Romans.

Bevor der Roman fertig war, lange bevor er fertig war, kam ich nach Oberlin zurück. Das war im Herbst 1990. Onkel Sidney hatte mich über die freie Stelle eines Assistant Professor informiert, und ich hatte mich beworben. Und dort, Heidi, lief ich Dir in die Arme. Du warst nämlich Chairwoman.

Während dieses Aufenthalts war ich in Oberlin festgenagelt. Ich hatte keine Zeit wegzufahren, denn ich hielt meine ersten Sprachkurse überhaupt. Jeder Sprachlehrer weiß, was das heißt. Man rackert sich zu Tode. Als Visiting Assistant Professor war ich Vertreter für Steven Huff, der auf sabbatical war. Und woran ich mich besonders gerne erinnere: Wenn mir alles zuviel wurde, wenn ich Stress hatte, hast Du mich umarmt — und alles war wieder gut.

Der Versuch eines systematischen Erwerbs von Computerkenntnissen fiel ebenso in diese Zeit wie mein erster Tenniskurs. Einmal kam ich verzweifelt vom Büro heim. Ich hatte versehentlich die Diskette formatiert, auf der alle meine Kursunterlagen gespeichert waren.

Als hätte ich mit dem Unterricht nicht genug Arbeit gehabt, schrieb ich damals auch noch eine Artikel-Serie, die allwöchentlich in der österreichischen Tageszeitung "AZ" (vormals "Arbeiterzeitung") unter dem Titel "Briefe aus Ohio" erschien. Am Dienstag Abend ging ich ins Büro und verließ es nicht eher, als bis der Artikel fertig war. Das war meist am nächsten Morgen, wenn die Putzfrau kam und sich über den Frühaufsteher wunderte. Ich fand sie übrigens nicht charmant. (Philip Roth muss da in einem College andere Erfahrungen gemacht haben). Die damals in der nächtlichen Rice Hall geschriebenen Artikel und eine später verfasste, dreiteilige USA-Serie für die Wochen-Zeitschrift "Profil" waren die Grundlage für ein Buch, das ich 1992 im S. Fischer-Verlag veröffentlichte: *Das Elend Amerikas. Elf Versuche über ein gelobtes Land.* Es gibt in diesem Buch ein paar Berichte und

Geschichten aus Oberlin, z.B. die Geschichte von der underground railroad.

Nach Oberlin würde ich sofort zurückkehren. Bis heute bin ich in dieses kleine, aber feine College verliebt. Wenn ich es mir leisten könnte, würde ich meine Kinder dort studieren lassen. À propos: Gibt es für einen ehemaligen Writer-in-Residence und Visiting Assistant Professor eigentlich einen tuition discount? Ich meine die Frage ganz ernst.

Und ist es möglich, ein zweites Mal im Leben Writer-in-Residence von Oberlin zu sein? Ich würde das sofort tun.

Bei einer gewissen Linda Gates besuchte ich einen Englischkurs. ESL für Fortgeschrittene. Leider hatte ich meist nicht genug Zeit für meine Assignments. Aber Frau Gates war nachsichtig mit mir.

Meine Frau und meine Kinder (Zwillinge) waren 1990/91 mit mir in Oberlin. Die Kinder gingen in den Montessori-Kindergarten. Wir hatten einen station wagon gekauft und fuhren an den Wochenenden viel herum. Bis zu den Niagara Falls und nach New York City. Dort wurde uns das Auto schließlich gestohlen.

Auch diesen Vorfall habe ich zu einem Text verarbeitet, den ich bis heute im Rahmen einer literarisch-musikalischen Performance vortrage. Darin werden auch Oberlin und Onkel Sidney erwähnt.

Und einmal hat mein Sohn Elias beim Abendessen in der damals ganz neuen Mensa versehentlich den Feuer-Alarm ausgelöst. Innerhalb von zwei Minuten war die Feuerwehr da. Da sind wir aber schnell heimgelaufen, weil wir befürchteten, den Fehlalarm zahlen zu müssen. Zum Glück hatte niemand Elias gesehen.

Und Arlo Guthrie habe ich in Oberlin gehört. War ein tolles Konzert. Und Mary-Beth Yarrow, die Mutter eines damaligen Studenten, habe ich kennen gelernt. Mit ihr sind wir heute noch befreundet. Und so weiter, und so weiter. Wenn man da erst an die Erinnerungen tippt, hören sie nicht mehr auf zu sprudeln. Das kann nur das Alter sein. Steven Huff war übrigens der erste Mormone meines Lebens. Und das hat mich offenbar so beeindruckt, dass Steven Huff eine Spur im Roman "Opernball" hinterlassen hat, wenngleich, wie ich zugeben muss, eine etwas heimtückische Spur. Aber die Anmerkungen am Schluss stellen hoffentlich klar, dass ich ihm damit nicht eins auswischen wollte, sondern dass ich mir schlicht seinen Namen geborgt hatte. Übrigens mit seinem Einverständnis.

Jedenfalls begann ich mich von da an für Mormonen zu interessieren, fuhr später nach Salt Lake City und las das Buch Mormon. In den USA ist überhaupt ein neues Interesse für Religionen in mir erwacht.

Nirgendwo war ich als Erwachsener so oft in Kirchen, um einem Gottesdienst beizuwohnen, wie in den USA. In Europa bin ich gewöhnlich nur Kirchenbesichtiger und nehme gewöhnlich, wenn eine Messe beginnt, Reißaus.

Onkel Sidney hat mir übrigens nicht allein den jüdischen Glauben näher gebracht, er hat mir auch einen Besuch bei den Amish nahe gelegt. Oder hat mich Stella, seine Frau, gar hingebracht? Da bin ich jetzt unsicher. Jedenfalls fand damals auch mein erster Besuch in den Dörfern der Amish und Mennonites statt.

Aus meinem ersten Oberlin-Aufenthalt wurde eine Liebe zu den USA, dem viele weitere Aufenthalte folgten. Der nächste, der in seiner Intensität und Bedeutung für mein weiteres Leben mit Oberlin vergleichbar war, war der Aufenthalt 1994 als Teilnehmer am International Writing Program der University of Iowa. 1996 wurde ich zum Professor an die einzige vergleichbare Institution in Deutschland berufen, an das Deutsche Literaturinstitut Leipzig. Ohne meine USA-Aufenthalte, und das heißt ohne die US-Initiation durch Onkel Sidney in Oberlin, wäre es vermutlich nicht dahin gekommen. Und ich hätte eine Aufgabe nicht kennen gelernt, die mir große Freude bereitet.

Mein langes Schweigen scheint das Gegenteil zu besagen. Aber eigentlich ist es so, dass ich gerne mit Oberlin in Kontakt bliebe.

Mit lieben Grüßen
Josef

Vor kurzem erreichte uns noch eine Nachricht von Josef Haslinger, in der er berichtet, dass er und seine Familie anlässlich ihres ersten Besuchs in Thailand im Dezember 2004 von der Tsunami-Katastrophe unmittelbar betroffen waren und zu den wenigen Überlebenden zählten. Dass gleich alle vier überlebt haben, nennt er "mehr als einen glücklichen Zufall," da das Hotel gänzlich verschwunden sei und 70 Prozent aller Angestellten und die Hälfte der Gäste ums Leben gekommen seien.

Hauptwerke

Der Konviktskaktus und andere Erzählungen (1980)
Die Ästhetik des Novalis (1981)
Der Tod des Kleinhäuslers Ignaz Hajek. Novelle (1985)
Politik der Gefühle. Ein Essay über Österreich (1987)
Die mittleren Jahre. Novelle (1990)

Wozu brauchen wir Atlantis. Essay (1990)

Das Elend Amerikas. Elf Versuche über ein gelobtes Land (1992)

Leben in der Asche. Trümmerjahre in Wien 1945–1948. Bildband; mit Otto R. Croy und Gerhard Jagschitz (1993)

Opernball. Roman (1995)

Hausdurchsuchung im Elfenbeinturm. Essays (1996)

Das Vaterspiel. Roman (2000)

Klasse Burschen. Essays (2001)

Alte Welt — Neue Welt. Neue Musik und Literatur. Eine Dokumentation des Schreyahner Herbst (2002)

Leben mit Novalis. Paderborner Universitätsreden (2002)

Am Ende der Sprachkultur? Über das Schicksal von Schreiben, Sprechen und Lesen (2003)

Austrian Spirit. Politische Destillate aus der Heimat der Freunderlwirtschaft (2004)

Medien und Theater

Karfreitag 1. Mai. Politische Revue (Uraufführung 1988)

Die Entdeckung Amerikas. Ein Reise-Epos für eine statarische Stimme und zwei zügellose Zugposaunisten, gemeinsam mit Bertl Mütter und Werner Puntigam (Uraufführung 1993)

Herausgaben

Hugo Sonnenschein. Die Fesseln meiner Brüder. Mit Karl-Markus Gauß (1984)

Hanna Johansen, Oberlin, 1990.
Photo: Oberlin College German Department.

Hanna Johansen   1990

BORN IN BREMEN, WEST GERMANY, Hanna Johansen has lived in
Kilchberg near the Swiss city of Zurich for over twenty years. She
began her career as a writer relatively recently; her first work was
published in 1978. For Johansen, writing is a way to process experiences. When she writes, she does not think of the overall view which
she wants to convey, but rather she concentrates on getting down on
paper whatever comes to her, without restrictions. The way in which
Johansen goes about writing varies from one work to the next. Thus
her first book, *Die stehende Uhr*, almost wrote itself, whereas many of
her later works involved extensive research and a good deal of editing.
Through this almost inadvertent experimentation with various
approaches to writing, Johansen has learned that one does not
have to feel secure in the way one does something in order to get it
done.

Johansen began her career as an author in 1977 by writing a few
pages every afternoon in the house of a friend until it was time to pick
up her son Benjamin from school. She had no plans to write a novel, she
says, and was somewhat surprised when she eventually found herself
with a manuscript in her hands. It was accepted immediately by a
German publisher. When one considers Johansen's background it is easy
to understand her surprise upon the publication of *Die stehende Uhr*.

After her graduation from secondary school, she studied at the universities of Marburg and Göttingen with plans to become a school
teacher. She never felt fully comfortable with her studies, however, and
eventually broke off her schooling to get married. After traveling to the
United States and spending some time in Geneva, she settled down
with her husband outside of Zurich.

To the question why she began to write, Hanna Johansen has no
set answer. Shortly after her marriage in 1967, she made a project of
translating the work of several American authors into German. She
became interested in children's literature in the early 1970s, writing
and telling stories for her two small sons. It was not until 1977, however, that Johansen devoted a significant amount of time to writing. At
this early stage, writing was for her a type of outlet, a way of expressing thoughts that could not be expressed in spoken words. To gain an

understanding for what this assertion means, one must examine the works themselves.

A view of Johansen's works as a whole shows a surprising versatility. She has written works for children and teenagers in addition to her books for adults, and her work covers a variety of genres ranging from the short story to the novel. Her children's book *Siebenschläfergeschichten,* for example, is a series of short vignettes describing the everyday thoughts of a seven-year-old, whereas her collection of short stories *Über den Wunsch, sich wohlzufühlen* deals with problems encountered in the adult world, especially problems faced by women.

If there is one element which links Johansen's works, it is the limited perspective of her characters, and the everyday quality of the situations which they face. Many of her works have a first person narrator who maintains a narrow, personal view of events despite her interaction with and understanding for others. The events involved are usually not important outside of the narrator's immediate realm. Johansen does touch upon important social issues, but chooses to do so on a very personal level. Although this fact limits the audience which can genuinely relate to and understand her works, that audience definitely exists. The understanding of her works by the reader is precisely the goal which Hanna Johansen wishes to fulfill.

Johansen has been in residence here in Oberlin since early February. She has been busy throughout the semester working on the talk to be presented this coming week, which she calls an "essay on creativity." She has also been involved in developing ideas for coming projects, including a new children's book. Upon the conclusion of her stay here as Kade Writer-In-Residence, Johansen will return to Zurich to continue her literary work.

After Oberlin

Hanna Johansen still lives in Kilchberg near Zurich and currently resides there with her two sons. The years after her return from Oberlin seem to have been especially productive ones. During this time she published seven novels and prose works and some twelve books for children. Recognized as one of the relatively few Swiss female authors of note, she is the recipient of many prizes. She received the Ehrengabe des Kantons Zürich in 1980, the Marie-Luise-Kaschnitz-Preis in 1986, and the Conrad-Ferdinand-Meyer-Preis in 1987. In 1993, she won the Literaturpreis des Landes Kärnten beim Ingeborg-Bachmann-Wettbewerb in Klagenfurt, and she became a member of the Deutsche Akademie für Sprache und Dichtung in Darmstadt the same year. She won the Preis der Schweizerischen Schillerstiftung in 1991 for *Die Schöne am unteren Bildrand* as well as in 2002 for all her previous works. In 2003, she was awarded the Solothurner Literaturpreis for her complete works. Her highly acclaimed books for children have been translated into 16 languages and have won many prizes, including the Schweizer Jugendbuchpreis and the Österreichischer Kinderbuchpreis.

In answer to our inquiry, Hanna Johansen sent us the following letter:

31. Dezember 2003

Liebe Dorothea Kaufmann,

dass Sie Geschichten wünschen, macht es schwierig. Ich habe vielerlei in Erinnerung, und das meiste habe ich Menschen von dort zu verdanken, sehr unterschiedlichen Menschen, die ich nicht alle nennen kann. 1985 war ich zu einem nicht ganz vergleichbaren Aufenthalt an der USC in Los Angeles und habe nachher eine relativ flüchtige Begegnung mit einer Russin am Strand in zwei Geschichten verwandelt. Die Erinnerungen an Oberlin leben anders weiter. Mindestens zwei Erfahrungen sind aber als Motive, die niemand mit Ohio in Verbindung bringen wird (ein Besuch bei den anonymen Alkoholikern und ein Motivkomplex aus dem Zweiten Weltkrieg), in meinen Erzählungsband *Halbe Tage, ganze Jahre* von 1998 eingegangen.

Ja, ich denke noch an die Wintermonate in Oberlin. Und das Verwendete ist kaum das, was dann im Vordergrund steht. Es gab soviel anderes, das sich eingeprägt hat und mir immer wieder in den Sinn kommt. Der Blizzard, in den ich mit einer Freundin geraten bin, der Besuch einer Amish Auction mit Stella Rosenfeld oder zu erfahren, wie man auf dem Land mit einer nichtweißen Begleiterin nicht in jedes Restaurant hineinkam, und vieles mehr. Vor allem aber Gespräche. Charaktere. Lebensweisen.

Und natürlich das College selbst, das durchaus anders ist als das, was ich von der USC oder von meinen Jahren in Ithaka, New York, kannte. Wie wenig Zeit die Studierenden übrig haben, um sich noch mit einer gewissen Gründlichkeit auf einen Kurs einzulassen, der nicht "zählt": Das hatte ich mir anders erhofft nach meinen Wochen in LA, habe aber natürlich schnell begriffen, dass man ein Seminar für postgraduates nicht mit der stressigen Situation in einem College vergleichen kann. Wie viel Zeit Lehrende dort außer fürs Lehren noch für die Lernenden investieren, das habe ich bewundert. Das Angebot an Musik und an Vorträgen, die mich weiter begleiten und von deren Mitschriften ich auch manches verwendet habe (in der

"Universalgeschichte der Monogamie" von 1997). Die faculty lunches, das gym. Die ganze Anlage. Ich habe das sehr gemocht.

Gekommen bin ich, weil Sidney Rosenfeld mich eines Tage eingeladen hat, und auch weil ich von Josef Haslinger schon viel Gutes gehört hatte. In einem sehr zweckmäßigen Apartment war ich untergebracht, wo ich gut leben und arbeiten konnte, zwar nicht das, was ich mir vorgenommen hatte, weil die nötigen Bücher (*Brehms Tierleben* vor allem) nicht aufzutreiben waren. Aber was auf den ersten Blick als Behinderung erscheint, kann sich als Vorteil entpuppen. Ich hatte Zeit an einem Essay über Kreativität zu arbeiten, der später in einer deutschen Zeitschrift ("Das Plateau") abgedruckt wurde. Solche Stipendien, meine ich, sind auf verschiedenen Ebenen wichtig, und ich hoffe sehr, dass sie auch für die Studierenden wichtig sind.

Auffällig war in jenem Jahr auch, dass andere Teile der Welt präsenter waren, als das sonst in den USA der Fall ist, Südafrika und Litauen standen im Brennpunkt, also große Umbrüche.

Allen, mit denen ich auf die unterschiedlichste Art ins Gespräch gekommen bin, bin ich dankbar dafür und lasse die grüßen, die sich an mich erinnern, vor allem aber Heidi Tewarson und Rosenfelds. Menschen ein wenig näher zu kommen ist ja das, was besonders Gewicht hat, und wenn man sich dann naturgemäß wieder verabschiedet hat, fehlt auch etwas.

Mit guten Wünschen für Ihre Arbeit und den Campus überhaupt, der sich womöglich inzwischen auch verändert hat.

Hanna Johansen

Den Essay, den Hanna Johansen damals in Oberlin geschrieben hat, weil sie, wie es in ihrem Brief heißt, Brehms Tierleben *"nicht auftreiben" konnte, und den sie am Ende ihres hiesigen Aufenthaltes präsentierte, hat sie uns freundlicherweise mit zur Verfügung gestellt.*

Versuch über die Kreativität

Diesen Essay habe ich im Wintersemester 1990 in einem Gastsemester am Oberlin-College (Ohio, USA) erarbeitet, um ihn dort mündlich vorzutragen. Die Situation des Zuhörens bitte ich darum beim Lesen im Sinn zu behalten.

Was ich hier vorlesen will, nenne ich einen Essay über Kreativität, und ich brauche Mut dazu, weil ich sonst keine Essays schreibe. Auf diesem Feld fühle ich mich unerfahren, ungeschickt und unsicher. Das ist unangenehm. Zugleich erlebe ich eine gewisse Freiheit. Ich will keinen Ruf gewinnen in der Gesellschaft der Denker. Und ich habe keinen zu verlieren. Das ist gut für die Arbeit. Allerdings nur, wenn wir bereit sind, uns lächerlich zu machen. Gut ist auch, daß ich keine festen Arbeitsgewohnheiten habe, obwohl ich so mit dem Verdacht arbeiten muß, alles falsch zu machen. Ich weiß sozusagen nicht, ob man sie morgens, mittags oder nachts schreibt, die Essays, wie man sie aufbaut, welchen Ton die Sprache haben sollte, und vor allem weiß ich von allem zu wenig. Ich weiß auch nicht, was die Welt schon über mein Thema weiß, vermute aber, daß es viel ist. Und ebenso wenig weiß ich, was Sie über mein Thema wissen, was ja nicht das gleiche ist. Ich weiß nur, daß Sie alle etwas Verschiedenes wissen und daß Sie alle, wie Sie hier sitzen, verschiedene Erfahrungen damit gemacht haben. Und das bedeutet, daß Sie alle etwas Verschiedenes hören werden. Ich muß darauf vertrauen, daß Sie zuhören, wenn ich Dinge sage, die Sie schon wissen. Ich muß wirklich darauf vertrauen, denn sonst müßte ich die Arbeit aufgeben. Ich kann mich also frei fühlen, aber nur in einem gewissen Rahmen. Denn ich muß mich zugleich darauf verlassen, daß Sie im großen und ganzen das, was ich sagen werde, schon wissen, weil sie sonst nichts verstehen würden. Was ist Verstehen? Nicht das Schnappen nach einem großen schwerverdaulichen Brocken von Neuigkeiten, vielmehr ein kleiner Schritt vom Bekannten weiter ins Unbekannte. Das Neue ist das, was dabei herauskommt, wenn wir Dinge, die wir schon wissen, zusammentreffen lassen und sie dabei sehr aufmerksam beobachten.

Dieser Schritt interessiert mich. Er hat mich dazu gebracht, mich an das Thema heranzumachen. Manchmal bin ich darauf versessen, mich mit Arbeiten zu befassen, deren Ausgang ich nicht kenne. Erstens ist es spannend. Zweitens ist es qualvoll, so in einem Meer von möglichem Stoff zu schwanken und nicht zu wissen, was davon zu brauchen sein wird und wie es sich ordnen läßt. Und drittens bin ich überzeugt, dass es keine Kreativität gibt, die nicht durch diese Phase hindurchgeht.

Irgendwo muß man dann anfangen. Aber irgendwo ist nicht irgendwo. Was es ist, muß sich jedes Mal von neuem in der Arbeit selber zeigen.

Ich gebe mir hier die ganze Zeit den Anschein, als würde ich mich mit Vorreden aufhalten. In Wahrheit aber ist mir, als hätte ich alles, was ich über Kreativität zu sagen habe, in gewisser Weise bereits gesagt und könnte ebenso gut an dieser Stelle aufhören. Das werde ich aber nicht tun, weil ich es gern auch auf andere Weise sagen möchte.

Vom Zuhören möchte ich reden. Ich stelle mir vor, daß Sie beim Zuhören die Dinge aufnehmen, mit denen Sie gerade jetzt etwas anfangen können. Wenn mein Vortrag einen Sinn hat, dann diesen, daß meine Sätze die Wissenschaft voranbringen oder die Mißstände in unserer Welt vermindern, ist nicht anzunehmen. Vielleicht werden Sie das, was Sie schon wissen, in einer ungewohnten Anordnung wiederfinden oder mit einer ungewohnten Betonung. Vielleicht finden Sie neue Fragen, denen Sie gern nachgehen möchten. Das würde mir gefallen.

Ich stelle mir auch vor, daß Sie, wenn ich von mir rede, die Gelegenheit benutzen werden, das, was Sie hören, auf sich selbst zu übertragen. Ich glaube nicht, daß es möglich ist, über Mut zu reden oder über die Angst, alles falsch zu machen, ohne daß irgendjemand eigene Erfahrungen wiedererkennt und sie, wenn die Zeit reicht, mit dem vergleicht, was ich gesagt habe.

Ich verlasse mich also auf die menschliche Fähigkeit, in Analogien zu denken. Ich verlasse mich auf die Möglichkeit, auf mehreren Ebenen zuzuhören. Ich bin sicher, wenn ich über die Erfindung des Fernrohrs oder des Rastertunnelmikroskops reden würde, ich könnte Sie nicht daran hindern, ganz andere Dinge mitzuhören, welche Ihr Leben, Ihre Arbeit und vielleicht auch unser Thema betreffen. Bei Formulierungen wie Schöpfungsmythen oder Auslese und Anpassung wäre es nicht anders, und vielleicht würde sogar die Doppelhelix von Makromolekülen ein symbolisches Potential entwickeln, denn das bloße Wissen, daß hier von Kreativität die Rede sein soll, wird unsere Aufmerksamkeit neu fokussieren. Ich nenne das kreatives Zuhören. Es ist, wenn wir ganz ehrlich sind, die normale Art des Zuhörens: Abschweifen und Zurückkehren. Es hat jedoch Nachteile. Wenn man die Gedanken zu sehr schweifen läßt, versäumt man etwas, weil der Text unterdessen weitergeht. Und gelegentlich verpaßt man sogar etwas, wenn man etwas versäumt. Jeweils den richtigen Weg für die Aufmerksamkeit zu finden, ist nicht leicht, aber lernbar. (In unseren Gehirnen findet sich bekanntlich eine unerschöpfliche Menge von ungenutztem Potential.)

Es ist mühevoll, habe ich gesagt, am Anfang einer Arbeit zu sitzen, deren Ausgang ungewiß ist, während man im Stoff zu ertrinken droht, unablässig kommen einem weitere Überlegungen in den Sinn, die mit dem Thema unmittelbar verbunden sind. Jeden Tag wird klarer, daß man nur einen Bruchteil davon benutzen kann. Und dabei wird immer unklarer, welcher Teil das sein wird. Ich weiß also nicht, wohin die Arbeit führt.

Ich habe wirklich auf diese Weise gearbeitet, aber wenn ich das hier sage, ist es bereits zum Geschichtenerzählen geworden. Ich kann das nur schreiben, weil ich längst weiß, wie sich der Rest gestaltet hat. Ich sage das, weil ich auf keinen Fall den Eindruck wecken möchte, daß ich in meinem Kopf so denke, wie ich hier rede. Wir leben in einer Welt, in der so viel Ordnung und Effizienz verlangt wird, daß ich es wichtig finde, ab und zu sehr ehrlich zu sein, was das Chaos im Kopf betrifft. Mir macht es jedenfalls Angst, mir vorzustellen, daß andere Menschen so geordnet denken, wie es klingt.

Die Ordnung, und darauf komme ich noch, ist ein sehr spätes Produkt, und nicht nur, wenn es ums Schreiben geht.

Wir wissen, daß Gedanken keine natürliche Ordnung haben, Sie sind in großer Zahl gleichzeitig in unserm Kopf, alle unterwegs in verschiedene Richtungen, und im nächsten Augenblick wird nichts mehr sein, wie es jetzt ist. Außerdem neigen Gedanken zum Springen. Sie verschwinden einfach aus dem Gedankengang, um irgendwann an ganz andern Stellen wieder aufzutauchen.

In jedem Fall ist das, was wir unser Denken nennen, nicht nur nicht geradlinig, sondern es geht drunter und drüber, und das ist keine Panne, sondern der Normalfall. Unser Denken ist, da es sich auch in der Zeit abspielt, mindestens vierdimensional.

Wenn uns dagegen die Gedanken der andern begegnen, gedruckt oder gesprochen, bieten sie ein ganz anderes Bild. Das macht auf mich oft den Eindruck, als sähe es nur in meinem Kopf so chaotisch aus, während das übrige Denken auf dieser Welt sich in druckreifer Reihenfolge abspielt. Das ist glücklicherweise nicht der Fall.

Ich sage glücklicherweise, denn die unaufhörlichen und ungeordneten Bewegungen unseres sogenannten Denkens sind die Quelle unserer Kreativität. Früher habe ich gelernt, daß das Chaos im Kopf etwas Fürchterliches ist, das man möglichst schnell überwinden sollte. Heute versuche ich das wieder zu verlernen.

Trotzdem sprechen wir von der Leere in unserm Kopf, wenn wir etwas machen wollen, und von der Angst vor dem leeren Papier, wenn wir etwas schreiben wollen, Warum? Der Grund kann eigentlich nur sein, daß wir das, was uns durch den Kopf geht, nicht zu schätzen wissen. Jeder, der einmal versucht hat, fünf Minuten an gar nichts zu denken, weiß, daß es unmöglich ist, wenn man es nicht lange geübt hat. Der Kopf ist voll und nicht leer. Und was uns durch den Kopf geht, ob es nun von innen oder von außen kommt, ist eine üppige Quelle für alles, was wir tun wollen. Da wir aber auch gelernt haben, daß das, was uns durch den Kopf geht, nicht gut genug ist, müssen wir umlernen und besseren Gebrauch machen von dem, was wir sowieso tun.

Nicht nur unser Denken verhält sich vierdimensional wie der Rest der Welt, auch unsere Sprache tut das. An der Oberfläche allerdings gibt sie sich anders, sie kommt Wort für Wort, immer eins nach dem andern. Insofern ist sie ganz ungeeignet, Gedanken darzustellen. Sprache kann Gedanken nicht reproduzieren, ohne etwas anderes aus ihnen zu machen.

Ich stelle mir das so vor: Bei der Umwandlung von Gedanken in Sprache müssen wir erst die zeitliche Dimension wegnehmen, dann die räumliche Anordnung platt walzen, um aus der so entstandenen Fläche Fäden zu gewinnen, die wir dann lang ziehen. Am Ende, wenn statt der Gedanken die Wörter da sind und wenn diese Wörter im Gänsemarsch daherkommen, müssen wir die zeitliche Dimension wieder hinzufügen, allerdings auf eine neue Weise. Und bei all dem haben sich die Gedanken so verändert, daß man sie nicht wiedererkennt.

Das ist etwa das, was beim Schreiben vor sich geht. Ich nehme an, ich teile Ihnen damit nichts Neues mit, weil Sie alle schon geschrieben haben. Vielleicht fällt Ihnen als literaturgewohnten Zuhörern dazu das ein, was wir Bewußtseinsstrom nennen. Aber auch diese Textstruktur ist eine Umsetzung und nicht etwa eine Kopie dessen, was durch den menschlichen Kopf geht. Sprache dient nicht der Abbildung, sondern der Kommunikation. Und sie erfährt einen zweiten Umformungsprozeß bei dem, der sie hört oder liest. Dann wird die Abfolge von Wörtern und inhaltlichen Impulsen weiter verwandelt in einen Raum mit eigenen Strukturen und eigenen Echos.

Kreativität schöpft also aus dem weitgehend ungeordneten Durcheinander in unsern Köpfen und aus dem, was unaufhörlich von außen auf uns zukommt. Sie schöpft aus der Fülle. Eindeutigkeit dagegen ist schon geordnet und bringt nichts Neues hervor.

> Sobald man kreativ sein will, gehört es zum System, Irrwege zu gehen und "Unsinn" zu produzieren. Sobald man das einsieht, fällt es einem viel leichter, sich selbst und anderen zu verzeihen.

Der Satz ist nicht von mir, sondern von einem Nobelpreisträger der Physik (Gerd Binnig, *Aus dem Nichts*, 1989, S. 135).

Vielleicht können wir sagen, daß zur Kreativität gehört, sich selbst und andern zu verzeihen?

Und wie komme ich nun vom vierdimensionalen Gewimmel in meinem Kopf zu einfachen Sätzen? Es gibt viele Möglichkeiten. Ich fange jetzt mit dem Wort an.

"Kreativität" ist eine der Eigenschaften, die wir der Menschheit zuschreiben. Letztere unterscheidet sich ja von den anderen Tieren dadurch, daß sie, wenn sie etwas macht, sich aus den Grenzen instinktgebundenen Verhaltens ein Stück weiter entfernt. Kreativität scheint mir eine der ältesten Obsessionen der Menschen zu sein. Menschliches

Fragen, wenn es versucht, die Welt und sich selbst zu verstehen, hat immer wieder auf die Antwort hingeführt, es müsse auch all das, was der Mensch nicht gemacht hat, gemacht sein. Vielleicht wissen Sie, ob es Kulturen ohne Schöpfungsmythen gibt. Ich kann es mir kaum vorstellen. Unser Denken funktioniert so, daß es die Art, wie es selbst funktioniert, auf den Gegenstand seines Denkens überträgt.

Aus alter Gewohnheit habe ich mich gefragt, was es mit diesem Wort selber auf sich hat. Woher kommt "Kreativität"? Klar ist, daß seine Wurzeln über 2000 Jahre zurückgehen ins Lateinische, wo "creare" erschaffen bedeutet. Und seit wann hat nun die Kreativität ihren Platz im deutschen Wörterbuch? Zwischen kraxeln und Krebs ist der Platz, wo das Wort stehen sollte. Aber es ist nicht da. Im alten Grimm findet sich ohnehin nichts dergleichen, er befaßt sich nur mit deutschen Wörtern. Zunächst erscheint, von creare abgeleitet, die Kreatur in der deutschen Sprache, womit die vom Schöpfer geschaffenen Wesen gemeint sind, der Mensch jedoch nur dann, wenn von ihm in seiner Armseligkeit die Rede ist. Es zeigen sich daneben später Wörter wie kreatürlich, kreativ und Kreation, womit wir in den Niederungen der Damenmode gelandet wären. Der Brockhaus von 1922 kennt die Kreation als Schöpfung oder Ausstellung eines Wertpapiers. Aber seit wann die Kreativität, heute in aller Munde, ein geschriebenes Wort ist, wäre eine eigene Untersuchung wert. Übliche Nachschlagewerke verzeichnen "Kreativität" zumindest bis in die Mitte der sechziger Jahre nicht, während es im großen Meyer 1975 als Adjektiv ("kreativ") vorkommt. Heute dagegen ist es zur Selbstverständlichkeit geworden.

Anders in der englischen Sprache. Ein oberflächlicher Blick zeigt, daß der Webster von 1936 "creativity" kennt, ihr aber kein eigenes Stichwort zuweist. Das geschieht 1976: "creativity" bezeichnet "the qual. of being creative, the ability to create." Die Geburtsstunde des Worts scheint in die Jahre 1870–75 zu fallen. Das Oxford Dict. zitiert 1989 eine Quelle von 1875: "The spontaneous flow of his (Shakespeare's) poetic cr."

Warum, wenn die Sache uns Menschen seit langer Zeit so wichtig ist, erst jetzt ein neues Wort dafür? Und warum gerade jetzt?

Meine Vermutung ist, daß der Begriff der Kreativität sich so schnell, nämlich in unserer Generation, und so gründlich und auf so vielen Lebensgebieten durchsetzen konnte, verdankt er einerseits seiner Loslösung von den höheren Sphären der Religion und der Poesie und andererseits raschen Veränderungen in der Art, wie wir leben und wie wir den Menschen, die Gesellschaften und die Welt wahrnehmen.

Über diesen Bedeutungswandel gibt das Random House English Dictionary (von 1983–87) Auskunft, indem es in den achtziger Jahren neue Bedeutungen nennt: "die Fähigkeit, hinauszugehen über traditionelle Ideen, Regeln, Muster, Beziehungen und dergleichen, und sinnvolle neue Ideen, Formen, Methoden, Interpretationen usw. zu schaffen; Originalität, Progressivität oder Imagination."

Über die Voraussetzungen für die Karriere der Kreativität möchte ich Vermutungen anstellen. Das Wort war zuerst als "creator" und "Kreatur" in unserm Wortschatz, denn die Fähigkeit, etwas erschaffen zu können, wurde Gott zugeschrieben, und zwar absolut. Ich spreche hier über die Kultur, aus der ich stamme, nicht über andere. Und hier wäre ein Wort wie Kreativität nichts als eine Tautologie gewesen. Zwar kein Unsinn, aber sinnlos. Das Wort war überflüssig.

Für das Denken des christlichen Mittelalters war alles, was ist, von Gott geschaffen. Er war der Mittelpunkt dieses Denkens, und die Fragen der Forscher fragten danach, wie Gott die Dinge geordnet hat.

Seither haben wir erlebt, was wir die Geistesgeschichte der Neuzeit nennen. Die menschliche Sicht der Dinge hat sich geändert, und ich möchte ein paar Fäden herausgreifen, um diese Zeit sehr grob zusammenzuraffen: als eine Entwicklung vom Absoluten zum Relativen.

Ich hätte auch sagen können: vom Statischen zum Dynamischen, vom Zentralistischen zum Perspektivischen oder vom Übersichtlichen zum Komplexen.

Und da ich schon einmal bei den Verallgemeinerungen bin, werde ich ein halbes Jahrtausend in vier Phasen einteilen.

1.

Am Anfang steht zweierlei: die Befreiung von der Vorstellung, daß die Erde der Mittelpunkt des Universums sei, und die Entdeckung der Perspektive. Letzteres bedeutet, daß es nicht ein alleiniges richtiges Bild der Welt gibt, sondern daß dieses sich umstrukturiert je nach dem Standort, den der Beobachter wählt. Daraus ergibt sich eine neue Dimension von Wahrnehmung, Kunst und Forschung. Auseinandersetzungen mit den Lehrmeinungen der Kirche sind unvermeidlich. Noch ist Italien das Zentrum von Kunst und Forschung, und in der Person von Galilei fällt sozusagen beides zusammen: Er lehrt an der Kunstakademie Mathematik zur Berechnung der Perspektive. Perspektive ist nicht nur für Maler und Baumeister interessant. Perspektivisches Denken erlaubt ein neues Verständnis für die Phänomene im Sonnensystem, und die Erfindung des Fernrohrs bietet neue Möglichkeiten der wissenschaftlichen Beobachtung.

2.

Die Entdeckung der Evolution des Lebens, also die Befreiung von der Vorstellung, die Lebewesen in all ihrer Verschiedenheit seien von Gott so geschaffen, wie sie sind. Darwin hat seine Theorie 1859 folgendermaßen zusammengefaßt:

> Man kann sagen, daß die natürliche Auslese täglich und stündlich in der gesamten Natur wirksam ist, jede auch noch so kleine Variation berücksichtigend, das Schlechte verwerfend, das Gute bewahrend und aufaddierend; sie arbeitet still und kaum wahrnehmbar, wo immer und wann immer sich die Gelegenheit dazu bietet, die Perfektion eines jeden organischen Wesens in bezug auf seine tote und lebendige Umwelt anstrebend.

Darwins Theorie setzt nicht nur einen bestimmten Stand der Wissenschaft voraus, sondern auch eine bestimmte historische Situation. Ein neuer Staatsbegriff besagt, daß Macht nicht von oben, sondern vom Volk kommen solle. Nicht nur die amerikanische und die französische Revolution haben stattgefunden, sondern auch die englische Variante, die industrielle Revolution. Es herrscht ein Optimismus der neuen Wirtschaftsformen, welcher noch nicht weiß, was er anrichten wird. Auch der sogenannte Sozialdarwinismus, nach dem jeweils der Stärkere dem Schwächeren das Wasser abgräbt, ist längst vor Darwin erfunden und wird bereits 1802 von William Paley als "gesunde Wettkampfsituation" bezeichnet. Darwins eigene Formulierung dagegen scheint mir (jedenfalls an dieser Stelle) durchaus Raum zuzulassen für die Frage, ob die "Perfektion" durch eine Art von kämpferischem Knockout-System oder umgekehrt durch eine überlegene Fähigkeit zur Kooperation befördert wird.

Wenn Darwin 1859 die Spezies nicht mehr "als reale Einheit der Natur begreift, sondern als Abstraktion der ordnenden Intelligenz des Naturforschers" und wenn er die Entstehung der Arten als einen Prozeß von Versuch und Irrtum beschreibt (und diese Vorstellung werden wir brauchen, wenn von Kreativität die Rede sein wird), wenn also nicht nur der Mensch in seinem Leben eine Geschichte hat, sondern wenn das Leben selbst geschichtlich ist, sich entwickelt hat und sich weiter entwickeln wird, dann verliert der Mensch einen Teil seiner bevorzugten Stellung.

Unsere alte Frage, das Leben betreffend: warum ist das, was ist, und warum ist es so, wie es ist? wird seither auf eine grundsätzlich neue Art beantwortet: Leben ist ein dynamischer Prozeß in zeitlicher Perspektive.

3.

In der Relativitätstheorie verbindet Einstein die räumliche und die zeitliche Perspektive. Raum und Zeit stehen nicht mehr absolut. Sie sind voneinander abhängig. Was ist, ist relativ zum Raum und zur Zeit. Und beide sind relativ zueinander.

In der gleichen Epoche finden auch radikale Umwälzungen in der Kunstgeschichte statt. Vom Naturalismus (um schlechten Gewissens Schlagwörter zu gebrauchen) und vom Malen im Freien entwickelt sich die Malerei weiter zum Kubismus und Expressionismus. Die "richtige" Perspektive wird erweitert zu einer Multiperspektive, das Interesse verlagert sich von der Haut, also den Oberflächen, zu den darunter liegenden Strukturen. Andererseits wird die persönliche Sprache des Künstlers immer wichtiger. Ich erwähne das, weil ich hier, auch wenn es manchmal nicht so scheint, über die Karriere der Kreativität rede. In der bildenden Kunst sind diese Phänomene besonders deutlich zu sehen, weil sie simultan erscheinen, während Literatur, wo ein Wort dem andern folgt, weniger radikal wirkt.

Das Aufgeben der traditionellen einheitlichen Perspektive ist zugleich ein Rückgriff auf alte, bzw. auf die Sehweisen anderer Kulturen. Auch das bekanntlich ein Vorgang, der in andern Disziplinen von Kunst und Wissenschaft ebenfalls bedeutsam ist und bleibt.

Einstein hat die spezielle Relativitätstheorie 1905 formuliert, zu einer Zeit, als Physiker die Existenz von Atomen bezweifelten (nicht Boltzmann, der ein Anhänger Darwins war und 1906 Selbstmord beging), zu einer Zeit, als die Wissenschaft noch eine statische Vorstellung vom Universum hatte, an die absolute Gültigkeit der sogenannten Naturgesetze glaubte und daran, daß die Welt grundsätzlich beschreibbar und folglich vorhersagbar sei. Beides hat sich in der Folge gewandelt.

4.

Zum Bild des Makrokosmos gehört heute, daß auch er eine Geschichte hat. Das Universum hat keine bleibende Gestalt. Es breitet sich aus, nimmt man an, so daß nun nicht nur das räumliche Bild des Universums, sondern auch das zeitliche perspektivisch betrachtet wird.

Und was den Mikrokosmos betrifft, muß die Vorstellung aufgegeben werden, man werde, wenn man die Materie in immer kleinere Stückchen zerhacke, irgendwann auf den kleinsten, den ursprünglichen Baustein der Welt treffen. Auch die Vorstellung, daß Forschung Tatsachen beschreibt, wird im atomaren Bereich aufgegeben. Sie entwirft Bilder. Sie weiß, daß das Beobachtete abhängig ist vom Beobachten des Beobachters. Und vor allem hat sich gezeigt, daß die

Forderung nach unbedingt zuverlässigen Aussagen aufgegeben werden muß. Das Verhalten von beispielsweise einzelnen Photonen entzieht sich den Kategorien der sogenannten exakten Wissenschaften derart, daß Wörter wie Wahrscheinlichkeitsprofil und Umweltbedingungen in ihre Terminologie eingeführt wurden. Das Verhalten von Materie, sagt die Quantenmechanik, ist nur statistisch beschreibbar und wird, sobald man den Einzelfall betrachtet, sozusagen vom Zufall bestimmt. Einstein hatte noch behauptet: "Der Herrgott würfelt nicht." Die Natur, wie man sie heute sieht, tut es. Folglich wird auch die alte Frage, ob die Natur Sprünge macht oder nur kontinuierliche Verläufe kennt, auf neue Art beantwortet.

Die Regeln der Kausalität sind verletzt. Statistische Wahrscheinlichkeit, und das heißt die Anerkennung des Zufalls, ist der Abschied der Physik von absoluten Aussagen. Das Bild der Welt wird unscharf im Detail, unscharf in großen Zeiträumen, unscharf, wenn wir alle beteiligten Faktoren berücksichtigen wollten, aber einigermaßen zuverlässig in einem bestimmten und eingeschränkten Rahmen. Dieser Satz gilt auch für kreative Prozesse.

Eine Zwischenfrage: Inwiefern rede ich hier von Kreativität?

Ich spreche vom Bild, das sich der Mensch von der sogenannten Schöpfung macht. Jede Einzelheit dieses Bilds, die ich hier erwähnt oder auch nicht erwähnt habe, verdankt ihre Entstehung der menschlichen Kreativität oder einer langen Reihe von kreativen Vorgängen.

Evolutionstheorie ist der Versuch, wissenschaftlich zu beschreiben, was zuvor als Schöpfung verstanden wurde. Und obwohl darüber weiter diskutiert wird, scheint eines unbestritten (James R. Moore 1985): "Vom Stachelhäuter bis zum Engländer, alle waren sie durch gesetzmäßige Umverteilung der Materie entstanden in Anpassung an eine geordnete Veränderung der geologischen Umwelt."

Seither ist Evolution weit über diesen Kontext hinaus zu einem Schlüsselwort geworden. Und was sind Evolutionen? Evolutionen sind Entstehungsgeschichten, also kreative Prozesse, ob wir sie nun Schöpfungen oder Entwicklungen oder Geschichte nennen.

Kreativität können wir mit Binnig "als das Ermöglichen neuer Wirkungseinheiten" verstehen. Wir könnten es auch als "die Fähigkeit eines Systems zur Evolution" bezeichnen (Binnig, S. 143).

Und die Mechanismen, nach denen sich die Evolution des Lebens vollzogen hat, sind die gleichen, die auch sonst gelten. Unter bestimmten Bedingungen werden Muster nicht nur reproduziert, sondern zu neuen Mustern entwickelt. Darwin hat dafür die Begriffe Mutation und Auslese gebraucht. Wir könnten stattdessen von Synthese und Analyse sprechen oder "Mutation" ersetzen durch Variation,

Unschärfe oder Mißverständnis. In jedem Fall sprechen wir von
Vorgängen, bei denen bereits vorhandene Elemente, seien es nun
Makromoleküle oder Ideen, mit einer gewissen Zufälligkeit auf einander treffen und neue Einheiten bilden. Die meisten werden wieder zerfallen, einige werden als neue Muster sozusagen erkannt und
reproduziert.

Wer sich je bei kreativer Arbeit beobachtet hat, weiß, daß diese
Vorgänge sich lokal abspielen. Denn das Zusammentreffen mit andern
Teilen setzt voraus, daß sie gewissermaßen in der Nähe sind. Darunter
sind durchaus auch literarische Verfahren zu verstehen, beispielsweise
das, worauf Joyce sich im "Ulysses" stützt. Der Evolutionsbiologie
ging es darum, die Entstehung des Lebens zu erklären. Die Physik
macht sich heute daran, auch die Entstehung der Materie zu erklären,
indem sie die Mechanismen der Evolution auf sie überträgt. Gerd
Binnig schlägt darüber hinaus noch vor, die der Materie vorausgehende
Entstehung des Raums mit evolutiven Prozessen zu erklären.

Die perspektivische Sicht der Dinge breitet sich aus. Angesichts
eines so historisch relativierten Bilds des Universums erscheint die
Vorstellung, es befinde sich in einer einmaligen Expansion, als geradezu statisch. Jedenfalls erinnert diese Vorstellung verdächtig an eine
Maschine, die irgendwann fabriziert und in Gang gesetzt wurde und
irgendwann abgenutzt sein wird. Es wäre logisch, auch hier statt nur
einen Urknall eine lange Folge von Evolutionen anzunehmen.

Und, einmal unterwegs auf dem Wege der Relativierung, wird die
Physik wohl auch, so vermutet Binnig, die Gesetze der Materie und des
Raums als etwas beschreiben können, das sich im Laufe der Zeit durch
die Mechanismen der Evolution entwickelt hat und folglich in der
Zukunft weiterentwickeln wird. Und wenn die Naturgesetze nur in
einem bestimmten Bereich unveränderte Gültigkeit haben, werden wir
vielleicht sogar Konstanten des physikalischen Weltbilds wie beispielsweise die Lichtgeschwindigkeit in Perspektive sehen müssen, so daß das
einzige, was wir jetzt über Konstanten sagen können, ist, daß sie unter
den gegenwärtigen Bedingungen konstant zu sein scheinen.

Je weiter sich unser Denken von den eindeutigen Strukturen
des mittelalterlichen Weltbilds entfernt, je mehr Komplexität es auf-
nimmt, umso deutlicher scheint immer wieder etwas durch, was von
Anfang an Antrieb der menschlichen Forschung war, die Hoffnung
auf Ordnung im Chaos: also die Suche nach einer Regelmäßigkeit der
Erscheinungen, das Streben nach Widerspruchsfreiheit, die Sehnsucht
nach einer prästabilierten Harmonie.

Der frühe Darwin hielt zwar noch "das Selektionsprinzip für ein
solches von Gott erlassenes Naturgesetz, womit die Auswirkungen

der natürlichen Selektion einem von Gott gewollten Zweck und Ziel entsprächen." (Olivier Rieppel, *Unterwegs zum Anfang*, 1989, S. 124).

In der heutigen Wissenschaft aber ist ein Schöpfergott als allgemeine Ursache nicht mehr glaubwürdig. Kreative Prozesse anderer Art lassen sich besser in Einklang bringen mit unseren Beobachtungen: die Evolutionen mit ihren unaufhörlichen Spiralen von geordneter Repetition und unvorhersehbarer Variation. Vielleicht ist das die "Harmonie," die uns, jedenfalls im Bereich der Theorien, für den Verlust von Eindeutigkeit und Verläßlichkeit entschädigen wird. Der Zweig der neueren Physik, von dem die revolutionären Ergebnisse der Zukunft erwartet werden, ist die Chaosforschung. Sie ist es, die sich mit der Suche nach Regelmäßigkeiten im Chaos und mit chaotischen Tendenzen in geordneten Systemen befaßt, also mit dem, was, grundsätzlich betrachtet, immer der Gegenstand unserer wissenschaftlichen Fragen ist. (Das gilt auch für die Literaturwissenschaft).

Die Vorstellungen der Evolutionsbiologie sind auch außerhalb der Naturwissenschaften ein Thema gewesen. Als es im Pariser Akademiestreit 1830 wieder einmal um die Frage ging, ob man zwischen den Arten scharfe Abgrenzungen oder fließende Übergänge annehmen müsse, schrieb Goethe, Autor der Novelle "Die Wahlverwandtschaften," über die Transformisten, sie seien "im stillen um die Analogie der Geschöpfe und ihre geheimnisvollen Verwandtschaften bemüht. . . ."

Die "geheimnisvollen Verwandtschaften" der Phänomene finden heute ihre Entsprechung in einem erstaunlichen Flottieren der Begriffe. Während die Physik sich anschickt, dynamische Prozesse aller Art als evolutionär anzusehen und folglich sogar die Bewegung eines Körpers nicht mehr nur als Verschiebung im Raum zu bezeichnen, sondern auch als "eine Folge von diskreten Mutationen, eine Anpassung des Steins an seine Umweltbedingungen," während sie versucht, die Entwicklung der Spezies "als eine Bewegung von Tieren in einem *Möglichkeitsraum* aufzufassen" (Binnig, S. 254), wird auch in der Geisteswissenschaft umformuliert. Karl Popper folgert, "daß der bewußte, auf empirischer Forschung beruhende Erkenntnisgewinn der Wissenschaften einem Anpassungsprozeß gleichkommt" (Rieppel, S. 230). Und umgekehrt bezeichnet Konrad Lorenz "die Evolution insgesamt als einen Erkenntnisprozeß."

Wer das verwirrend findet, kann sich vielleicht vorstellen, wie verwirrend es für unsere Vorfahren war, zu erleben, wie ihre ererbten Vorstellungen ins Wanken gerieten. Feste Vorstellungen sind auch an feste Formulierungen gebunden.

Dieser Stand des Denkens ist ohne einen bestimmten Stand der gesellschaftlichen Entwicklung nicht zu denken. Und hier kommen wir zurück zur Kreativität. Ich wüßte gern mehr über die Geschichte dieses Wortes im 20. Jahrhundert. Ein solcher Begriff taucht ja nicht unvermittelt auf. A. N. Whitehead hat ihn 1926 benutzt in seinem Buch "Religion in the Making." Von da bis zu seiner heutigen inflationären Verbreitung ist noch ein weiter und zweifellos interessanter Weg. Vielleicht hat die Karriere des Wortes mit der neuen Struktur der Zwänge zu tun. Vielleicht mit Emanzipationsbewegungen auf dem weiten Feld zwischen Psychologie und Politik und Kunst. Kreativität scheint jedenfalls zu einem Passepartout auf allen Lebensgebieten geworden zu sein, von der Politik über Wissenschaft und Künste bis zu sozialen und therapeutischen Hilfsprogrammen aller Art. Kreativität als Allheilmittel? Dient uns die menschliche Kreativität als Halt in einer immer perspektivischer werdenden Welt? Als Stärkungsmittel gegen oder als Anpassung an eine Welt, in welcher trotz zunehmender Machbarkeit von technischen Einrichtungen immer mehr Menschen sich immer ohnmächtiger und immer ausgelieferter fühlen? Ich meine, daß die zunehmende Machbarkeit nicht zufällig die zunehmende Bedeutung von Kreativität begleitet. Und ich meine, daß die Ursache für so viel Haltlosigkeit nicht der perspektivische Charakter unseres Weltbilds ist, sondern das, was wir damit machen.

Wie hieß es neuerdings im Lexikon? Creativity sei "die Fähigkeit, hinauszugehen über traditionelle Ideen, Regeln, Muster, Beziehungen und dergleichen, und sinnvolle neue Ideen, Formen, Methoden, Interpretationen usw. zu schaffen; Originalität, Progressivität oder Imagination": bis hierher klingt das, als verhieße das Stichwort ein neues gesellschaftliches Paradies. Dann folgt jedoch ein Zitat, ein einziges, um zu zeigen, was gemeint ist: "der Bedarf an K. in der modernen Industrie."

Was mag das heißen? Sollen wir es nun auch kreativ nennen, wenn ein Unternehmen ins x-te Land expandiert oder wenn einer, der schon Milliarden hat, sich weitere unter den Nagel reißt? Oder zeigt sich darin bloß, daß es auch in diesem Paradies der Originalität ums Geschäft geht?

Was immer das Lexikon meint, das Interessante ist, daß sich der Begriff Kreativität jetzt nach unten verlagert, dahin, wo der Druck am größten ist. Vielleicht als abgesunkenes Kulturgut, vielleicht als Gegenbewegung, vielleicht als Anpassung. Ganz sicher als Therapie.

Bis jetzt habe ich hauptsächlich über kreative Prozesse in der sogenannten Natur gesprochen und über die Kreativität derer, die sie erforschen. Mein eigenes Feld ist eine andere Art von Kreativität. Und ich glaube, daß es gut ist, über das Gebiet zu sprechen, wo man selbst Erfahrungen gemacht hat. Ich spreche also auch dann übers Schreiben, wenn ich über historische Prozesse der Naturwissenschaften zu sprechen scheine. Ich versuche, es so zu machen, daß es nicht nur eine direkte Aussage, sondern für Menschen, die Analogien lieben, auch metaphorische Rede sein kann. Menschliche Kreativität ist ein so komplexes Gebiet, daß sich darüber nach den Regeln der Logik schwer reden läßt. (Darin gleicht sie andern Gebieten, denn es gibt wohl kaum eins, daß dafür nicht zu komplex wäre.) Hier, glaube ich, kann die Metapher genauere Aussagen machen, als der Versuch einer direkten Formulierung. Ich gebrauche das Wort "Versuch," mit Absicht, weil das scheinbar direkte Formulieren leicht umschlägt in metaphorisches Reden, ohne daß wir das durchschauen. Ich möchte darum, wenn wir hier am College schon einmal die günstigen Bedingungen haben, beides: Einerseits möchte ich Ihnen die Gelegenheit geben, meine Sätze in Ihren Köpfen zu reproduzieren und sozusagen zu verstehen. Aber auch wenn Sie genau zuhören, wird Ihr Zuhören so funktionieren wie eine Kopiermaschine? Das ist unmöglich. Darum hoffe ich andererseits, daß meine Sätze in Ihren Köpfen die Möglichkeit zur Mutation haben, also zu jener kleinen Veränderung, die zu etwas Neuem führt, das später wieder mit andern Gedanken neue Verbindungen eingeht. Auf diese Weise kann das, was beim Zuhören entsteht, wesentlich kreativer sein als das, was ich zu sagen habe.

Das ist, was ich unter Lernen verstehe. Manchmal ist, was wie ein großer Sprung aussieht, nur ein kleiner Schritt, einfach weil die Voraussetzungen da sind und die Veränderung leicht wird. Und oft merken wir dann nicht einmal, dass wir etwas gelernt und gemacht haben. Stoff ist nur ein kleiner Teil des Lernens. Nicht sehr wichtig, aber sehr nötig, um den Umgang mit Stoff zu lernen. Und sehr praktisch, damit man nicht immer wieder von vorne anfangen muss, wenn im Leben Wissen nötig ist.

Vom Dilemma zwischen dem reproduzierenden und dem mutierenden Zuhören habe ich schon gesprochen. Wir können es auch das genaue und das abschweifende Zuhören nennen. Wir kennen es alle. Kreativ ist das Wechselspiel zwischen beidem, also schließlich ein geschickter Umgang mit dem, was dabei herauskommt. Ich sage "geschickt," weil ich glaube, dass man sich darin üben kann und daß es wichtig ist, die kreativen Fähigkeiten auf allen Lebensgebieten zu trainieren, weil es sein kann, daß sie sonst einschlafen. Wer sich mit der aufregenden Einrichtung unserer beiden Hirnhälften auskennt, weiß, daß es dabei um das Zusammenspiel der beiden Seiten geht.

Es ist das gleiche wie beim Schreiben. Wir haben bekanntlich links eine analytische Seite, welche systematisch denkt und die Logik liebt, dauernd ungeduldig auf die Uhr sieht und außerdem gern alle Arbeit an sich reißt. Rechts dagegen ist die synthetische Hälfte, die lieber genau hinsieht, auch wenn sie nicht weiß, wozu es gut ist. Sie vertieft sich selbstvergessen in Arbeiten, die komplex sind, und es stört sie nicht, wenn dabei die Zeit vergeht. Sie merkt es nicht einmal. Nur kommt sie nicht allzu viel zum Zug. Oft hat sie erst dann eine Chance, wenn die anstehende Arbeit der linken Seite zu blöd ist, weil sie den Sinn nicht einsieht.

Unsere verbalen Fähigkeiten sind links zu Hause, wo es gescheit zugeht. Kreativität ist hier nicht gefragt. Komplexität fällt unangenehm auf. Widersprüchliches wird gestrichen. (An der entsprechenden Stelle vermutet man rechts die Verarbeitung von visuellen Impulsen.) Die linke Seite hat zwar die Wörter, aber wir sollten ihr das Zuhören und Lesen und Schreiben nicht allein überlassen. Zum Glück gibt es eine Verbindung zwischen den beiden Hälften, eine schmale Brücke, die aber viel durchläßt, wenn man sie benutzt. Wir setzen also die wortlose Seite unseres Kopfs auf Worte an. Das geht.

Das Wechselspiel und die Zusammenarbeit von analytischem und synthetischem Vorgehen ist das Geheimnis von Kreativität.

Am Anfang habe ich beschrieben, wie wichtig es ist, die Fülle des Materials, das uns im Kopf und in der Außenwelt begegnet, mit neuen Augen zu sehen, wenn wir kreativ arbeiten wollen. Ordnung, habe ich gesagt, sei erst in einem späteren Stadium das Problem. Jenes Durcheinander, das sich im Kopf einstellt, wenn man Hoffnungen auf die Umwege des Gehirns setzt und sie nicht unterdrückt, jenes Durcheinander ist als Formprinzip ungeeignet, und nicht nur für einen Vortrag. Wie müssen wir es nun anstellen, um die Materie in ein Muster zu bringen und in der künstlichen Ordnung eines Texts enden zu lassen?

Louis Pasteur (wieder ein Naturwissenschaftler) hatte folgende Empfehlung, wenn es ums Ordnen von verwirrenden Daten ging: "Make it look inevitable."

Das Zitat ist mir aus zwei Gründen lieb. Erstens wegen seiner Weisheit. Und zweitens wegen der Art, wie es hierher gekommen ist. Es ist mir vor ein paar Wochen aufgefallen bei einem Gastvortrag von Gerald Holton. Es war ein Geschenk. Wer kreativ arbeitet, weiß, daß andere Menschen und sogar die unbelebte Welt uns unablässig Material liefern, das wir für unsere Projekte brauchen. Es ist erstaunlich, wie sich die Dinge um uns herum herandrängen, um zu unserer Arbeit hilfreich beizutragen. Man meint lauter Zufälle wahrzunehmen, die eine verblüffende gemeinsame Zielrichtung annehmen. Auch Naturwissenschaftler, die besondere Entdeckungen gemacht haben, beschreiben oft, wie uns das, was wir suchen, scheinbar ganz von selber vor die Füße fällt. Wir müssen es nur bemerken und aufheben. Voraussetzung dafür ist, daß unsere Arbeit uns wirklich interessiert und daß wir wirklich Antworten auf unsere Fragen suchen. Voraussetzung sind also ganz bestimmte innere Bedingungen, die wir die Ursuppe der Kreativität oder den Zustand des Arbeitens nennen könnten. Dieser Zustand ist durch ein paar Eigenschaften gekennzeichnet, die im Gegensatz zu anständiger Arbeit zu stehen scheinen.

Zu diesem Zustand gehört nämlich, daß man sich trotz Erfahrung auch hilflos und ungeschickt fühlt. Es gehört dazu die Bereitschaft, spielerisch mit der Materie umzugehen, ineffizient zu sein, etwas Närrisches zu riskieren und sich nicht vor Fehlern zu fürchten. (Sogar Denkfehler können, wie G. Holton ebenfalls gesagt hat, zu wichtigen Ergebnissen führen.) Und es gehört eine gewisse Distanz und eine gewisse Inkompetenz dazu (ich zitiere wieder einen Naturwissenschaftler): "Man kann nicht kreativ sein, wenn man nicht beschränkt ist. Zu viel Wissen kann für die Kreativität schädlich sein, besonders wenn man die mit dem Wissen verknüpften Denkweisen als unveränderlich ansieht" (Binnig, *Aus dem Nichts,* S. 122).

Das ist ein zentraler Punkt. Oft sind es die einfachen Schritte, vor denen wir stocken, weil sie uns unvertraut sind.

Kreativität heißt, sich immer von neuem auf unvertrautem Gelände zu befinden. Auf Gelände, das dunkle Stellen hat und nie bis in den letzten Winkel auszuleuchten ist. Das kann auch bedeuten, daß es darum geht, den unvertrauten Charakter von vertrautem Gelände wiederzuentdecken. Auf diesem Gelände finden die mehr oder weniger zufälligen Begegnungen der bereits vorhandenen Elemente statt und die mehr oder weniger analytische Auslese dessen, was dabei herauskommt.

Nicht nur das Herausarbeiten des Stoffs unterliegt sozusagen Evolutionsprinzipien, die Entwicklung der Form tut es gleichermaßen. Und sie tun es nicht nacheinander, sondern auf weite Strecken sind beide Entwicklungen miteinander verknäuelt. Das verbindet sich bestenfalls mit dem Gefühl einer gewissen Unbekümmertheit, die ja Voraussetzung ist für kreative Prozesse, kann aber die wiederkehrende Qual des Arbeitens nicht verhindern. So beängstigend und komplex dieses Vorgehen auch sein mag, es vermehrt und erleichtert die Möglichkeiten, weiterführende Verbindungen herzustellen oder, metaphorisch gesprochen, chemische Verbindungen von verschiedenen Elementen möglich zu machen, die wiederum die Weichen neu stellen.

Beim Formgeben muss man sehr variabel sein, und nicht etwa nur, damit es nachher "inevitable," also wie die einzige Möglichkeit, aussieht. Die Form entwickelt sich bei der Arbeit. Man kann sich nicht darauf verlassen, daß das, was beim letzten Mal funktioniert hat, wieder funktionieren wird. Und das Formgeben als den analytischen Teil der Arbeit zu bezeichnen, wäre eine Vereinfachung, die mit den Tatsachen nichts mehr zu tun hätte. Wie immer wir auch gerade vorgehen mögen, ob wir sozusagen am Anfang, in der Mitte oder sonst wo anfangen, jede Entscheidung stellt Weichen. Jede Weichenstellung ist eine Entscheidung für das eine und gegen vieles andere mit den entsprechenden Konsequenzen. Je mehr die Arbeit fortschreitet, umso mehr schränkt sich die Freiheit ein. Zur kreativen Arbeit gehört ferner eine zunehmende Bereitschaft (oder gar Leichtigkeit), sich auf die Konsequenzen von Entscheidungen einzustellen, also Gedanken, die einem lieb oder wichtig sind, dann loszulassen, wenn sie anfangen zu stören. Das eigene Denken und die andern draußen hören ja nicht damit auf, neuen Stoff anzubieten, wenn er den Fortgang der Arbeit nur noch behindert. Man muß dann genau das tun, was in andern Phasen der Arbeit unbedingt zu vermeiden ist: die Einschränkungen akzeptieren. Diese sich stufenweise einschränkenden Möglichkeiten sind ein Segen für längere Arbeitsprozesse. Man muß ihnen dankbar sein, denn sie helfen uns, Ziele zu erreichen.

Irgendwann ist es dann entweder so weit, daß die Zeit abgelaufen ist oder daß man es nicht mehr aushält und nur noch eins will, möglichst schnell aufhören. Im besten Fall ist es dann bald so weit, daß man am Werkstück nichts mehr tun kann, auch wenn man es wollte. Es wären andere möglich gewesen, aber an diesem einen, wie es geworden ist, weiß man nichts mehr zu verbessern. Das ist das Ende der Arbeit. Das Ende ist mal von guten Gefühlen begleitet, mal von unguten und immer von Trauer um all das, was verworfen wurde. Wenn es einem ernst ist mit dieser Trauer, gibt es manchmal die Möglichkeit, damit von neuem zu arbeiten. Aber es gibt sie nicht immer.

Kurz gesagt: Das Formgeben ist ein Prozeß von fortlaufend sich einschränkenden Möglichkeiten. Wenn die Einschränkung vollkommen ist, also keinerlei Freiheit mehr besteht, ist die Arbeit fertig.

Kreativität hat immer mit Freiheit zu tun. Aber nicht so ausschließlich, wie man gern meint. Ohne Beschränkung ist Kreativität nicht zu haben. Beschränkung ist ein Wort für sehr unterschiedliche Vorgänge, die in jedem Menschen, in jeder Lebenssituation und in jeder Phase einer Arbeit sehr unterschiedliche Funktionen haben. Ich halte es für wichtig, einen möglichst freien Umgang mit Beschränkung zu lernen, zu üben und weiterzuentwickeln.

Zum Schluß möchte ich davor warnen, Gedanken als Messer zu gebrauchen. Also nicht: Freiheit ist gut, Beschränkung ist schlecht oder umgekehrt. Nur in einem Bereich zwischen beiden Extremen, zwischen Chaos und Starre, ist, ganz naturwissenschaftlich gesagt, Leben.

In *Plateau* 34, April 1996, 4–19.

Werke

Die stehende Uhr. Roman (1978)

Trocadero. Roman (1980)

Die Analphabetin. Erzählung (1982)

Auf dem Lande. Hörspiel (1982)

Über den Wunsch, sich wohlzufühlen. Geschichten (1985)

Zurück nach Oraibi. Roman (1986)

Ein Mann vor der Tür. Roman (1988)

Die Schöne am unteren Bildrand. Erzählungen (1990)

Über den Himmel. Märchen und Klagen (1993)

Kurnovelle (1994)

Universalgeschichte der Monogamie. Roman (1997)

Halbe Tage, ganze Jahre. Erzählungen (1998)

Lena. Roman (2002)

Kinderbücher (Auswahl)

Felis, Felis. Eine Katergeschichte. Ill. von Käthi Bhend (1987, 6. Aufl. 1991)

Die Geschichte von der kleinen Gans, die nicht schnell genug war. Ill. von Käthi Bhend (1989, 5. Aufl. 1991)

Dinosaurier gibt es nicht. Mit Linolschnitten von Hanna Johansen (1992)

Die Ente und die Eule. Neu ausgestattet und mit fünf neuen doppelseitigen Bildtafeln von Käthi Bhend (1993)

Ein Maulwurf kommt immer allein. Mit Linolschnitten der Autorin (1994)

Der Füsch. Ill. von Rotraut Susanne Berner (1995)

7 x 7 Siebenschläfergeschichten. Ill. von Käthi Bhend (2000, veränderte Neuausgabe)

Omps! Ein Dinosaurier zu viel. Ill. von Klaus Zumbühl (2003)

Die Hühneroper. Ill. von Rotraut Susanne Berner (2004)

Jürg Amann, Oberlin, 1991.
Photo: Oberlin College German Department.

Jürg Amann   1991

THE SWISS AUTHOR JÜRG AMANN was born in Winterthur in 1947.
The son of a lyric poet, he himself wrote poetry almost exclusively
before moving to Berlin in 1969, where be began to experiment with
other genres, including drama and narrative prose. As a youth he had
wanted to study film, but as Switzerland had no film school he turned
instead to German literature at the University of Zurich. In 1973 he
received his doctorate with a dissertation on Franz Kafka, and from 1974
to 1976 he worked as a director at the Zurich Schauspielhaus. Since that
time he has written ten plays and published numerous volumes of stories,
novellas, and poetry, and he continues to write in a variety of prose forms.

Amann's works reflect the artist's struggle to understand himself
and his world. "I will always try harder to know who I am . . . The better I know myself, the better I understand humanity." Yet he is far from
the self-indulgent artist. Many of his works deal with the problems of
human relationships and how art can cut off its creator from genuine
experience, can blind him to the sometimes destructive effects his self-
absorption can work on those around him. "I am interested in the vulnerability of people and of the world," he said, "I always try to place
myself on the side of the injured."

This theme stands at the center of the collection of monologues
that Jürg Amann read with his Oberlin class this semester, *Nachgerufen*
(1983). The monologues take the form of letters written to various
German literary figures by the women who were their friends, lovers,
or wives. Amann studied the historical accounts of the relationships and
used them to craft fictionalized expressions of the women's disap-
pointments and sufferings. Of the voices he brings to life, some are
angry and embittered at having their individuality ignored, while others are resentful because they had to sacrifice their intelligence, sensi-
bilities, and hopes to the men's aspirations, or even to their whims.
Taken together, the eleven monologues reflect a tension between artistic creation and the emotional price it can demand. The last mono-
logue is dated 1979, and is Amann's self-reproach for his behavior in
an intimate relationship. Writing from a woman's perspective allows
him to keep a certain distance as he attempts to understand a woman's
plight and at the same time probes his own inner self.

It was partly Amann's inventive use of another distance-creating stylistic mode that earned him the Ingeborg Bachmann Prize in 1982 for the short story "Rondo." The study describes the conflicting emotions of a returning son who must help his infirm mother undress and get in bed. The narration flows between the first- and third-person forms as the son experiences both tenderness for his mother and disgust at her physical condition: "Do you see the salve there? she asked. There on the nightstand? This one? I asked. The other one, she said . . . I took a tube in my hand. Sit on the bed, she said. There, next to me. He sat next to her on the bed."

By describing himself in the third person, the narrator is at once participant and observer, conveying his desire to help his mother and to flee from her. The story begins and ends with the same sentence: "And was on his flight from home suddenly home again," a line that expresses the impossibility of escaping emotional entanglements. Other works, for example *Fort* (1987), also consider the psychological aspects of the individual's need for departure and return.

Recently Amann has published a collection of stories more political in nature than his previous works. In the title story of *Tod Weidigs* (1989) he describes the historical case of a revolutionary whose death by torture was explained as a suicide, and in so doing he draws subtle parallels to the case of the Baader-Meinhof Group in Germany.

Jürg Amann's ten-week stay in Oberlin marks his first visit to the United States. While here, he traveled to New York City, worked productively on a novel titled *The Book H.*, and also, to his own surprise, wrote his first lines, in fact a series of poems, in English. He plans to return to Switzerland this month and begin a directing project in Zurich, where he now makes his home.

After Oberlin

Jürg Amann still lives in Zurich and has written many works of prose since leaving Oberlin. He won the Preis des Internationalen Hörspielzentrums in 1998, 1999, and 2000. In 2001, he won the Schweizer Schiller-Preis and, more recently, the Kulturelle Auszeichnung 2003 des Kantons Zürich for his prose work *Mutter töten*. He is a member of the Gruppe Olten and the PEN-Zentrum der Bundesrepublik Deutschland.

In two of his books, *Zwei oder drei Dinge* and the more recent *Kein Weg nach Rom*, Amann deals explicitly with his time at Oberlin. *Kein Weg nach Rom*, which ends in Oberlin, is an account of the narrator's travels in letter form. The letters describe his experiences and observations but also function as a way of separating him emotionally from the person to whom he is writing. While at Oberlin, the narrator rediscovers his ability to love and, as his reading at the end of his stay shows, also arrives at new insights about "Amerika"; these change his attitudes about the country of his childhood dreams, which in the course of time had become increasingly negative. Amann was in Oberlin during the 1991 Gulf War. He refers to it by having the narrator relate his own apprehension as well as the reactions among the students and the townspeople. The following extracts are taken from *Kein Weg nach Rom*, with the author's permission.

Auszüge aus Kein Weg nach Rom

Oberlin, Ohio

Schon lange versuche ich Dir zu schreiben. Aber ich bin hier von allem so weit weg, und es ist schwierig, den Bezug zu Europa zu halten. Alles ist flach hier. In einem so flachen Land gibt es keine Richtung. Alles sieht gleich aus. Es gibt keinen besonderen Punkt in der Landschaft, an dem man sich orientieren könnte. Den Horizont sieht man nicht.

Im übrigen fühle ich mich hier so alt wie noch nie. Ich lebe in einem Ghetto der Jugend. Fast neunzig Prozent der Bevölkerung sind Studenten zwischen achtzehn und zweiundzwanzig. Da hört selbst die Konversation auf. Alles ist weit und still. Das Lauteste ist das ewige Rauschen der Klimaanlagen, die hier überall ununterbrochen laufen, das ich als eine Art Gehirnwäsche empfinde. Immerhin schreibe ich viel, und wenn ich das fertige Buch nach Hause bringe, ist der Zweck meines Hiergewesenseins ja erfüllt.

[. . .]

Die Welt hat sich inzwischen so drastisch verändert, daß solche wie auch fast alle anderen Dinge unwichtig geworden sind. Du hast mir, was diesen so falschen Krieg angeht (und es gibt nur falsche Kriege), sehr aus dem Herzen gesprochen. Die Genfer Konvention muß neu geschrieben werden. Der Krieg kann nur ganz verurteilt werden, nicht partiell. Eine partielle Verurteilung ist die Rechtfertigung im ganzen. Das Seltsame für mich ist, daß ich, seit ich in diesem scheinheiligen Land bin, das diesen scheinheiligen Krieg führt, weil ich der Arbeit zuliebe ohne Fernsehen lebe, weniger davon weiß als zu Hause, wo ich nächtelang CNN geschaut habe. Um am Ende doch nichts zu wissen und nur von Tag zu Tag mehr verstört und niedergeschlagen und ohnmächtig zu sein. Es ist ja in einem ganz neuen schrecklichen Sinn ein Weltkrieg, der jetzt geführt wird, ein Krieg gegen die Welt. Und die Welt, das sind wir. Und der Friede schien greifbar nahe.

Zum Glück bin ich hier wenigstens an einer Universität, in der neunzig Prozent der Studenten und Professoren gegen den Krieg sind und das auch laut sagen und mit dieser Haltung auch auf die Straße gehen. Das Wort Genozid wird hier ganz offen ausgesprochen.

Oberlin ist sehr links. Aber was heißt das schon. Oberlin ist eine Eliteschule, es sind die verwöhnten Kinder der Reichen, die hier studieren. Und es ist natürlich sehr leicht, links zu sein, solange die konservativen Eltern den Liberalismus ihrer Töchter und Söhne bezahlen. Aber was kommt dann?

Ich schaue mir diese jungen Idealisten manchmal an und denke, in fünf Jahren, wenn sie selber das Geld verdienen und Besitz zu verteidigen haben, werden neunzig Prozent von ihnen, auch in den sozialen Fragen, für die sie sich jetzt so stark machen, die Seite gewechselt haben.

Denn an den Häusern der Bürger in Downtown Oberlin und in der Umgebung weht die US-Fahne und auf Schildern in Fenstern und Schaufenstern steht: We support our troops. Und das Perverseste ist: im Kino schauen sie sich ihre eigenen Wildwestfilme an und merken nicht einmal, daß sie allesamt hier in einem gestohlenen Land leben, deren rechtmäßige Besitzer und Bewohner sie vertrieben und umgebracht haben. Dieses Land gehört ja gar nicht den Amerikanern, sondern den Indianern. Aber einen Indianer habe ich hier, obwohl ich im Gebiet der Irokesen unter den großen Seen lebe, bisher nicht zu Gesicht bekommen.

Früher habe ich ja in Wildwestfilmen immer gedacht, die Häuser sehen so kulissenhaft aus, weil es eben Kulissen sind. Aber die Häuser hier sind so.

P.S. Gerade höre ich, daß der Krieg für diesmal zu Ende ist. Kann man das noch sagen, nach allem: Gott sei Dank?

[. . .]

Ich habe hier jedenfalls verstehen gelernt, was Du mir damals sagtest, als wir zuletzt im Bus über die Liebe sprachen: daß es Dinge gibt, die in einem gewissen Alter außer Reichweite rücken; daß man sich gar nicht mehr hinzuschauen traut, wenn sie sich auch nur als Möglichkeit noch einmal zeigen. Ich habe an diesem Ort, der ganz von der Jugend geprägt ist, geradezu schockartig erfahren müssen, wie groß die Entfernung zwischen Sehnsucht und Möglichkeit wirklich geworden ist. Das Herz ist noch jung und möchte nochmals von vorne anfangen, aber auf den Schultern trägt man das Scheitern des Lebens.

Die Krise der Lebensmitte hat mich endgültig eingeholt, und zwar in der Form, daß die zwei Hälften ja einerseits in mir vereinigt sind, andrerseits in mir auseinanderbrechen. Das zeigt sich deswegen so kraß, weil die Menschen hier so kraß jung sind. Scheinbar gehöre ich noch zu ihnen, bei genauerem Zusehen trennen uns nicht nur Jahre, sondern Leben, das eine, das ich schon hinter mir habe, und das andere, das sie noch vor sich haben.

Konkret verwirrt mich eine ganz junge Frau, die mir mit ihrer Jugend ans Herz rührt und die ich mit meinem Alter nicht einmal an der Haut zu berühren wage, weil ich das Gefühl habe, daß mir das nicht zusteht. Tag für Tag führt sie, in aller Unschuld, mir und sich selber zur Freude, wie einen jungen Pfau ihre Schönheit vor meinen Augen spazieren — und ich lasse mich hinreißen und lade sie irgendwohin ein — oder lasse mich von ihr irgendwohin einladen — ins Kino, ins Konzert, ins Theater, und dann wissen wir nicht, was reden. Worüber sollten wir, wir leben ja nicht in der gleichen Zeit. Als ich so jung war wie sie, war sie noch nicht einmal auf der Welt. Sie macht mich so unsicher, weil sie in der richtigen Zeit lebt und ich in der falschen. Und doch ist jeder Tag mit ihr ein guter Tag, jeder Tag ohne sie — nein kein schlechter aber ein weniger guter.

Aber ich denke, es hat seine Logik, was mir hier zustößt. Es muß sich endlich entscheiden, ob ich die Lektion lernen will, die mir das Leben durch Dich erteilt hat: daß es falsch ist, das Leben immer wieder von vorne beginnen zu wollen; oder ob ich noch einmal, wider besseres oder schlechteres Wissen, der unerfüllten und unerfüllbaren Sehnsucht des Herzens nachgebe. Vielleicht ist es Zeit zu lernen, daß Liebe zu einem Menschen auch heißen kann, ihn in seinem Wesen belassen. Daß man auch lieben kann, ohne haben zu müssen. ("How shall I hold my soul so that it won't stir hers?")

Daß Du jetzt aber nicht denkst, ich hätte nichts anderes im Kopf als die Liebe. Gibt es die Schweiz noch? Von hier aus macht es nämlich überhaupt nicht den Anschein, als ob sie irgendeine Notwendigkeit hätte.

Ja, ich schreibe viel, außer dem Roman Gedichte, englische, eins auch über Dich. Es ist seltsam, es ist, als ob ich einer anderen Sprache als der unsern bedurft hätte (als derer, die uns verbindet oder verband), um endlich die Bitterkeit loszuwerden, die mich manchmal zerfressen wollte.

Ja, in diesem schrecklichen Krieg waren wir wieder nah beieinander. Auch Dein Schamgefühl teile ich. Man schämt sich dafür, darunter gelitten zu haben, in einer warmen Stube, in der man die Bilder von denen empfangen hat, die wirklich gelitten und die in diesem Krieg unwiederbringlich ihr Leben gelassen haben. Und dafür, daß man darüber nicht wenigstens den Verstand verloren hat. Ich habe mich auch dafür geschämt, inmitten dieses wirklichen Schreckens und Leids noch privaten Schrecken und privates Leid empfunden zu haben.

Mich hat ein anderes Buch von Beckett in Atem gehalten: *Worstward Ho* — ich fand die Übersetzung so schlecht und falsch, daß ich es für mich noch einmal neu übersetzt habe. Was ist *Stirrings Still*?

Du fragst, ob mir die Fremdheit gut tut für die Arbeit? Ich fühle mich hier gar nicht fremd. Ich würde mich nirgends mehr fremd fühlen. Ich glaube, ich könnte inzwischen überall leben. Es kommt auf die Menschen an, nicht auf den Ort. So kann ich Dich nicht einmal aus der Fremde grüßen, nur aus der Ferne.

[. . .]

Hier gibt es Vogelstimmen, die ich noch nie gehört habe. Sind es andere Vögel oder pfeifen die gleichen Vögel in einer anderen Sprache? Sind es Lerchen, die da gestern und vorgestern, kaum waren die Temperaturen frühlingshaft, beinahe schreiend in den Nachthimmel hineinstiegen und eine Erinnerung an die früheste Kindheit weckten? Aber stiegen sie da nicht bei Tag? Und dann erschreckt mich wieder der eigene Schatten.

[. . .]

Oberlin Again

[. . .] Which way do we take? fragte sie mich, als wir uns am Nachmittag zum Spaziergang trafen. The farest that's possible, antwortete ich. Sie ist im vorschuldigen, ich bin im post-schuldigen Zustand (nach Kleist). Vielleicht ist das die Verbindung. Wir waren allein, als wir zurückkamen. Wir blieben vor dem Haus stehen. Die Sonne stand tief über dem Dach. Es begann kühl zu werden. You see, sagte sie, this is "the cool of the day," like in the song I sang for you, remember? Ja, ich erinnerte mich, natürlich. "Would you bathe in the evening light?" erinnerte ich sie an eine Zeile bei Hölderlin, über die wir lange miteinander gesprochen hatten. Sie war vom Gehen erhitzt, sie war zu warm angezogen, ich trug nur ein Hemd, wir fröstelten beide ein wenig.

Ich werde jemanden bitten müssen, mich von hier wegzuholen. Allein schaffe ich es nicht. Wait on the will of heaven, sagte die Rune.

Ich muß Dir noch einmal schreiben. Du bist die einzige, die die Macht hat, mein Herz nach Europa zurückzuwenden. Dahin, wo es herkommt. Ich bin Dir dankbar dafür, daß Du es tust. Hier wäre es verloren. Es würde an einer Angel (Angela?) zappeln, die gar nicht für es ausgelegt ist. Die Anglerin, der Engel, kann nichts dafür.

In einer knappen Woche kehre ich heim, dahin, wo ich aber auch nicht mehr daheim bin. Wie viele Abschiede muß ich noch überstehen, bis auch ich einmal ankomme?

Aus *Kein Weg nach Rom. Ein Reisebuch* (Nürnberg: Eremiten Presse, 2001).
(Der Abdruck erfolgt mit freundlicher Genehmigung des Autors)

Zu seiner Abschiedslesung am 13. April 1991 trug Jürg Amann die folgende Rede vor:

Abschied von Amerika. Anmerkungen zu einem ungeschriebenen Buch

Rede. Entwurf

Ladies and Gentlemen, Damen und Herren, liebe Freundinnen und Freunde. Es gibt Bücher, die nicht geschrieben werden, weil sie vom Leben überholt worden sind. — Damit anfangen, warum dieser Satz falsch ist, obwohl er grammatikalisch richtig ist: weil es diese Bücher ja eigentlich nicht gibt. — Wenn ich sage, dass sie vom Leben überholt worden sind, meine ich wirklich: vom Leben, und nicht nur: von seinem Ende, dem Tod. — Sagen, dass ich glaube, dass jeder solche Bücher in seinem Kopf oder in seinem Herzen trägt: die es gibt, obwohl es sie nicht gibt, obwohl sie nicht geschrieben worden sind. Und dass dies das Schlaraffenland der Schriftsteller wäre: wenn es sie gäbe, obwohl es sie nicht gibt, weil sie nicht geschrieben worden sind. Dass dieses Land aber nur in der Sprache existiert. Dass die Sprache dieses Land erfinden kann — wie wir gesehen haben, durch einen solchen falschen Satz, der grammatikalisch richtig ist —, in dem es die Dinge gibt, die es nicht gibt. — Davon erzählen, wie dieses Buch, von dem ich mich scheue zu sagen, dass es *mein* Buch sei, weil ich es ja nicht geschrieben habe, in meinem Fall unter dem Titel "Abschied von Amerika" am 19. Mai 1988 in meinem Tagebuch zum ersten und letzten Mal auftaucht, und zwar in folgender Form: "Als A. seinen ersten Fuß auf die Planken (Bretter) des Bootsstegs setzte, tat er das in dem starken Bewusstsein, dass er sich damit, wiewohl dreißig Jahre zu spät, doch noch seinen großen Bubentraum erfülle. Im Schiff nach Amerika!" Es folgen drei Punkte. Und dann eine Klammer, in der in Stichworten der Inhalt und die Entwicklung angedeutet sind: "Vorstellungen von Amerika, Bubentraum, Brechung, Enttäuschung)." Dann wieder drei Punkte, dann das geplante Ende des Buches: "Als er die Freiheits-Statue in seinen Blick bekam, ging er zum Kapitän. Wann fahren Sie wieder zurück? fragte er. Ich bleibe an Bord. Ich werde das Schiff nicht verlassen. Ich will dieses Land nicht betreten." — Das ist alles. Ein Anfang, ein Ende und ein angedeuteter

Weg von diesem Anfang zu diesem Ende. Mehr existiert von diesem Buch nicht. — Davon sprechen, inwiefern es eine Art Gegenentwurf zu Kafkas Amerika-Roman, nämlich eigentlich kein Amerika-, sondern ein Gegen-Amerika-Roman ist. Wie Kafkas Roman-Anfang geprägt ist von Ankunft, meiner nur von Aufbruch, sein Ende von Erfüllung, in der finalen Utopie des Naturtheaters von Oklahoma, meiner aber, da wo die Ankunft im Land der ungeahnten Möglichkeiten stehen müsste, nur von Umkehr, mehr noch; von Abkehr, von einem Traum, der sich unterwegs, in der langsamen Annäherung an das reale Amerika im Bewusstsein des zur See fahrenden Helden, zuerst als Wunschtraum und schließlich als Alptraum erwiesen hat. — Um diesen Prozess der Enttäuschung, der Desillusionierung verständlich zu machen, muss ich etwas weiter ausholen: Die Geschichte von Amerika in Kurzform. — Amerika gibt es ja nicht erst, seit es den Namen eines Europäers trägt. — Erzählen, wie meine Geschichte von Amerika aber mit dem Namen eines Europäers beginnt, der viel über Amerika und die Amerikanisierung Amerikas geschrieben hat, ohne allerdings je in Amerika gewesen zu sein. — Karl-May-Lektüre, Winnetous Tod, mein Weinen, als Bub: Denn dass ich auf der Seite der Indianer war, war klar, die von sich aus ja auch nie auf ihren Namen gekommen wären, den sie nur trugen, weil sie den Europäern auf deren Fahrt nach Indien in den Weg gekommen waren. — Mein rot-weißes Weltbild: Das Rote war das Gute, das Weiße das Schlechte. — Wie sich das im Geschichtsunterricht wendete, wie das Weltbild zwar immer noch rotweiß, aber nun mit umgekehrten Vorzeichen war: Jetzt war das Rote das Böse und das Weiße das Gute und das Weiße Haus, der Ort, wo Gott wohnte, das Allerbeste. Der Russe steht vor der Tür, war ein Satz, mit dem man die Kinder erschreckte. Und Amerika war es, das uns davor bewahrte. — Von dem schlimmen Erlebnis mit dem Jungen im Kino hier erzählen, der den anreitenden Indianer erschießen wollte, "cause he is an Indian." Vergleich mit dem Wahlspruch der Helden der westlichen Welt: Lieber tot als rot! — Aber dann kamen die Ermordung John F. Kennedys und die Ermordung Martin Luther Kings, kam vor allem das Massaker von My Lai. — Den Riss beschreiben, der da durch mein naives, gutgläubiges Kinderweltbild ging. Diese nackten, rennenden Kinder mit der von Napalm brennenden Haut, diese Frauen mit den aufgeschlitzten Bäuchen, dieser mitten auf der Straße standrechtlich erschossene Gefangene, diese Bilder eben, die ich seither nicht mehr losgeworden bin: Da brach in mir alles zusammen, was bisher wahr gewesen war. Die Amerikaner, die doch für das Gute in der Welt kämpften, die doch nur den Vormarsch des Bösen, sprich: des Kommunismus, stoppten, die doch für eine moralische Weltordnung eintraten, sie konnten selber das Böse tun? — Und mit diesen Bildern, die durch die Netzhaut hindurch und die Sehgänge hinunter langsam und gegen den Widerstand der Verdrängung über die Schmerzgrenze hinweg in die Seele eindrangen, begann mein Abschied von Amerika. Meine innere Verabschiedung vom Bild einer heilen oder durch Amerika noch zu heilenden Welt. — Anderes kam dazu. Beschreibung der Mondlandung und ihrer Live-Übertragung durch das Fernsehen als Beginn des Zeitalters einer kollektiven und kosmologischen Schizophrenie: Ich kann gleichzeitig auf der Erde sein und mir von außen dabei zuschauen. "Den Kopf zur Welt hinausstrecken" (Büchner). Über die Faszination reden: Eine neue Qualität war in die Existenz gekommen. Aber auch über das Wackeln des Fernsehstuhls unter dem Hintern, über die Unsicherheit, ob dieser Qualitätssprung für die Menschheit ein guter sein würde. Vor allem: weder die Menschheit noch ich waren vom Weißen Haus vorher angefragt worden, ob wir ihn wollten. Und waren die Dichter, die Schweizer und die Tibetaner danach gefragt worden, ob sie damit einverstanden wären, dass die Amerikaner ihre Flagge auf dem Mond aufpflanzten? Und all die getrennten Liebenden der Welt, die sich dort oben Nacht für Nacht treffen? Oder die Europäer, die einzelnen, die Leute von der Straße, ob sie nichts dagegen hätten, wenn der allfällige Krieg mit Russland von ihrem Garten aus geführt und also in ihren Garten hinein zurück- geschossen würde? Wie damals ja nur in solchen Kategorien gedacht werden konnte. (Slogan eines amerikanischen Reisebüros: Europa sehen, solange es Europa noch gibt.) Oder ob es uns nicht vielleicht in unserer Nachtruhe stört, wenn Raketen, die mit Atomsprengköpfen bestückt sind, über unseren Schlaf hinweg geschickt werden? — Nein, nein, nein! Nie sind wir zu irgend etwas ernsthaft um unsere Meinung gebeten worden! Sätze über die Arroganz der Macht, die im wörtlichen Sinn über unsere Köpfe hinweg und das hieß auch: über unsere Köpfe entschieden hatte. — Nachrichten aus dem Landesinneren kamen dazu: Skandale, Diskriminierungen, kata- strophales Sozialsystem, Doppelmoral bei der Unterstützung von linken oder rechten Diktaturen. Vielleicht gibt es das alles überall, aber hier stand es in so krassem Gegensatz zum Selbstbild, das dieses Land von sich hatte — und das die halbe übrige Welt von ihm übernommen hatte. — Tempi passati? Vielleicht. Zum Glück. Aber all das führte dazu, dass ich mich allmählich von Amerika abwandte. Feierlicher Beschluss: entgegen dem Jugendtraum nicht nach Amerika zu gehen! — Bogen zurück zu meinem ungeschriebenen Buch. Wie also, auf hoher See, mit der Annäherung an das reale Amerika die Distanzierung vom realen Amerika einhergeht. Darüber sprechen, wie ein

Lebenskonzept zu einem künstlerischen Konzept geworden ist. — Ein
künstlerisches Konzept, das mit einem Lebenskonzept zusammengeht,
ein Anfang, ein Ende und eine paradoxe Wendung dazwischen:
ein fertiges Buch, das nur noch hätte geschrieben werden müssen.
Aber es ist nicht geschrieben worden, und es kann nun auch nicht
mehr geschrieben werden — Rückführung an den Anfang -: weil
es vom Leben überholt worden ist. Als Ihr Ruf von hier an mich
erging, hat es sich sozusagen über Nacht entschieden: ich würde nach
Amerika gehen und ich würde mein Buch über Amerika nicht mehr
schreiben. — Abhängigkeit des einen vom andern. Dass durch die
Veränderung des Lebenskonzepts, die Aufgabe des Widerstands gegen
das reale Amerika, auch das künstlerische Konzept zunichte gemacht
worden ist. So eng hängt das eine mit dem andern zusammen. —
Und jetzt bin ich da. Jetzt bin ich da gewesen. — Schluss: Abschied.
Abschied von Amerika. Nicht literarisch, wirklich. Nicht mehr von etwas
Unbekanntem, im Guten wie im Schlechten nur Vorgestellten, von
etwas Bekanntem. Nicht dass ich dächte, dass ich Amerika jetzt kennte.
Dazu zu wenig davon gesehen, dazu zu wenig lang hier gelebt. Aber
ich kenne jetzt amerikanische Menschen. Einzelne von ihnen sehr
liebgewonnen, auch in der kürzesten Zeit. Dass es jetzt schwieriger sei,
von etwas Abschied zu nehmen, das man kennt, als von etwas, das man
nicht gekannt hätte und das man nicht einmal habe kennen wollen.
Aber für den leichteren Abschied, den durch das Buch, ist es zu spät.
Wie es das verpasste Leben gibt, gibt es auch das verpasste Buch. Aber
manchmal stehe das verpasste Buch für ein Stück nicht verpasstes
Leben. Und dass ich froh darüber sei, mich gegen das Buch und für das
Leben entschieden zu haben. Ich danke Euch, ich danke Ihnen.

Werke

Verirren oder das plötzliche Schweigen des Robert Walser (1978)

Die Baumschule. Berichte aus dem Réduit (1982)

Nachgerufen. Elf Monologe und eine Novelle (1983)

Die Kunst des wirkungsvollen Abgangs. Erzählungen (1983)

Franz Kafka. Eine Studie über den Künstler (1983)

Patagonien. Prosa (1985)

Ach, diese Wege sind sehr dunkel. Drei Stücke (1985)

Robert Walser. Auf der Suche nach einem verlorenen Sohn (1985)

Fort. Eine Brieferzählung (1987)

Nach dem Fest. Drei Stücke (1988)

Tod Weidigs. Acht Erzählungen (1989)

Der Rücktritt. Eine nationale Tragödie. Farce in drei Bildern (1989)

Der Vater der Mutter und Der Vater des Vaters. Zwei Erzählungen (1990)

Der Anfang der Angst. Prosa (1991)

Zwei oder drei Dinge. Novelle (1993)

Über die Jahre. Roman (1994)

Und über die Liebe wäre wieder zu sprechen. Gedicht (1994)

Robert Walser. Eine literarische Biographie in Texten und Bildern (1995)

Rondo. Erzählungen (1996)

Schöne Aussicht. Prosastücke (1997)

Ikarus. Roman (1998)

Golomir. Roman (1999)

Kafka. Ein Wort-Bild-Essay (2000)

Am Ufer des Flusses. Erzählung (2001)

Kein Weg nach Rom. Ein Reisebuch (2001)

Mutter töten (2003)

Sternendrift. Ein amerikanisches Tagebuch. Mit Bildern von Silvio Blatter (2003)

Theaterstücke

Ach, diese Wege sind sehr dunkel. Drei Stücke (1985)

Nach dem Fest. Drei Stücke (1988)

Iphigenie oder Operation Meereswind. Eine Tragödie (1998)

Richard Wagner, 2001.
Photo © Susanne Schleyer.

Richard Wagner   1992

R ICHARD WAGNER GREW UP IN A German-speaking community in western Romania, in a region called Banat. Upon completion of his studies in German literature at the university in Temeswar, Romania, Wagner taught German as a foreign language to Romanian school children. After three years of teaching he began work as a correspondent for a German language newspaper in Transylvania. Wagner lost his position after five years with the newspaper, because, as he puts it, he would not write what the communist editor-in-chief wanted to print. In 1985, he formally petitioned to leave Romania and, in 1987, was finally permitted to emigrate to West Berlin.

Wagner began to write at approximately the age of fifteen and in 1973, when he was 21, his first book of poems was published. By this time Wagner was already active in the *Aktionsgruppe Banat*, a literary group that he and six other students of German literature at the university in Temeswar founded in 1972. Their primary aim was to write serious modern literature in the same vein as that of their freer Western contemporaries, while working within the context of a communist society. The members of the group understood themselves as critical, reform-minded socialists, drawing their inspiration from the Prague Spring. The *Aktionsgruppe Banat* was tolerated for three years under the watchful eye of the *Securitate*, the Romanian secret police, until 1975, when the group was disbanded and its members arrested. Wagner was released after preliminary investigations, whereupon he left Temeswar and began to work as a German teacher.

Wagner considers his involvement with the *Aktionsgruppe Banat* to be the literary and political basis of his later work. The former members of the group, save three whose mysterious deaths have yet to be satisfactorily explained, currently live in Germany, and some, like Wagner, are still writing.

In his highly autobiographical *Ausreiseantrag*, Wagner chronicles the struggles and observations of a disillusioned and often cynical German-Romanian writer, Stirner, living in the bleak environment of communist Romania. Stirner sees a society that is only deceptively functional, repressed by its dictatorial regime and the petty corruption of its citizens. He writes for a German language newspaper in a country where most people do not even bother to read between the headlines on the front page, but instead flip to the back for the less propagandistic sports section. He is stifled in his position as one who is officially neither outlawed nor sanctioned by the state, to the point that he feels he may never write again. Eventually the absurdity of his life in Romania drives him to flee to the west with his companion Sabine.

Ausreiseantrag, a short novel, comprises still shorter vignettes ranging in length from a paragraph to a few pages, each possessing a certain degree of autonomy. Wagner marks the end of a section of text by leaving the remainder of the page blank, a visual compositional device that serves as his invitation for further reflection on the part of the reader.

Wagner's style is terse and distilled. In his short pieces and poems he takes simplicity to an extreme, as his language becomes progressively minimal and utilitarian. No word is superfluous: each contributes necessarily and significantly to the whole; this is especially true of his shortest poems, which consist of only four or five lines. Wagner's short works are deliberately ambiguous descriptions of scenes or situations, literary possibilities, or moments in time that the reader is left to ponder. In a story called "Die Geschichte" from the collection *Der Himmel von New York im Museum von Amsterdam* (1992), Wagner sets the stage for a story that cannot take place, because it is engulfed in darkness, and has neither characters, nor dialogue, nor time frame. Nevertheless, Wagner ends the paragraph-long piece saying: "It is my story, but it could also be your story. At any rate it is a very short story. In actuality it does not extend beyond the title."

Richard Wagner's stay in Oberlin marks his first visit to the United States. He has recently completed a novel and is now working on a variety of projects, and also giving readings at other universities. After his semester in Oberlin, he plans to return to his home in Berlin.

— Hannah Hull and Paul Kennedy

After Oberlin

Richard Wagner still lives and works as a freelance writer in Berlin. He has published many works in various genres — novels, essays, short stories, and poems. His major theme continues to be the Romanian Banat that he left behind. He was awarded several literary prizes, including the Sonderpreis für das politische Gedicht beim Leonce-und-Lena-Wettbewerb in 1987, the Andreas-Gryphius-Preis in 1988, the Stipendium der Villa Massimo in Rom in 1990/1991, and most recently, as the very first recipient of this prize, the Neuer Deutscher Literaturpreis in 2000.

In his 2001 novel *Miss Bukarest,* Wagner seems to write about himself when he introduces Klaus Richartz, one of the main characters:

Ich heiße Klaus Richartz. Ich bin seit zwölf Jahren in Deutschland. Davor lebte ich in Rumänien, zuletzt in Bukarest. Ich stamme aus dem Banat. Wo das liegt? Im Grenzgebiet zwischen den heutigen Staaten Rumänien, Ungarn und Serbien.
Aha.
Ich höre dieses Aha seit vielen Jahren. Ich weiß nicht, wie ich es deuten soll. Ich deute es lieber nicht.
Nein, ich bin kein Rumäne. Ich bin Banater Schwabe. Meine Vorfahren sind im achtzehnten Jahrhundert von den Habsburgern ins Banat geholt worden. Nein, sie kamen nicht von der Schwäbischen Alb, sondern aus der Pfalz und aus Baden, soweit sich das heute feststellen lässt. Damals gab es den Staat Rumänien in seiner heutigen Form noch nicht.
Meine Großeltern waren in ihrer Jugend österreichisch-ungarische Staatsbürger. Sie wurden nach dem Ersten Weltkrieg über Nacht zu rumänischen Staatsbürgern, ohne das Dorf, in dem sie lebten, verlassen zu haben.
Interessant. Und wie haben Sie Deutsch gelernt?
Deutsch ist meine Muttersprache. Wir hatten deutsche Schulen und deutsche Medien.

In his latest and critically acclaimed novel, *Habseligkeiten,* Wagner returns to the Banat Swabians and their long history in Romania. It is a family saga, following the hardships and multiple migrations of several generations from the beginning to the end of the twentieth century. The latest members migrate back to Germany, where they are often successful but remain psychologically and emotionally attached to their past. Thus, years after having left the Banat for Germany, the protagonist feels unable to accept happiness: "Als sei zu viel Vergangenheit in mir, die es mir nicht erlaubt, mein Glück zu fassen." Wagner knows the life stories of the rootless Romanian Germans and keeps writing about them in his fiction.

Richard Wagner sent us the following two short prose pieces — impressions of his time in and around Oberlin.

Der Fußgänger von Cleveland

Eines Abends ging ein Mann von der Bibliothek der Staatsuniversität aus zu Fuß nach rechts in die City. Er ging bestimmt nach rechts in Richtung City und nicht nach links. Nach links, hatten die Bekannten aus Cleveland gesagt, solle er unter keinen Umständen gehen. Er solle nur nach rechts gehen. So ging er nach rechts in Richtung City, und es war kaum jemand auf der Straße. Einzelne Wagen fuhren vorbei. Große, glänzende amerikanische Wagen. Sie fuhren vorbei, und hinter den rauchfarbenen Scheiben war niemand zu sehen. Auf der Straße in die City gingen einzelne Leute an unserem Fußgänger vorbei. Sie blickten aus den Augenwinkeln, und auch unser Fußgänger blickte aus den Augenwinkeln. Es war wie andernorts ein Gruß. Jetzt hätte man über die Passagen aus der Jahrhundertwende reden können und über das Art deco der alten Wolkenkratzer. Sie sahen aus wie auf den Postkarten, die die Urgroßeltern vor dem ersten Weltkrieg ins Banat schrieben. Der Mann schüttelte den Kopf und ging weiter in die leere City hinein.

Amish

Der Wind trägt Knöpfe über den Hügel. In Lehmans Laden hängt Großmutters Sturmlaterne. Der Bauernkalender spricht sich weise. Wie Jesus. Die Kinder halten dicke rosafarbene Kartoffeln in der Hand. Geduckte schwarze Kutschen eilen über die Wege. Die Jahreszeit hat einen Bart. An den Häusern stehen Menschen ohne Gesichter, sie werden im Laden als Puppen ohne Gesichter verkauft. Sie werden an Menschen mit Gesichtern verkauft, die Samstag für Samstag durch den Laden rennen. Jemand erzählt die Geschichte der Menschen ohne Gesichter. Die Sprache ist wie eine Hand voll Sand, die Bibel ist die Bibel, und die Gerechten sind die Letzten. Wir sind zweisprachig, der Wind trägt uns davon.

Aus: *Der Mann, der Erdrutsche sammelte.* Geschichten (Stuttgart: Deutsche Verlagsanstalt, 1994). (Mit freundlicher Genehmigung des Autors)

Werke

Rostregen. Gedichte (1986)
Anna und die Uhren. Ein Lesebuch für kleine Leute (1987)
Ausreiseantrag. Eine Erzählung (1988)
Begrüßungsgeld. Eine Erzählung (1989)
Die Muren von Wien. Roman (1990)
Schwarze Kreide. Gedichte (1991)
Sonderweg Rumänien. Bericht aus einem Entwicklungsland (1991)

Völker ohne Signale. Zum Epochenbruch in Osteuropa. Essays (1992)
Der Himmel von New York im Museum von Amsterdam. Geschichten (1992)
Mythendämmerung. Einwürfe eines Mitteleuropäers. Essays (1993)
Heiße Maroni. Gedichte (1993)
Giancarlos Koffer. Prosa (1993)
Der Mann, der Erdrutsche sammelte. Geschichten (1994)
In der Hand der Frauen. Roman (1995)
Lisas geheimes Buch. Roman (1996)
Im Grunde sind wir alle Sieger. Roman (1998)
Mit Madonna in der Stadt. Gedichte (2000)
Miss Bukarest. Roman (2001)
Der leere Himmel. Reise in das Innere des Balkan. Essay (2003)
Habseligkeiten. Roman (2004)

Ralf Rothmann, Oberlin, 1994.
Photo: Oberlin College German Department.

Ralf Rothmann   1994

A LTHOUGH RALF ROTHMANN DOES NOT SHARE the extensive university training in German literature and creative writing of many of
his contemporaries, he has never seen this as a hindrance. In fact,
Rothmann credits his success at writing to his lack of formal training.
He does not hold stock in the traditional manner of "schreiben lernen," learning to write, insisting instead on relating his own experiences. While his background may sound familiar to American
audiences, this type of career and success is not as common in the
highly structured society of Germany.

Rothmann was born in the *Ruhrgebiet*, the coal-mining region of
West Germany, and grew up in a working-class family. After completing the *Volksschule*, he underwent training to become a bricklayer, all
the time aspiring to be a writer. After spending time in a string of odd
jobs, including hospital orderly, cook, bartender, and printer, during
which time he read extensively and wrote as much as possible,
Rothmann had his first collection of poetry, *Kratzer*, published in
1984.

This collection won him the *Märkischer Kulturpreis* in 1986. Since
then, he has won high critical praise for his other works. In 1992, he
was appointed *Stadtschreiber* (town writer) of Bergen-Enkheim, a
highly coveted title, awarded also to J. W. Goethe.

Believing that writing must originate in one's own life experiences
and come from the heart, Rothmann holds his personal history to be
the core of his writing, although it is not strictly autobiographical. He
also draws inspiration from his favorite American authors: William
Faulkner, F. Scott Fitzgerald, Richard Ford, Paul Bowles, and Cormac
McCarthy. Rothmann admires these authors' use of personal experience in their writing. Conciseness and preservation of the natural
rhythm of language typify his writing. His style is often described as
laconic. He agrees, adding that "there is nothing worse than literature
that rambles on." He still makes use of the tradition of economy and
sparseness of writing from his early experiences with poetry, although
he has not continued to publish in this genre. The reader is engaged by
his precise use of images and his ability to paint a visual picture with
clear, sometimes erotic language. This language has proved to be a very

effective vehicle for portraying human nature in its various manifestations of love, fear, and vulnerability.

Rothmann does not submit to the routine of keeping a journal, but he does adhere to a strict daily writing schedule. Almost paradoxically, he feels that "the best moments (when writing) are when one loses control." He enjoys the scheduled daily adventure of sitting down with a blank piece of paper in front of him and allowing the writing to take over. He quite easily becomes "completely absorbed in (his) work." Above all, he genuinely seeks to write literature that "lifts the heart" and brings pleasure to his readers.

Ralf Rothmann comes to Oberlin from the newly-appointed German capital of Berlin. This visit marks the forty-one year-old writer's second time in America. He is enjoying his stay in Oberlin, and says that the friendly people and the creative atmosphere remind him of his "hippie youth," the basis for his 1986 novella *Messers Schneide*. He will be reading from his work *Wäldernacht*, which will appear in the fall.

— Amy Durica and Cleveland E. Kersh

Heute

Nach seinem Aufenthalt in Oberlin war Ralf Rothmann noch an der New York University und an der Universität Essen als *Poet in Residence* zu Gast. Er publizierte in den vergangenen zehn Jahren eine Reihe von Romanen, darunter den letzten Band seiner "Ruhrpott-Trilogie," bestehend aus *Stier, Wäldernacht* und *Milch und Kohle*. Im Jahr 2000 erschien, unter dem Titel "Gebet in Ruinen," ein zweiter Gedichtband. In der Erzählsammlung *Ein Winter unter Hirschen* (2001) entwirft Rothmann in 12 Szenarien ein Bild seiner Genaration als einer Single-Generation, bestehend vor allem aus Alleinerziehenden und Geschiedenen. Beschrieben werden einfache, vom Leben bedrängte Menschen aus proletarischem und kleinbürgerlichem Milieu in alltäglichen Situationen, denen ihre Wünsche und Träume abhanden kommen.

Hitze, erschienen 2003, ist der Roman einer scheiternden Liebe im noch zerrissenen düster gezeichneten Berlin der Nachwende. Rothmanns Blick richtet sich hier vor allem auf gesellschaftliche Randfiguren, Verlierertypen, Obdachlose.

Sein jüngst erschienener Roman, *Junges Licht* (2004), ist noch einmal in Rothmanns biographischer Heimat, dem Ruhrgebiet, angesiedelt. Ein Ich-Erzähler blickt auf die letzten Wochen seiner Kindheit im proletarischen Milieu der Bergbauarbeiter in den sechziger Jahren zurück. Dieser Roman mit deutlich autobiographischen Zügen gilt als erzählerische Meisterleistung Rothmanns, der dafür im November 2004 mit dem Wilhelm-Raabe-Literaturpreis ausgezeichet wurde. Bisher ist er bereits mehrfach für sein erzählerisches Wek geehrt worden: 1996 erhielt er den Literaturpreis für das Ruhrgebiet, 2001 den Hermann-Lenz-Preis, 2002 den Kranichsteiner Literaturpreis und 2003, für *Milch und Kohle*, den Evangelischen Buchpreis.

Ralf Rothmann lebt weiterhin als freischaffender Schriftsteller in Berlin. Von da aus schrieb er uns, dass seine Erinnerungen an Oberlin "eigentlich nur gute" seien und er auch gern etwas beisteuern wolle. Leider sah er sich dann zwischen zwei Umzügen und in Mitten einer Romanarbeit doch außerstande etwas für uns zu schreiben — abgesehen von einem freundlichen "Pardon."

Werke

Kratzer. Gedichte (1984)

Messers Schneide. Erzählung (1986)

Kratzer und andere Gedichte (1987)

Der Windfisch. Erzählung (1988)

Stier. Roman (1991)

Wäldernacht. Roman (1994)

Berlin Blues. Ein Schauspiel (1997)

Flieh, mein Freund! Roman (1998)

Milch und Kohle. Roman (2000)

Gebet in Ruinen. Gedichte (2000)

Ein Winter unter Hirschen. Erzählungen (2001)

Hitze. Roman (2003)

Junges Licht. Roman (2004)

Englische Ausgabe

Knife Edge. Translated by Breon Mitchell (1992).

Thomas Rosenlöcher, 2001.
Photo © Andre Schmerberg.

Thomas Rosenlöcher   1995

T HOMAS ROSENLÖCHER WAS BORN IN 1947 in Dresden, where, with
his family, he still makes his home today. In 1970, after completing
his obligatory military service, he attained his diploma from the
Arbeiter- und Bauernfakultät in Freiberg. From 1970 to 1974, he studied business management in Dresden and then, as he puts it, suffered for
two years working at a lumber company. His discontent with the everyday aspects of this job led him to explore writing as a creative outlet.

Thomas Rosenlöcher's first formal study of literature came when
he was admitted to the Literaturinstitut in Leipzig, where he was
enrolled from 1976 to 1979. It was here that he realized that writing
was something that resisted formal study and had to be personally
explored and experienced. After working for three years as playwright-
in-residence at a children's theater in Dresden, he launched his career
as a freelance writer in 1983 by publishing his first book of poems, *Ich
lag im Garten bei Kleinzschachwitz*. Other works followed, including a
second volume of lyric poetry, *Schneebier* (1989) and *Die verkauften
Pflastersteine* (1990). In this "Dresden diary," as he subtitled it,
Thomas Rosenlöcher documented his view of the momentous changes
that came about during Germany's Unification. It marked his first
appearance in the West and brought him into the literary limelight
throughout the Federal Republic. A year later, in another humorously
critical prose work, *Die Wiederentdeckung des Gehens beim Wandern.
Harzreise* (1991), he described his experiences as a "stranger in [his]
own land, which, in truth, had never belonged to [him]." In addition,
he regularly publishes stories, essays, and literary translations, and he
has also written children's books.

Rosenlöcher's passion for writing began in childhood. Later, as he
readily states, he was influenced by, among others, the Romantic poets
Eichendorff, Mörike, Shelley, and Keats. He writes with an intriguing
blend of emotion and objectivity, seriousness and humor, and considers poetry to be the most refined mode of expression. It allows him, he
explains, to realize and express personal visions that for him are incom-
patible with prose. He finds it critical that his creative process maintain
a "balance between naïveté and awareness." Thus, he takes great pleasure in inventing words and playing with language. A successful poem,

he believes, permits a temporary union between the author's private feelings and those of the reader. He expressly identifies himself as a Saxon poet and is quick to emphasize the importance of regionalism and dialect for his creativity, going so far as to include elements of his native Saxon dialect in his writing.

Thomas Rosenlöcher has received the Georg-Maurer-Preis (1989), the Hugo-Ball-Förderpreis (1990), the Märkisches Stipendium für Literatur (1990), the F.-C.-Weiskopf-Preis der Ostberliner Akademie der Künste [together with Bert Papenfuß-Gorek] (1991), and the Schubart-Preis (1993).

— Amy Durica and Eric Nordstrom

Nach Oberlin

Seit seinem Oberlinaufenthalt lebt Thomas Rosenlöcher weiterhin als freischaffender Schriftsteller in Dresden-Kleinzschachwitz und in Beerwalde im Erzgebirge. Seine Optik bleibt auf sein unmittelbares Lebensumfeld, die Elblandschaft und Dresden als Kulturraum, gerichtet. Die Elbe, wie er sagt, gebe ihm die Grundmelodie für sein Werk. Seine intensiven Naturbilder, so das immer wiederkehrende und vielfach variierte Bild vom blühenden Kirschbaum, erzeugen Betroffenheit. Sie sind Ausdruck seiner Sehnsucht nach Idylle und weisen zugleich — da sie immer ironisch gebrochen werden — auf die Bedrohtheit der Natur durch die unaufhaltsame Zivilisation, ob in Form der "apokalyptischen Säge" im Nachbargarten oder des "Immobilistenballets" auf den Elbwiesen. So wird in dem Gedichtband *Die Dresdner Kunstausübung* (1996) trauernd, mithin auch sarkastisch, der drohende Verlust konstatiert und die Verbundenheit mit der Natur zum Menschenrecht erhoben. Für diesen Band erhielt Thomas Rosenlöcher vom Brandenburgischen Umweltminister den Erwin-Strittmatter-Literaturpreis (Brandenburgischer Literaturpreis Umwelt).

Auffallend, sogar befremdlich an seiner Lyrik ist das strenge Metrum, das zunächst unzeitgemäß wirkt und gar nicht in die Poesie der Moderne passen will. Aber Blankvers und Daktylus scheinen ihm die Formen zu liefern, die seinem spezifischen Ton zwischen Melancholie und Ironie besondere Wirkung verleihen:

> "Der Diener klopft an, bringt den Gottesbeweis
> Im Wasserglas, einen Kirschblütenzweig."

Den kritischen und spöttischen Blick, mit dem er einst auf die DDR sah, hat sich Rosenlöcher in den Zeiten der rasanten Veränderungen nach der Wende bewahrt. Gelogen werde immer noch, heißt es in seinem jüngst erschienenem Gedicht "Das Bäumel," nur seien die Lügen andere. In seinem Prosaband *Ostgezeter* (1997), allerdings, richtet er seine Kritik besonders auch gegen sich selbst. Dass er sich hatte hinreißen lassen, eine Resolution zu unterschreiben, die die Ausbürgerung Wolf Biermanns 1976 befürwortete, nennt er Verrat und den "Tiefpunkt in [s]einer bisherigen Biographie." Vor allem aber ist *Ostgezeter* eine mit Polemik und Witz geladene Bestandaufnahme deutsch-deutscher Besonderheiten im Einheitsdeutschland aus der Perspektive des sächsischen Beobachters "auf verlorenem Posten."

Thomas Rosenlöcher wurde 1998 mit dem Kulturpreis der Stadt Vellmer geehrt. Für sein lyrisches und episches Gesamtwerk bekam er 1999 den Hölderlin-Preis der Stadt Tübingen. Im Jahr 2000 erhielt er den Litera-Tour-Werkpreis des Regionalverbandes Harz e.V. und jüngst, im März 2004, wurde er für sein Gesamtwerk mit dem Wilhelm-Müller-Preis des Landes Sachsen-Anhalt ausgezeichnet.

Zu Beginn seines Besuches in Oberlin, am 19. Februar 1995, hat sich Thomas Rosenlöcher — nicht ohne Selbstironie — mit der folgenden Antrittsrede präsentiert. Der Text wurde später in den Prosaband Ostgezeter. Beiträge zur Schimpfkultur *aufgenommen.*

Sächsisch als Verlierersprache

Meine Landessprache ist sächsisch. Sächsisch durften wir schon als Kinder nicht reden. "Sprich anständig, Domas," sagte die Mutter, die auch sächsisch sprach. "Sprich ordentlich, Domas!," sagte der Lehrer, der auch sächsisch sprach. Selbst der Versuch, irgendwie berühmt, das heißt Schauspieler zu werden, scheiterte an der Landessprache. Denn während ich mich auf der Bühne um eine möglichst lebensechte Darstellung von Hänsel und Gretel bemühte, schlug der Regisseur die Hände vors Gesicht. "Mann, spricht der säuisch!" Die Bühne betrat ich nie mehr.

Sächsisch sei kein Dialekt, sondern eine Maulfaulheit, sagte der sächsisch sprechende Lehrer.

Wo gibt es das sonst im vielsprachigen Deutschland? Selbst wenn Schwäbisch, Bayrisch oder Platt als Zeichen für die Beschränktheit des jeweiligen Sprechers genommen wird, gilt es doch wenigstens dem jeweiligen Sprecher als Ausdruck seines Stolzes und Beharrungsvermögens. Allein die Sachsen schämen sich vor sich selber, wenn sie den Mund aufmachen. Allein sie verbieten sich ihren Dialekt schon von vornherein: "Das heißt nicht heeßt, das heeßt heißt."

Welche Deformationen mag dieses fortwährende: "Sprich ordentlich, Domas" in einem Menschen bewirken? Dieses ständige Klopfen auf den Schnabel, der ihm gewachsen ist? Solange, bis ihm der Schnabel selbst im Wege ist? Bis er verstummt oder anfängt, mit frisierter Schnauze zu sprechen?

Haben wir hier eine Ursache für die oft konstatierte, in Residenzdresden stärker als in Messeleipzig ausgeprägte sächsische Unterwürfigkeit? Sollte die Beurteilung einer Sprache oder eines Dialekts womöglich schwankend sein? So daß sich die scheinbar objektive Klangwirkung mit den Zeiten ändert? In Abhängigkeit vom jeweiligen Gebrauchswert des Idioms und dem historischen Gewicht der Völkerschaften und Völkchen, ihrem geschichtlichen Daherkommen und den wechselnden ökonomischen Verhältnissen? Immerhin galt die dem Sächsischen wohl verwandte, sogenannte "Meißnische Kanzleisprache" zur Zeit der großen Silberfunde so ziemlich als das Höchste. Und noch dem Frankfurter Goethe soll das Leipzigerisch recht vorbildlich in den Ohren geklungen haben. Einigermaßen hatten sich die Sachsen ja immer wieder aufgerappelt. So nach dem Dreißigjährigen Krieg, in dem sie, um auch einmal zu siegen, hin und wieder die Fronten wechselten und auf diese Weise stets auf der Seite der Verlierer standen. So nach den Schlesischen Kriegen, da sich das Sammeln von Bildern wenigstens zeitweise als ungünstiger erwies, als das Sammeln von Soldaten. Dann aber kamen die Napoleonischen Kriege, da dieses Unglückshuhn von einem sächsischen König unter seinem Federhut dem Napoleon dann noch nachlief, als selbst die Preußen die Wende vollzogen hatten und Freiheitskrieger geworden waren.

Von nun an fand die Sachsen so gut wie jeder komisch. Keine Nachrichten mehr über den Wohlklang ihrer Sprache. "Die Sprache dieser Leute beleidigt mein Ohr," schreibt Grillparzer in sein Tagebuch. "Drääsden. Gestern abends hier angekommen . . . Diese quäkenden Frösche mit ihrer äußeren Höflichkeit und inneren Grobheit . . ."

Aber bitte, Herr Grillparzer, waren diese, zugegeben, grob und ziemlich dumpf erscheinenden Laute nicht auch der Nachhall fortwährender Demütigungen und Niederlagen? War dieses Quäken aus der Tiefe nicht auch der Widerhall der vorsätzlichen Grillparzerischen Verachtung? Mußten die Sachsen nicht auch so sprechen, weil sie längst Die Sachsen waren und einer immer den August machen muß? — Sächsisch als Verlierersprache. Trotz Old Shatterhand. Und noch längst hatten die Niederlagen kein Ende. — Wer aber hatte am Ende das Bußgeld für den 2. Weltkrieg zu zahlen? Wer saß nach dem Bau der Mauer Kopf an Kopf mit den Preußen, hinter der Mauer, während die Schwaben und Bayern wie selbstverständlich davorsaßen und bald schon dreinschauten, als hätten sie das auch verdient? Freilich, die Mauer ist Eigenbau gewesen. Ausgerechnet der spitzbärtige Landesvater hat sich des sächsischen Tonfalls bedient. Sächsisch als Ulbrichtsprache. Sächsisch als — "off de Bardei is Verlaß" — Sprache der Arbeiterverräter. Old Shatterhand war Funktionär geworden.

Meine Damen und Herren. Wo sächsisch gesprochen wird, macht, kurz gesagt, immer einer den Dummen. Sie "dehnen," schimpft Grillparzer, "jede Silbe, verlängern jedes Wort, hängen überall ein Lieblings-E an, so daß ihre Sprache ein förmliches Mäh, Mäh von Schafen wird . . ." — Aber hat das Sächsische, Herr Grillparzer, nicht gerade als Verlierersprache auch seine eigene Würde? Kann uns nicht selbst das Mäh, Mäh von Schafen etwas sagen, wenn sich dahinter ein vollständiger Mensch verbirgt? — Ist ein langgedehntes "Määnsch du, das haut wieder rein!" nicht ebenfalls Ausdruck von Tapferkeit? Bringt es in seiner Drastik nicht die Wirklichkeit am ehesten zum Leuchten? Zu schweigen davon, daß sich hinter den armseligen "Ouhhs" der Sachsen die List dessen verbirgt, der trotzdem weiß, was er wert ist. Bieten, Herr Grillparzer, nicht die langgedehnten mulmigen Vokale innerhalb ihres Mulmens Momente von Geborgenheit? Ist Lächerlichkeit nicht eine Form von Anmut?

Grillparzer schweigt. Er ist überfragt. — Fragen wir ohne ihn weiter: Darf Literatur im Okay-Zeitalter wenigstens andeutungsweise die Sprache der Verlierer sprechen?

Freilich, meine Damen und Herren. Ein einziges Mal in der sächsischen Kummergeschichte ist Sächsisch nicht die Sprache der Verlierer gewesen. Sie erinnern sich: "Wir sind das Volk" war vor allem auf sächsisch gerufen worden.

Unterdessen haben die Sachsen wieder zu verlieren begonnen, der eine das Haus, in dem er wohnt, der andere seinen Arbeitsplatz, der dritte seinen Mut. Da scheint das Sächsisch schon wieder ein wenig dumpfer zu klingen und eher geduckt werden die erneut von oben einfallenden Segnungen erwartet. Andererseits heißt es plötzlich in einer Dresdner Zeitungsannonce:

> Sächsischer Dialekt in der freien
> Marktwirtschaft? Undenkbar!
> Nehmen Sie Sprechunterricht.

So wird der Gewinn für manchen doch überwiegen, und sei es die weite Welt. — Der, trotz meiner Bemühungen, sicherlich auch noch

```
                              - 1 -


                                       Thomas Rosenlöcher
                  Sächsisch als Verliererspache
                  Landessprache.

Meine Landessprache ist sächsisch. Sächsisch durften wir schon
als Kinder nicht reden. "Sprich anständig, Domas", sagte die
Mutter, die auch sächsisch sprach. "Sprich ordentlich, Domas",
sagte der Lehrer, der auch sächsisch sprach. - Selbst der Ver-
such, irgendwie berühmt, das heißt Schauspieler zu werden, schei-
terte in meinem Falle an der Landessprache. Denn während ich
mich auf der Bühne um eine möglichst lebensechte Darstellung
von Hänsel und Gretel bemühte, schlug der Regisseur die Hände
vors Gesicht. "Mann, spricht der säuisch!" Die Bühne betrat
ich nie mehr.
Sächsisch sei kein Dialekt, sondern eine Maulfaulheit, sagte
der sächsisch sprechende Lehrer.
Wo gibt es das sonst im vielsprachigen Deutschland? Selbst wenn
Schwäbisch, Bayrisch oder Platt als Zeichen für die Beschränkt-
heit des jeweiligen Sprechers genommen wird, gilt es doch wenig-
stens dem jeweiligen Sprecher als Ausdruck seines Stolzes und
Beharrungsvermögens. Allein die Sachsen schämen sich vor sich
selber, wenn sie den Mund aufmachen. Allein sie verbieten sich
ihren Dialekt von vornherein: "Das heißt nicht heeßt, das heeßt
heißt".
Welche Deformationen mag dieses fortwährende: "Sprich ordentlich,
Domas" in einem Menschen bewirken? Dieses ständige Klopfen auf
den Schnabel, der ihm gewachsen ist? Solange, bis ihm der Schna-
bel selbst im Wege ist? Bis er verstummt oder anfängt, mit fri-
sierter Schnauze zu sprechen?
Haben wir hier eine Ursache für die oft konstatierte, in Resi-
denzdresden stärker als in Messeleipzig ausgeprägte, sächsische
Unterwürfigkeit?
Sollte die Beurteilung einer Sprache oder eines Dialekts womög-
```

jetzt hörbare, leicht sächsische Tonfall, die Sprachmelodie der
Verlierer, wird sich ohnehin immer wieder zwischen die Worte schlei-
chen, und, wenn möglich, das immerwährend Komische mit der
Würde des Vorhandenseins verbinden. Ein Beharrungsvermögen, das,

wenn es "Ich komme gleich" sagt, meint, daß es nie käme. Eine ple-
bejische Drastik, gerichtet gegen die Diktatur des Abstrakten. —
Kürzlich fragte mich, als ich zur Elbfähre hinunter ging, einer der dortigen, an das Kneipengeländer gelehnten Trinker:

"Nuu, Rosenlöcher. Dichdest de wieder?"
"Ach was. Spazieren gehe ich."
"Klar dusde dichdn: "De Vöchel singen im Gezweich.""

Indem ich sah, daß ich fortkam, mußte ich zugeben, daß mein
Gesamtwerk noch nie so treffend charakterisiert worden war.

Der Text erschien in leicht veränderter Form in *Ostgezeter. Beiträge zur
Schimpfkultur* (Frankfurt am Main: Suhrkamp Verlag, 1997), 11–14.

Werke

Ich lag im Garten bei Kleinzschachwitz. Gedichte (1982)
Herr STOCK geht über Stock und Stein. Eine Geschichte in Versen (1987)
Schneebier. Gedichte (1989)
Die verkauften Pflastersteine. Dresdener Tagebuch (1990)
Die Wiederentdeckung des Gehens beim Wandern. Harzreise (1991)
Die Dresdner Kunstausübung. Gedichte (1996)
Ostgezeter. Beiträge zur Schimpfkultur. (1997)
Ich sitze in Sachsen und schau in den Schnee. Gedichte (1998)
Am Wegrand steht Apollo. Wiepersdorfer Tagebuch. Gedichte (2001)
Liebst du mich ich liebe dich. Geschichten zum Vorlesen (2002)
Das Bäumel (http://www.wbs-dresden.de/projekte/elblink/3) (2004)

Barbara Neuwirth, 2004.
Photo: Barbara Neuwirth collection.

Barbara Neuwirth   1996

THE AUSTRIAN PROSE WRITER Barbara Neuwirth made her literary debut in 1990 with *In den Gärten der Nacht,* a volume of short stories that was published by Suhrkamp in its series "Phantastische Bibliothek." Two years later, she published a second book, *Dunkler Fluß des Lebens,* which along with the first, established her reputation as one of today's most original contributors to the genre of fantasy fiction. Its stories are set intriguingly and at times indeterminately in an archaic past or a darkly envisioned future, in landscapes and cities that are at once familiar and magically alien. As with Kafka, whom Neuwirth resembles most closely in the precision and vividness of her descriptions, seemingly everyday events are drastically inverted to reveal the scary underside of human inner reality.

While Barbara Neuwirth acknowledges her debt to the Austrian tradition of fantasy literature as shaped by such writers as Kafka, Gustav Meyrink, Alfred Kubin, and Leo Perutz, her work is thoroughly original. It derives from a modern feminist perspective and, further, incorporates no supernatural forces in order to explain its bizarre or unnatural motifs. Permitting her sixth sense to determine the direction of a story, she draws the reader into the depths of her elemental human conflicts and romantically seductive landscapes (which, as she relates, are inspired by the Waldviertel of her native Lower Austria). She prompts her readers to find creative answers to the questions she poses by exploring their own inner life and the forces that emerge from it.

Barbara Neuwirth's overarching theme is man's betrayal of life's nurturing and preserving powers — above all, love. Among the forms in which such betrayal arises in her stories are modern science demonically unbound from morality, totalitarianism, and the brutal male exploitation of woman's love (which is typically infused with a delicate eroticism). The visions Neuwirth reflects are unsettlingly dark, yet her work suggests that amid tragic betrayal there exists an opening toward hope and moral action.

An academically trained social anthropologist, Barbara Neuwirth works in Vienna as science editor of the Wiener Frauenverlag, the sole feminist publishing house in Austria. In interviews, she has stressed the importance for her of remaining active as a social scientist who places the highest moral demands on science as well as art.

— Amy Durica and Sidney Rosenfeld

After Oberlin

After her time in Oberlin, Barbara Neuwirth returned to her native Austria, where she continued to be active in women's organizations and as a documentalist. She gave up her position at the Wiener Frauenverlag in 1997, after some sixteen years as editor. During this period she was the editor of many volumes of writing by women ranging from poetry to essays. She continues to work and publish in cooperation with other politically engaged women and women authors. In 1996/97 she worked with the UnabhängigesFrauenForum (UFF), which initiated and implemented in Austria the first worldwide petition by women for a referendum concerning questions of women's equality in economics, politics, and society. Increasingly however, writing seems to be taking precedence over her other activities. Barbara Neuwirth returned to the United States in 2001 and 2003 as Writer-in-Residence at Taos (the summer school of the University of New Mexico).

Today, Barbara Neuwirth lives in Vienna, Salzburg, and Mitterretzbach/NÖ (near where she spent her childhood) as a freelance writer and editor of scientific texts.

She has received many prizes: the Theodor-Körner-Preis für Literatur (1986); the Anerkennungspreis des Landes Niederösterreich (1987); the Förderpreis für Literatur des Adolf-Schärf-Fonds (1990); the Förderungspreis des Landes Niederösterreich (1994); the Theodor-Körner-Preis für Literatur (1994); the Förderungspreis für Literatur der Stadt Wien (1998); and the Stipendium für Literatur im Künstlerhaus Schloss Wiepersdorf, Brandenburg (2001).

Acht Jahre nach ihrem Aufenthalt in Oberlin, im März 2004, hat Barbara Neuwirth ihre Erinnerungen aufgeschrieben:

Leben in der Gartenstadt

Nächtens erreichte ich Oberlin. Meine Blicke aus dem Autofenster fingen große Bäume ein, parkähnliche Flächen, neoklassizistische Gebäude und Variationen der klassischen amerikanischen Holzhäuser. Die Weitläufigkeit der Stadtbebauung war fremd und befreiend zugleich. Rund um die Häuser, die Straßen, gab es Natur — gepflegt und geordnet, gleich dahinter aber richtige Wälder. Die Üppigkeit des Wachstums konnte ich zwar erst auf mich wirken lassen vor meiner Abreise im Frühling, aber meine Phantasie füllte die Flächen des öffentlichen Raumes und der Gärten beim ersten Spaziergang schon mit botanischen Formen und starken Farben.

Als ich ankam, war es Februar 1996.

Die ersten Tage waren der Orientierung gewidmet. Welche Lokale und Geschäfte gab es, wo fand ich die Konzerthalle und das Kino, das Museum, die Post? Das Institut, die Bibliothek und die Mensen als Lebensabschnittsorte waren auf meinem inneren Plan von Oberlin bereits eingezeichnet. Beim Kennenlernen der Stadtstruktur verfestigte sich mein Eindruck, dass diese Stadt nur einem einzigen Zweck dient: der Bildung.

Denn das College dominiert das Stadtzentrum.

Die Wohnung, die man für mich vorbereitet hatte, wurde von Februar 1996 an mein Zuhause für über drei Monate. Sidney Rosenfeld, der mich wenige Monate davor in Wien angerufen und eingeladen hatte, sorgte sich liebevoll um mein Wohlergehen. Er und seine Frau Stella besorgten Mobiliar, das noch fehlte und das wohl ohne persönliches Engagement der beiden nicht bis in die Wohnung gefunden hätte. Darunter waren eine Schreibtischlampe und ein Fernseher. Ich liebe Fernsehen in einem anderen Land! Da ich vor meinem Oberlin-Aufenthalt lediglich eine Woche in den USA verbracht hatte und die noch dazu in Florida, wo Vergnügungsangebote wie Bootsfahrten durch die Everglades oder Disney Land einen tagsüber ordentlich ermüden, war mir fernsehmäßig einiges noch unbekannt. Etwa regionale Polizeisender, wo aktuelle Einsätze übertragen und potentielle Strafen für die nachgewiesenen Delikte angekündigt wurden. Oder 24 Stunden christliche Predigten und Gottesdienste. Im tief verschneiten nächtlichen Oberlin in meiner gelegentlich beängstigend überheizten Wohnung zu sitzen und fernzusehen, war manchmal nahezu tröstend. Denn mein Mann Harald verbrachte zwar etliche Wochen bei mir, konnte aber doch nicht die ganze Zeit anwesend sein. Und die amerikanische Gemütlichkeit hat bekanntlich ein zeitliches Ablaufdatum, das zu unserem europäischen Erstaunen meist sehr schnell nach dem gemeinsamen Essen erreicht ist. Während wir es gewöhnt waren (und noch immer sind), dass ein schöner Abend mit lieben, interessanten Menschen sich bis weit nach Mitternacht erstreckt, war ich in Oberlin üblicherweise spätestens kurz nach zehn Uhr zu Hause. Es sei denn, Harald und ich saßen in einem der wenigen Lokale, in denen man — 1996 noch im Keller, mittlerweile (2003 überprüft) im ersten Stock — reden und rauchen konnte.

So aber erinnere ich mich an diese Winternächte: Ich hatte den Fernseher abgedreht und sah aus dem dunklen Schlafzimmerfenster auf die Straße und das gegenüberliegende College. Das Licht der Straßenlaterne glitzerte auf dem frisch gefallenen Schnee. Stille war um mich. Am Fensterbrett zum linken Nachbarn hin stand mein kleiner Ficus benjamina, der auf einem zum Zopf geflochtenen dreiästigen Stamm sein kleines Laubhaupt in die Höhe streckte. Ich hatte ihn in der ersten Woche nach meiner Ankunft in Supermarkt gekauft und ins Herz geschlossen. Langsam zog ich mich aus und schlüpfte unter die Bettdecke. Benjamins Silhouette stand wie ein magischer Wächter vor der winterlichen Nacht.

Nicht nur Sidney und Stella Rosenfeld bemühten sich, mich als Gast aufzunehmen und mir die Eingewöhnung zu erleichtern, es gab noch jemand am German Department, der mit Hilfsbereitschaft und großer Freundlichkeit das Leben gleich einmal schön machte: Steven Huff. Unvergesslich ist mir Stevens Engagement in Erinnerung, als Harald und ich überlegten, für die paar Monate des Aufenthaltes einen alten Wagen anzukaufen, den wir vor der Abreise wieder zu verkaufen dachten. Der Gebrauchtwagenhändler bot uns ein nicht unhübsches Auto an, das aber leider bei der Probefahrt nach wenigen Kilometern den Geist aufgab. Steven, der sich mit uns zum Autohändler begeben hatte und auch während der Probefahrt dabei war, überbrückte mit seinem feinen Humor die Zeit, bis Hilfe angefahren kam — es war bitterlich kalt und windig an jenem Tag. Steven unternahm mit mir auch einige der Amtswege für die Sozialversicherung und legte mir auch eine Versicherung zur Unterschrift vor, die er zunächst nicht weiter zu erläutern gedachte. Seltsamerweise wurde ich gerade bei dieser Unterschrift störrisch — weil ich beim Überfliegen des Inhalts überhaupt nicht schlau wurde. Etwas unangenehm berührt gestand Steven, diese Versicherung träte erst in Kraft, sollte ich während meiner Gastprofessur in Oberlin sterben — damit wäre im Todesfall meine Überführung nach Österreich abgedeckt. Während ihm die Erläuterung offensichtlich nicht angenehm war, fand ich die Versicherung sehr beruhigend. Natürlich hatte ich nicht vor, sie in Anspruch zu nehmen!

Rückblickend gibt es einige besondere Augenblicke während meines Aufenthaltes in Oberlin, die diese Zeit in der Abfolge der Jahre speziell markieren, und besondere Menschen, die ich kennen lernte und die die Erinnerung zu einem Gefühl der Freude werden lassen. Zu den besonderen Augenblicken zählen manche Konzerte, die ich besuchte, und meine Besuche im Apollo Kino. Da eines der größten Kinos in Wien ebenfalls Apollo heißt, schien es mir nahezu logisch, dass es überall auf der Welt Kinos gibt, deren Name Apollo ist. Den Film Twelve Monkeys habe ich mir dort drei Mal angesehen (zwei Anläufe brauchte ich, um sprachlich Oberwasser zu bekommen, erst beim dritten Mal konnte ich mich voll den Details der optischen Umsetzung widmen), Mighty Aphrodite von Woody Allen nur einmal — ich hatte mein Englisch also schon wieder etwas verbessert.

Die Pizzen bei Lorenzos sind mir in Erinnerung, und die freundliche Dame auf der Post, wo wir vor der Abreise die beiden Postsäcke mit Buchkisten aufgaben. Weil ich es selbst so liebe, Post zu erhalten, schrieb ich während meines Aufenthaltes viele Karten und einige Briefe — wir waren einander dadurch schon ein wenig bekannt geworden. Besonders gerne gingen Harald und ich in den Coop-Buchladen, der leider nicht mehr existiert. Im unteren Stockwerk roch es verführerisch nach Räucherstäbchen und Gewürzseifen, im oberen Stock nach Kaffee. Während unten ernste Literatur und Fachbücher zu finden waren, war oben gleich neben dem Café die Comics-Abteilung. Eine von den Feinen! The Sandman von Neil Gaiman habe ich dort entdeckt. In einer meiner Bücherkisten in den Postsäcken gab es jedenfalls auch einen Stoß Comics, die in Österreich nur schwierig zu bekommen gewesen wären.

Neben dem Coop-Buchladen erstreckt sich eine Grünfläche, auf der ich einmal, als sie vollkommen schneebedeckt war, mit Harald zusammentraf. Auch dieses Zusammentreffen war einer der besonderen Momente meines/unseres Oberlin-Aufenthaltes. Obwohl wir einander schon seit Jahren als Liebende verbunden waren, war diese Begegnung über dem Schneefeld von einer eigentümlichen Anziehungskraft und Symbolik für uns beide. Es waren zwei Menschen, die aufeinander zukamen an diesem klaren Wintertag, nicht mehr von außen zu sehen — für uns war es ein Moment der wunderbarsten Liebe.

Nicht nur Stella nahm mich zu Ausflügen nach Cleveland mit, wo wir z.B. ins Museum of Arts gingen, auch Jutta Ittner, die an der Case Western Reserve University in Cleveland unterrichtete (und es noch immer tut), nahm mich in ihrer herzlichen, freundschaftlichen Art an und öfters für einen halben oder ganzen Tag mit in die Großstadt. Einmal die Woche oder einmal alle zwei Wochen war das eine gute Unterbrechung des idyllischen Lebens in Oberlin.

Denn trotz aller bemerkenswerten Gegensätzlichkeiten schien Oberlins Welt im Großen und Ganzen einfach in Ordnung zu sein. Die StudentInnen zahlten zwar immense und für österreichische Verhältnisse nahezu unglaubliche Studiengebühren, waren also teilweise zumindest aus betuchtem Elternhaus (oder aber für die nächsten 15 Jahre verschuldet), aber man arrangierte sich damit, gegen Geld modisch zu protestieren. Es war absolut modern, ganz abgefetzt daherzukommen. Vermutlich gab es irgendwo in einem Hinterhof eigene Mottenzüchtungen, wo man Pullover abgeben und kunstvoll durchlöchern lassen konnte. Mottenzerfressene Pullover sah ich jedenfalls am Campus an den Körpern von StudentInnen mehr als in meinem ganzen Leben davor.

Kwame Toure, eine Symbolfigur der Black Panther, war angekündigt und im Vorfeld gab es ausführliche und auch hitzige Diskussionen in StudentInnenzeitungen und auf Pin- und anderen Wänden zu den zu erwartenden und bereits getätigten antisemitischen Äußerungen des Aktivisten. Harald und ich waren jedenfalls rechtzeitig im Veranstaltungssaal, um noch günstig gelegene Plätze zu finden. Kwame Toure beeindruckte durch seine rhetorischen Fähigkeiten, seine Show — er war der beste "Priester" von allen, die ich gesehen hatte. Als er eine erste Äußerung machte, die als antisemitisch verstanden werden konnte, standen jüdische StudentInnen auf und kehrten ihm stumm den Rücken.[1] So blieben sie stehen in ihrem stummen und doch sehr sichtbaren Protest, und es wurden mehr und mehr, je öfter Kwame Toure seine Einschätzung von Zionismus und der Rolle der jüdischen Intellektuellen in der Bürgerrechtsbewegung kundtat. Zwar beeindruckte die Konsequenz des stillen Aufstandes den Redner nicht, aber uns europäische Menschen, die diese Art des Protestes noch nicht erlebt hatten, beeindruckte es sehr. In Österreich hätte man den als verbalen Aggressor empfundenen Redner nicht ausreden lassen, sein Vortrag wäre in wildem Protest untergegangen.

Dies alles sind nur Blitzlichter, ein paar Fotos der Erinnerung aus einem fortlaufenden Streifen, der über drei Monate gedreht wurde.

---

[1] Auch nicht-jüdische und afroamerikanische StudentInnen nahmen teil an dieser Protestaktion gegen Kwame Toures virulenten Antisemitismus. Ganz deutlich erinnere ich mich an eine afroamerikanische Studentin, die als "German major" auch Barbara Neuwirths Seminar besucht hat. (Heidi Thomann Tewarson)

Natürlich gäbe es über den Kurs zu berichten, den ich gehalten habe, und die StudentInnen, die mich erstaunten und so positiv überraschten. Noch mehr über die Menschen, die ich liebgewonnen habe und die auch Harald liebgewonnen hat. Auch manches über Abenteuer, die ich mit Harald während jener Wochen, da er mich besuchte, erlebt habe. Und über mein Zuhause und die Frühstückseinkäufe bei Gibson's und die Pflanzen, die im Frühling plötzlich im Garten aus dem Boden schossen — prächtige Tulpen waren es!

Als es ans Packen ging, kaufte ich einen großen zweiten Blumentopf, in den ich Benjamins Kopf steckte. Die beiden Töpfe bettete ich zwischen den weichsten Kleidungsstücken, die ich besaß, in meinen größten Koffer. Zurück in Wien wurde Benjamin befreit und in meiner Wohnung in der Wiener Josefstadt aufgestellt. Er hatte die Reise gut überstanden und wuchs bald unverdrossen weiter. Nach drei Jahren aber begann er die Blätter abzuwerfen und reagierte auf meine Versuche, ihn mir zu bewahren, nicht mehr. Es ist schon seltsam: Die Wesen, die man ins Herz schließt, und sei es auch, dass man ihnen nur wenige Male begegnen konnte, gar nicht viele Anteile des Lebens mit ihnen verbracht hat, diese Wesen bleiben immer dort. Der kleine Ficus benjamina taucht immer wieder in meiner Erinnerung auf, und dann ist da ein bisschen Trauer, dass er nicht mehr da ist — und ein Gefühl der Freude, dass ich ihn gefunden habe in meiner Zeit in der Gartenstadt.

Werke

In den Gärten der Nacht. Phantastische Erzählungen (1990)

Dunkler Fluß des Lebens. Erzählungen (1992)

Im Haus der Schneekönigin (1994)

Blumen der Peripherie. Erzählung (1994)

Empedokles' Turm. Novelle (1998)

Das gestohlene Herz. Ein romantisches Märchen (1998)

Über die Thaya. Erzählung (2000)

Ein Abschied von Drosendorf. Erzählung (2000)

Tarot Suite. Ein Episodenroman (von Harald Friedel, Margit Hahn, Heinz Janisch, Barbara Neuwirth, Norbert Silberbauer; 2001)

Theaterstücke

Antigone. Und wer spielt die Amme? Gemeinsam mit Erhard Pauer. Uraufführung Wien 2003

Euridike. Uraufführung Brucknerfest Linz 2004

Anna Mitgutsch, 2002.
Photo: Peter Wurst © Photo PeterPeter.

Anna Mitgutsch   1997

A T AGE TWENTY-FIVE, Anna Mitgutsch earned her Ph.D. degree in
English Literature at Salzburg University in her native Austria,
with a dissertation on the British poet Ted Hughes. In the following
years she published broadly on modern English and American poets
and poetry and was headed for a productive career as a professor of literature. By virtue of her second major doctoral field, German literature, she was soon to hold university posts on three continents. From
1971 to 1973 she taught German literature at Hull University and the
University of East Anglia in England. Returning to Austria in 1974, for
the next four years she taught courses on women's literature, literary
theory, and modern American poetry at Innsbruck University. In 1978
she traveled to South Korea, where she taught German language and
literary theory. For the next five years, starting in 1980, she taught
German language, literature, and culture at several American colleges
and universities, including Amherst, Sarah Lawrence, and Tufts.
Throughout this time, she authored journal articles and lectured
at conferences in her twin fields of German and Anglo-American
literature.

    In 1985 Anna Mitgutsch published her debut novel, *Die
Züchtigung*, and with it attained widespread critical acknowledgment.
A year later, she settled in her hometown of Linz, determined hence-
forth to pursue her livelihood as a freelance writer and literary critic. By
1995 she had written another four novels, all of which appeared with
major German publishing houses. Like her first, they were soon translated into several European languages, including English. Clearly, Anna
Mitgutsch sees the novel as her literary calling, and in Oberlin she has
begun writing what will be her sixth.

    The authenticity and intensity of emotion that distinguished *Die
Züchtigung* have typified Anna Mitgutsch's writing ever since.
Inseparable from a plot that centers on fundamental human relationships — between mother and child, for example, or between two lovers
— these qualities have consistently gained Anna Mitgutsch critical
acclaim. At the same time, however, they have given rise to misunderstandings that blur the essential accomplishments of her writing. Too
often, for example, both critics and readers have sought the source of

the author's persuasiveness in her biography and have been quick to label her books as autobiographical writing.

For her part, Anna Mitgutsch has protested this confusion of fictional with memoiristic writing, which has accompanied the reception of her work from the very first. As an informing spirit, to be sure, the author's biography inheres in every work, but in the concrete sense it can only supply still unshaped motifs for the universal human experiences that are Anna Mitgutsch's sole concern. For her it is self-evident that the essence of a literary work resides in its distinctive language, and that its content is inseparable from this language.

Starting from the assumption that all genuine writing runs against the grain of the social consensus, challenging its comfortable beliefs and conventions, for Anna Mitgutsch literature is political. Rather than to lull the reader with optimism and easy solutions, she intends her books to create discomfort and doubt. She typically ends her novels without resolving the existential questions that lie at their core. Thus, the conclusion of *Abschied von Jerusalem* (1995) folds back into its unsettling beginning. The central figure, Dvorah, remains tormented by the tensions between personal freedom and her inseparable bond with a group fate; the catastrophe of the Third Reich casts its fateful shadows into the Jewish present in Israel.

Too often, as the Viennese critic Karl-Markus Gauß has emphatically pointed out, this subversive political aspect of Anna Mitgutsch's novels has been either overlooked or misapprehended. In the case of *Die Züchtigung*, critical attention focused on the central motif of the child's incessant beatings by her mother, who was reenacting her own childhood experience. But this view, with its attention to social dichotomies and generational conflict, missed the book's deeper intent, which was to lay bare the mechanisms of power that had defined fascism two generations earlier and remained potent in the present. Similarly, reader reception of *Die Ausgrenzung* (1989) shifted the novel's focus from its indictment of social injustice toward perceived outsiders, and indicted instead the outcast mother struggling to forge a normal life for herself and her child, who was seen by society as abnormal. In like manner, reaction to *In fremden Städten* (1992) followed the path of lesser resistance. It fixed on the figure of a woman disillusioned by Austria, who leaves her two children in order to return to her native America, where she vainly attempts to reconnect with her past. The more painful — and of necessity guilt-stirring — confrontation with the emigré experience as such, with its irreversible losses of home and language itself, could thus be avoided.

While defining herself as a political writer, Anna Mitgutsch rejects the call that the writer place her work in the service of political aims, including those of a feminist literature, which, she believes, confine the writer's freedom through artificial ideological demands. Too, even the modes of democratic politics are those of power, and language that serves power stands at odds with the language of literature. Unavoidably it will grow corrupt.

Because the writer stands in an intimate relationship to language, Anna Mitgutsch believes that she is able to react more sensitively than others to the threats of power. But she also believes that, rather than assuming the lofty role of artist engagé, with pretensions to special insight, she should speak out like all others, as an alert and concerned citizen, in the defense of civilized values. Only in this way can she fully shoulder her civic responsibilities without betraying her calling as a writer.

After Oberlin

The years after her stay in Oberlin were productive ones for Anna Mitgutsch, who still lives in Linz and also spends part of each year in Boston. In 1998, she was invited to give lectures on poetics at the University of Graz, which were published under the title *Erinnern und Erfinden*. These were followed by two novels, her sixth and seventh and most accomplished ones so far. Both were critically acclaimed. *Haus der Kindheit* (2000) — which she began writing while at Oberlin — was praised as one of the most important novels in recent Austrian literature (Karl-Markus Gauß), while *Familienfest* (2003) has been compared to other family chronicles, such as Thomas Mann's *Buddenbrooks* and John Galsworthy's *The Forsyte Saga*. In addition, Anna Mitgutsch continues to publish essays on German and Anglophone literature and is a regular contributor of literary reviews for the Austrian newspaper *Der Standard* and the journals *Album* (primarily on Israeli literature) and *Literatur und Kritik*.

For Anna Mitgutsch, the role of memory has always been an essential aspect of her writing, and her two recent novels clearly draw on the poetics of her lectures, *Erinnern und Erfinden*, where she states:

> Am Anfang allen Schreibens steht die Erinnerung, und die Erinnerung ist weder etwas Allgemeines noch etwas Objektives. Sowohl für den alltäglichen Vorgang des Erinnerns als auch für das Erinnern als literarische, ja eigentlich als textkonstituierende Tätigkeit, die allen anderen formalen Überlegungen vorausgeht und sie wesentlich beeinflußt, bis zu einem gewissen Grad sogar

determiniert, gilt die Erfahrung, daß das Erinnern ein Scheitern an der Realität ist. Ganz gleich, wie akribisch unser Gedächtnis auch sein mag, es wird nie die Wirklichkeit zutage fördern, nicht das, was sich wirklich zugetragen hat, sondern nur unsere subjektiven Reaktionen darauf, unsere Gefühle, Stimmungen, Ausschnitte einer ganzen, nicht rekonstruierbaren Realität.

Subjective remembering in combination with the aesthetic imagination makes possible the truth of a literary work and determines its composition. In both *Haus der Kindheit* and, even more explicitly, *Familienfest*, remembrance also constitutes the story to a large extent. In *Haus der Kindheit*, the protagonist Max Berman eventually comes to the realization that memories cannot recreate a past that has been lost or destroyed. In *Familienfest*, on the other hand, remembering (even if it is at times invented or altered to fit the circumstances) serves to give meaning and significance to a family's history. In both novels, Jewish history and suffering are recalled and retold not as "objective" history but through the subjective consciousness of their fictional descendants — American Jews, ranging from devoutly religious to avowedly secular at the end of the twentieth century. For those who survived and reflect on it, this history reveals itself as a series of unending expulsions. In *Haus der Kindheit*, Max Berman learns by chronicling the history and experiencing the present of his ancestral hometown that the earlier expulsion cannot be reversed and returns to his native New York. In *Familienfest*, the family's story mirrors the Haggada[1] as recited in the course of the Seder meal.

Anna Mitgutsch is the recipient of many prizes and awards, including the Brüder-Grimm-Preis der Stadt Hanau for her first novel *Die Züchtigung* (1985); Werkstipendium der Literar-Mechana (1986 and 2002); Landeskulturpreis Oberösterreich (1986); Anton-Wildgans-Preis (1992); Südtiroler Leserpreis der Stadt Bozen (1990); Förderpreis für Literatur des Bundesministeriums für Kunst (1996); Buchprämie für *Erinnern und Erfinden* (1999); Würdigungspreis (Staatspreis) für Literatur der Republik Österreich (2000); Solothurner Literaturpreis (2001); Kunstwürdigungspreis der Stadt Linz (2002);

---

[1] Haggada: the special book, usually illustrated, containing the story of the biblical Exodus as it must be retold during the Seder dinner on Passover. Traditionally read by the head of the family, it contains sections from the Torah, Midrash, Mishna, stories, legends, songs, and blessings, and these provide the structure of the meal with its many symbolic foods.

Stipendium des Deutschen Literaturfonds Darmstadt (2003). She is also a member of the Grazer Autorenversammlung and presently vice-president of the IG AutorInnen. In 2004, the literary magazine *Die Rampe. Hefte für Literatur* dedicated an entire issue, *Porträt Anna Mitgutsch*, to her.[2] In the summer of 2004, Anna Mitgutsch was the featured speaker at the opening of the Brucknerfest in Linz. Her address bears the title, "Die Welt ist voller Bilder, und in welche Bilder wir geraten, entscheidet unser Leben (Elias Canetti)."[3]

Anna Mitgutsch's good memories about Oberlin expressed in the following letter are very much reciprocated by us. She is one of our writers with whom we maintain regular and warm relations in the form of visits, phone conversations, and email letters. Some of us have written about her work[4] and some have read her novel *Familienfest* in progress, checking for factual accuracy in references to American life. She in turn, in her capacity as literary scholar, readily and carefully read and commented on Heidi Thomann Tewarson's *Toni Morrison* book manuscript.

Here is the letter Anna Mitgutsch sent us in the winter of 2003:

Impressionen von Oberlin

Orten sollte man sich nähern wie Menschen, der erste Eindruck wird selten ganz vom später Kommenden verwischt. Selbst während der langen Wintermonate, die ich in Oberlin verbrachte, blieb ein Hauch des strahlenden Oktobertags, an dem ich zum erstenmal dorthin kam, und deshalb behielt selbst der Winter, der bis zum April dauerte, immer eine Spur Grün in meiner Phantasie. Ich kam mit Freunden von Kent her, das letzte Fahrtstück auf breiten Landstraßen, durch eine trockene, braune Herbstlandschaft. Oberlin war wie eine Fortsetzung dieser Landschaft mit weißen Holzhäusern und schattigen Veranden, eine kleine offene Ortschaft, ein ausgedehnter Campus mit vier Ampeln (oder sind es mehr?) und sich verfärbenden Alleebäumen, eine sehr grüne Insel in diesem herbstlich abgeernteten Ohio.

---

[2] "Porträt Anna Mitgutsch," in *Die Rampe: Hefte für Literatur* (2004).

[3] In *Eine egoistische Gesellschaft? Leben zwischen Individualismus und Solidarität* (Frankfurt: Edition Büchergilde, 2004).

[4] Sidney Rosenfeld, "Anna Mitgutsch: Schreiben als Protest und Affirmation," in *Die Rampe: Hefte für Literatur*, 33–38.

Fünf Monate später kehrte ich in das winterliche Oberlin mit schneebedeckten Dächern, froststarren Rasenflächen und den Scherenschnitten kahler schwarzer Bäume vor einem farblosen Himmel zurück, und der Schnee fiel am ersten Morgen vor dem Fenster in großen Flocken. Es würde im Lauf der nächsten Monate weder wärmer noch wesentlich frühlingshafter werden.

Sidney nahm mich sofort nach meiner Ankunft zu einer Lesung von Margaret Atwood mit, und ich fragte mich erstaunt, ob es wohl auf diesem Niveau weitergehen werde in der Gelehrtenkolonie mitten im ländlichen Ohio, jeden Abend eine Veranstaltung mit einer international bekannten Zelebrität, obwohl mir Margaret Atwood etwas mädchenhaft kokett erschien und zu meinem Bild, das ihre Literatur bei mir hinterlassen hatte, nicht ganz paßte. So kam mir dieses Campusdorf am Anfang vor, wie eine Gelehrtenrepublik, als hätte Hesse sich hier Anregungen geholt, Vorlesungen über feministische jüdische Orthodoxie, staatsformenden Liberalismus, Roger Kamenez' jüdischer Buddhismus und stets angeregte Diskussionen, in denen es nicht um Rechthaben sondern um Interesse ging, und die beim anschließenden Essen weitergeführt wurden. Nach zehn Jahren in einer Kleinstadt, deren mageres kulturelles Angebot ich als Alleinerzieherin nicht wahrnehmen hatte können, erschien mir Oberlin wie ein El Dorado des Geistes, eine fortgesetzte Aufforderung zum Gespräch, in Foyers, beim Abendessen, zu jeder Tageszeit in der Java-Zone, wo der Kaffee (damals) das in Amerika übliche Mittelmaß bei weitem überragte, es erschien mir wie ein ununterbrochenes Zusammenkommen und Auseinanderdriften von Menschen und Ideen.

Was bleibt, sind einzelne Bilder, Augenblicke, die ohne Absicht die Arbeit des fehlerhaften Gedächtnisses überlebt haben, ohne Chronologie und ohne offensichtliche Motive, oder diktiert von Motiven, die im Verborgenen arbeiten und einem den Verlauf eines ganzen Lebens dadurch vorzeichnen, daß sie subjektiv Wichtiges von Unwichtigem trennen und das objektiv Wichtige in Vergessenheit geraten lassen, bevor es einem einfällt zu protestieren. Einzelne Momente, Bilder fast ohne Kontext, dafür mit starken Stimmungen behaftet.

Sidney, Stella, Heidi und manchmal Steve, das sind die Menschen, die in immer neuen Variationen auftauchen. Die Mittagessen und Schabbatabende mit Sidney im koscheren Coop, ich habe mich jeden Tag darauf gefreut und wäre wohl zu schüchtern gewesen, allein hinzugehen, auch wenn mich die Studenten einluden, jederzeit ihr Gast zu sein. Das Essen war mittelmäßig, mitunter scheußlich, aber die Studenten so wach und interessiert, groß war mein Erstaunen darüber,

wie nachdenklich und reif diese Zwanzigjährigen waren. Ich mochte
das Improvisierte der Schabbatfeiern im Speisesaal im Kreis von
Jugendlichen, die ihre Schabbatmelodien in Camp Ramah gelernt hatten wie mein Sohn und sie so enthusiastisch sangen, daß zum Glück
meine zaghaft unmusikalische Stimme ungehört blieb. Das Essen war
meist kalt und der Kartoffelkugel angebrannt und es war nicht leicht,
dem zähen Hühnerfleisch mit Plastikbesteck an den Leib zu rücken,
aber die Gespräche machten alles wett, auch wenn ich mich nur noch
an wenige davon erinnere, es war die Begeisterung dieser jungen
Leute, die mir die Illusion gab, wir alle stünden an der Schwelle zum
Leben und alles sei noch möglich und durchführbar. Und immer war
Sidney in der Nähe und gab mir ein Gefühl von Sicherheit und
Akzeptanz; selten habe ich mich nach so kurzer Zeit so zugehörig
fühlen dürfen. Wie glühend und doch diszipliniert und voll Rücksicht
auf andere Meinungen sie über Begriffe wie *Zedaka* und *Kavanah*
diskutierten, daß man fast wieder an den kabbalistischen, göttlichen
Funken im Menschen glauben konnte. Und anschließend gingen
Sidney und ich noch ein, zweimal um den Common und diskutierten
über weitere Probleme zwischen Juden und dem Rest der Welt, die uns
in immer neuen Anläufen beschäftigten.

Soll ich gestehen, daß der Höhepunkt jeder Woche nicht mein
Kurs mit einem Dutzend Studenten, sondern meine Ausflüge mit Stella
nach Cleveland waren, ein Abenteuer, das in dem Augenblick begann,
in dem Stellas Auto vorfuhr, und das ich mit so aufgeregter Freude
begrüßte wie die Ausflüge in meiner Kindheit, als ginge es um viel
mehr als einen Kinobesuch und ein anschließendes Abendessen, als
würden wir uns für einen Nachmittag aus der Obhut einer strengen
Gouvernante (Oberlin?) wegstehlen. Ich vermisse diese Kinobesuche
auch nach sechs Jahren noch und die Gelage in Thai-Restaurants, und
nie ein Augenblick peinlichen Schweigens, statt dessen unerwartet
spontane Vertrautheit, die uns in den glücklichen Momenten, wenn sie
passiert, logisch nicht ganz erklärbar scheint.

Nichts Großes passierte in diesen Wochen, nichts, das mein Leben
aus der Bahn geworfen oder in neue Bahnen gelenkt hätte, und trotzdem war es meine glücklichste Zeit im ganzen Jahrzehnt, die erste
Ruhepause nach zehn Jahren, ein langes erleichtertes Ausatmen in einer,
wie mir schien, zum erstenmal windstillen, geschützten Zone des
Lebens, umgeben von Menschen, die es einem leicht machten, sie zu
mögen. *Go say hello*, sagte Sidney am ersten Tag, an dem ich in seinem
Büro erschien, und wies auf Heidis offene Tür, und ich kam wohl erst
zwei Stunden später wieder so beschwingt heraus, als hätte mir jemand
unverhofft ein Geschenk gemacht. Vielleicht bin ich ihnen allen auch auf

318 ◆ ANNA MITGUTSCH, 1997

die Nerven gegangen mit meinem Nachholbedarf an endlosem Reden, mit Heidi in der Java-Zone, an ihrem festlich gedeckten Tisch, wo das Essen immer bekömmlich war, oder herumstehend in ihrer Küche, während sie das Essen zubereitete, mit Stella im Thai-Restaurant, mit Steve im mexikanischen Restaurant in der flachen Einöde des Mittelwestens. Geschrieben habe ich wenig und das Wenige stellte sich später als unbrauchbar heraus, ich mußte meinen Bedarf an Menschen decken, erinnere mich an einzelne Studenten, an Gesichter, aber an keine Namen, an den großen, ernsthaften Studenten in meinem Kurs mit einer österreichischen Mutter und einer Freundin in Laa an der Thaya, einer Jeanne d'Arc des österreichischen Antifaschismus, und an die israelische Musikstudentin, die irgendein Liebeskummer quälte und die ich manchmal in der Java-Zone traf, an einen Studenten mit sanften Zügen und unbeugsamen Meinungen darüber, wo ein Jude leben dürfe, auf keinen Fall in Österreich. An die außergewöhnlichen Einladungen in Günelis geschmackvoll eingerichtetem Haus bei erlesenen levantinischen Speisen und ihren stets neu aufflammenden Zorn darüber, daß ihr Name als Übersetzerin nicht auf dem Cover von Orhan Pamuks Buch zu finden sei, aber noch lieber saß ich mit Güneli in dem Café, in dem die Kaffeetassen durchsichtigen Nachttöpfchen glichen, und zweifellos haben wir über die Inspiration geredet, die mich in diesem Frühjahr total im Stich ließ, und saßen einander ganze Vormittage mit einem begeisterten Redeschwall über Theorien und Stoffen für neue Bücher, die bis an unser Lebensende ausgereicht hätten, gegenüber.[5] Woher die Menschen in Oberlin nur ihre ständige Begeisterung nahmen.

Es war eine geschützte Welt, wie ich sie vorher und nachher nicht mehr erlebt habe, auch nicht an anderen Colleges, in Spuren vielleicht am Sarah Lawrence College, wo ich Anfang der achtziger Jahre unterrichtete, und in dieser Enklave gediehen bizarre Blüten, Lebensläufe und Gestalten, wie sie an anderen Orten kaum zu finden sind, selbsternannte Künstler und Künstlerinnen mit seltsamem Kunstverständnis, Malerinnen, die in unermüdlichem Wiederholungszwang ganze Lagerhallen mit psychedelischen Figuren und Farben füllten, Übersetzer, die keiner zweiten Sprache mächtig waren und doch aus allen Sprachen von Urdu bis zur finnischen Lyrik alles übersetzten,

---

[5] Güneli Gün ist die in Oberlin lebende Autorin des Romans *On the Road to Baghdad: A Picaresque Novel of Magical Adventures, Begged, Borrowed, and Stolen from the Thousand and One Nights* (1991); deutsch: *Der Weg nach Bagdad: Eine türkische Scheherezade*, 1994) und Übersetzerin zweier Romane von Orhan Pamuk, *The Black Book* und *The New Life*.

Literaturprofessoren, für die es eine Qual war, Bücher in ihrer
Muttersprache zu lesen, denn es gab einfach kein Buch, das ihrem schar-
fen analytischen Geist standhielt, ihre hohe Intelligenz wurde von der
Literatur derart beleidigt, daß sie ihre Lektüre nur in einer ihnen weniger
geläufigen Sprache ertrugen, und immer wieder gab es diese unreifen
Autoren, die von der Liebe aber schon gar nichts wußten, aber sich
anmaßten, darüber zu schreiben. Und auch diese Weisen und Gurus
ohne Anhängerschaft hielten an bestimmten Tagen irgendwo Hof, in der
Java-Zone, im Kaffeehaus mit den Glastöpfchen oder in der Cafeteria
über der Buchhandlung. Ihre Porträts sind in meinem Tagebuch, Hort
meiner Inspirationen zukünftiger Romane, aufbewahrt.

Die restliche Bevölkerung, die weder Fakultät noch
Verwaltungsangestellte, und auch keine Studenten war, bekam man
selten zu Gesicht. Ich ging bei meinen ausgedehnten Spaziergängen an
Häusern vorbei, die weniger stilecht und weniger gepflegt aussahen als
die Professorenhäuser, sie lagen außerhalb und verstreut, am Übergang
zum Farmland. Ich sah Kinderspielzeug, das Gerümpel neben den
Häusern, ramponierte Lieferwagen in den Auffahrten und andere
Zeichen proletarischer Häuslichkeit, aber wann immer man durch die
Straßen Oberlins ging, hatte man das Gefühl der einzige Mensch im
Ort zu sein, überall dieselbe Ruhe, dieselbe verschlafene Trägheit. Nur
an den hühnenhaften Angestellten des Matratzengeschäfts erinnere ich
mich, der mir nach mehreren mißglückten Versuchen eine Matratze
ohne allergische Nebenwirkungen brachte. Woher ich käme, fragte er.
Oh wow, war seine Reaktion, *pretty wild there!* Ich dachte an Jörg
Haider und seine damals stetig wachsende Popularität und war
erstaunt, daß sich sein unaufhaltsam scheinender Aufstieg bis Ohio
herumgesprochen hatte. *Crocodile Dundee*, und so, erwiderte er auf
meinen fragenden Blick. Aber auch das ist längst schon ein Klischee.

Es war eine kalte Jahreszeit, und ohne Heidis Anorak wäre ich
wahrscheinlich noch im April erfroren, in den Nächten ließ der
Schneesturm seine Schneemassen in den Straßen, in Hinterhöfen und
auf den Bäumen zurück, vom Küchenfenster aus beobachtete ich die
Tageszeiten, denn schließlich hatte ich es aufgegeben, vom
Schlafzimmerfenster mit Blick auf das häßliche zweistöckige
Studentenwohnheim mit seiner pastellgrünen Straßenfront auf eine
Eingebung zu hoffen. Ich stellte den Küchentisch ans Fenster und
beobachtete, wie jeder Strauch seinen blauen Schatten auf den Schnee
warf, sogar die Fahrspuren tiefe blaue Muster hinterließen, die weißen
Häuser hinter den Bäumen und die Sonne, die an den Stämmen hoch
glitt, während sie sank. Ich machte lange Spaziergänge und entdeckte
doch den schönsten Teil von Oberlin erst gegen Ende meines

Aufenthalts in Heidis Gesellschaft, Buddy war auch dabei und immer auf der Hut vor einer Begegnung mit Daisy (Rosenfeld), der giftigen Hundedame, die nicht bellen konnte. Wie auch an anderen Orten im Mittelwesten (in Meadville, PA, zum Beispiel) ist der Friedhof der schönste Platz, mit Pfarrer Oberlins Grab[6] in einer welligen Landschaft, offen und heiter wie eine friedliche Hochebene, die in weitläufige Golfplätze überging, und zu jeder Wegstrecke fallen mir Gesprächsfetzen ein, die mit dem Weg eine bizarre Symbiose eingegangen sind: die feuchten Wiesen mit Rachel von Varnhagen, die Golfplätze mit der Geschichte, wie Buddy ins Haus kam und andere Hundeabenteuer, das Unterholz und irgendwo ein Damm, der etwas mit Geschwisterstreit und fernöstlicher Philosophie zu tun hat.

Kurz vor der Abreise spürte ich das vage Erwachen des Frühlings entlang der Straße zum Supermarkt, die ich ein paar mal in der Woche auf und abging, erste hellgrüne Knospen an den Bäumen, ein kleiner Bach zwischen den Häusern, der vom Eis befreit nun schneller floß, und das erste Gras, die ersten Frühlingsblumen. Aber vor dem Ende beginnt stets alles in Details zu zerfallen, die überall auf der Welt die gleichen sind, und Eintönigkeit kündigt sich an, um den Abschied zu erleichtern. Zehn Wochen schläft man in einem Bett, sitzt in einem Raum, zwar sind es fremde Räume und ein fremdes Bett und heimisch ist man nicht geworden, aber durch die täglichen Verrichtungen werden sie doch zu etwas wie einem temporären Zuhause. Und plötzlich ist es die letzte Nacht, und man weiß, man wird diese Räume nie wieder sehen, man trägt die Bilder in der Erinnerung davon und sie werden lange, vielleicht für den Rest des Lebens bleiben, so wie die Gebäude sich im Gedächtnis einprägen, die breite Holztreppe, die zum German Department führt, die Bibliothek, die große Rasenfläche im Ortszentrum, über die zu jeder Tageszeit Studenten eilen, die Cafeteria über der kleinen Buchhandlung. Man trägt all diese Bilder davon wie nach dem Aufwachen aus einem Traum, wenn die Zusammenhänge undeutlich werden und man weiß, man hat das Wichtigste vergessen, aber es bleiben eine Stimmung, Momente, Gesichter, Bilder, einzelne Sätze und die Erinnerung an eine unspektakuläre Bereicherung, ein langes Atemholen und an ein paar Freundschaften, die bis jetzt über Entfernungen hinweg hielten.

März 2003

---

[6] Das College und der Ort sind nach dem Pfarrer Johann Friedrich Oberlin benannt. Der 1826 in Waldersbach im Steintal (Elsaß) Verstorbene ist nicht in Oberlin begraben, nur ein bisschen Erde von seinem Grab wurde auf den Friedhof gebracht — ein Gedenkstein weist darauf hin.

For the concluding event of her residence in the spring of 1997, Anna Mitgutsch chose to present a talk concerned with questions of aesthetics, which we print here with her permission.

Literature and Politics

In order to approach this question with a certain amount of objectivity, we have to differentiate between literature as art and the author. The term politics will also need a more specific explanation.

A work of literature is far more than the product of a talented individual. Because of the unconscious element of inspiration, it is more than the conscious ideas and convictions of its producer. Everyone knows the disappointment we occasionally feel on actually meeting an author whose works we admired. Similarly, the posthumously published diaries of great authors do not always enhance their reputation; quite the contrary. As individuals, apart from our work, we do not know more than other individuals. Possibly we are in possession of a heightened sensitivity. But heightened sensitivity can also distort one's perception. Increased knowledge in one area is most likely set off by lack of insight in others. Rarely do we meet a writer who has real wisdom.

It may be safe to say that most writers are endowed with a talent in their native tongue, sensitivity to language, and imagination. There is, however, a tendency in Europe to invest writers with the authority of seers and prophets, especially in times of political changes and unrest. Then they advance to the honor of political advisors and utter opinions about things they know little about (for example, the EU). This kind of position is certainly of advantage to the author's public image — the publisher saves money on PR work, the books sell, money pours in, and high-ranking politicians offer their friendship. The celebrated author partakes of all the blessings that power has to offer. Yet, it is always dangerous for an author's integrity to be in league with power.

The question arises: Isn't literature always and inevitably political? Haven't all thinkers and authors since Plato been dealing with the question of power, politics, and literature? In the sense that literature always deals and interacts with society, all literature is political, even literature with no explicit political intention. Even literature that rejects any social use is political by virtue of its gesture of rejection. As soon as we write about people living in a certain historical and social context, we talk about the human condition as a political one. In describing individual situations, literature worthy of its name reflects the hidden mechanisms of power. Thus by describing concrete lives it transcends the arbitrarily individual and triggers insight into an era, a nation, and society.

At this point, however, literature is confronted by the way it is received by its audience — its critics, its readers. Since a work of art usually doesn't address politics explicitly but rather in the guise of metaphors, characters, and plot, it is open to misinterpretation. Therefore every work is dependent on the good will of the audience to recognize its implications. The more radically a work will challenge the consensus of an era and its social, political self-image, the more it is susceptible to rejection, distortion, and misinterpretation. The safe public reaction to a work of literature in that case is the refusal to recognize implied political messages and to reduce it to its literal surface — to the plot. An essential factor in the reception of literature is the readers' own experience. What is not within the accessible worldview of the readership, what goes against their beliefs and their image of reality, will not be adequately received.

Sometimes the political relevance of a work of literature will be recognized only years or decades after it has been written. Posthumous discoveries, however, are even more susceptible to chance than immediate reactions.

However, the writer has to take the risk of being misunderstood, because literature is subject to aesthetic laws exclusively. Aesthetic criteria determine the quality of a book, not political ones, not even moral ones. Rarely has an explicitly political work met the criteria of good art. More often ideology is the enemy of great artistic achievement. And if the political issues become obsolete, if a book has no insights to offer except into current politics, it will become obsolete along with current issues.

Only those unfamiliar with the criteria of literature will expect recipes from it, clear messages, recommendations on how to run one's affairs. Strong convictions, no matter how ethical and relevant, have a tendency to threaten the ambiguity, ambivalence, and complexity of a work of art. Only by refraining from strong opinion and convictions can the author guarantee lasting literary quality. On the other hand, the author can be sure that a good work of literature will carry within itself insights that go beyond her own abilities.

After all, literature is not meant to answer every question. At its best it will ask the right questions. The answers are hidden in the text and are for the reader to distill out of her intense encounter with the text. The tension between political conviction and aesthetic freedom is ever present — it arises not only from censorship but also from each author's socialization, convictions, experiences, from every encounter with power, regardless of whether she submits to or rebels against it. That doesn't necessarily mean that an author has to suppress her convictions, but they ought not to override her attempt to remain loyal to the truth. A conscientious scrutiny of reality brings us closer to the truth than the desire to offer solutions and answers.

We know, even though we like to forget it, that most things we perceive as unshakable, absolute conviction are usually just widely accepted conventions dictated by culture or the spirit of the times. As authors we are caught up in them just like everybody else. How can we claim to possess the truth if we ourselves are our sole measure? If we are to postulate that literature at least tries to approach the truth — then we have to look beyond the convictions and conventions of our times. If we were to give up all resistance to those convictions, our art would become flat, approving, trivial.

The more pertinent question however is: how far can art deviate from the accepted convictions of an era and still be received as relevant? Being out of tune, out of step with one's times is a painful experience to anyone, not just the artist. It means being an outsider, not sharing in the symbols, the language of a society. Yet, every artist has to tolerate a certain share of alienation in order to be innovative, critical, unique. But what if we are not out of step because of our heightened sensitivity, our unflinching search for truth, what if we are just hopelessly old-fashioned, reactionary, ridiculously behind the times? And how long do we have to wait until a new era unmasks the lies of our times? There are no answers.

On the other hand: What are the premises of creativity, if not integrity, the refusal to be manipulated, asking questions without expecting ready answers, maybe never getting an answer?

If we claim that literature must not let itself be misused by political movements and interests, or any form of power, then also we must not expect it to take sides. It must not accept any kind of restrictions, not of taste, religion, nor any kind of political correctness. It has to insist on the freedom to question any consensus, any status quo, and any conviction. Literature should retain its destabilizing element at all times, it should preserve its freedom to rebel — be it a rebellion of content, of form, or both. Art has a freedom that politics do not have, as long as art does not lend itself to power.

The political, in some cases revolutionary, element of literature lies less in its explicit message than in its way of dealing with reality and language. It is, above all else, beholden to clarity and an uncompromising search for truth. Sometimes the search for truth rules out a fast and easy solution. And since the most essential tool of literature is language, the demand for clarity presupposes clarity of thought, distrust toward readily available language like the language of politics, the language of the media, and their clichés. Precision and clarity in our use of language protects us against lying and being lied to.

An entirely different question is whether a writer ought to be a politically committed, responsible person, even a public figure of moral standing. This question is not to be confused with her work, and it should be solely a question of the writer's moral quality, not of her qualities as an artist. The confusion of art and life has provoked embarrassing situations in literary history — Ernst Jünger, T. S. Elliot, D. H. Lawrence, Ezra Pound, Andre Gide, Gabriele d'Annunzio. Does the fascist leaning of these authors disqualify their work? Should books with incriminating attitudes and language be banned? What about the *Merchant of Venice*? On the other hand, is a good person with her heart in the right spot a priori a gifted writer? Which work of literature is more powerful? One that demonstrates social oppression honestly, but with limited talent, or one that avoids politics altogether and, by the sheer power of its language and its approach to human existence, makes us aware of how people interact and reveals secrets of the human soul? Yet even talent can be misused, even talent can be manipulated.

We cannot expect more from a writer than what we would expect of every decent human being — political awareness, social responsibility, critical, independent thinking. Whether the writer makes use of them in her work is a different matter. In any case, nothing is mandatory but an honest, able handling of language.

On the other hand, the writer is a public figure, who sometimes approaches the status of a celebrity. She has influence on public opinion, even on political decisions — shouldn't she therefore be held more responsible than the average citizen? After all, we call ourselves intelligentsia. Shouldn't it count as a crime of greater magnitude if we succumb to power than if the man in the street does?

And yet — do not all these imperatives undermine and contradict my belief that literature may only obey the laws of aesthetics? There have always been those two tendencies represented by two antagonistic views: the artwork as self-sufficient, subject only to art's inherent rules versus literature as a form of socially relevant engagement with history.

Which trend has determined literature and literary reception becomes visible only from a historical distance. People have always been blind to the prejudices of their own times.

A more relevant question seems to be this: can a book be both — a bestseller and a lasting work of art? Theodor Adorno states that one essential criterion of art is that it transgresses and thereby violates the smug boundaries of the status quo. It offends, it contains at least a grain of irritation, it cannot be total affirmation of any given status quo. But what if a book shows so little resistance to the taste and spirit of its times that it can be readily consumed by the reading public?

If Adorno is right and literature exists a priori in a state of creative tension with the status quo, then literature cannot accept all the norms and current values of an era. But wouldn't that mean that it should also be an irritant to the expectations of the market, the market strategists, the critics, the bookstores, and the audience? The market will incorporate and thus neutralize provocation, irritation up to a certain limit. Ultimately, despite its constant acceleration of changing fashions, the market is conservative, bent on ideological continuity. Radical criticism will be accepted and integrated only as long as it leaves basic assumptions of a society and its rules unquestioned. But what if art becomes a frontal, unforgiving attack on society? What cannot be neutralized will be silenced, at best ridiculed (like Imre Kertesz's *Roman eines Schicksallosen* at the time of its first publication in the fifties).

It is easy to claim that literature holds up a mirror to society. But what if the respective society reacts angrily instead of contritely? Whose right is it to say how far art can go in provoking its audience? Obviously, those who decide what is considered art are those in power: the market, the critics. So it is really the market that decides how political literature is allowed to be.

The element of tension between literature and society, inherent in literature's readiness to change and to innovate, has a political dimension but not necessarily an ethical one. Some ideologies are unethical or they lose their ethical dimension (if there ever was one) very fast and yet they constitute innovation, they were heralded by visionaries, by utopian thinkers. Writers, too, can be seduced by ideologies, by political dreams and power. The early years of Nazi Germany attracted quite a few prominent writers.

Just as there is a point of convergence between literature and politics, there is also simultaneously a basic divergence: literature is always concrete. For that reason, if for no other, we can never demand solutions and strategies from it. Literature doesn't deal with ideas primarily even though ideas do underlie the text: literature always talks about individual situations and people; it tells concrete stories. Politics, on the other hand, is unthinkable without a certain measure of abstraction. Even for the most upright, responsible politician the individual case is no more than a useful item of propaganda. This necessary abstraction contains within itself the danger of political thinking, the callousness toward the individual when it comes to the realization of ideas. Inherent in literature is the law that the individual is more important than an idea, and that abstraction destroys the essence of literary expression. The most essential law of art is complexity, ambivalence. Complexity doesn't strive for simple solutions, for either-or answers. Refraining from solutions, it tolerates simultaneity. If literature's task is to give us a glimpse of what human existence is all about, then it can neither abstract nor pass value judgments. It has to tolerate the simultaneity of opposites, it has to reject closed systems of thought — and every political system is a closed system, which only works so long as we accept its premises. Art gets its impulses from insecurities, doubts, questions to which there are no answers. Political systems, any closed system for that matter (philosophical, religious), eliminate doubts, allow only certain answers, offer solutions.

This is the pitfall for every politically committed writer: her readiness to supply answers instead of insisting on questions. The first thing that she sacrifices is the complexity of literary language. Whoever has messages can leave nothing unsolved, no doubts, no ambiguities. Her target is the audience, not the work, and as the prophet she has to make herself understood. There is no room for ambivalence. But literature isn't here to show us how to lead better lives, and its function is not to offer fool-proof solutions.

The extent of political involvement we can expect from literature is its distrust towards everything that appears unshakable and natural: that is, the distrust of norms and what is considered normal, of all political expression, all manifestations of power, all self-righteous convictions. This distrust can express itself in content, form, or both. And it has to include distrust toward itself as the product of a status quo. If it retains this deep awareness that nothing is to be taken for granted, it will naturally fulfill its inherent political calling — opposition and challenge.

We must not forget that literature is produced by individuals who are themselves the products of a society, the spirit of their times, a class, a culture, a political and economic system. Someone who grew up in poverty will write differently from the offspring of the bourgeoisie.

Our literature is a reaction to what happened to us. Not everything we experienced will make it into our texts, but we don't control what does — our unconscious does. Experience is a more powerful motor of our literature than convictions. Convictions don't shape our work to the extent that the pressure of our sufferings and our desires do. But our lives are only the raw material for our work. Even the most interesting and perfectly composed life cannot aspire to proceed straight and unaltered into a book. It's the language that determines whether a text is art. Not any language and certainly not the language that is at all times available to us. Every text calls for its own language. No experience, no story has artistic relevance until it has found its very own language. It is the paradox of art that language turns all the raw anguish and suffering of life into beauty. In order to find the truth about life in a work of literature one must patiently wait for that language which will transform experience into beauty.

At least in literature language is the instrument, the tool that we need in order to find what is at the bottom of reality, of experience, of human existence. Form and content must coincide, one being the expression of the other, one elucidating the other and testing the other for truthfulness.

The author's talent for language is a test and a temptation. We know how to use metaphor skillfully, so that what we invent becomes a necessity, more true than reality. Literary language is metaphorical language. In literature our commitment to the truth of language protects us from sheer manipulation. However, when dealing with politics we must not use metaphoric language. When writers, as is often the case in Europe, step into public life as political figures, they should know better than anybody else how easy it is to manipulate with language, how language can be used to blur, to create a certain atmosphere of threat, or of terror. Finding political truth is different from finding poetic truth and it demands entirely different tools. Mixing metaphoric language with political reality is demagogic and morally questionable even in the best of causes. An author who is a public, political figure should forego everything she is used to in her profession. Politics and literature are different phenomena with different goals and different kinds of self-expression. And writers who make political statements should not think of themselves as prophets or seers, but as sensible, thoughtful, responsible citizens.

— A. Mitgutsch

Werke

Die Züchtigung. Roman (1985)

Das andere Gesicht. Roman (1986)

Ausgrenzung. Roman (1989)

In fremden Städten. Roman (1992)

Jerusalem. Hörspiel (1994)

Abschied von Jerusalem. Roman (1995)
Erinnern und Erfinden. Grazer Poetik-Vorlesungen (1999)
Haus der Kindheit. Roman (2000)
Familienfest. Roman (2003)

Übersetzungen

John Gallaghue, *Auf Befehl seiner Heiligkeit.* Roman (1975)
Philip Larkin, *Gedichte* (1987)

Englische Ausgaben

Three Daughters. Translated by Lisel Mueller (1987)
Jakob. Translated by Deborah Schneider (1991)
In Foreign Cities. Translated and with an afterword by Lowell A. Bangert (1995)
Lover, Traitor: A Jerusalem story. Translated by Roslyn Theobald (1997)
House of Childhood. Translated by David B. Dollenmayer (2006)

Werner Söllner, Oberlin, 1998.
Photo: Oberlin College German Department.

Werner Söllner   1998

Werner Söllner was born in 1951 in the Romanian village of Horia, where his family belonged to the small German minority in the country at the time. After graduating from high school in 1970, he began the study of physics in the city of Cluj in Transylvania. However, he soon dropped this course of study, and from 1971 until 1975, when he completed his M.A. degree, he majored in German and English language and literature. In 1975, his years of writing as a student culminated in the appearance of his first collection of poems, *Wetterberichte*. Two more volumes of poetry followed, *Mitteilungen eines Privatmannes* in 1978 and *Eine Entwöhnung* in 1980. For a short time thereafter, he taught at a Bucharest senior high school, before moving on to work as an editor at a publishing house for children's books.

During his early years and as a student, Söllner lived under a communist dictatorship. As a youth, when the regime was still relatively liberal, he experienced a certain degree of freedom, but during his student years his thinking and writing were burdened by increasingly repressive governmental policies. In 1981, as the political situation worsened, Söllner and a few other writers tried to articulate their political opposition and protest the oppression. Meeting secretly, they read and discussed their own works and those of others.

In 1982, Söllner applied through the Romanian Writers Union for an exit pass to attend a conference of the German Writers Union in Cologne. He planned to remain in Germany and surprisingly was neither threatened nor particularly hindered by the otherwise intrusive Romanian secret police. Nonetheless, Werner Söllner did not return to Romania until after the communist dictatorship was brought down in 1989. He has since gone for visits several times but continues to reside in Frankfurt.

In 1985, Söllner published a book of prose in Germany, *Es ist nicht alles in Ordnung, aber ok*, yet he remained unknown to a wider audience. His first real success came from his poetry. In 1988, he was "discovered" by Germany's largest publishing house, Suhrkamp, who brought out his new volume of poems, *Kopfland. Passagen*. Since then, praise from leading critics has gained Söllner a place among the leading

German poets. His more recent work has included several translations and a new collection of poems, *Der Schlaf des Trommlers* (1992). Now in progress are a novel and a further collection of poems.

The sentiment of loss of home pervades Werner Söllner's work — not necessarily as a negative sentiment, but always as a subtle, deeply ingrained guiding theme of his work. As a German in Romania and then a newcomer in Germany, for him a foreign land, he sensed that he really belonged nowhere in particular. When he arrived in Germany, his "biography was [his] sole luggage," but in a country of strangers, his personal and family history, his thoughts, politics, and reputation were no longer what made him who he was.

Since his escape from the oppressive atmosphere of communist Romania, a major change has occurred in his writing. The same element of the absence of home remains, but his poetry is now less preoccupied with the urge to protest political injustice and more concerned with what goes on inside people. For him, the true center of art and literature lies at this inner level of interest in people, which extends beyond politics to the human spirit, and what stirs and motivates it.

From time to time in the past sixteen years, Werner Söllner has taught German literature at Frankfurt University and Tübingen University, and most recently he spent a semester as poet-in-residence at Dartmouth College. At Oberlin College this semester, his weekly colloquium, also attended by his close companions, two tiny dogs, has won him the deep appreciation of his students. Söllner has provided them with an intimate look into contemporary German poetry as well as insights into the workings of poetry in general. Often a discussion of his poems will take place without the students knowing Söllner's authorial intention, and the students' views are weighed and considered in their own right before the poet reveals his "secret." This gift of responsibility and freedom of interpretation has proved liberating and invigorating, and has built the students' confidence in their interpretive abilities. At the same time, they have become personally acquainted with the man Werner Söllner.

When asked whether significant differences exist between his own perception of his writing and its reception by readers and critics, Söllner responds that it is irrelevant whether the two match up. Once a work becomes public, interpretation is left to the readers, and while many poems are autobiographical in the sense that subconscious reminders of a past experience may lie at their core, the original intention of their author becomes secondary.

In general, Werner Söllner's poetry is not abstract but rather rooted in direct experiences and impressions of everyday life. Reading his poems and reflecting on them enables us to experience our own lives more vividly and insightfully.

— Annika Macintosh

Nach Oberlin

Werner Söllner lebt als freier Schriftsteller in Frankfurt am Main. Seit 2002 ist er dort Leiter des hessischen Literaturbüros.

Viele seiner Gedichte und Prosatexte wurden übersetzt und in Anthologien und Literaturzeitschriften in England, Spanien, Italien, Rumänien und der Türkei veröffentlicht. Söllner wurde mit zahlreichen Preisen geehrt, u.a. mit dem Lyrik- und Übersetzerpreis des rumänischen Schriftstellerverbandes (1978 und 1980), dem Andreas-Gryphius-Förderpreis (1985), dem Friedrich-Hölderlin-Förderpreis (1988), und er hat (1990) das Arbeitsstipendium des Deutschen Literaturfonds erhalten.

Werner Söllner, wie er uns im Januar 2004 schrieb, hat in Oberlin "eine merkwürdige schwer-leichte Zeit verbracht." Die drei in Oberlin entstandenen Gedichte, die er uns schickte, scheinen das zu belegen.

Drei Gedichte für Sascha Juritz

Nie wieder

Wo ist meine braune Haut geblieben?
Und das Wasser, das mich trug?
Und ich hatte keinen Grund zum Lieben
und das war mir Grund genug.

Ach, ich hab mich viel zu oft gewaschen
und für Engel feingemacht.
Jetzt bin ich in Gottes Hosentaschen
ganz erschrocken aufgewacht.

Ja, ich Esel hab geheult vor Trauer
und hab ohne Grund gehofft.
Und der Eriesee, die nasse Mauer,
das nie wieder, es bedeutete noch oft.

Kopfgeburt

Heut hat es in Cleveland geregnet,
dabei war es seltsam warm.

Da bin ich mir selber begegnet:
Ich hielt meinen Kopf im Arm,

als hätte ich plötzlich geboren
ein erfrorenes Kind,
als hätten wir beide verloren,
was wir verzweifelt sind.

Ich hab es mit Fassung getragen,
hab auch spöttisch gelacht.
Nun hab ich am Hals noch den Kragen.
Hab ihn schnell zugemacht.

Knochenmusik

In einer kalten Ohionacht,
da wollte ich nicht mehr leben.
Da hab ich, Anne, an dich gedacht
und ging ins Oberlin Inn einen heben.

Ein Ober in Weiß, er brachte Wein
zu einem besonderen Essen.
Ich fühlte mich vornehm, allein
und fast wie alteingesessen.

Der Engel, der mir zu Kopfe stieg,
er war schwarz anzuschauen.
Auf dem Heimweg lag Knochenmusik
überm Wasser, dem grauen.

Werke

Wetterberichte. Gedichte (1975)
Mitteilungen eines Privatmanns. Gedichte (1978)
Sprachigkeit. Ein Gedicht (1979)
Eine Entwöhnung. Gedichte (1980)
Das Land, das Leben. Gedichte (1984)
Juritz (1984)
Es ist nicht alles in Ordnung, aber ok. Ein Monolog (1985)
Kopfland. Passagen. Gedichte (1988)
Klingstedts romantische Gründe. Erzählung (1988)
Der Schlaf des Trommlers. Gedichte (1992)

Zweite Natur. Gedichte (1993)

Freundschaft der Dichter. Ein Lesebuch des Künstlerhauses Edenkoben (1997)

Übersetzungen

Marin Preda: *Der große Wahnsinn.* Roman (1981)

Mircea Dinescu: *Unter der billig gemieteten Sonne.* Gedichte (1981)

Mircea Dinescu: *Gedichte* (1982)

Mircea Dinescu: *Exil im Pfefferkorn.* Gedichte (1989)

Mircea Dinescu: *Ein Maulkorb fürs Gras.* Gedichte (1990)

Asher Reich: *Tel Aviver Ungeduld.* Gedichte (2000)

Gert Loschütz, Oberlin, 1999.
Photo: Oberlin College German Department.

Gert Loschütz   1999

B Y THE TIME HE WAS THIRTY, the dramatist, poet, and prose author
Gert Loschütz had lived in three different cities. The first ten he
lived in Genthin, Sachsen-Anhalt, where he was born in 1946. There,
despite the restrictions of East German life, he experienced the security
and warmth of home, the fullness of childhood adventure, the certainty
of belonging. In Dillenburg in the Westerwald region of Hesse, to
which his family fled, he was exposed to deprivation and, unfamiliar
with the social rituals in the West, also humiliation. Above all, at age
fourteen he suffered the loss of his mother. Making his way without
her, at school and play, and in his growth to young manhood, he
painfully realized his loss of *Heimat*, that he had become, irrevocably,
an outsider. In 1966, at the age of twenty, he moved to Berlin, where
he began his studies at the Freie Universität, later worked as a publisher's editor, took part, critically, in the revolt and turmoil of the late
sixties, and in 1970 became a freelance author. In 1977, he moved to
Frankfurt, where he still lives.

Gert Loschütz already enjoyed widespread recognition when in
1984 he published his first longer prose work, the novella *Eine
wahnsinnige Liebe*. In it, the first-person narrator Lukas Hartmann, an
emotionally stunted pharmaceuticals salesman, escapes his isolation by
involving himself with his newly bought desk computer. He makes it
his constant companion and, exploring its vast interactive capacities,
literally falls in love with it. What before had simply been "my computer" becomes, gotten up as a life-size doll, "my girlfriend," and
after the two marry (!), "my wife." As Hartmann drifts into madness,
Loschütz's calm and lucid prose accentuates through contrast the
fluid boundaries between illusion and reality. Meanwhile, the novel
has proved itself to be farsighted. Giant leaps in media technology
and, coupled with them, the steady shrinking of the imagination
threaten to turn Hartmann's bizarre fate into an everyday and perhaps
more than just momentary event in the lives of high-tech addicts
worldwide.

The double loss that Gert Loschütz sustained, with his displace-
ment to the West, and the loss of his mother and what he had once
known as *Heimat*, echoes throughout his work, most clearly in the

novel *Flucht* (1990) and in the prose collection *Unterwegs zu den Geschichten* (1998). Like Loschütz, the first-person narrator of *Flucht*, the writer Karsten Leiser, is uprooted as a child by his family's flight to West Germany. Like the author, he, too, must helplessly suffer the pains of social degradation, the loneliness of the outsider, and — intensifying all of his losses — the death of his mother. Together, they constitute Leiser's defining life experience, which he describes in writing to a woman friend. At home nowhere, the quintessential exile remains irreversibly in flight. Like the nonlinear and multiform narrative itself, he travels incessantly, moves restlessly from city to city, hotel room to hotel room, from one fleeting, failed encounter to the next, from loss to loss.

The seven "stories" of Gert Loschütz's most recent book, *Unterwegs zu den Geschichten,* are in the main descriptive evocations of persons and places that together trace the author's passage from boyhood almost to the present. The book begins with a brief account of his more random than purposeful boyhood reading discoveries, and concludes with engaging reflections on the craft of fiction. The longest section of the book registers impressions and experiences from the author's half-year as *Burgschreiber* in the east German town of Beeskow shortly after Germany's unification. Almost bare of comment, the "story" conveys vivid insights into the new German reality. A second long section, "Aus dem blauen Notizbuch," records everyday encounters from Loschütz's Berlin years. On the surface prosaic, they, too, reveal the essence of an epoch, particularly of its human loneliness and alienation, in subtly muted lyrical snapshots, Loschütz captures ordinary Berlin scenes: among them, foreigners talking on the pay-phone with, perhaps, Bangkok or Warsaw, two young men whispering over champagne at a café, another who walks through the subway begging halfheartedly for a handout, young illegal Polish cleaning women, their faces lined with weariness, or, far less ordinary, the unsettling "visit" to the author's apartment by three RAF women, notorious political fugitives from justice.

In Oberlin, Gert Loschütz is completing a radio play about a catastrophic train crash, the worst in German history, which took place in 1939 just outside his hometown of Genthin. In it, he aims to explore the potentially tragic nature of accident, the interworkings of *Zufall* and *Unfall*. Later, he intends to expand the radio play into a longer prose work. Meanwhile, as Writer-in-Residence, he has taken on the challenge of introducing his students to his writing, and in his free time he has been eagerly sampling the variety of life at the college and in its environs.

Heute

Das Hörspiel, an dem Gert Loschütz in Oberlin gearbeitet hatte, wurde 2001 von verschiedenen Rundfunkanstalten unter dem Titel "Besichtigung eines Unglücks" ausgestrahlt.

Loschütz lebt heute als freier Schriftsteller in Berlin und Frankfurt am Main. Im Jahr 2000 erhielt er die Ehrengabe der Deutschen Schillergesellschaft.

Der Autor stellte uns den folgenden Text zur Verfügung, in dem er unter anderem der Frage nachgeht, "wie die Orte in die Geschichten kommen." Diesen Text hat er in Oberlin geschrieben und zur Abschlussveranstaltung am 24. April 1999 gelesen.

Schreiben — Orte

Zwei Schreib-Orte

Einmal wohnte ich auf einer Insel in einem wunderschönen Haus, das ein Freund gemietet und mir für die Zeit, in der er es nicht brauchte, überlassen hatte. Es lag in einem großen Garten, in dem Äpfel, Wein und Aprikosen wuchsen. Dreimal in der Woche kam ein Gärtner, kippte einen Schalter neben der Terrassentür herunter, und schon schoß aus überall am Boden versteckten Düsen das Wasser. Es war im Frühsommer, Juni, so heiß, daß ich mich, wenn ich arbeiten wollte, in das kühlste Zimmer des Hauses zurückzog. Es lag im Erdgeschoß. Ich saß an einer Geschichte, einer Novelle, die ich zu Hause begonnen hatte und an der ich dort weiterschrieb. Wenn ich aufschaute, sah ich meine Frau und eine Freundin, die uns begleitete, im Liegestuhl am Swimmingpool. Und wenn ich den Blick wieder senkte, las ich die Sätze, die ich grade in die Maschine getippt hatte:

"Es schneite immer heftiger. Der Schnee blieb liegen und bildete bald eine geschlossene Decke über dem Asphalt . . . Die Straße führte durch ein Waldstück. Hier und da sah ich im Licht der Scheinwerfer junge Birken, die unter der Last des Schnees umgeknickt waren. Der Scheibenwischer schabte über das Glas, und die Reifen surrten."

Ich erinnere mich so gut daran, weil ich mir der Absurdität der Situation völlig bewußt war: Draußen das südliche Paradies, brüllende Hitze, zwei junge Frauen im Bikini — und innen, am Schreibtisch, eine deutsche Winterlandschaft, Schneetreiben, und eine Erzählfigur, die so gestört war, daß sie sich einen toten Gegenstand, einen Computer, zur Frau umdenken mußte.

Ein anderes Mal saß ich im siebten Stock eines Hochhauses in der Nähe des Washington Square. Diesmal war es nicht ein Swimmingpool, auf den ich schaute, sondern das Flachdach einer Schwimmhalle, auf dem ein Sportplatz angelegt war, ein mit Maschendraht eingezäuntes Basketballfeld. Dahinter sah ich die Häuserzeile der Mercer Street, und über dieser die oberen Geschosse der Häuser am Broadway mit den auf hohen Spinnenbeinen stehenden Wassertanks auf den Dächern. Es war im Herbst, die Zeit der langen Sonnenuntergänge, die die Straßen in ein unwirkliches rotes Licht tauchten.

Ich war für drei Monate in New York, auch diesmal hatte ich eine Geschichte dabei, die ich zu Hause begonnen hatte und an der ich dort weiterarbeiten wollte: die ersten 60 Seiten eines Romans, daneben viele Notizen, Beschreibungen des Orts, an dem die Geschichte angesiedelt war, und Portraits von Leuten, die darin vorkamen. Sie war so gut vorbereitet, daß ihr der Ortswechsel nicht das geringste anhaben konnte. Dachte ich. Doch dann zeigte sich, daß das ein Irrtum war. Nachdem ich wochenlang versucht hatte, wieder in sie hineinzufinden, habe ich sie beiseite gelegt und bin bis zu meiner Abreise mit dem Schreibheft rumgerannt, um, wenn schon nicht mit dem Roman, dann doch wenigstens mit einem Vorrat von Notizen nach Hause zu kommen. Ich bin kreuz und quer durch die Stadt gefahren, meistens aber war ich zu Fuß unterwegs, blieb, wenn mir etwas auffiel, stehen und trug es in mein Heft ein, während ich gleichzeitig wußte, daß ich nie etwas davon verwenden würde. Oder zumindest nicht gleich, sondern erst nach einer Weile, einer Art Schamfrist. Über diese Stadt war so oft geschrieben worden, daß jeder weitere Versuch eines plausibleren Grundes bedurfte als bloße Anwesenheit.

Zwei Beispiele: das erste zeigt, daß die Umgebung nicht den geringsten Einfluß aufs Schreiben hat. Das zweite genau das Gegenteil.

Nun könnte man sagen, daß die Wirklichkeit New Yorks bedrängender war als die der Ferieninsel. Und daß dies der Grund dafür sei, warum es gelang, an der einen Geschichte weiter zu arbeiten und an der anderen nicht. Mag sein. Wichtiger aber ist, denke ich, etwas anderes: Die Ferieninsel konkurrierte mit einem erfundenen Ort, New York aber mit einem konkreten. Die Orte der Novelle waren eine namenlose Kleinstadt und ein Dorf irgendwo in Deutschland, der Ort des abgebrochenen Romans aber hatte einen Namen und seinen Platz auf der Landkarte, es war ein bestimmter Ort in der Nähe von Frankfurt, den ich so gut kannte, daß ich ihn zu Hause beim Schreiben vor mir gesehen habe, und nun, in New York, nicht mehr sah.

Der erfundene Ort ließ sich überallhin mitnehmen, der konkrete nicht: er war trotz der mitgebrachten Notizen an die Erinnerung gebunden, und diese war durch den Ortswechsel beschädigt worden.

Soll das heißen, daß es zwar keine Bedingung, aber ein Vorteil ist, wenn man in der Stadt, über die man schreibt, wohnt? Daß man durch ihre Straßen gehen, ihre Häuser betrachten, ihre Geräusche hören und ihre Luft atmen kann? Keineswegs. Und doch ist klar, daß jeder Ort (und erst recht jeder Ortswechsel) seinen Tribut fordert. Das heißt, bei mir ist es so.

Ost-West-Passage

Daß es — für die Literatur — kein Vorteil sein muß, wenn Wohn- oder gar Herkunftsort und literarischer Ort identisch sind, zeigt sich schon daran, daß die schönsten und eindringlichsten Bücher über Orte, Städte und Landschaften nicht selten von Autoren geschrieben wurden, die diese verlassen haben — in der Regel nicht freiwillig, sondern unter dem Zwang der Umstände, die mal Krieg, mal Vertreibung, mal Flucht, mal unerträglich gewordene Enge heißen. Vier Gründe, von denen jeder seine Zeit hat, was nicht bedeutet, daß sie wie die Jahreszeiten nacheinander auftreten müssen.

Ich denke, zum Beispiel, an das Danzig von Günter Grass, an die Memellandschaften von Johannes Bobrowski, an das Mecklenburg von Uwe Johnson, an die Mark Brandenburg von Helga M. Novak, aber auch an das Dublin von James Joyce. Allen, scheint es, hat die Sehnsucht nach ihrem Ort die Erinnerung geschärft, womit weniger die Erinnerung an Ereignisse gemeint ist als vielmehr die an Gerüche, Farben, Geräusche, Spracheigentümlichkeiten, Landschaftsformationen, an eine bestimmte Vegetation, eine bestimmte Architektur, eine bestimmte Anordnung der Häuser und Straßen zueinander und — nicht zu vergessen — an ein bestimmtes Licht.

Dies zusammen ist es, was einen Ort ausmacht und sich einem in Kindheit und früher Jugend mit einer solchen Schärfe in die Netzhaut, ins Gehör, in die Geruchs- und Geschmacksnerven einbrennt, daß es noch für den Erwachsenen das Maß der Dinge darstellt. Das ist bei allen so, freilich, aber bei denen, zu deren Beruf das Erinnern gehört, vielleicht noch ein bißchen mehr. Man sieht es daran, mit welcher Ausdauer sie beim Schreiben an ihren verlassenen Ort zurückkehren.

"Das Becken des Mediterranean Swimming Club, zwanzig Meter lang, achtbahnig, ist vielleicht geräumiger als das der 'Mili' in Jerichow, in dem Gesine Cresspahl schwimmen gelernt hat, das Kind, das ich war . . ." heißt es in Band 2 der "Jahrestage" von Uwe Johnson. Oder: "So bedeckt wie heute morgen über dem Hudson war der Himmel im Sommer vor 24 Jahren über Ribnitz und dem Saaler Bodden, als die Paepckes ihre letzten Ferien anfingen."

Das ist nicht nur das Muster, nach dem sich das Erinnern in Romanen richtet, sondern das des Erinnerns überhaupt. Eine winzige Beobachtung, ein Geruch, ein bestimmtes Licht reichen aus, um es in Gang zu setzen. Und die Richtung, in die es geht, steht fest: es ist die des verlorenen Orts. Durch das Weggehen hat er bei Johnson (wie bei Grass und Novak) ein Gewicht erhalten, das er sonst nicht hätte, er ist von so zentraler Bedeutung, daß ohne ihn das Werk selbst nicht denkbar wäre. Auch wenn von anderem die Rede ist, ist die Rede doch immer auch von ihm.

Noch einmal Johnson: "Erinnerung baut an, sagen die, die noch einmal zurückgegangen sind. Dahin zurück darf ich nicht. Das ist weit von hier. Das ist mehr als 4.500 Meilen entfernt, und mehr, noch nach acht Stunden Flug muß man dahin gehen, bis man in die Nacht gerät, und kommt nicht an."

Grass, Johnson, Novak haben in vielen Städten gewohnt. Und es ist, nehme ich an, kein Zufall, daß sie sich, älter geworden, wieder Orte zum Wohnen ausgesucht haben, die ihren Herkunftsorten vergleichbar sind: Bei Johnson war es zuletzt eine Insel in der Themsemündung; Novak, die in Deutschland nicht mehr leben mag, ist nach Polen gezogen; und Lübeck, wo Grass heute lebt, ist Danzig sicherlich ähnlicher, als es Berlin oder Wewelsfleet waren.

Es gibt ein Wort, um das ich immer einen großen Bogen gemacht habe, nun benutz ich es doch: das Wort Heimat. Faßte man den Begriff der Heimatliteratur weiter, als man es gewöhnlich tut, nähme man ihm den Geruch des Engen, Spießbürgerlichen, Trivialen, der ihm anhaftet, ließe sich die These aufstellen, daß der Heimatverlust geradezu die Voraussetzung für die Entstehung großer Heimatliteratur ist. Denn: die Entfernung vom eigenen Ort bedeutet ja nicht nur Verlust, sondern auch Zuwachs von Erfahrung, Kenntnis und, geht es weit genug weg, Welthaltigkeit, was wiederum den Blick auf den verlassenen Ort verändert und vielleicht erst den Abstand schafft, der es erlaubt, ihn in seiner ganzen Widersprüchlichkeit zu erfassen.

"Fremdheit als die Bedingung für genaue Beschreibung, Heimat-Literatur aus Heimatlosigkeit geboren," hat das der Trondheimer Germanist Bernd Neumann, über Johnson nachdenkend, genannt. Dennoch: Mit wie viel Schmerz diese aus dem Verlust gewachsene

Literatur erkauft wird — davon erhält man eine Ahnung, wenn man
liest, was Helga M. Novak anläßlich eines Besuchs in ihrer Kindheits-
und Jugendlandschaft in einem Gedicht festgehalten hat. Es war die
Zeit, in der die Mauer noch stand und man über Friedrichstraße nach
Ostberlin ˙einreiste, und es war, da das Tagesvisum nur für das
Territorium der Hauptstadt galt, eine verbotene Reise, denn sie führte
über deren Grenzen hinaus: "von Grünheide nach Fangschleuse
2 km . . ." Und dann heißt es:

> Gedränge im Bus dampfende Raglanärmel
> es riecht nach angeschossenem Wild. . . .
>
> links verbirgt sich der Wupatzsee
> unter Entenfedern rechter Hand der Wacholder
> wie ein betrunkener Zimmermann mit Pelerine
> gleich falle ich auf die Knie
> und bitte die Frau neben mir
> bevor sie ganz verdunstet
> alle Kleider mit mir zu tauschen
> bis runter zum Liebestöter Strumpfhalter
> einfach alles zu wechseln
> damit ich fürderhin mein Leben friste
> in einem Nest wie Fangschleuse z. B.
> unauffällig
> wie der Schatten des Wacholders bei Nacht?

Das ist keineswegs ironisch, dahinter steckt der ernste Wunsch,
bleiben zu dürfen. Freilich wird — das Fragezeichen am Gedichtende
weist darauf hin — auch erwogen, um welchen Preis das geschähe: den
der Unsichtbarkeit, des Einverständnisses und der Unterordnung. Das
Fragezeichen ist es, das den Grund für das Weggehen und den für das
Nichtzurückkommen-, bzw. Nichtbleibenkönnen benennt.

Heimatliteratur — wäre der Begriff nicht zu einem Synonym für
etwas geworden, das sich vornehmlich in Heftchenformat an den
Ständern der Supermärkte findet oder als paarig gereimte Gedichte
und vergangenheitsselige Anekdoten in den Sonntagsbeilagen von
Regionalzeitungen, zählte ich das Gedicht von Helga M. Novak
ebenso dazu wie die Danzig-Romane von Grass oder die Jerichow-
Romane von Johnson.

Einmal, als ich — es war 1993 — in einer ostdeutschen Kleinstadt
aus *Flucht* las, einem Roman, der ebenfalls von der lebenslangen und
lebensbestimmenden Sehnsucht nach einem verlassenen Kindheitsort

im Osten handelt, meinem Ort, habe ich ein Kapitel ausgesucht, das das Gefühl der Fremdheit beschreibt, in die der Ankömmling im Westen gestoßen wird.

> Der Bäcker, zu dem ich geschickt wurde, hieß noch Bäcker, der Fleischer aber hieß Metzger, der Tischler Schreiner, der Maler Anstreicher. Die Wörter, die ich benutzt hatte, galten nicht mehr; es war kein Verlaß auf sie gewesen. Benutzte ich sie weiter, zeigte ich mich als Fremder. Wenn ich die Mutter oder den Vater Metzger, Schreiner, Anstreicher sagen hörte, erschien es mir als Verrat, Verrat an den Wörtern, mit denen ich aufgewachsen war, aber auch als Verrat an den Dingen, die zu Hause damit bezeichnet worden waren. Wenn man ihnen einen anderen Namen gab, waren es nicht mehr die gleichen, und wenn die Menschen und Dinge nicht mehr die gleichen waren, war man es selbst auch nicht, sondern ein anderer.

Worauf eine junge Frau aufstand und, nicht ohne Häme, fragte, ob ich, wenn ich doch die Fremdheit im Westen so gut zu schildern verstünde, nicht auch Verständnis für die Bürger im Osten aufbringe, die sich infolge der vielen ihnen vom Westen aufgezwungenen Neuerungen, die einem Umsturz ihrer Lebensverhältnisse gleichkämen, wie Fremde im eigenen Land fühlten.

Ja, sagte ich. Und dachte, als ich eine Stunde später durch die verwinkelte Stadt ging, in der die Fragerin zu Hause war, daß meine Antwort *Nein* hätte lauten müssen. Oder: Ja und Nein. Denn der Vergleich, auf den ihre Frage zielte, war, wenn sie nicht bloßer Unkenntnis entsprang, die pure Unverschämtheit. Was sie beklagte, war, neben Mieterhöhungen und Arbeitslosigkeit, eine Veränderung von Lebensgewohnheiten, die im Westen schleichend vor sich gegangen war und nun dort, in ihrer Stadt, ihrem untergegangenen Land innerhalb kürzester Zeit nachgeholt wurde. In den Beispielen, die sie gab, führte sie Neuerungen im Zahlungsverkehr ebenso an wie die rasante, ihre Stadt verändernde Bautätigkeit und das unübersichtlich gewordene Warenangebot.

Das reichte ihr aus, um sich als Fremde zu fühlen. Dabei sah sie nicht, daß sie die ganze Zeit über aufgehoben war in ihrem Ort, ihrer Landschaft, ihrer Sprache, ihrer Familie, ihrer Gemeinschaft von Freunden, Bekannten und Kollegen, mit denen sie sich, da alle die gleiche Erfahrung verband, jederzeit austauschen konnte. Noch ihre zustimmendes Kopfnicken auslösende Frage hatte sie nicht als Fremde gezeigt, sondern als Dazugehörende.

Wohingegen die anderen, die aus gutem Grund Weggegangenen (denen mit dem Übertritt in den Westen ein unvergleichlich härterer

Bruch mit ihren Lebensgewohnheiten abverlangt worden war), in eine
Fremdheit geraten waren, über die, da von niemandem geteilt, mit
keinem gesprochen werden konnte. Und so hatten sie sich, inmitten
eines damals prosperierenden Landes, einer neuen Stadt und einer
neuen Nachbarschaft, der die Riviera-Orte näher lagen als die Städte
und Landschaften hinter der Grenze, nicht selten wie komische
heimwehkranke Schatten ausgenommen, Fremde tatsächlich.

Das hätte nichts mit dem Lebens- und Schreib-Ort zu tun? Aber
ja, denn das sind die Erfahrungen, von denen das Schreiben über verlorene Orte, die erst durchs Schreiben wieder zum Leben erweckt und
dadurch zu literarischen Orten werden, grundiert ist.

Uwe Johnson ist, 49 Jahre alt, in Sheerness-on-Sea gestorben.
Günter Grass wies, nach Gründen für den frühen Tod Johnsons
suchend, darauf hin, daß dieser penible Arbeiter am Manuskript ein
Leben geführt habe, das nicht frei von selbstzerstörerischen Zwängen
war. Und schloß dann: "Es mag aber auch sein, daß ihn die
Unbedingtheit seines Heimwehs nach Mecklenburg verzehrt hat."

Damit niemand auf die Idee kommt, der Wunsch, den verlorenen
Ort in der Literatur wiederherzustellen, sei ein deutsches Phänomen,
einer speziellen sentimentalen Gefühlslage geschuldet, sei (um nur
diese beiden zu nennen) an Libuse Moníková und Joseph Brodsky
erinnert, die sich ebenfalls schreibend ihren verlorenen Orten genähert
haben. Auch sie sind früh gestorben, wobei der von Grass auf Johnson
gemünzte Satz von den "selbstzerstörerischen Zwängen" auch für
Brodsky gelten könnte.

In seinem Buch *Erinnerungen an Petersburg* heißt es: "Ich glaube
gern, daß die Auflösung von Bindungen für Russen schwieriger zu
akzeptieren ist als für andere. Wir sind schließlich ein seßhaftes
Volk . . . Für uns ist die Wohnung lebenslänglich, die Stadt
lebenslänglich, das Land lebenslänglich. Somit sind die Vorstellungen
von Beständigkeit stärker, das Gefühl für Verlust ebenso."

Heimatverlust als Voraussetzung, so die These, für große — den
Begriff sprengende — Heimatliteratur. Oder sagen wir, um den in
Verruf geratenen Terminus wieder zu verabschieden: Große Literatur
über Orte und Landschaften.

Doch wie immer, wenn man eine These mit Beispielen belegt, stellen
sich, wie von selbst, Gegenbeispiele ein, die geeignet scheinen, sie zu
widerlegen: Günter de Bruyn und Hermann Lenz etwa. Oder wenn wir
in die Weltliteratur greifen wollen: William Faulkner und Italo Svevo.

Alle sind (bzw. waren) von einer mustergültigen Seßhaftigkeit,
keiner hat, außer zum Studium oder zur Ableistung des Kriegsdienstes,
seinen Ort verlassen, und doch spielen — und damit gerät meine These

ins Wanken — auch in ihrem Werk ihre Orte und Landschaften eine
zentrale Rolle: Bei Svevo ist es Triest, bei Faulkner der amerikanische
Südwesten. Bei de Bruyn (wie bei Novak) die Mark Brandenburg, und
bei Hermann Lenz schließlich ist es — bis auf wenige Ausnahmen —
Stuttgart bzw. das Württembergische, das Süddeutsche.

Nicht anders als bei Grass, Johnson, Novak und de Bruyn läßt
sich bei Lenz der Einfluß seines Orts, seiner Landschaft auf sein Werk
bis in die Sprachmelodie, den Satzfall, den Gebrauch bestimmter
Wendungen hinein nachweisen. Und doch lohnt es sich, bei ihm
genauer hinzuschauen. Nicht um den Einfluß in Frage zu stellen, sondern um zu sehen, ob es wirklich sein Stuttgart, sein Württemberg,
sein Süddeutschland ist, von dem er schreibt, oder nicht ein längst ver-
gangenes. *Sein* Ort meint ja nicht nur eine geographische, sondern
auch eine zeitliche Zuordnung.

"Mir wär's auch lieber, wenn ich achtzehnhundertsiebenundneun-
zig jung gewesen wäre, und nicht heut," läßt Lenz den Protagonisten
seiner Erzählung *Der Tintenfisch in der Garage* sagen, einen jungen
Mann, der Anfang der siebziger Jahre, zur Zeit der Studentenrevolte
also, in Regensburg Germanistik studiert. Und dieses Bekenntnis könnte, nimmt man Lenz' Bücher zusammen, auch als sein eigenes gelten.
Beinahe scheint es mir, als sei dieser Autor aus seiner Zeit emigriert wie
Johnson und Novak aus ihrem Land. Und als seien sein Stuttgart, sein
Wien, sein Regensburg ebensolche Sehnsuchtsorte wie Johnsons (fik-
tives) Jerichow und Novaks Grünheide — was seinen Rang nicht im
Mindesten schmälert, aber etwas über den Schreibantrieb aussagt:
Offensichtlich ist es ein Defizit, ein Mangel oder — umgekehrt — ein
tief verwurzelter Wunsch nach Vollkommenheit, der mal am Ort, mal
an der Zeit festgemacht wird.

Auch bei Lenz geht es darum, "eine Wirklichkeit, die vergangen
ist, wiederherzustellen." Wie bei Johnson geht der Blick zurück, doch
was ins Blickfeld gerät, ist nicht der entfernte Ort hinter der Grenze,
sondern die vergangene Zeit, deren Spuren in den Orten anwesend
sind und beschworen werden.

> Er roch das Wasser, dieses dunkelgrüne; sah, wie es schwankte und
> sich regte, wünschte, auf der Steinernen Brücke Pferden und Wägen
> zu begegnen, und meinte, all dem käme er durch so etwas wie
> Dichtung näher. Die Dichtung aber war doch heutzutag verpönt.

Wie die Orte in die Geschichten kommen

Natürlich spielt der Ort, an dem man lebt, für das Schreiben eine Rolle.

Er tut es in einem Maße, daß ich mich vor jedem Umzug gefürchtet habe, als könnte mit dem Ort, der verlassen wird, die Fähigkeit, etwas zu Papier zu bringen, verloren gehen. Eine abergläubische Furcht, die jedes mal anhielt, bis — endlich — auch in der neuen Umgebung etwas fertiggestellt war, womit ich zufrieden sein konnte. Erst danach sah ich den Umzug für geglückt an.

Und in jeder neuen Stadt wiederholte es sich, daß etwas von ihr in die Geschichten einfloß: fast immer die Umgebung des Hauses, in dem ich wohnte, der Einkaufsweg, manchmal bloß eine abgesunkene Treppenstufe oder ein Baum, von dem ein Ast heruntergebrochen war, eine zufällige Beobachtung, die mir zupaß kam. Wenn man an einer langen Erzählung sitzt, geschieht es ja manchmal, daß einem der Zufall die Dinge hinwirft.

Der Zufall? Eher ist es wohl so, daß die Arbeit die Wahrnehmung einengt, so dass man mit einer Art Tunnelblick rumläuft, der einen plötzlich nur noch Dinge sehen läßt, die sich in die Erzählung einpassen: das klappende Fenster, der Kinderhandschuh auf dem gefrorenen Dorfteich, eine Ratte, die an einer Bushaltestelle im Gully verschwindet. Die Arbeitskonzentration lädt die Dinge mit einer Bedeutung auf, die sie sonst nicht hätten. Für einen Moment leuchten sie auf und erlöschen dann wieder. Aber dieser Moment reicht aus, um sie sich zu notieren und später am Schreibtisch zu prüfen, ob sie für die Erzählung taugen. Wenn, ist es gut, wenn nicht, bleiben sie, wie die New-York-Notizen, im Heft, manchmal für immer.

Das ist der Weg, auf dem die Orte in die Geschichten geraten. So kommt es, daß sich jede Stadt, in der ich gewohnt habe, in einer Erzählung festgesetzt hat, das heißt, etwas von ihr, ohne daß ich nach einer Weile selbst noch wüßte, was Fundstück ist, was Erfindung.

Natürlich: die laut sprechenden Türken am Wasserhäuschen in Frankfurt; die blaustichigen Tannen im Garten von Buchschlag; das Schulhaus aus rotem Backstein mit der an einen Pilz erinnernden Sirene auf dem Dach, die Kanalbrücke und der Bahnhof in Genthin; die Pension der Signora Baldi in Rom; das Abbruchhaus in der hessischen Kleinstadt; die Straße in dem ruhigen Berliner Wohnviertel, in dem ich gelebt habe; Kenny's Book-Shop in Galway — lauter Stellen, die auf Wohn- oder Aufenthaltsorte verweisen.

Aber spannender sind im Grunde die vielen im Vorübergehen aufgelesenen Details, die, ohne daß sich ihre Herkunft noch klären ließe, in die Geschichten eingegangen sind. Unauffällig haben sie darin Platz genommen und so, auch wenn von den Orten selber gar nicht die Rede ist, etwas von ihrer Eigenart in der Literatur aufgehoben. Und so, denke ich, wird es auch mit diesem unentschieden zwischen Oxford und namenloser Großtankstelle schwankendem Ort gehen: West College Street, North Professor Street, der verschneite Campus, Peters Hall mit seiner hölzernen Treppenkonstruktion und dem großen gemauerten Kamin; das kleine, fensterlose Büro; der herzförmige, mit einem Foto und bunten Plastikblumen geschmückte Grabstein der in alle Ewigkeit sechsundzwanzigjährigen Ronda Lynn; der mannshohe Spiegel im Treppenhaus, vor dem die kleine Chinesin vor ihrem am selben Abend stattfindendem Klavierkonzert ihr rosafarbenes Abendkleid anprobiert hat; die Wagen im Waschsalon . . . ich weiß: zunächst wird alles absinken, um dann unverhofft wieder an die Oberfläche zu kommen.

Oberlin, April 1999

Werke (eine Auswahl)

Von Buch zu Buch — Günter Grass in der Kritik. Eine Dokumentation (1968)

Gegenstände — Gedichte und Prosa (1971)

Diese schöne Anstrengung. Gedichte (1980)

Eine wahnsinnige Liebe. Novelle (1984)

Das Pfennig-Mal. Geschichte (1986)

Flucht. Roman (1990)

Lassen Sie mich, bevor ich weiter muss, von drei Frauen erzählen. Geschichten (1990)

Unterwegs zu den Geschichten. Erzählungen (1998)

Dunkle Gesellschaft. Roman in zehn Regennächten (2005)

Hörspiele

Ihr Verhalten hat zu keinem Anstoß Anlaß gegeben (1972)

Hör mal, Klaus (1977)

Ballade vom Tag, der nicht vorüber ist. Hörspiel (1987)

Der Mann im Käfig. Hörspiel (1995)

Die Kamera, der Traum, dann die Stimmen. Hörspiel (1995)

Besichtigung eines Unglücks. Hörspiel (2001)

Theaterstücke

Sofern die Verhältnisse es zulassen. Drei Rollenspiele (1972)

Lokalzeit. Stück (1976)

Chicago spielen. Stück (1980)

Der Sammler des Schreckens. Stück (1994)

Ortswechsel (Musik: Rico Gubler) Uraufführung: Schauspielhaus Zürich (2005)

Fernsehspiele

Wanda. Fernsehspiel (1985)

Der Kampfschwimmer. Fernsehspiel (1985)

Kotte und Klara. Fernsehspiel (1987)

Herausgaben

Das Einhorn sagt zum Zweihorn. 42 Schriftsteller schreiben für Kinder. Eine Anthologie (1973)

Zafer Şenocak, 1998.
Photo: © gezett.

Zafer Şenocak   2000

BORN IN 1961 IN ANKARA, Zafer Şenocak immigrated to Germany with his parents in 1970. The family settled in Munich, where Mr. Şenocak continued his education and completed the *Abitur* in 1981. He studied German literature, politics, and philosophy at the Ludwig-Maximilian University in Munich until 1987. During the 1980s, at the dawn of German migrant literature, Şenocak began to publish his lyric poetry, winning the Literary Prize of the City of Munich in 1984 and the Adalbert von Chamisso Prize in 1988. The same year, together with Eva Hund, he translated a novel by Aras Ören into German, titled *Eine verspätete Abrechnung*. Translations of works by Aras Ören, an established author living in Germany but writing in Turkish, had appeared since the 1970s; they played an important role in making the migrant experience more accessible to German-speaking audiences. Şenocak also translated older Turkish poetry into German, including the works of Yunus Emre, a fourteenth-century mystic, and of Pir Sultan Abdal, a sixteenth-century folk poet. Zafer Şenocak moved to Berlin in 1990, where he has worked as a freelance writer ever since. In the course of the 1990s, Zafer Şenocak has emerged as one of the most influential and incisive commentators on Turkish-German cultural interrelations.

While he initially became known for his poetry, Mr. Şenocak has since become more prominent as an essayist and social critic, focusing on the societal and cultural challenges Germany faces following its reunification. Şenocak's essays target the stereotypes and assumptions made of Turkish Germans, especially in light of negative views of Arabs and Islam in the aftermath of the Gulf War. *Atlas des tropischen Deutschlands* (1993) addresses the question of the assimilation of Turkish immigrants in Germany, and *War Hitler Araber?* (1994) is a collection of essays challenging the notion of Islam as an anti-Western conspiracy. These essays appeared in the wake of deadly attacks against Turkish immigrants in Mölln and Solingen and thus represented a brave confrontation with the tumultuous times in which they were published.

In the mid-nineties, Şenocak turned to fiction as the vehicle of his criticism. His tetralogy begins with *Der Mann im Unterhemd,* a collection of short stories, published in 1995. *Gefährliche Verwandtschaft* appeared in 1998 and continues the tale of Sascha Muhteschem, begun a year earlier in *Die Prärie* (1997). The protagonist, born to a German Jewish mother and a Turkish father, embodies the conflicts of mixed identities. The novel explores the complexity of Turkish-German relations from the days of the Ottoman Empire to the present, and the parallels between German and Ottoman imperial histories. The final volume, *Der Erottomane. Ein Findelbuch,* appeared in 1999. Mr. Şenocak's work is increasingly translated and is now available in English, French, and Turkish.

A talented lecturer and teacher, Mr. Şenocak brings to Oberlin many past experiences. He was a Guest Writer at the Lion Feuchtwanger Society in Los Angeles and Writer-in-Residence at Miami University of Ohio, at Dartmouth College, and at the Massachusetts Institute of Technology, where he was also the 1997 Max Kade Distinguished Visiting Professor. His weekly colloquium has explored not only his own work but also the full spectrum of the minority experience in Germany. He combines assessments of the current situation of Turks in Germany with discussions of German-Jewish history and the implications of the Holocaust for multiculturalism in Germany today. Mr. Şenocak engages his readers and students with questions of culture and identity that have yet to be answered, thus provoking lively and meaningful discussion. Oberlin College is extremely fortunate to have the opportunity to interact with such a prominent author, especially one who boldly addresses issues often deemed controversial in a manner that is both socially conscious and poetic.

— Evan Matthew Cobb and Sabrina Karim Rahman

Nach Oberlin

Seinem Oberlin-Aufenthalt folgten noch mehrere Besuche als Writer-in-Residence an amerikanischen Universitäten. Doch lebt Zafer Şenocak vor allem in Berlin als freier Schriftsteller und Publizist. Er schreibt regelmäßig für *die tageszeitung* sowie für andere Zeitungen (u. a. *Berliner Zeitung, Die Welt, Frankfurter Allgemeine Zeitung*). Seine Werke werden zunehmend in andere Sprachen übersetzt — bislang ins Türkische, Griechische, Französische, Englische (u. Amerikanische), Hebräische und Niederländische. Die mehrsprachige Zeitschrift *Sirene* wurde bis 2000 von ihm mit herausgegeben.

Als Dichter und Publizist vermittelt Zafer Şenocak zwischen den Kulturen und plädiert u. a. für ein multikulturelles Europa und für die Aufnahme der Türkei in die Europäische Union. Er warnt seit dem 11.

September 2001 vor der zunehmenden Gefahr der fundamentalisti-
schen Terroristen und der Gelassenheit der europäischen Länder
gegenüber diesen Gruppen, die, wie er meint, längst im Westen
Unterschlupf gefunden haben:

> In Deutschland aber handelte man bis jetzt nach der Devise: Toleranz
> für jedermann, Dialog mit wem auch immer, egal ob mit oder ohne
> Inhalt. Hauptsache Frieden, weil er scheinbar so leicht zu haben ist.
> Außerdem lässt sich mit den mörderischen Regimen in Iran und
> Libyen gute Geschäfte machen. Welch ein fataler Irrtum. Frieden ist
> niemals ein Zustand, sondern immer nur ein Prozess, der sich nur
> dann festigt, wenn das Vertrauen wächst." (*Die Welt*, 15.9.01)

Ebenso leidenschaftlich und entrüstet schreibt Şenocak auch anlässlich
der Bombardierung der Neve-Schalom-Synagoge in Istanbul am 21.
November 2003. Sie befindet sich an "Istanbuls verwundbarste[r]
Stelle," im kosmopolitischen Stadtteil Galata, "Symbol für die geistig
offene, kulturell vielfältige und lebensfrohe Türkei." Şenocak erlebte
sie als Kind, denn die Familie wohnte am "asiatischen Ufer, zusammen
mit griechischen und armenischen Familien. Die Menschen verstanden
sich als Istanbuler, als Teil einer Welt, deren ungeschriebenes Gesetz
auf Respekt und Achtung vor dem Anderen beruht" (*Frankfurter
Allgemeine Zeitung*, 22.11.03). Immer wieder nimmt Şenocak Stellung
gegen den islamischen Extremismus; aber ebenso deutlich setzt er sich
ein für einen Islam, dessen Anfänge seiner Meinung nach in der Türkei
zu beobachten sind, einen Islam, der die toleranten Potentiale dieser
Weltreligion wieder fruchtbar macht, die Moderne akzeptiert und
bereit ist, Teil der freien Welt zu werden.

> *Den folgenden Text hat Zafer Şenocak zu seiner Abschlusslesung am 19.
> November 2000 seinem Oberliner Publikum präsentiert. Er wurde im
> Kapitel* Gedächtnisfragmente *ein Jahr später in dem Band*
> Zungenentfernung. Bericht aus der Quarantänestation *veröffentlicht.*

Der Griff hat einen Sprung

Schon am ersten Abend nach meiner Ankunft in München begann
meine Assimilierung. Ein Glas kalte Milch und eine Tafel
Milkaschokolade.

   In der Türkei gab es natürlich auch Milch, aber die Milch der
türkischen Kühe mußte gekocht und heiß oder lauwarm getrunken
werden, der Bakterien wegen. Kalte Milch schmeckte mir besser. Ich
war fünf Jahre alt, für Bier noch etwas zu klein, doch genau im richtigen

Lederhosenalter. Ich war sehr stolz auf meine erste Lederhose, die mich nach meiner Rückkehr nach Istanbul von allen Istanbuler Kindern unterschied.

Hätten alle Gastarbeiter ihre Kinder am ersten Abend in Deutschland mit Milch und Schokolade gefüttert und sie am nächsten Morgen in Lederhosen gesteckt, hätten wir heute keine Probleme mit der Integration. Aber meine Eltern waren keine Gastarbeiter. Das erklärt vielleicht ihre Affinität zur kalten Milch, zur Milkaschokolade und zu Lederhosen. Sie hatten gar keine Berührungsangst mit der deutschen Kultur. Sie waren ja nur für zwei Monate nach Deutschland gekommen, um in einem kleinen oberbayerischen Ort Deutsch zu lernen. Zugegeben eine etwas seltsame Entscheidung, gerade nach Oberbayern zu gehen, um die deutsche Sprache zu lernen.

Meine Eltern spielten in und mit der deutschen Kultur. Ich glaube, daß ihnen dieses Spiel auch sehr viel Freude bereitete. Das war einfach nur gelebtes Theater. Wenn man eine fremde Sprache lernt, verkleidet man seine Zunge. Warum also nicht gleich sich ganz verkleiden. Es ist erwiesen, daß man schneller Deutsch lernt, wenn man Lederhosen trägt.

Ich jedenfalls wurde mit meinen Lederhosen in Istanbul zum Gespött der Leute. Dennoch weigerte ich mich, sie auszuziehen. Endlich hatten meine Eltern eine Einsicht mit meinem Martyrium und beschlossen, nach Deutschland auszuwandern. Seit meinem Deutschlandaufenthalt waren vier Jahre vergangen, aber mir war vieles aus Deutschland noch gut in Erinnerung. Vor allem der Geschmack von kalter Milch und Milkaschokolade.

Meine Eltern wollten eigentlich viel lieber nach Hamburg auswandern. Sie hatten dort gute Freunde, außerdem war das Meer nicht so weit. Doch ich tyrannisierte sie so lange, bis sie sich aus Rücksicht, Liebe oder auch einfach nur aus Nervenschwäche meinem Willen beugten und sich in München niederließen.

Heute, nach dreißig Jahren, habe ich das Gefühl, daß wir eigentlich nur meiner Lederhosen wegen nach Deutschland gezogen sind. Wie dem auch sei, keiner in unserer kleinen Familie hat diesen Schritt jemals bereut. Wir sind alle überzeugte Verfechter deutscher Wertarbeit.

Neulich besuchte ich meine Eltern in Hamburg. Nachdem ich volljährig geworden war, hatten sie endlich den Mut gefaßt, ihr Leben nach eigenen Wunschvorstellungen zu gestalten und waren von Bayern nach Deutschland ausgewandert. So beschrieb mein Vater ihren Umzug. Genauer gesagt zogen sie nach Hamburg, in ihre Lieblingsstadt. Aus meiner Sicht eine unverständliche Entscheidung, für meine Eltern aber ging ein Traum in Erfüllung. Sie schwärmen für Hamburg und sind, seit sie dort leben, kein einziges Mal in den Süden gefahren.

Neulich war ich also auf Besuch. Mein Vater führte mich in die Küche. Er ist ein leidenschaftlicher Sammler von Küchenmessern "Marke Solingen."

"Ich habe eine neue Solingen Marka erworben, die ich dir gleich zeigen muß," jubelte er vor sich hin.

Ich nahm das gute Stück in die Hand. Das Messer war mittelgroß. Die scharfe Klinge blinzelte im Licht. Ihr Stich konnte tödlich sein. Die Augen meines Vaters leuchteten. Doch was war denn das? "Guck mal, der Griff hat ja einen Sprung. Das mußt du morgen gleich zurückbringen. Die tauschen dir das bestimmt um."

Ich kam mir wie ein gemeiner Spielverderber vor. Aber der Fehler mußte einfach reklamiert werden. Die Frist für solche Reklamationen beträgt sieben Werktage. Meinem Vater war der Abend versaut.

"Made in Germany ist auch nicht mehr das was es einmal war," maulte er.

Meine Mutter meinte trocken, "Ach, das ist bestimmt Ware aus Polen, da steht halt bloß Solingen darauf. Heutzutage nimmt man das alles doch nicht mehr so genau."

Mein Vater widersprach meiner Mutter vehement, mit dem Hinweis auf den stolzen Preis des erworbenen Messers. Es begann ein heftiger Streit, der nicht mehr aufzuhören schien, weil keiner mehr wußte, weswegen man sich in die Haare geraten war. Ich finde schon, daß wir eine gut integrierte Familie sind.

Aus dem Spiel, das meine Eltern einst so gerne spielten, ist heute bitterer Ernst geworden. Überhaupt scheint mir das ungeschriebene Gesetz des Lebens darin zu bestehen, daß aus jedem Spiel irgendwann einmal ernst wird. Längst geht es nicht mehr um eine Maskerade, sondern um eine Art Vaterlandsverteidigung, wenn von eigener und fremder Kultur die Rede ist.

Die Worte eigen und fremd sind mir eigentlich immer fremd geblieben. Vor allem, wenn sie von Menschen ausgesprochen werden, die ich gut zu kennen glaube. Aus ihrem Mund klingen diese Worte irgendwie falsch. Jedenfalls für meine Ohren. Vielleicht habe ich auch einen Hörfehler.

Man sagt heute gar nicht mehr, "mein Vaterland ist Deutschland," sondern, "ich komme aus Deutschland," so als würde man gerade aus der Küche kommen. Vaterland, so scheint mir, ist nicht mehr ein geographischer oder politischer Begriff sondern ein kultureller, über den man eher im stillen Kämmerlein denkt als laut spricht. Kalte Milch und Milkaschokolade sind rationiert.

Man bangt um die Ration der eigenen Kinder, prüft jeden Morgen auf pedantische Weise die Farbe der Milch nach. Es gibt Gerüchte darüber, daß sie nicht mehr ganz so weiß sei, wie noch vor zehn Jahren. Ich kann diese Ängste verstehen. Die kalte Milch schmeckt auch nicht mehr so wie vor dreiunddreißig Jahren. Jedenfalls ist der Geschmack in meiner Erinnerung nicht mehr identisch mit dem Geschmack von heute und vielleicht auch nicht identisch mit dem Geschmack von damals. Ich dachte zuerst, daß diese Veränderung im Geschmack mit meinem Weggang von München nach Berlin in Zusammenhang zu bringen wäre. Aber bei meinen regelmäßigen Besuchen in München mußte ich jedes Mal feststellen, daß die kalte Milch hier inzwischen ebenso fade schmeckt wie in Berlin, eben anders als die Milch in meiner Erinnerung. Es muß also an meinem eigenen Geschmackssinn liegen, daß die Milch nicht mehr so ist, wie sie einmal war.

In: *Zungenentfernung. Bericht aus der Quarantänestation* (München: Babelverlag 2001), 9–12.

Werke

Elektrisches Blau. Gedichte (1983)

Verkauf der Morgenstimmungen am Markt. Gedichte (1983)

Flammentropfen. Gedichte (1985)

Ritual der Jugend. Gedichte (1987)

Das senkrechte Meer. Gedichte (1991)

Atlas des tropischen Deutschland. Essays (1992)

War Hitler Araber? IrreFührungen an den Rand Europas. Essays (1994)

Fernwehanstalten. Gedichte (1994)

Der Mann im Unterhemd (1995)

Die Prärie (1997)

Gefährliche Verwandtschaft. Roman (1998)

Der Errottomane. Ein Findelbuch (1999)

Zungenentfernung. Bericht aus der Quarantänestation (2001)

Herausgaben

Jedem Wort gehört ein Himmel. Türkei literarisch. Mit Deniz Göktürk (1991)

Das Ende der Geduld/Sabrin Sonu. Mit Claus Leggewie. Deutsche Türken/Türk Almanlar (1993)

Der gebrochene Blick nach Westen. Positionen und Perspektiven türkischer Kultur (1994)

Übersetzungen Zafer Şenocaks aus dem Türkischen

Fethi Savaşçı, *München im Frühlingsregen*. Erzählungen (1986)

Yunus Emre, *Das Kummerrad/Dertli Dolap*. Gedichte (1987)

Aras Ören. *Eine verspätete Abrechnung oder Der Aufstieg der Gündogdu*. Roman; zusammen mit Eva Hund (1988)

Uhrmacher der Einsamkeit. Gedichte; zusammen mit Eva Hund (1993)

Englische Ausgabe

Atlas of a Tropical Germany. Translated and edited by Leslie A. Adelson (2000).

Irina Liebmann, Oberlin, 2001.
Photo: Jack Glazier.

Irina Liebmann   2001

IRINA LIEBMANN WAS BORN IN Moscow in 1943. Her mother was Russian and her father a German citizen forced to flee the fascism of the Third Reich. During her early years in the Soviet Union, the young Liebmann learned to speak both German and Russian. In 1945, with the end of the war, the family returned to Berlin, the city that would influence Liebmann's life and work for years to come.

Liebmann attended the University of Leipzig, where she studied Chinese language and culture. Unable to find a job in this field after China and the Soviet Union (and therefore East Germany) split politically, she signed on to be an editor at a magazine focusing on foreign policy and Third World development. In 1975, she became a freelance journalist.

Ms. Liebmann considers journalism the least egoistical form of writing. This attitude has made its mark on her as a writer. She has an unassuming style, and common themes in her works reveal a dedication to realism and exactness and a desire to represent familiar environments as truthfully as possible. It was from her experience as a journalist that her first book, *Berliner Mietshaus*, stemmed.

Published in 1981, *Berliner Mietshaus* is the product of a journalistic experiment, as well as evidence of one of the important running themes in Liebmann's work — the city of Berlin. Having lived first in East Berlin, then West Berlin, and finally united Berlin, she often sets her works in this city. This particular experiment involved interviewing as many inhabitants of an East Berlin tenement as were willing to participate. She employed no specific list of questions, no tape recorder. The book is simply a collection of conversations held over coffee or tea and brought together into a beautiful portrait of everyday life.

After *Berliner Mietshaus* came further books, poems, plays, and radio dramas. She published *Mitten im Krieg* in 1989, and *Quatschfresser. Theaterstücke* in 1990. *In Berlin*, published in 1994, is an excellent example of her work blending prose and poetry. Many of the chapters are written in lyric verse. Though it is fiction, it is told from a very personal point of view, through the eyes of a character named for the author.

Her radio drama, *Das Lied vom Hackeschen Markt*, dramatized in 2001, is an example of another important theme in her work — the blending of poetry, music, and the musical quality of words themselves. Liebmann worked closely with composer Christoph Grund to bring the words of her drama to life.

She has received many prestigious awards, such as the Aspekte-Literaturpreis (1989), the Förderpreis zum Bremer Literaturpreis (1990), the prize of the Deutsche Schillergesellschaft (1996), and the Berliner Literaturpreis (1998).

Previously, Liebmann has worked as a Writer-in-Residence at the Villa Aurora, California Institute for European-American Relations. Her stay at Oberlin College has included teaching the German Writer-in-Residence course, in which she discusses her work in the context of East German and post-unification history. Germany's troubled history is at the core of Liebmann's writing, and her works often help to peel away the layers of history hidden behind common attitudes of denial and avoidance.

After her semester here, she plans to return to her home in Berlin to pursue her writing. In the future, she hopes to further explore the relationship between poetry and music in the form of songs, libretto, or possibly opera.

— Bettina Smith and Katie Shilton

Heute

Irina Liebmanns Aufenthalt in Oberlin war von den Ereignissen des 11. September 2001 in New York und Washington unmittelbar betroffen. Den für den 12. September angesetzten Flug musste sie in Frankfurt abbrechen. Eine Woche später setzte sich Irina Liebmann resolut und mutig wieder ins Flugzeug, um ihren Lehrpflichten nachzukommen, und auch wir führten unsere Kurse und Vorlesungen durch. Doch die Ereignisse und die darauffolgenden politischen Maßnahmen überschatteten diese Zeit, ohne dass wir uns dies so richtig eingestehen wollten. In jenem Jahr war der Herbst wieder einmal wunderschön und mild, als ob er mit den schrecklichen Weltgeschehnissen konkurrieren wollte.

So kehrte Irina Liebmann eher erleichtert nach Berlin zurück, wo sie weiterhin als freie Schriftstellerin lebt.

Unter dem ironischen Titel *Die freien Frauen* (2004) macht sie auch Berlin wiederum zum Schauplatz ihres neuen Romans. Das Buch ist aber weit mehr als das Porträt einer Stadt in einer Zeit des Umbruchs, in der "Häuser zu Tode renoviert" und Lebensräume eingerissen werden. Indem die Autorin eine alternde Frau — vom

Ehemann getrennt, von den erwachsenen Kindern entfremdet — zur
Protagonistin ihres Romans macht, wagt sie sich innerhalb der
deutschen Literatur auf beinahe "unbeschriebenes Terrain."[1] Die
Heldin Elisabeth Schlosser ist Dramatikerin, deren großes
"Königsdrama" noch immer ungeschrieben ist, sie ist die Mutter eines
erwachsenen Sohnes, der nicht nur die Arbeit sondern auch die
Nahrung verweigert und der sie sarkastisch fragt, ob sie sich denn jetzt
"genug verwirklicht" habe, und sie ist eine Frau, die sich fremd im
eigenen Leben fühlt, sich auf Spurensuche begibt und eine Ahnung
bekommt von den "ungehobenen Schätzen des Lebens." Irina
Liebmann sei mit diesem Buch, so Iris Radisch, der große Wurf
geglückt, mit dem sie das Daseinsgefühl einer ganzen Generation
getroffen habe. Der Roman wurde als *Darmstädter Buch des Monats
September 2004* ausgewählt.

*Im Frühjahr 2002 schickte uns Irina Liebmann den folgenden Text
über den Mann, dem wir nicht nur den Hustensaft, sondern auch das
Writer-in-Residence-Programm zu verdanken haben: Max Kade.*

Max Kade war ein deutscher Pharmazeut. Das klingt heute sehr
gelehrt, vielleicht war er am Anfang einfach ein Apothekersohn, der als
ein junger Mann von 22 Jahren 1904 in New York eintraf. Er ist vom
Jahrgang 1882, 1967 ist er gestorben. Also kein von der bürgerlichen
Revolution 1848 enttäuschter deutscher Emigrant, kein vor dem
Rassenwahn fliehender jüdischer deutscher Emigrant, nein, die großen
europäischen Kriege lagen 1904 noch fern und Max Kade hätte man
damals wohl einfach einen deutschen Jungen genannt, der in Amerika
sein Glück machen wollte. Dass er mit 22 Jahren in New York eintraf,
deutet daraufhin, dass er seine Volljährigkeit abwartete — damals 21
Jahre. Ob er danach gleich das Geld für die Überfahrt zusammen hatte,
ob Verwandte auf ihn warteten, ob er als Schiffsjunge fuhr oder in einer
Passagierkabine, ob von Hamburg oder Bremerhaven, mit Hapag
Lloyd oder einer englischen Schiffsgesellschaft — auf jeden Fall wird er
in Ellis Island angekommen sein, und viel weiter ist er nicht mehr
gefahren. In New York hat er den Hustensaft ROBERTUSSIN (heute:
Robitussin) auf den Markt gebracht, die Marke weltweit schützen
lassen und weltweit vertrieben, und ist damit tatsächlich sehr reich
geworden. Ob er damit auch sein Glück gefunden hat, wissen wir
nicht. Auf jeden Fall muss der weitere Verlauf der Weltgeschichte ihn

---

[1] Iris Radisch, "Die Schneekönigin," *Die Zeit* 42/2004.

betrübt haben, vor allem, der Ausbruch des 2. Weltkrieges, wo Amerikaner und Deutsche sich als Gegner gegenüber standen. Warum sonst wird er mitten im Krieg, nämlich 1944, seine Stiftung gegründet haben, ausdrücklich mit dem Ziel, die Beziehungen zwischen den Kulturen beider Länder zu unterstützen. Er wird den Rückgang des Interesses an Deutschland in den USA vorausgesehen haben, der heute allgemein beklagt wird. Wie Oberlin in den Genuss seiner Unterstützung kam, erzählte mir Stuart Friebert, der ehemals am German Department gearbeitet hat: John Kurtz, der ehemalige Chef der deutschen Abteilung, war Max Kade an einer Kreuzung in New York begegnet. Die Ampel zeigte ROT. John musste warten und sah einen alten Mann neben sich ebenfalls warten, von dem er annahm, es müsste ein Deutscher sein. Die Ampel zeigte sehr lange ROT an dieser Straßenkreuzung, und John Kurzhatte Zeit und Elan, den Alten anzusprechen. Nachdem sie Namen austauschten, und ein Mittagessen zusammen einnahmen, stellte sich heraus, dass Kade Interesse daran hatte, Instituten wie Oberlin — also am Anfang fast ausschließlich kleineren Colleges mit gutem Ruf — behilflich zu werden und bat Kurtz um eine Wunschliste, worauf John bescheiden antwortete: Na ja, die deutsche Sammlung sei nicht so umfassend wie man es sich wünschte. Später bat John um Geld für Schallplatten, etc. und bald darauf meinte das German Department in einer Sitzung, dass es doch wunderbar wäre, wenn die Kade-Stiftung es ermöglichen könnte, einen lebendigen deutschen Schriftsteller anzustellen. So kam Kuno Raeber 1968 als erster Schriftstellergast nach Oberlin. So kam ich als bisher letzte deutsche Schriftstellerin und danke dem German Department in Oberlin und Max Kade im Himmel von Herzen dafür.

— Irina Liebmann im Dezember 2001

Werke

Berliner Mietshaus. (1982)
Ich bin ein komischer Vogel. Kinderbuch (1988)
Mitten im Krieg. Erzählungen (1989)
Quatschfresser. Theaterstücke (1990)
Die sieben Fräulein. (1990)
In Berlin. Roman (1994)
Der Weg zum Bahnhof (1994)
Wo Gras wuchs bis zu Tischen hoch (1995)
Letzten Sommer in Deutschland. Eine romantische Reise (1997)
Stille Mitte von Berlin. Essay (2002)
Die freien Frauen. Roman (2004)

Doron Rabinovici, Oberlin, 2002.
Photo: Jack Glazier.

Doron Rabinovici 2002

THE ISRAELI-AUSTRIAN AUTHOR AND HISTORIAN Doron Rabinovici was born in Tel Aviv in 1961. As a Jewish child of Vilna, Poland (now the capital of Lithuania), his mother miraculously survived the Nazi genocide, ultimately settling in Israel. His father, a Romanian Jew, fled to what was then Palestine, and it was in Israel that his parents met. At the age of three, Doron immigrated with his family to Vienna, which became their permanent place of residence.

Until 1985 Rabinovici's political focus was largely confined to the Israeli-Arab situation. He was a member of the Jewish youth movement and congregation *(Kultusgemeinde),* and his work included fostering efforts towards the return of the occupied territories. The group also confronted Austrian anti-Zionist sentiment by informing Austrians of leftist factions within Israel. With the emergence of Kurt Waldheim and an overtly anti-Semitic political platform, Rabinovici's concentration and efforts shifted to the domestic political arena. As he puts it: "One could say that Waldheim is the reason that I became an Austrian."

Rabinovici was a founder of the leftist Club *Neues Österreich* (New Austria) and one of the leading organizers and public speakers of the February 2000 demonstrations. Attended by 300,000 people, these demonstrations took a stand against the popular racist and nationalist policies and rhetoric of Jörg Haider's extreme rightist Freedom Party (FPÖ). Rabinovici played and continues to play an active, vocal role as a political dissident, focusing particularly on combating the anti-Semitic elements of Austria's historical and cultural heritage. His present political foci include the recognition of and resistance to the current resurgence of racism, xenophobia, nationalism, and conservatism in countries of the European Union (EU).

During the years of his political activism, Rabinovici was a student at the University of Vienna. Originally a student of medicine, he also studied psychology, ethnology, and history. In 1986 history became his prime academic interest. In the early 1990s he began research on his dissertation on the controversial topic of the role of the Jewish Council in Vienna under the National Socialist extermination policies against the Jews. This work culminated in the historical treatise

Instanzen der Ohnmacht. Wien 1938–1945; Der Weg zum Judenrat.
The work maintains that the Jewish Council held no actual institutional
power within National Socialist political and administrative structures,
but was, rather, either a token agency or intentionally misinformed by
Nazi functionaries. Therefore the members of the Jewish Council cannot be held accountable as agents of the Holocaust.

Beginning in 1995, Doron Rabinovici also began writing *Suche
nach M. (The Search for M.),* a novel that focuses on the lives of the children of survivors of the Holocaust and their particular constellations of
identity, guilt, and memory. He is furthermore the author of a collection of political essays, *Credo und Credit,* various editorial and journalistic essays, and *Papirnik,* a volume of stories.

As his literary influences, Rabinovici mentions Bertolt Brecht, Max
Frisch, Walter Serner (one of the founders of the Dadaist movement)
and Leo Perutz, among others. He sees literary and journalistic writing
as two interrelated, inseparable critical and creative activities. "When I
invent a story, I don't intend it to be merely a flower; that doesn't
interest me, that's not me. Rather, what interests me would be that
what I write is absolutely necessary . . . so that afterwards I have the
feeling that this book had to be written." He prefers writing fiction and
is currently working on his second novel, which is set in Vienna against
the background of contemporary immigration.

As students in his seminar, we appreciate Doron's honesty and
openness in sharing his experiences and views. His off-the-cuff anecdotes and his knowledge of historical and contemporary events along
with engaging readings of his work have made the class both enjoyable
and informative. Above all, we will treasure Doron's generosity with his
time after class, in the true *Wiener Kaffeehaustradition.*

— Ethan Bair, Anne Royer, and Jacob Teter

After Oberlin

Although Doron Rabinovici felt very much at ease in Oberlin (as his
own text, which follows, makes clear), he quickly readjusted to life in
Vienna. Only a few days after he returned, he wrote: "Wien hat mich
wieder!" For his friends in Oberlin, however, his departure constituted
a real loss, as he had contributed so much not only intellectually but
also by way of his wonderful "Viennese sociability." Doron had
become a colleague in the best sense of the word: he visited classes and
generously gave lectures to the college at large on contemporary
Austrian politics and the history of the Jewish Council in Vienna during the Nazi rule. Always willing to discuss books and writing, he also

readily exchanged manuscripts — his novel in progress for a study of Toni Morrison (by Heidi Thomann Tewarson), equally in progress.

Immediately upon his return, Doron Rabinovici was awarded the prestigious Jean Améry prize, which he acknowledged with a beautiful personal and perceptive acceptance speech. He completed the novel he had been working on so assiduously, having written seven of ten chapters during his Oberlin stay. *Ohnehin* appeared in the spring of 2004 to critical acclaim. Beginning in the 1990s, Vienna became the subject of a number of novels. At that time the city finally awoke from its lethargy, as it faced the challenge from Jörg Haider's extreme Right and began to reflect on its historical legacies. *Ohnehin* is an unabashedly Viennese novel — witty and erudite. The setting showcases Vienna as the multicultural city it has been since the Middle Ages — from the old "Naschmarkt" to the recent refugees from the former Yugoslavia to the Jews who for various reasons live there today. At the same time, the novel's intent is deeply serious. Its many and diverse characters are portrayed as they are caught up in a complex web of forgetting and remembering. It juxtaposes the "old" (Nazi) atrocities (which the protagonist would like so much to forget) with the new ones, especially those committed by the Serbs and Croats and the "bureaucratic" ones committed by Austria against refugees and asylum seekers.

Ohnehin is typical of the new Jewish literature written by the children of survivors. Their concerns are no longer exclusively with the trauma of the Nazi past but with the here and now in Austria and Germany, as they acknowledge the problems of other minorities, among them the "guest workers," asylum seekers, and refugees.

Although Doron Rabinovici would prefer to devote himself primarily to the writing of fiction, he cannot help but be involved as a citizen and therefore continues to write and edit journalistic and political texts as well. Thus, most recently, he edited, together with Ulrich Speck and Natan Sznaider, a volume of essays by an international cast of writers, journalists, and scholars, entitled, *Neuer Antisemitismus? Eine globale Debatte*. Leaving aside concerns with the past or manifestations of the extreme Right, it explores today's questions regarding anti-Semitism and criticism of Israel and their meaning in the Islamic world and the Middle East conflict.

Most recently, in January 2005, Doron Rabinovici was invited, together with Ruth Klüger, literary scholar and author of *weiter leben: Eine Jugend* (*Still Alive: A Holocaust Girlhood Remembered*), to present the annual Lectures on Poetics at the University of Tübingen. This year's topics revolve around the question of "History as Literature."

Doron Rabinovici, historian, novelist, and essayist, has received many prizes: the Ingeborg-Bachmann-Preis (1994); the Ernst-Robert-Curtius-Förderpreis für Essayistik (1997); the Hermann-Lenz-Stipendium (1998); the Bruno-Kreisky-Anerkennungspreis (1999); the Mörike-Förderpreis der Stadt Fellbach, the Heimito-von-Doderer-Förderpreis, the Preis der Stadt Wien für Publizistik (2000); the Clemens-Brentano-Preis der Stadt Heidelberg, and the prestigious Jean-Améry-Preis (2002).

Was sein Aufenthalt in Oberlin in ihm bewirkte und welche Bedeutung der Ort für die Entstehung seines Romans Ohnehin *hatte, beschreibt Doron Rabinovici in dem folgenden Text vom Dezember 2003.*

Sammlung in Oberlin

In Oberlin veränderte sich mein Aggregatzustand. Ich fürchte seit jeher, mich irgendwann aufzulösen, mich zu vertun, und obwohl ich in Oberlin diese Angst auch nicht ablegen konnte, war mir dort, als wäre ich nicht länger ein flüchtiger Stoff, der von einem Termin zum nächsten verduftet. Vielleicht hängt dieser physikalische Prozeß nicht mit dem Campus und der Stadt zusammen, denn in Wirklichkeit begann jene Umwandlung bereits Monate, ehe ich das Flugzeug nach Amerika bestiegen hatte. Das Schreiben an meinem Roman *Ohnehin* war es, das meine Mutation womöglich bewirkte, aber soviel ist klar, die Stadt in Ohio störte mich nicht dabei, widersetzte sich nicht, sondern unterstützte meine Umformung. Es gibt ja schönere Komplimente, als zu erklären, ein Ort und seine Leute hätten mich ungesellig werden lassen. Wobei ich ehrlich zugeben muß, daß meine Art, unnahbar zu sein, für einen anderen Menschen bereits aufdringlich wirken kann. Hier kommt es auf die Relationen an. Was in meiner Familie als normales Mittagsgespräch gilt, könnte in anderen Häusern zu Morden führen, und was wir Humor nennen, hätte in früheren Zeiten manch Pogrom ausgelöst. Ich bin eben ein Wechselbalg verschiedener Klangräume. Ich stamme aus Tel Aviv und seinem mediterranen Gewurl, aus Wien und seinen Kaffeehäusern. Das ist eine ganz eigene Melange. In der Stadt an der Donau gehen die Leute von einem Treffen zum anderen, um einander für all das zu gratulieren, was zu tun, man keine Zeit hat, weil man ja von einem Treffen zum anderen geht, um einander [für all das] zu gratulieren, was zu tun, man keine Zeit hat, weil und so weiter.

Mag sein, daß, was mir still scheint, anderen bereits zu laut vorkommt, aber mir erschloß Oberlin eine innere Ruhe. Alle auf dem

Institut akzeptierten, als ich mich ein wenig zurückzog, um an den Texten zu arbeiten, und vielleicht war es ihnen auch nicht ganz unangenehm, wenn ich sie dadurch weniger in Anspruch nahm. Nur, als ich zum Schluß endlich Zeit mit den anderen auf dem College verbrachte, dachte ich mir, daß ich doch ganz schön blöd sei, diese wunderbaren Leute nicht öfters getroffen zu haben. Je näher die Abfahrt heranrückte, umso mehr zog es mich zu Abenden mit Heidi und Jack, zu Diskussionen mit Sidney hin, zu Gesprächen mit den anderen im Departement, zu Kaffeehausbesuchen mit den Studenten aus meiner Klasse, etwa mit Anne, Ethan, Jacob und Robert, zu Konzerten, die mich begeisterten, ob ich klassische Musik zu hören bekam oder moderne. Ich erinnere mich der zweiundzwanzigjährigen Violinistin Hillary Hahn, die gemeinsam mit der Pianistin Nathalie Zhu auftrat. Dann waren da noch Jazz Sessions im Music Café, wo ich beinah täglich Stunden zubrachte, auf den Knien meinen Laptop, in der Linken eine Tasse Tee, in der Rechten ein Muffin. Im Dachgestühl hatte sich ein Eichkätzchen eingenistet, das manchmal Holz auf die Gäste in ihren Sofas warf.

Ich mußte an Pnin von Vladimir Nabokov denken, denn hier war ich nun auf einem solchen Campus, wie es in dem Buch so schön beschrieben wird und wie wir es aus den amerikanischen Filmen nur allzu gut kennen, wir, die europäischen Eichhörnchen, die sogleich ins Kino flitzen, sobald ein neuer Streifen aus Hollywood, dem Zauberwald Kaliforniens, uns erreicht. Nirgends, in keinem Lichttempel und keinem Roman, war aber von dem Albino-Squirrel irgendetwas zu sehen oder zu lesen gewesen, das am Tappan Square wohnt, und jedes mal, wenn ich diesen schneeweißen ausgewachsenen Frechdachs erspähte, ihn durch das lederrote Laub, durch dieses prächtig leuchtende Blattwerk, wie ich es bisher noch nirgends erblickt hatte, rennen sah, fühlte ich mich auf eine unbestimmte Weise ungeheuer privilegiert, wobei ich mir durchaus bewußt war, daß es keinen Grund gab, mir irgendetwas darauf einzubilden, denn ich hatte eben nichts als das Glück, auf einem schönen und renommierten College einige Monate verbringen zu dürfen, in dem der Geist des Aufbruchs und der Aufklärung, der Kunst, der Revolte und der Jugend noch fortlebte wie in einem verwunschenen Märchenschloß. Nicht überall hatte das Primat des Marktes sich durchgesetzt, nicht in Oberlin.

Das Music Café war einer meiner Lieblingsorte, aber nicht weniger mochte ich die Mudd Library. Ich war einfach begeistert von ihr. Allein schon die Tatsache, daß nicht wenige meiner Studenten die Augen verdrehten, wenn ich von dem Gebäude zu schwärmen begann, nahm mich dafür ein. Sie fanden, es sei schrecklich häßlich, weil es einer

Festung, einer Burg ähnle, aber ich mochte diese massive, kompro-
mißlose Architektur, die nicht süßlich daherkommt. Ich meine etwa die
Rampe, die ins Haus führt, als wäre sie eine Zugbrücke, die hochge-
fahren werden kann. Wenn ich vor dem Mudd stand, hatte ich das
Gefühl, als wären kleinere Baukisten in größere gepackt worden. Eine
Verschachtelung, ein Krater aus Beton. Ging ich auf das Gebäude zu,
war mir, als würde ich von einem Nürnberger Trichter ins Innere des
Wissens gesogen. Kurz und gut; das Haus nahm mich ein. Was mich
aber besonders freute, war die Zugänglichkeit der Bibliothek und zu
allen Büchern. Eine Büchersammlung, die ich von morgens bis spät in
die Nacht aufsuchen, die ich ohne Schwierigkeiten und selbst zur
Geisterstunde mit jenem Band verlassen konnte, den ich wollte, kannte
ich bisher nicht. Drinnen legte ich mich auf Sofas, verkroch mich in
Arbeitsecken mit Tischen und in Kugelsitze aus den Siebzigern, innen
gepolstert, draußen Hartkunststoff. Darin konnte ich einfach verschwinden, lesen oder schreiben. Nichts um mich existierte dann noch.

So einladend Oberlin wirkte, prägte die Angst vor Fremden die
Staaten und die Bundesbehörden, als ich in die USA des Jahres 2002
kam. Seit dem Anschlag auf das World Trade Center war noch kein Jahr
vergangen, und während Oberlin alles symbolisierte, was amerikanische Großzügigkeit bedeutet, mühte ich mich mit der Bürokratie eines
Landes, von dem es in Europa heißt, es sei jenes der unbegrenzten
Möglichkeiten. Was alles grenzenlos möglich war, erkannte ich, als ich
wochenlang vergeblich auf meine Sozialversicherungsnummer wartete.
Irgendwann reichte es mir und ich rief an, geriet an ein Tonband. Ich
möge die eins wählen, wenn ich jenen Wunsch habe, die zwei bei
diesem . . . So ging es dahin. Es dauerte lange, bis ich die nächste
Hürde genommen hatte, eine zweite Auswahl treffen sollte, dann die
dritte, aber nach Stunden erreichte ich endlich den Apparat des
Beamten, der mich bearbeiten sollte. Kremer sein Name, und statt
seiner hörte ich seinen Anrufbeantworter, denn leider, so hörte ich, sei
er, Kremer, in Pension gegangen. Meine Papiere lagen auf dem ver-
waisten Tisch dieses Rentners, waren vergessen.

Vielleicht ist es beruhigend, wenn solche Erscheinungen der
unmöglichen Begrenztheit nicht bloß im österreichischen Kakanien
geschehen. "Amerika, das gibt's ja gar nicht. Ich weiß es, denn ich habe
da lange gelebt," heißt es im Film des französischen Regisseurs Alain
Resnais "Mein Onkel aus Amerika." Die USA existieren bloß im Plural,
und das ist es, was mich immer wieder erstaunt, wenn ich dort bin.

Ich wurde von einem meiner Freunde nachdrücklich gewarnt:
"Mach bitte ja nichts politisch oder sexuell Unkorrektes, denn dann
wird der Mittelwesten zur Hölle und Ohio ihr innerster Ring!" Ich

muß gestehen, auf dem Campus von Oberlin weniger rassistische Bemerkungen, anzügliche Zoten und obszöne Übergriffe gehört zu haben, als unter europäischen Kollegen üblich. Ich bekam dennoch kein Heimweh. Damit läßt sich leben.

Vielleicht war es sogar das, was mich ruhiger und gelassener an meinem Roman schreiben ließ. Um mich herum waren engagierte, kritische Menschen, die mir abnahmen, mich allzu eifrig über irgendwelche Ungeheuerlichkeiten, von denen es auch in jenen Monaten genug gab, aufzuregen. Sie waren eine Feuerwand, die mich schützte. Ich konnte mich meiner Arbeit widmen, weil ich sah, mit welchem Scharfsinn die Studenten verschiedene Texte diskutierten, weil ich mich unter den Lehrenden am Institut aufgehoben fühlte. Jeden Freitag sah ich die Jugendlichen beim TGIF, Thank God It's Friday, sah sie auf dem Rasen ihre Tischchen aufstellen, für Tierrecht oder Frieden werben, "Not in my name" plakatieren, Unterschriften sammeln gegen einen Krieg, der noch nicht ausgebrochen war, auf der Terrasse Lautsprecher aufstellen, sich ins Grün setzen, Frisbee spielen, Freibier trinken. Ich schaute von der Ferne zu, wie ein Student sich zur Drag Queen tanzte. Die Luft roch irgendwie nach jenem Gras, das süßer duftet als jede Wiese.

Ich ging nur zweimal an solchen Freitagabenden zur Koscher Coop. Ich bin nicht religiös, halte mich an gar keine Essensgebote und kenne bei Kulinarischem kein Dogma. Ich bin etwa auch kein Vegetarier. Im Gegenteil, ich habe sogar ein schlechtes Gewissen, wenn ich mich nach solch obskuren Regeln richten muß. Im Unterschied zu Tieren kann Gemüse ja nicht einmal wegrennen. Ist das nicht irgendwie unfair?

Aber da war Rabbi Shimon, und durch ihn ließ sich eine Gelassenheit zur Tradition lernen. Für einen Mitteleuropäer und Israeli war es ungewöhnlich, daß in der Koscher Coop auch muslimische Studenten aßen. Hier konnten sie sicher sein, kein Schwein zu essen. Einmal in der Woche, mittwochs, las ein muslimischer Student einen Text aus dem Koran vor. Einmal war ich dabei. Es ging um Mohammed und Gabriel. Der Erzengel Gabriel hatte Mohammed umfaßt und niedergepreßt, um ihn zur Offenbarung zu zwingen. Danach fragte Rabbi Schimon: "Was will Mohammed uns mit dieser Geschichte sagen?" Ich stellte mir vor, der orthodoxe Gemeinderabbiner in Wien hätte so einen Abschnitt in der Synagoge zur Diskussion gestellt; besser gesagt, ich stellte mir lieber nicht vor, was dann passiert wäre.

Aber Rabbi Shimon erklärte: "Offenbarung ist kein orgiastisches Erlebnis, sondern vielmehr ein Prozeß, vor dem wir Angst haben."

— "Wer weiß? Vielleicht ist es ein orgiastisches Erlebnis, von Gabriel umfaßt zu werden," widersprach ein religiös jüdischer und bekennend homosexueller Student daraufhin, und es war ein gewisses Schwärmen in seiner Stimme. Ich muß zugeben, daß ich keine Ahnung habe, wie es ist, von einem Erzengel nieder gepreßt zu werden, aber ich habe bereits erlebt, daß der Prozeß der Erkenntnis einem Furcht einflößen kann.

Vielleicht ist es das, was in Oberlin meinen Aggregatzustand veränderte, nämlich das Gefühl einer bestimmten Freiheit, einer gleichzeitigen Sicherheit, die an diesem Ort, zumindest auf dem Campus, vorherrscht.

In jenem Herbst 2002 hatte ich keine große Lust, Jom Kippur zu feiern. Die Wiener Synagoge war fern, und ich wollte bloß weiterschreiben an dem Roman. Aber es ging an diesem Abend nur langsam voran, und so erwischte mich mit einem Mal dieses traditionelle Fußjucken, das allergische Zeichen der tausendjährig jüdischen Rastlosigkeit, das die säkularsten Stammesmitglieder bei den Hohen Feiertagen plötzlich erfaßt, und auf ging es zum Zentrum Hillel von Oberlin.

Männer und Frauen waren hier gemischt. Mich überraschte nicht, daß sie nicht voneinander getrennt saßen, schließlich war das Amerika, und auch nicht, daß viele junge Studentinnen Kippah[1] trugen. Was mich erstaunte, war, daß neben den Frauen einige Fromme umherschaukelten, mit Pejes,[2] die beinah bis in die Kniekehlen baumelten, und einem für ihr studentisches Alter wirklich enthusiastischem Bartwuchs. Während die Religiöseren auf Hebräisch beteten, sprachen ihre Sitznachbarn auf Englisch mit und hatten gar keine Kopfbedeckung auf. Vorne standen ein Kantor — und eine Kantorin. Die ehrwürdigste Erscheinung des ganzen Saales war, im seidenschwarzen Kaftan gewandet, einen Tales[3] über dem Kopf, ein afroamerikanischer Student, der hinten im Eck sich wiegte. Im reinsten Hebräisch und mit voller Stimme sang er das Kol Nidre.[4]

Dann sah ich den Rabbiner. Erst als er aufstand, um seine Rede zu halten, bemerkte ich, daß er blind war. Rabbi Shimon erzählte, wenn

---

[1] Kippah: das Scheitelkäppchen oder Käppi.

[2] Pejes: Seitenlocken.

[3] Tales: Gebetsmantel.

[4] Kol Nidre: das Gebet, mit dem der Gottesdienst am Abend des Versöhnungstages beginnt.

ich mich recht entsinne, eine beinah weihnachtliche Geschichte, von einem Palästinenser, der in Ramallah zwei Israelis rettete, indem er sie bei sich aufnahm und sie dann mit Hilfe seiner Familie aus der Stadt schmuggelte. Der Palästinenser, der in Ramallah Juden gerettet hatte, sei ein Beispiel für uns, die wir Jom Kippur feierten, meinte Shimon. Dann sangen wir einen amerikanischen Folksong, und einer der Frommeren mit Zizes[5] und Tales schunkelte dabei, verstieg sich zur zweiten Stimme, klang beinah wie der junge Neil Diamond und wirbelte mit seinen Pejes umher, als wären die Leute mit den Schläfenlocken nichts als eine jiddische Untergruppe der Rastapeople. Kurzum; es begann mir mächtig viel Spaß zu machen, und als sie ein hebräisches Lied losschmetterten, gab es auch für mich kein Halten mehr, und ich heulte mit. Wen wundert's, daß noch verkündet wurde, am nächsten Tag werde während der Gebetspause ein alternativer jüdischer Sufigottesdienst angeboten. Sufi? Ja, das wäre jetzt sehr modern, wurde mir erklärt.

Ich weiß nicht, ob für jemanden in Amerika nachvollziehbar ist, wieso diese Atmosphäre in Oberlin, die nicht nur in dieser Szenerie vorherrschte, sondern ebenso andere Bereiche durchzog, meine Atemnot stillte, die mich sonst umtreibt und zu zerreißen droht. Dabei möchte ich nicht bezweifeln, daß ich bei einem längeren Aufenthalt wohl auf andere, neue Beengtheiten gestoßen wäre, die mich aufschnaufen hätten lassen, aber durch meine jeweils kurze Zeit in den USA, durch die Luftveränderungen bin ich immer wieder beeindruckt über die Eindrücke, die sich dort in mir einzeichnen.

Ich erinnere mich einer Nacht vor einem Dutzend Jahren in New York. Ich stand mit Freunden vor einem Restaurant in Brooklyn. Der große schwarze Kellner an der Tür fragte uns: "Tell me, what's the capital of Vienna," worauf eine, die sich ihres amerikanischen Landsmannes schämte, versetzte, ob er denn nicht wisse, "Vienna" sei die Hauptstadt. Habe er nichts gehört vom "land of music," von "Mozart"?

Amadeus sei nicht sein Fall, meinte er: "I'm not so much into Mozart. I love the Duke. Ellington. But," fuhr er fort: "the Duke loved Mozart," und dann nach einem langen Blick: "and I tell you something, Mozart would have loved the Duke too."

In Oberlin veränderte sich mein Aggregatzustand, aber wenn ich seither weniger Sorgen habe, mich zu vertun, wenn ich nun einen Teil der Furcht ablegen kann, nichts als ein flüchtiger Stoff zu sein, der von

---

[5] Zizes: Schaufäden (am Gebetsmantel).

einem Tag zum nächsten verduften wird, dann liegt das nicht bloß an Oberlin, dann nicht daran, daß ich mich dort gut sammeln konnte, sondern eher an Veränderungen um mich herum, an x-fachen Gründen, denn das gelingt mir mittlerweile sogar in Wien. Doch diese Reise und der Aufenthalt führten mir vor Augen, daß es letztlich nicht so bedrohlich ist, sich an neue Erfahrungen und Einflüsse zu verlieren, sich zu zerstreuen. Es ist angenehmer, nicht zu verhärten und sich dem Anderen zu öffnen. Mir ist zuweilen, als wäre ich ein putziges, schneeweißes Eichhörnchen mit recht buschigem Schweif. Ich hüpfe von einem Baum zum nächsten, auf der Jagd nach verschiedensten Kernen. Von allen Früchten koste ich und nur die Schalen spucke ich aus. So hoppel ich durch die Welt, getreu einem Prinzip, das aus dem Koran, von einem Rabbiner oder von jenem elsässischen Pastor Oberlin stammen mag und besagt, daß ganz ohne Angst und ihre Überwindung Erkenntnis nicht zu haben ist.

13. 12. 2003

Werke

Papirnik. Erzählungen (1994)

Suche nach M. Roman in zwölf Episoden (1997)

Instanzen der Ohnmacht. Wien 1938–1945; Der Weg zum Judenrat (2000)

Credo und Credit. Einmischungen. Essays (2001)

Ohnehin. Roman (2004)

Herausgaben

Österreich. Berichte aus Quarantänien. Mit Isolde Charim (2000)

Republik der Courage. Wider die Verhaiderung. Mit Robert Misik (2000)

Neuer Antisemitismus? Eine globale Debatte. Mit Ulrich Speck und Natan Sznaider (2004)

Englische Ausgabe

The Search for M. Translated and with an afterword by Francis M. Sharp (2000)

Peter Stephan Jungk, Oberlin, 2003.
Photo: Jack Glazier.

Peter Stephan Jungk   2003

A MAJOR THEME IN THE LIFE OF Peter Stephan Jungk is that of not belonging. Born to Austrian Jewish parents in Santa Monica, California and educated in Vienna, Berlin, and Salzburg, he is currently a resident of Paris, although not officially registered to live there. Jungk has, as he puts it, "always been looking in from the outside." Not surprisingly, this experience has been most important in shaping him as a person and a writer.

Born in 1952, he spent his first five years in Austria, Munich, London, Paris, and Los Angeles, before his parents made a permanent move to Vienna, not wishing that their son would become "a football player who only spoke English to them." There he first attended an American school with children of diplomats, then an Austrian high school where he and his family were viewed as too leftist — because his father, later to become a figurehead of the Green Party movement, was a supporter of détente between the Soviet Union and the West. In Berlin, however, where his family moved next, the opposite was true. At the school he attended there in the late sixties, run by Anthroposophists (a group that believes in reincarnation and a close relationship with nature as well as disliking right angles in buildings), he was considered almost too apolitical and not liberal enough. Eventually, the family moved to Salzburg, a provincial, conservative city still tainted by the Nazi era.

Jungk did not have a real sense of "belonging," of "being part of a community," until he lived in Israel for a time and studied Judaism. Though his parents did not deny their Jewishness during his childhood, they did not stress it either — the family celebrated Christmas and Easter rather than Jewish holidays. As a child he knew only vaguely about the Holocaust — he remembers mistaking the sign "Jugendverbot" (no young people allowed) at the movie theater for "Judenverbot" (no Jewish people allowed), but his parents did not speak openly about it. Thus even in Israel, where he came closest to belonging, he remained an outsider.

This sense of both "belonging" and "not belonging" carries over into his work. For example, when writing his biographical novel about Walt Disney, *Der König von Amerika* (*The Perfect American*), he felt a strong affinity to Walt Disney (hearing stories about Disney had been an important part of his childhood). Similarly, he views American culture as both a part of him and something foreign. Fittingly enough, the "antagonist" of *Der König von Amerika*, Wilhelm Dantine, is an Austrian-born animator who has a love-hate relationship with his former employer, Disney, a man who shares his initials.

It is not surprising, therefore, that the works of another outsider, Franz Kafka, a Jewish German-speaker in predominantly Catholic Czechoslovakia, have influenced Jungk's writing. In much of his own writing, Jungk depicts characters and situations so outlandish that they ring true. One way that he accomplishes this is by blending fact and fiction to the point that they can no longer be distinguished from one another. Not only does this occur in *Der König von Amerika*, where fictional characters such as Dantine interact with historical figures like Disney as well as his closest friends and relatives, but also in his novel *Die Unruhe der Stella Federspiel*. The fictional Stella, head of a factory in Switzerland that produces handmade watches, is the great-grand daughter of the historical Russian anarchist Pyotr Kropotkin. Stella's sister is married to Robert Adler, the American inventor of the remote control. These coincidences, woven from real and fabricated material into Jungk's narratives, make his depictions of persons, places, and objects so compelling that if his readers were to somehow encounter these characters or situations, they would probably be delighted rather than surprised.

Jungk began writing at the age of sixteen, literally the day after he saw a production of the play *Kaspar* by Peter Handke, one of the most renowned Austrian authors of the twentieth century. Jungk's mother was curious to see whether her son could become an author and asked Handke to read the young writer's earliest efforts. Handke was twenty-six years old at the time and already quite famous, but his interest was piqued, and he agreed to the arrangement. Jungk and Handke have been in contact ever since and remain friends and colleagues to this day. Besides Peter Handke and Kafka, Jungk claims Thomas Bernhard, another Austrian writer, and Russian realist Fyodor Dostoevsky as formative inspirations for his work.

Before he decided on a career as a writer of fiction, Jungk had dreams of becoming a film director, and then a screenwriter. After studying at one of the best film schools in America, the American Film Institute, he discovered that instead of writing screenplays, he really only wanted to write stories about his time in Hollywood, the bulk of which ended up being material for his first book, a collection of short stories, *Stechpalmenwald* (a literal translation of the word Hollywood).

Today, Jungk devotes most of his time to writing novels, but he has also authored screenplays and directed a number of documentary films.

Peter Stephan Jungk's residency in Oberlin is his first experience as a lecturer and guest author, an experience he has found very rewarding.
— Gabriel S. Cooper and Margaret K. Anderson

After Oberlin

At the end of November, Peter Stephan Jungk returned to Paris, where he was reunited with his family and his two cats. He did not forget Oberlin and his new friends, both faculty and students, and they miss him a great deal too. Phone calls and letters are exchanged quite regularly and continue to keep up a relationship that was uniquely enjoyable and intense. His students were delighted with his seminar and his books. One of them, the jazz pianist Kevin McHugh, expressed his appreciation by dedicating a composition to his favorite author, which he named "The Snowflake Constant" (the title of the British edition of Jungk's novel *Tigor*). As his colleagues, we appreciated Peter's warm interest in our work, be it teaching or scholarship, or even projects in difficulty. We also cherish the memories of our get-togethers, which were always great fun as well as fascinating.

In the fall of 2004 Peter Jungk reported that he had completed the novel he was writing during his stay at Oberlin. *Die Reise über den Hudson* is scheduled to appear in August of 2005. He continues to go to the movies with prominent artists, actors, and intellectuals and to publish his unique "reviews" in the *Literarische Welt*. In addition, he wrote the script for the film "The Last Train," a story about the last transport of Jews from Berlin to Auschwitz in 1943. Among his other projects is a stage adaptation of the Russian novel *Oblomov* by Ivan A. Goncharov for the *Zürcher Festspiele*, which premiered in April 2005.

His biographical novel about Walt Disney appeared in English in the spring of 2004 under the title *The Perfect American,* and the American edition of *Tigor* in the fall of 2004.

Most recently, Peter Stephan Jungk received the Stefan-Andres-Preis (2001) and in 2003, he was a Finalist for the Independent Foreign Fiction Prize.

Peter Stephan Jungk sent us the following text in February 2004.

Mein Aufenthalt in Oberlin, im Herbst 2003, währte elf Wochen. Er begann am 9. September und endete am 24. November. Knapp drei Monate, die zu den intensivsten, erfreulichsten meiner letzten Jahre zählen. Es gelang mir, mein Romanvorhaben (Arbeitstitel: "Das Brückenbuch") voranzubringen, wenn auch weit weniger Seiten entstanden sind, als ich mir vor der Abreise vorgenommen hatte. Darüber hinaus unterrichtete ich jeweils an Donnerstagen eine Doppelstunde deutsche Literatur. Es war das erste Mal in meinem Leben, dass ich Lehrer war — eine Erfahrung, die ich nicht missen möchte, mehr noch, die mich ungemein bereichert hat. Neben der Lektüre meiner Romane *Die Unruhe der Stella Federspiel* (1996 erschienen), *Der König von Amerika* (2001) und *Tigor* (1991), vertiefte sich meine Studentenschar in Peter Handkes *Wunschloses Unglück* aus dem Jahr 1972. Da mich mit Peter Handke eine fünfunddreißigjährige Freundschaft verbindet, die 1968 in Berlin begann, in jenem Jahr also, da das Writer-in-Residence-Programm am German Department seinen Anfang nahm, erscheint es mir sinnvoll, aus einem Brief zu zitieren, den ich ihm aus Oberlin zusandte.

Am 3. Februar 2004 schrieb ich Handke ein Fax, in dem es hieß: "Peter, ich wollte Dir nochmals erklären, warum ich froh wäre, in meinen Oberlin-Brief an Dich hineinblicken zu dürfen: Vor einer Woche erhielt ich eine Anfrage, in der mich das German Department bittet, an einem Band mitzuwirken, der anlässlich der 35 Jahre des Programms erscheinen soll, an dem auch ich teilnahm. Ich soll doch bitte etwas über meinen Aufenthalt beitragen. Da ich ja im Unterricht das "Wunschlose Unglück" behandelte und da ich viel von Dir erzählte, in den knapp drei Monaten, den Studenten auch die "Manuskripte"-Seiten[1] fotokopierte, etc., käme es mir nicht falsch vor, einfach meinen Brief an Dich in Teilen zu zitieren, als Brief an Dich kenntlich zu machen, das wäre doch schön? Allerdings nur, wenn Du das nicht als Peinlichkeit/Unverschämtheit empfindest, denn es ist ja fast so, als nähme man ein Geschenk wieder zurück? Bitte sage mir ehrlich, wie Du darüber denkst. Und bitte glaube mir, dass ich absolut nicht daran dachte, den Brief zu publizieren, als ich ihn Dir schrieb! Ich rufe Dich morgen an und umarme Dich sehr herzlich, Dein Jungk."

Drei Tage später erhielt ich mit der Post die fotokopierten Seiten meines Briefes zugesandt, mit einem beigelegten Farbfoto, auf dem von Blitzlicht erhellte Herbstblätter, Moos und Äste abgebildet sind, der Waldboden nahe Handkes Haus am Rand von Paris. Und dazu die

---

[1] *Manuskripte: Zeitschrift für Literatur*, Dezember 2002, "Peter Handke zum 60. Geburtstag." Auf Seite 104ff. erschien mein Beitrag "Aus meinen Tagebüchern."

Worte: "Mit kollegialen Grüßen, Dein P. — ich lese 'Oberl<u>on</u>' statt 'Oberlin.'"

Hier nun also Auszüge aus meinem Brief:

Oberlin, am 11.Oktober 2003

Lieber Peter,

schon ein Monat ist vorbei — und in zehn Tagen kommen Lillian und Adah[2] nach New York. Für eine gute Woche. Ich werde sie dort treffen. Mein Aufenthalt hier — inmitten von Ohio — verläuft durchaus erfreulich. Adah fehlt mir, sehr sogar, aber wir telefonieren fast täglich und sie klingt erstaunlich fröhlich. [. . .] Der Ort Oberlin ist wirklich hübsch, angenehm, ruhig. Meine Wohnung[3] äußerst bequem, vor allem der Raum, in dem ich schreibe. Das Bett, das in diesem Zimmer stand, zerrte ich am ersten Tag bereits in den Nebenraum, damit Schlaf und Arbeit getrennt sind. Ein Büro im Universitätsgebäude "Peters Hall" gäbe es <u>auch</u> noch für mich, aber das hat kein Fenster, ist winzig, mit Neonlicht, also bin ich nie dort, immer nur in der Wohnung. Sie liegt im ersten Stock eines eher kleinen Gebäudes, unmittelbar am Rand des "Campus."

Du sagtest mir vor der Abreise, dass Ralf Rothmann[4] Dir von hier schrieb, es habe ihm gefallen — er hat recht. Die ruhigen Straßen, alle von riesigen Bäumen eingefasst, die schönen, eigenartig fantasievoll aussehenden Häuser — die Farben, vor allem jetzt, seit einer Woche, da alle Blätter rot, orange, gelb werden, das alles gefällt mir sehr. Eine Kleinstadt ohne typisch amerikanische Peinlichkeiten. Kaum Lokale, und die wenigen, die es gibt, sind angenehm. Ein einziges Kino, das "Apollo," riesig groß, trotz Kleinstadt, wohl 400 Plätze, ein Originalbau aus den späten 30er oder frühen 40er Jahren. Und der Eintritt kostet $ 3! Dienstags und donnerstags $ 2!

Gehe manchmal spazieren, aber fast lieber von Straße zu Straße wandernd, als im kleinen Wald, der an den Ort angrenzt. Ein Laubwald, den ich eigenartig uninteressant finde. Er riecht nach NICHTS. Nach Luft. Und von Pilzen, trotz feuchtem Boden, keine Spur! Du würdest natürlich trotzdem welche finden . . . Habe in den zwei

---

[2] Lillian Birnbaum, Ehefrau des Autors, Adah, geboren am 15.Mai 1994, Tochter des Autors.

[3] 135 W.College Street.

[4] Rothmann war im Jahr 1994 Writer-in-Residence.

Buchhandlungen von Oberlin nach Pilzbüchern für Dich gefragt, leider ohne Erfolg — aber ich hab's noch nicht ganz aufgegeben. Dadurch, dass ich kein Auto habe, bin ich hier ein wenig festgefroren, aber es stört mich nicht. War am Wochenende mit einem Mietwagen am Ufer des Lake Erie, fünfzehn Minuten von hier, in einem Ort namens Lorain. Toni Morrison ist dort geboren. So ein seltsamer Ort! Ein See, der aussieht wie das Meer, aber nach <u>nichts</u> riecht! Wie der Wald . . . Ein trauriger Ort, dieses Lorain — Genaueres erzähle ich Dir mündlich.

In Oberlin auf Schritt und Tritt: Eichhörnchen. Jede Minute eine neue Begegnung. Am Friedhof, am Golfplatz, in den Straßen, vor meinem Fenster: ununterbrochen Eichhörnchen. Ein Baum, der mir missfällt: BLACK WALNUT, d.h. eine Art Nussbaum, die Früchte in den Schalen groß wie Tennisbälle — alles voll von ihnen, überall, aber ungenießbare "Nüsse." Und die Black-Bäume verlieren als erste ihre Blätter, sind schon seit einer Woche fast nackt, am Boden liegen Tausenden zu diese unnützen Tennisbälle umher, über die man beim Gehen unentwegt stolpert.

Meine Studenten, zehn an der Zahl, sind unglaublich schüchtern; erst jetzt, nach der fünften Begegnung, tauen sie ein wenig auf. Und trauen sich, etwas zu sagen, im Unterricht. Wir sprechen nur Deutsch — das ist sozusagen Vorbedingung. Das "Wunschlose Unglück" haben meine Zehn sehr aufmerksam gelesen — und klug darüber gesprochen. Ich bat sie, das letzte Mal, einen kurzen Aufsatz über ihre Mütter zu schreiben. Sehr interessant, was dabei heraus kam. Ein Student, J., schrieb: "Meine Mutter ist aber sehr frustriert, und die Vergleichnisse zwischen sie und die Mutter des Handkes hat mich ein bischen erschroken. Meine Homosexualität ist auch eine 'Imperfektion,' dass 'ihre Schuld' ist . . ." [. . .]

Die Leute vom German Department sind freundlich, angenehm, allen voran die "Vorsitzende," eine Schweizerin namens Heidi Thomann Tewarson, die zur Zeit an einer Rowohlt-Monografie über Toni Morrison arbeitet. Außerdem Sabine, Dorothea, Claudia, alle aus Deutschland, lauter schöne Damen, ich werde Dir von ihnen berichten, wenn ich zurückkehre . . . [. . .]

Soweit mein Brief, zumindest jene Teile, die ich hier preisgeben möchte. Mittlerweile bin ich seit elf Wochen wieder in Paris — und sehne mich nach Oberlin zurück. In meinem Arbeitsraum hängen zwei Fotografien: die eine bildet das Haus ab, in dem ich wohnte, die andere den Blick aus jenem Fenster, das unmittelbar vor meinem Schreibtisch lag: das gegenüberliegende Haus und ein mächtiger Baum sind darauf zu sehen, wohl im September aufgenommen, denn die Blätter sind noch vollzählig und ganz grün.

Ich denke oft an einen Satz der bekannten Schriftstellerin Tracy Chevalier, die vor fast zwanzig Jahren in Oberlin studierte und im vergangenen Herbst Lesungen sowohl am Campus, als auch in der Public Library an der Main Street abhielt. Sie sagte mir: "Back in Oberlin, I feel perpetually drawn to Gibson's and Mudd . . ." In Gedanken gehe ich oft bei Gibson's meine New York Times, mein Bier, Brot, die Butter und Aspirintabletten kaufen und überquere anschließend Tappan Square, schlendere über das Gras, schief hinüber zur Bibliothek, mache kurz Halt in Peters Hall, besuche die Damen des German Departments — und abends, nach getaner Arbeit, sehe ich mir im "Apollo" einen Film an, für drei Dollar.

Man hat nur ein Mal im Leben die Chance, als Writer-in-Residence nach Oberlin eingeladen zu werden — aber es gibt die Möglichkeit, Oberlin Besuche abzustatten, Gott sei Dank. Ich kann nur hoffen, dass meine erste Rückkehr nicht in allzu ferner Zukunft liegt.

Werke

Prosa

Stechpalmenwald. Erzählungen (1978)

Rundgang. Roman (1981)

Franz Werfel. Eine Lebensgeschichte (1987)

Tigor. Roman (1991)

Die Unruhe der Stella Federspiel. Roman (1996)

Die Erbschaft. Roman (1999)

Der König von Amerika. Roman (2001)

Die Reise über den Hudson. Roman (2005)

Hörspiele

Oktave (1979)

Suchkraft (1981)

Fernsehfilme

Ein Weltfreund zwischen den Welten. Fernsehfilm über Franz Werfel. Drehbuch, Regie: Peter Stephan Jungk (1988)

Der Meister der Nacht. Fernsehfilm über Leo Perutz. Drehbuch, Regie: Peter Stephan Jungk (1989)

Dunkles Licht. Fernseh-Dokumentation über Eugen Bacvar. Drehbuch, Regie: Peter Stephan Jungk (1992)

Englische Ausgaben

Shabbat: A Rite of Passage in Jerusalem. Translation of *Rundgang* by Arthur S. Wensinger and Richard H. Wood (1985).

Franz Werfel: A Life in Prague, Vienna, and Hollywood. Translation of *Franz Werfel: Eine Lebensgeschichte* by Anselm Hollo (1990).

The Snowflake Constant. Translation of *Tigor* by Michael Hofmann (2002).

The Perfect American. Translation of *Der König von Amerika* by Michael Hofmann (2004).

Tigor. American edition. Translation by Michael Hofmann (2004).

Oberlin, so weit, so nah —
A Kind of Afterword

WÄHREND UNSERER EDITORISCHEN *Arbeit an diesem Band hießen wir schon die 36. Schriftstellerin in Oberlin WILLKOMMEN — die Berlinerin Katja Lange-Müller. Neben ihrer Lehrtätigkeit hat sie ihre Wochen hier genutzt um an ihrem Roman* Böse Schafe *zu arbeiten, aus dem sie am Ende ihres Aufenthalts auch erstmals gelesen hat. Zum ABSCHIED hat Katja Lange-Müller uns den folgenden Text hinterlassen, der mit Blick auf unser Manuskript entstanden ist und hier an Stelle eines Nachworts erscheint:*

OBERLIN, SO WEIT, SO NAH
Oder: Schriftsteller und ihre Texte sind wie Schiffe, die sich nachts begegnen

Es ist seltsam, hier zu sitzen, 135 West College Street, zwischen den Kissen des auberginenfarbenen Sofas, auf dem etliche meiner Kolleginnen und Kollegen auch gehockt, gelesen, geschrieben, gegessen, getrunken haben, und aus einem Manuskript zu erfahren, wie sie sich in Oberlin fühlten, was sie dachten und taten — oder eben nicht. Seltsam, wie ähnlich wir uns sind und wie verschieden voneinander. Seltsam (ein besseres Wort dafür will mir nicht einfallen), etwas wiederzuerkennen, das ich doch gerade erst kennenlerne. Ich hebe den Blick von der Lektüre und sehe mit einem Auge das, was ich sehe, und mit dem anderen das, was Hochwälder, Becker, Geiser, Malkowski, Wolfgruber, Amann, Rabinovici, Jungk, . . . gleichfalls gesehen, aber schon zu Sprachbildern umgegossen haben. Ich fühle mich, als sei ich jüngst in ein "Nest" gefallen, das sie alle für eine Weile geborgen hatte, das, obwohl es schon seit Jahrzehnten hier liegt, der Zahn der Zeit nur schwer benagen, der Wind der Veränderungen äußerlich kaum zerzausen konnte. — Auffallend oft nennen sie Oberlin halb spöttisch, halb zärtlich *Nest*, wohl weil diese Metapher so gut zu den Vögeln paßt, den fremden, als die sie sich selber fühlten, und den hier heimischen, deren Starblau oder Kardinalrot offenbar noch lange auf ihren Netzhäuten nachflimmerte: ". . . ein brandrotes Vogi, . . . gar nicht mal so klein" (Fritz Hochwälder), ". . . Ich hätte wenigstens gerne gewußt, wie diese auffälligen Vögel hießen, die da plötzlich, leuchtend zwischen den anderen, im Schnee herumhüpften: fett wie Buchfinken, knallrot, wie angemalt . . ." (Christoph Geiser), ". . . der klirrend kalte

Winter mit den Kardinalvögeln, . . ." (Helga Schütz). Manche der vor
mir hier Gewesenen nennen unser Nest auch einen Ort, einen, an dem
sich, meinte Jurek Becker trocken, "nichts so gut tun läßt, wie
arbeiten." Ich schaue erneut auf und sehe in dem Baum vorm
Küchenfenster eines der grauen, ebenso vergeßlichen wie verfressenen
Eichhörnchen, "Eichkater," "Eichkatzerln," "Squirrels," die
Bachmann in ihrem Hörspiel "Der gute Gott von Manhatten" zu
Geheimagenten beförderte, die den Residenz-Schriftstellern Oberlins
aber eher Laune machten, wohl auch, weil sie, sobald sie ihre
Winterschlafmützen abgeworfen haben und sich blicken lassen — ohne
diese, so etwas sind wie die ersten Vorfrühlingsboten. Denn den
Writern, die im Februar kamen, und das waren die meisten, kniete die
lange Schnee- und Kälteperiode, sehr zu meinem Trost, ebenso auf
dem Gemüt wie mir. — Einerseits; andererseits hat gerade der harte
Ohio-Winter, die im Schnee noch tiefere, nur von Musiktönen manchmal "gestörte" Stille, die Überschaubarkeit des Colleges und des
Städtchens, die — jeder Autorin, jedem Autor eigene — Neugier etwas
gemildert und uns plötzlich von 100 auf höchstens 10 Umdrehungen
heruntergefahrene "Turbinos," wie man ruhelose Existenzen bei mir in
Berlin nennt, zurückgeworfen auf das was wir waren, bevor wir
"Kulturproleten" wurden und der erstaunlicherweise noch immer flo-
rierende Literaturbetrieb uns mehr oder minder ihm Widerstrebenden
ab und an Lohn, allemal jedoch wenigstens Brot zu verschaffen wußte:
nachdenkliche, ja kontemplative, in, für und warum nicht auch von
ihrer Sprache lebende ältere und jüngere Schweizer, Österreicher,
Deutsche jedweden Geschlechts. Gewiß, auch der Kontakt zu den
Studenten und den Professoren des Departments war wichtig und
wurde gelobt; "doch wenn das eigene gelingende Tun weg ist, ist die
ganze Leberei umsonst, für die Katz," schrieb im 19. Jahrhundert der
seltsame schwäbische Dichter Christan Wagner. Dieser auf alle
kreativen Menschen zutreffende Satz gilt für Schriftsteller nicht minder, und jene, die in diesem Manuskript das Wort und mit ihm oft
genug auch mich ergreifen, teilen sich, grob gesagt, in drei "Lager":
Die einen waren soeben mit etwas fertig geworden und wollten, wie
Josef Haslinger, erst einmal Amerika erleben, die anderen hatten weit
gediehene, also schon recht stabile Anfänge und konnten hier
schreiben; aber die interessantesten, nachhaltigsten Texte des — nun
gedruckten — Manuskriptes sind von denen, die es nicht konnten, weil
sie sich "plötzlich und unerwartet" in Oberlin verliebten, in den Ort
Oberlin oder einen Menschen, dem sie hier begegneten, vielleicht
begegnen mußten. "Konkret verwirrt mich eine ganz junge Frau, die
mir mit ihrer Jugend ans Herz rührt. . . . und ich lasse mich hinreißen

und lade sie irgendwohin ein — oder lasse mich von ihr irgendwohin einladen — ins Kino, ins Konzert, ins Theater, und dann wissen wir nicht, was reden. Worüber sollten wir, wir leben ja nicht in der gleichen Zeit. Als ich so jung war wie sie, war sie noch nicht einmal auf der Welt. Sie macht mich so unsicher, weil sie in der richtigen Zeit lebt und ich in der falschen . . . ," schreibt Jürg Amann, der Oberlin ein "Ghetto der Jugend" nennt — mit beklommen machender Ehrlichkeit, aber auch so viel Wehmut, daß ich hoffe, verschont zu bleiben von derart später Liebe — in Oberlin oder sonstwo. Doch daß in der Trennung — im Abschied, im Ende — von etwas, einem fertig geschriebenen Text, einem Menschen, einem Ort, so lange man lebt immer auch ein neuer oder wenigstens nächster Anfang keimt, wie umgekehrt jeder noch so frische Anfang wieder einer Trennung, einem Abschied, einem Ende zustrebt, daß das Wissen darum manchmal eine Krise auslöst, in der ein Schriftsteller — und dann dessen Leser, mit dem ich jetzt einmal mich meine, Existentielles zu lernen hat, etwas, das ihn mehr verändert als das scheinbar mühelos Glückende, das offenbaren Tagebuchsätze wie die von Gernot Wolfgruber: "Als könnte sich mit ihrem Verschwinden für mich etwas ändern, zum Positiven natürlich, so habe ich seit meiner Ankunft zugeschaut und protokolliert, wie die Schneeflocken schmelzen, und heute ist wieder alles weiß, . . . [. . .] Als ich abends zum Essen gehe, wundert es mich auf einmal, daß ich Englisch reden höre, genauso ist es, daß ich mir erst ins Gedächtnis rufen muß, wenn ich die Kinder von nebenan vor dem Haus spielen sehe: so sehr bin ich, wenn ich schreibe, in Österreich, eine ganz zufällige Umgebung ist dann um mich herum da draußen, zufällig Amerika. Die Momente (die jetzt schon anfangen, länger zu dauern), in denen ich nicht weiß, wo ich bin, wo ich überhaupt nichts von mir weiß, sind die einzigen, in denen ich mich wohl fühle: als Erinnerungs- und Formuliermaschine. [. . .] Ich habe ein paar Sätze, die der Anfang sein könnten — und Herzklopfen! [. . .] Es ist alles sehr schnell in eine Richtung gelaufen, die wegführt von dem, was ich möchte. Es waren ein paar intensive Schreibtage, ich möchte sie nicht missen, doch jetzt weiß ich nicht weiter. Ich weiß nur wieder einmal mehr: So geht es nicht. Es ist wahrscheinlich zu viel auf einmal, was ich möchte."

Was Oberlin bei uns, meinem (gottlob schon ziemlich "vielseitigen") Manuskriptanfang und mir, bewirken wird, ob und wie es uns beeinflussen, aufhalten, katalysieren oder auch nur ein bißchen verändern mag, davon habe ich noch kaum einen Schimmer. — Der allerdings im Ungewissen der vor mir liegenden Zeit jäh auf- und deren gröbste Konturen beleuchtet, als ich bei Gert Loschütz' wunderbar gelassenem, Helga M. Novak und Uwe Johnson umkreisenden Essay

"Schreiben — Orte" angelangt bin. Aus diesem Essay erfahre ich, daß die Orte, *an* denen Loschütz schrieb, jene Orte, *von* denen er schrieb — und die, was die beiden geschilderten Situationen betrifft, konträrer kaum sein konnten — im einen Fall so störten, daß er sich im Schreiben unterbrechen mußte, und im anderen gar nicht. "Der erfundene Ort ließ sich überallhin mitnehmen, der konkrete nicht: er war trotz der mitgebrachten Notizen an die Erinnerung gebunden, und diese war durch den Ortswechsel beschädigt worden."

Vielleicht hätte es Wolfgruber geholfen, wenn statt meiner er jetzt auf diesem Sofa gesessen und den klugen Essay unseres Kollegen gelesen hätte, in dem es am Ende heißt: "Aber spannender sind im Grunde die vielen im Vorübergehen aufgelesenen Details, die, ohne daß sich ihre Herkunft noch klären ließe, in die Geschichten eingegangen sind. Unauffällig haben sie darin Platz genommen und so, auch wenn von den Orten selber gar nicht die Rede ist, etwas von ihrer Eigenart in der Literatur aufgehoben. Und so, denke ich, wird es auch mit diesem unentschieden zwischen Oxford und namenloser Großtankstelle schwankenden Ort gehen: West College Street, North Professor Street, der verschneite Campus, Peters Hall mit seiner hölzernen Treppenkonstruktion und dem großen, gemauerten Kamin; das kleine, fensterlose Büro; der herzförmige, mit einem Foto und bunten Plastikblumen geschmückte Grabstein der in alle Ewigkeit sechsundzwanzigjährigen Ronda Lynn; der mannshohe Spiegel im Treppenhaus, vor dem die kleine Chinesin vor ihrem am selben Abend stattfindendem Klavierkonzert ihr rosafarbenes Abendkleid anprobiert hat; die Wagen im Waschsalon . . . ich weiß: zunächst wird alles absinken, um dann unverhofft wieder an die Oberfläche zu kommen."

— Ja, Gert Loschütz, denke ich und schaue auf die kahle, von dem Eichhörnchen längst wieder verlassene Birke vor meinem Küchenfenster, so wird es gehen, auch bei mir, ist es schon gegangen — mit diesem Text von dir, den ich nirgendwo anders zum ersten Mal las als hier, zwischen den dünnen Wänden jenes Apartments, in dem er geschrieben wurde.

— Katja Lange-Müller im April 2005

The Editors

DOROTHEA KAUFMANN graduated in German and English from Humboldt University in Berlin in 2000. After a two-year teacher training internship (Zweites Staatsexamen), she taught at the Institut für Interkulturelle Kommunikation in Berlin 2002/03. She came to Oberlin College in 2003 as Faculty-in-Residence and Lecturer in German.

HEIDI THOMANN TEWARSON is Professor and Chair of the Department of German Language and Literatures, Oberlin College. She is the author of *Alfred Döblin: Grundlagen seiner Ästhetik und ihre Entwicklung 1900–1933* (1979); *Rahel Varnhagen mit Selbstzeugnissen und Bilddokumenten* (1988; 5. Aufl. 2003); *Rahel Levin Varnhagen: The Life and Work of a German Jewish Intellectual* (1998); the forthcoming monograph *Toni Morrison* (2005); and over twenty articles. She is a co-editor of *A Companion to the Works of Alfred Döblin* (2004), published with Camden House.

Index